NURSINGRAPHICUS
ナーシング・グラフィカ

成人看護学②

健康危機状況／
セルフケアの再獲得

MC メディカ出版

の使い方

紙面に掲載のQRコード®をスマートフォンやタブレット端末で読み込むと，動画が視聴できます．

1 スマートフォンやタブレット端末のカメラアプリまたはQRコード読み取り専用アプリなどで，QRコードを読み込みます．

※読み込みにくい場合は，ピントが合う位置でカメラを固定し，QRコードをズームで拡大して読み取ってください．

2 動画が再生されます．

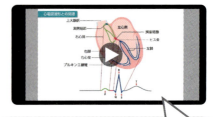

視聴覚面から学びをサポート！
本文と関連付けて学習できます．

理解を深める活用方法

- 事前学習として，動画で予習や実際の様子をイメージしておくことで，講義・演習・臨地実習前の不安軽減，知識の整理に役立ちます．
- 看護の技術が見て学べるので，手順やポイントが具体的に理解でき，講義・演習の予習・復習にピッタリです．
- 手術室や訪問看護の様子など，見る機会が少ない臨床現場の実際が学べます．

より詳しく動画で紹介！

※QRコード®は株式会社デンソーの登録商標です． ※iOS17／iPad OS17／Android 14で動作確認済み．
※コンテンツの提供期間は，奥付にある最新の発行年月日から4年間です．

動画やQRコードに関するお問い合わせは下記メールまたは右記QRコードからアクセスください．
Mail：ar_committee@medica.co.jp

LINE公式アカウント **で**
看護学生のための
お役立ち情報をゲット！

友だち追加で「検査値一覧」壁紙画像プレゼント！

看護にまつわる＆国家試験の最新耳より情報を配信

 さらに！ 「メディカまなびID」をお持ちの方は，アカウント連携を行うことで，模擬試験『メディカコンクール』とBeNs.に関連したお役立ち情報が届きます！

※プレゼント，配信内容等は予告なく変更する場合があります．ご了承ください．

はじめに

　セルフケアという概念を軸に据えて，『成人看護学概論』に加える三つの視点として，『健康危機状況』『セルフケアの再獲得』『セルフマネジメント』の三分冊でスタートした本シリーズの成人看護学は，『周術期看護』『リハビリテーション看護』『緩和ケア』の分冊を加え，合わせて7分冊となった．各分冊の主題とする点が似通っている中，とりわけ，『健康危機状況』と『周術期看護』，『セルフケアの再獲得』と『リハビリテーション看護』の重複があり，7分冊として提供することが，本シリーズを活用する学生たちにとって不利益になることが考えられた．

　そこで今回，私たちは「大学における看護系人材養成の在り方に関する検討会最終報告」に示された"急激な健康破綻と回復過程にある人々を援助する能力"に焦点を当てた1冊として，『健康危機状況』と『セルフケアの再獲得』を統合して読者に提示することとした．

　人口減少社会に突入し，来る多死社会の到来に備え，日本では，高齢者看護並びに在宅看護へと，看護学で習得すべき内容がよりシフトしていく．医療費抑制の観点から，国民の誰もが高度な先進医療の恩恵を受けられることを目指した時代は，終わりを告げようとしている．しかし，そのような時代背景にあっても，成人は社会的役割を果たすべく，可能な限り健康状態の回復を医療に求めると考える．それゆえ成人にとっては，医学とともにある看護の重要性がますます際立つと考える．

　本書が示す「健康危機状況」という視点は，成人ならば誰しも自分の健康をセルフケアしようとしているという大前提に立ち，そのセルフケアが危機的状況にあるときの看護に焦点を当てている．いま一度，医学の積極的な活用を推奨し，同時に医学的指標だけで人の健康を測るのではなく，一人ひとりの成人の「健康観」「健康感」に沿う看護を考えるヒントになればと願う．

　一方，1981年の国際障害者年に始まり，好景気の中でのライフサポートテクノロジーの発達とともにバリアフリー化が進められ，生活者としての個人の回復に向けた支援が，リハビリテーション看護という視座とともに発展した．現在，リハビリテーションという言葉は，機能回復訓練や理学療法と同一視されることが多いが，リハビリテーション看護という視点でこそ強調できる重要な看護援助があることは，今もって変わることはない．そこに改めて光を当てたのが，本書の「セルフケアの再獲得」という視点である．

　一人ひとりの成人のセルフケアは，生命の維持が困難なときにさえも続けられている．日常の24時間を過ごすために必要なセルフケアは，いついかなるときも重要であり，かつ，成人は自らの社会的存在を維持するためのセルフケアも続けている．それら

が人生の途中で一時的に，あるいは半永久的に障害されたとき，そのセルフケアを再獲得するための支援としての看護はどうあればいいのか．それを示す一助になれば幸いである．

　テキストは時代の主流を占めるガイドブックであり，新たな理論やモデルを示すものではないと位置づけられがちな状況にあって，本書が示す独自の視点を，時代を超えて提案し続ける機会が与えられていることに感謝し，新たな時代を見据えた成人看護学の視点として活用いただければ編者としてこの上ない光栄である．

鈴木純恵／吉田澄恵

本書の特徴

読者の自己学習を促す構成とし，必要最低限の知識を簡潔明瞭に記述しました．全ページカラーで図表を多く配置し，視覚的に理解しやすいよう工夫しました．

学習目標 学習ポイント

章ごとに学習目標を，節ごとに学習ポイントを簡潔な文章で記載しました．この章と節で何を学び，学習の結果として何を目指すのか，授業内容と自己学習範囲を具体的に明示し，主体的な学習のきっかけをつくります．

用語解説＊

本文に出てくる＊のついた用語について解説し，本文の理解を助けます．

plus α

知っておくとよい関連事項についてまとめています．

事例

臨床場面に即して考えられるよう，随所に事例を設けました．事例は複数のモデルから描かれ実在の人物ではありませんが，より具体的に一人の成人の姿をイメージできるように，患者さんの名前（仮名）を設定しました．

QRコード®をスマートフォンやタブレット端末で読み取ると，関連する動画や画像を視聴・閲覧できます．　のアイコンは実写映像，　のアイコンはアニメーションです．
（詳しくはp.2をご覧ください）

重要用語

これだけは覚えておいてほしい用語を記載しました．学内でのテストの前や国家試験にむけて，ポイント学習のキーワードとして役立ててください．

◆ 学習参考文献

本書の内容をさらに詳しく調べたい読者のために，読んでほしい文献や関連ウェブサイトを紹介しました．

臨床場面で考えてみよう

学習した知識を実際の看護につなげるため，本文の最後に課題を提示しています．臨床判断能力を養います．

看護師国家試験出題基準対照表

看護師国家試験出題基準（令和5年版）と本書の内容の対照表を掲載しました．国家試験に即した学習に活用してください．

Contents

健康危機状況／セルフケアの再獲得

動画でチェック

📱 は実写映像を視聴できます．
詳しい使い方はp.2をご覧ください．

- 患者のための図書館〈実写映像〉 …………… 30
- 手術室看護〈実写映像〉 ………………………… 37
- 救命救急治療を必要とする状況〈実写映像〉… 43
- 手術後観察：前半〈実写映像〉 ……………… 134
- 手術後観察：後半〈実写映像〉 ……………… 134
- セルフケア再獲得モデル〈実写映像〉 ……… 198
- 透析患者の一例〈実写映像〉 ………………… 202
- 創傷・オストミー・失禁（WOC）看護認定看護師〈実写映像〉 ……………………………… 210
- 依存による自立〈実写映像〉 ………………… 227
- 脳梗塞患者の看護（失語症）〈実写映像〉 … 248
- 関節可動域訓練（ROM訓練）〈実写映像〉 … 255
- 食事動作〈実写映像〉 ………………………… 258
- 右麻痺患者のADL支援〈実写映像〉 ………… 258
- 脊髄（頸髄）損傷患者の更衣〈実写映像〉 … 260
- 脳卒中急性期にある人の看護〈実写映像〉 … 294
- 脳卒中回復期にある人の看護〈実写映像〉 … 302
- 脳卒中家庭復帰期にある人の看護〈実写映像〉 ………………………………………… 309

はじめに ……………………………………………… 3
本書の特徴 …………………………………………… 5

序章 健康危機状況とセルフケアの再獲得 …… 13

第1部 健康危機状況

1 健康危機状況にある成人の理解と看護

1. 健康危機状況にある成人の理解 …………… 16
   1. 成人にとっての健康とは ● 16
   2. 成人にとっての危機とは ● 17
      1. 危機という言葉 ● 17
      2. 個人の危機 ● 18
      3. 集団の危機と成人の危機状況 ● 19
   3. 成人看護学における健康危機状況 ● 21

2. 健康危機状況にある成人に生じるセルフケア不足 …………………………………………… 25
   1. 五つのセルフケア不足 ● 25
   2. 苦痛の緩和 ● 27
      1. 全人的苦痛として理解する ● 27
      2. 過去の苦痛体験による影響を考慮する ● 28
   3. 身体機能悪化の予防と早期発見 ● 28
      1. 医学的知識の不足を補う ● 28
      2. 本人なりの対応を支える 動画 ● 29
   4. 生活行動変更への支援 ● 30
      1. 生活習慣，生活様式の影響を考慮する ● 30
      2. 医学的な行動制限への対応困難を支える ● 31
   5. 心理的・精神的混乱への支援 ● 31
      1. 多様な表出を理解する ● 31
      2. 受け止める ● 32
      3. 他のセルフケア不足を補う ● 33
   6. 家族および重要他者の不安や負担への支援 ● 33
      1. 本人の健康危機が不安や負担となる ● 33
      2. 本人へのケアが家族を支える ● 34

3. 代表的な健康危機状況と看護の特徴 ……… 35
   1. 健康危機状況において体験する経過とセルフケア不足 ● 35
   2. 手術等の侵襲的治療を予定して受ける状況 ● 37
      1. 健康危機状況としての特徴 動画 ● 37
      2. 手術を受ける人の体験 ● 38
      3. 手術の意思決定と術前不安への支援 ● 40
      4. 標準的な看護計画の利用 ● 40
   3. 救命救急治療を必要とする状況 動画 ● 43
      1. 健康危機状況としての特徴 ● 43
      2. 救命救急対応による生命の危機回避 ● 43
      3. 発症別対応パターンの習熟と現場対応への精通 ● 46
   4. 集中治療を必要とする状況 ● 47
      1. 健康危機状況としての特徴 ● 47
      2. 生命と非日常における人間の尊厳を守るセルフケア支援 ● 50
   5. 終末期にある状況 ● 52
      1. 健康危機状況としての特徴 ● 52
      2. 回復への可能性を念頭に置いたケア ● 53

4 健康危機状況における看護者の苦悩と支え合い …… 55
1 健康危機状況における看護者の苦悩 • 55
1. 事例：緊急入院患者を担当したある看護師の苦悩 • 55
2. 臨床能力の不足を直視する苦悩 • 57
3. 物理的制度的課題に関する苦悩 • 58
4. コミュニケーションの不足に関する苦悩 • 58
5. 役割葛藤（role conflict）• 59
6. 倫理的ジレンマ（ethical dilemma）• 59
2 苦悩を抱えていくために • 60

2 健康危機状況における看護方法の検討

1 苦痛の緩和 …… 66
1 健康危機状況における成人の苦痛と「緩和ケア」の必要性 • 66
1. 健康危機状況における成人の苦痛 • 66
2. 健康危機状況における「緩和ケア」の必要性 • 68
2 コンフォート理論 • 68
1. 理論の概要 • 69
2. コンフォート理論の看護実践への適用プロセスと注意点 • 71
3 苦痛のアセスメント方法 • 72
1. 初期アセスメント • 73
2. フローシートの活用 • 75
4 苦痛緩和の方法 • 75
1. 薬物療法 • 75
2. 感覚変調療法 • 77
3. 心理的療法 • 80
4. 環境管理 • 82

2 身体機能悪化への対応 …… 83
1 身体機能悪化の予期 • 83
1. 身体機能の悪化を考える方法 • 83
2. 生理的反応による回復 • 84
3. 疾患や外傷による病態の進行 • 87
4. 治療等による合併症，二次障害 • 87
5. 生活行動制限による不使用性症候群 • 89
2 身体機能悪化への対応方法 • 91
1. リスクのアセスメントと予防法の実施 • 91
2. 検査結果の把握と観察，モニタリング • 91
3. 早期発見，早期対処のための準備とセルフケア教育 • 94
3 予測性の有無別にみた身体機能悪化への対応方法 • 95
1. 身体機能の悪化を予測できる場合 • 95
2. 身体機能の悪化を予測できない場合 • 96

3 生活行動の変更への支援 …… 98
1 生活行動とは • 98
1. 成長・発達する人間としての生活行動の変化 • 98
2. 生活行動の階層構造 • 99
2 健康状態と「生活行動」の関係 • 99
3 医学的治療で要求される生活行動の制限と生活行動の変化 • 100
1. 障害の拡大を予防するための制限（悪化の予防）• 101
2. 治療効果を最大限に高めるための制限 • 101
3. 診断・治療に有用な検査結果を得るための制限 • 102
4. 手術を含めた治療による機能の変化に伴う制限 • 102
5. 全身状態の悪化や機能の低下に伴う制限 • 102
4 生活行動を代行・補完する看護援助 • 102
1. 看護援助を導く生活行動のとらえ方 • 103
2. 患者が持ち合わせている実行能力の判断 • 105
5 生活行動を代行・補完するものとしてのルート類の管理 • 105
1. ルート類の目的と種類 • 105
2. 生活行動を代行・補完するルート類の管理の視点 • 106
6 健康危機状況における生活行動に関する患者教育のポイント • 107
1. 患者教育の方向性 • 108
2. 健康危機状況の生活行動に影響する要因 • 108

4 心理的・精神的混乱への支援 …… 109
1 健康危機状況にある人の心理的・精神的状態 • 109
1. 健康危機状況にある人の心理的反応 • 110
2. 心理的・精神的混乱を引き起こす体験 • 110
2 健康危機状況にある人の心理的・精神的状態のアセスメント • 113
1. 不安の存在および程度を把握する • 113
2. 不安に関連する事柄を把握する • 114

3 健康危機状況にある人の心理的・精神的安定を図るための看護方法 ● 117
　1 不安や緊張を緩和する ● 117
　2 「その人」自身が不安を克服できるよう援助する ● 117

5 家族または重要他者の不安や負担への対応 ● 119
　1 家族または重要他者との関係性 ● 119
　　1 家族というユニットの定義 ● 119
　　2 帰属の特徴や絆の質 ● 122
　2 家族についてのアセスメント方法 ● 124
　　1 ロイの「適応システムとしての人間」を参考にしたアセスメント法 ● 124
　　2 アセスメントの事例 ● 126

3 健康危機状況にある患者の看護

1 病棟入院患者
左尿管腫瘍手術により健康危機状況にある自営業の男性 ● 134
　1 病棟入院患者の健康危機状況 動画 ● 134
　2 事例で考える病棟入院患者の看護 ● 134

2 緊急入院患者
化膿性脊椎炎で緊急入院を余儀なくされた会社員の男性 ● 144
　1 緊急入院患者の健康危機状況 ● 144
　2 事例で考える緊急入院患者の看護 ● 144

3 集中治療室入室患者
慢性閉塞性肺疾患の急性増悪により集中治療室に入室した男性 ● 150
　1 集中治療室に入室した患者・家族が直面する健康危機状況 ● 150
　2 事例で考えるICU入室患者へのセルフケア支援 ● 152
　3 健康危機状況におけるライフサポートテクノロジーの可能性 ● 158

4 訪問看護を利用している患者
肝癌末期でほぼ寝たきりの独居の男性，肺癌で在宅酸素療法を続ける子育て中の女性 ● 159
　1 訪問看護での健康危機状況 ● 159
　2 事例で考える訪問看護 ● 160
　　1 独居でも自宅で過ごすことを希望した事例 ● 160
　　2 家庭内役割を全うしようとしている事例 ● 163

5 終末期患者
心不全で終末期にある男性とその家族 ● 166
　1 終末期患者の健康危機状況の特徴 ● 166
　2 事例で考える終末期患者の看護 ● 166

6 電話相談者
乳房切除術を受けた女性からの夜間の電話相談 ● 173
　1 健康危機状況にある患者の電話相談 ● 173
　2 事例で考える電話相談 ● 175
　3 電話相談によるトラブル回避と支援の限界 ● 179
　　1 電話相談によるトラブルの回避 ● 179
　　2 電話相談による支援の限界 ● 179
　　3 さまざまな相談方法 ● 180

7 救急搬送患者
急性薬物中毒で救命救急センターに搬送された男性 ● 180
　1 救急搬送患者の健康危機状況 ● 180
　2 事例で考える急性薬物中毒患者の看護 ● 181

第2部 セルフケアの再獲得

4 セルフケアの低下状態にある成人の理解

1 成人にとってのセルフケア再獲得
セルフケアの低下した大人の理解と看護の視座 ● 188
　1 成人とセルフケア ● 188
　2 成人とセルフケアの再獲得 ● 189
　3 成人の中途障害者とセルフケアの再獲得 ● 189
　4 中途障害者のセルフケアの再獲得体験と看護 ● 190
　　1 中途障害者と喪失体験 ● 191
　　2 スピリチュアルケアを含めた全人的看護 ● 193
　　3 中途障害者への支援として並行する二つの課題 ● 194
　　4 学習の困難さとその看護 ● 194
　　5 中途障害者の社会参加における人的・物的・システム・法的環境の整備 ● 195
　5 セルフケア再獲得モデル 動画 ● 197

2 セルフケアの低下と再獲得 … 201
1 生命維持レベルのセルフケアの低下と再獲得 • 201
1 生命維持機能とセルフケア 動画 • 201
2 セルフケア再獲得支援方法 • 203
2 生活基本行動レベルのセルフケアの低下と再獲得 • 205
1 生活基本行動とセルフケア • 205
2 セルフケア再獲得支援方法 動画 • 206
3 社会生活レベルのセルフケアの低下と再獲得 • 210
1 社会生活とセルフケア • 210
2 セルフケア再獲得支援方法 • 213
4 セルフケア再獲得プロセスにおける心理・精神的変化 • 217
1 障害の受容に関連する議論 • 217
2 ありのままのその人を受け止めること • 220

3 セルフケアの再獲得と自立 … 222
1 依存と自立の概念 • 222
1 依存とは • 223
2 自立とは • 224
2 依存から自立へ：自立の三側面を理解する • 225
3 依存による自立 動画 • 227
4 セルフケアにおける依存と自立 • 229

4 セルフケアを再獲得するプロセスにある人の人権擁護 … 231
1 アドボカシーとは • 231
2 アドボカシーが必要とされる背景 • 231
1 施行制度の方向性 • 231
2 家族形態の変化 • 232
3 セルフケア再獲得の状態にある人の特徴 • 232
4 アドボカシーに関する主な制度 • 232
1 成年後見制度 • 232
2 日常生活自立支援事業 • 233
5 アドボカシーの視点でみる事例 … 233

5 セルフケア再獲得を必要とする成人への看護

1 セルフケア低下状態のアセスメントと評価 … 238
1 アセスメントと評価 • 238
2 アセスメントの視点 • 238
3 アセスメントの内容と方法 • 239
1 基礎情報 • 239
2 セルフケアのアセスメントの流れ • 239
3 諸レベルのセルフケアのアセスメント 動画 • 241
4 アセスメントの例 • 251

2 セルフケア再獲得を支援する看護方法 … 253
1 生命維持レベルのセルフケア再獲得への支援 • 254
1 脳卒中急性期の生命維持レベルのセルフケア • 254
2 障害の拡大予防と機能回復の促進 • 254
3 二次障害予防のための援助 動画 • 254
2 生活基本行動レベルのセルフケア再獲得への支援 • 257
1 変化したセルフケア能力：運動機能障害によるセルフケア能力の低下 動画 • 257
2 変化したセルフケア能力：高次脳機能障害によるセルフケア能力の低下 • 261
3 変化したセルフケア能力への心理的適応の援助 • 268
4 「できるADL」から「しているADL」へ • 269
3 社会生活レベルのセルフケア再獲得への支援 • 270
1 家庭生活に関わるセルフケア再獲得に向けた支援 • 271
2 地域生活に関わるセルフケア再獲得に向けた支援 • 273
3 職業生活に関わるセルフケア再獲得に向けた支援 • 273
4 余暇生活に関わるセルフケア再獲得に向けた支援 • 274

3 セルフケア再獲得を支援する社会システム … 275
1 セルフケア再獲得を支援する人的システム • 275
1 医療・福祉関連職種によるチームアプローチ • 275
2 セルフヘルプグループへの参加 • 279
3 ボランティア活動の活用 • 281

2 セルフケア再獲得を支援する法的システム・283
  1 医療保険制度・283
  2 介護保険制度・283
  3 障害者総合支援法とその活用・286
  4 難病対策要綱・288

6 セルフケア再獲得を目指す成人への看護の実際

1 生命維持レベルのセルフケアの再獲得
  脳出血急性期にある人の看護・294
  1 脳出血の病態と急性期の治療・294
  2 脳出血急性期における看護 動画・294
  3 事例で考える脳出血生命維持レベルのセルフケア再獲得支援・295

2 生活基本行動レベルのセルフケアの再獲得
  脳出血回復期にある人の看護・302
  1 脳出血の回復期の病態・治療・看護 動画・302
  2 事例で考える脳出血回復期の生活基本行動レベルのセルフケア再獲得支援・303

3 家庭におけるセルフケアの再獲得
  脳出血家庭復帰期にある人の看護・309
  1 脳出血の家庭復帰期における治療と看護 動画・309
  2 退院後の生活における課題・310
  3 事例で考える脳出血患者の家庭復帰に向けたセルフケア再獲得支援・311

4 家庭生活の役割遂行に関わるセルフケアの再獲得
  関節リウマチをもつ人の看護・319
  1 関節リウマチ（RA）の病態と治療・319
  2 関節リウマチと看護・321
  3 事例で考える関節リウマチをもつ人の役割遂行に関わるセルフケア再獲得支援・322

5 職業生活とセクシュアリティに関わるセルフケアの再獲得
  脊髄を損傷した人の看護・329
  1 脊髄損傷の病態と治療・329
  2 脊髄損傷者の看護・331
    1 急性期の看護・331
    2 回復期・維持期の看護・332

  3 セクシュアリティに関わるセルフケア再獲得の看護・332
  4 職業生活に関わるセルフケア再獲得の看護・334
  3 事例で考える脊髄損傷者の職業生活とセクシュアリティに関わるセルフケア再獲得支援・335

6 地域生活や余暇生活に関わるセルフケアの再獲得
  中途視覚障害者のコミュニケーションに対する支援・341
  1 中途視覚障害者の置かれている状況・341
    1 中途視覚障害者の特徴・341
    2 中途視覚障害のために生じる不自由・342
    3 セルフケア再獲得の開始は視覚障害の発生したそのときから・342
    4 大切な心のケア・342
  2 中途視覚障害者の看護・343
  3 事例で考える中途視覚障害者のコミュニケーションに関わるセルフケア再獲得支援・346

コラム
- 疾病発見の遅れ・235
- 中途障害者の生活習慣病・253

資料
1 身体障害者障害程度等級表・352
2 障害者基本法・355

看護師国家試験出題基準（令和5年版）対照表・360

索引・362

■本書で使用する単位について
本書では，国際単位系（SI単位系）を表記の基本としています．本書に出てくる主な単位記号と単位の名称は次のとおりです．
m：メートル　L：リットル　mL：ミリリットル
kg：キログラム　g：グラム　mmHg：水銀柱ミリメートル
Torr：トル　min：分　h：時　d：日　J：ジュール
Hz：ヘルツ　cal：カロリー
＊本書では血圧にmmHg，生体内の圧力（PaO_2など）にTorrを用いています．
■用字について
「頸」の字には，（頚）と（頸）の表記がありますが，本書では（頸）を採用しました．

編集・執筆

編集

吉田 澄恵	よしだ すみえ	東京医療保健大学千葉看護学部臨床看護学教授【第1部責任編集】
鈴木 純恵	すずき すみえ	三育学院大学特任教授, 獨協医科大学名誉教授【第2部責任編集】
安酸 史子	やすかた ふみこ	日本赤十字北海道看護大学学長

執筆（掲載順）

吉田 澄恵	よしだ すみえ	東京医療保健大学千葉看護学部臨床看護学教授 …… 序章, 1章, 2章2節, 4章2節
鈴木 純恵	すずき すみえ	三育学院大学特任教授, 獨協医科大学名誉教授 …… 序章, 4章1節
伊能 美和	いのう みわ	東京医療保健大学千葉看護学部講師 …… 1章3節4項, 3章3・6節
江川 幸二	えがわ こうじ	神戸市看護大学学長 …… 2章1節
佐藤 正美	さとう まさみ	東京慈恵会医科大学医学部看護学科教授 …… 2章3節
佐藤まゆみ	さとう まゆみ	順天堂大学大学院医療看護学研究科教授 …… 2章4節
竹内佐智恵	たけうち さちえ	三重大学大学院医学系研究科看護学専攻教授 …… 2章5節
中村 美鈴	なかむら みすず	名古屋市立大学大学院看護学研究科教授 …… 3章1節
山本 育子	やまもと いくこ	順天堂大学医学部附属順天堂医院看護教育課課長 …… 3章2節
鈴木 育子	すずき いくこ	山形県立保健医療大学看護学科准教授 …… 3章4節
橘 敬子	たちばな けいこ	東京医療保健大学千葉看護学部助教 …… 3章5節
村上 礼子	むらかみ れいこ	自治医科大学看護学部成人看護学教授 …… 3章7節
山口 道子	やまぐち みちこ	三育学院大学看護学部准教授 …… 4章1節4項2
松尾ミヨ子	まつお みよこ	四天王寺大学大学院看護学研究科教授 …… 4章3節
田村麻里子	たむら まりこ	常磐大学看護学部専任講師 …… 4章4節
石川ふみよ	いしかわ ふみよ	上智大学総合人間科学部看護学科成人看護学教授 …… 5章1節
日高 艶子	ひだか つやこ	聖マリア学院大学看護学部Provost, ロイアカデミア看護学研究センター センター長 …… 5章2節
板垣 昭代	いたがき あきよ	常磐大学看護学部非常勤講師 …… 5章3節1項, 6章3節
小泉 未央	こいずみ みお	（株）ナラティヴ なないろ在宅ケアステーション所長・在宅看護専門看護師 …… 5章3節2項1・3
森田 圭子	もりた けいこ	獨協医科大学地域共生協創センター専任教員 …… 5章3節2項2・4
金子 昌子	かねこ しょうこ	獨協医科大学副学長・地域共生協創センターセンター長・看護学研究科博士課程特任教授 …… 6章1節, コラム
佐藤 静香	さとう しずか	東海村福祉部健康増進課 …… 6章2節
初谷留里子	はつがい るりこ	足利赤十字病院看護師長 …… 6章4節
渡辺美加子	わたなべ みかこ	元 神奈川リハビリテーション病院副病院長, 認定看護管理者 …… 6章5節
山田 幸男	やまだ ゆきお	新潟県保健衛生センター内科常任顧問 …… 6章6節
三留五百枝	みとめ いおえ	元 信楽園病院附属有明診療所看護師 …… 6章6節

序章　健康危機状況とセルフケアの再獲得

　現在，日本における看護学の知識は，急速な大学化に象徴されるように，多くの看護学研究者によりさまざまなものが開発，提案されており，本書もその一つである．また，このようなさまざまな知識のうち，看護を実践する上では何が必要最小限（ミニマム・エッセンシャルズ）であるか，ということにも種々の議論がある．本書が示す「健康危機状況」と「セルフケアの再獲得」という概念は，「セルフマネジメント」という概念と同時に，成人への看護を，セルフケアという概念を主軸とした構成の中から開発された[1]．

　2011（平成23）年に発出された「大学における看護系人材養成の在り方に関する検討会最終報告」には，成人への看護に限らず，特定の健康課題に対する実践能力として，"急激な健康破綻と回復過程にある人々を援助する能力"が，学士課程においてコアとなる看護実践能力として示されている（図1）．本書は，成人への看護においてこの能力を発揮する上で必要な知識を，セルフケアという概念を用いて整理したものである．

　成人は，自立し自律している個人として，自分自身の健康について自分なりの考えをもち，セルフケアしながら生きている[2]．しかし，ひとたび，その健康が危機的な状況に陥ると，セルフケアの維持が難しくなる．本書の第1部「健康危機状況」では，その状況を解釈して実践する視点を示す．第2部「セルフケアの再獲得」では，健康危機状況から回復していく過程の中で，成人一人ひとりが，どのようにセルフケアを再獲得していくのかを解釈する視点を示し，それに合わせて行う援助を解説する．

　看護学には，看護を必要とする状況を理解するためのさまざまな分野名があ

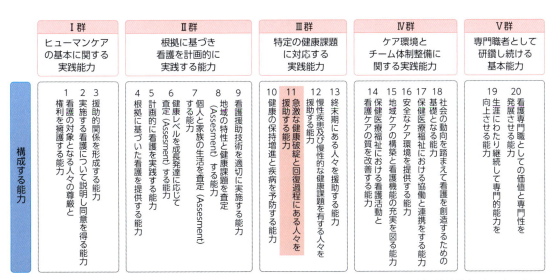

学士課程においてコアとなる看護実践能力と卒業時到達目標（平成23年3月11日，大学における看護系人材養成の在り方に関する検討会最終報告）より抜粋．Ⅲ群11が本書の焦点である．

図1　「健康危機状況」および「セルフケアの再獲得」と看護実践能力との関係

り，それに焦点をあてたテキストが種々みられる．本書の「健康危機状況」という見方は，それらの分野名からすれば，「急性・重症者看護」「周術期看護」「救急看護」「クリティカルケア」等と親和性が高いものの，同じものではない．最も異なる点は，「健康危機状況」の「健康」の概念が，医学的な「健康」に拠らない点である．さらに，「緩和ケア」「ターミナルケア」「終末期看護」といった分野名で示されてきた知見なども応用している．

一方，「セルフケアの再獲得」は，「回復期看護」「リハビリテーション看護」等と親和性が高いが，これも同じではない．最も異なる点は，健康回復の兆しがみられてからの見方ではなく，生命危機状況にあるときから，常に成人一人ひとりは自らのセルフケアをその状況の中で再獲得しようとしている，という前提に立っている点である．また，基礎看護学等で学ぶ「生活援助」や，「在宅看護」の知見なども応用している（表1）．

それゆえ，「健康危機状況」と「セルフケアの再獲得」は，それぞれこれらの分野とは別の視点で看護実践に活用できるものと位置付けている．なお，本書において成人への看護を示すにあたっては，象徴的な事例を取り扱った．もちろん，これらの事例に必要な看護を，本書の視点だけで判断したり実施したりすることはできない．とりわけ，医学的に身体機能が不安定な状態のときには，部位別看護，臓器別看護，系統別看護，生活行動別看護のほか，症状別看護，疾患別・治療別看護といった医学的視点が非常に重要になる[3]．精神状態が不安定なときは，精神看護学も不可欠となる．また，セルフケアの再獲得を支援する上では，基礎看護技術，家族看護，社会福祉と社会保障などの知識を統合していく必要がある．しかし，繰り返しになるが，本書が示した視点は，成人のセルフケアに注目して看護を実践していく上での示唆となるであろう．

表1 「健康危機状況」および「セルフケアの再獲得」の視座と関連する看護分野

セルフケアを中心概念として構築した成人看護学としての本書の視座	親和性の高い看護分野	応用している看護分野の例
健康危機状況	急性・重症者看護 周術期看護 救急看護 急性期看護 救命救急看護 重症集中ケア クリティカルケア 災害看護	苦痛の緩和…緩和ケア，ターミナルケア，終末期看護 生活行動変更への支援…回復期看護の知見を応用 身体機能悪化への対応…症状別看護，疾患別・治療別看護 心理的・精神的混乱への支援　　…精神看護 家族や重要他者への援助　　…家族看護
セルフケアの再獲得	回復期看護 リハビリテーション看護 脳機能障害患者の看護 運動機能障害患者の看護	生命維持レベルのセルフケア再獲得 　…急性期看護，救命救急看護，クリティカルケア 生活基本行動レベルのセルフケア再獲得　…生活援助 社会生活レベルのセルフケア再獲得　　…在宅看護，精神看護，難病看護

■ 引用・参考文献
1) 吉田澄恵. 序章「成人看護学」という視座の特徴と有用性. 成人看護学概論. 第4版, メディカ出版, 2021, p.11-14.
2) 鈴木純恵. "セルフケア". 成人看護学概論. 第4版, メディカ出版, 2021, p.230-232.
3) 吉田澄恵. "身体機能の特徴と看護". 成人看護学概論. 第4版, メディカ出版, 2021, p.51-80.

第1部 健康危機状況

1 健康危機状況にある成人の理解と看護

学習目標

- 健康危機状況にある成人を理解する視点を知る．
- 健康危機状況にある成人の看護の特徴を知る．
- 健康危機状況において直面する看護者の苦悩と，それを抱えていくために必要な支え合いについて考える．

1 健康危機状況にある成人の理解

学習ポイント
- 成人にとって，健康とは自分自身の健康観と客観的な健康指標との一致や不一致を吟味し，バランスをとりながらセルフケアを維持することであると理解する．
- 成人にとっての危機には，個人の心理的危機，身体的危機，社会的危機があることを理解する．
- 成人看護学における健康危機状況とは，その人にとって健康状態が危うい状況を指し，医学的診断の有無にかかわらず，健康状態が良くなるか悪くなるかの移行期であり，セルフケア困難な状況をいうことを理解する．

1 成人にとっての健康とは

WHO（世界保健機関）は，その憲章前文で「健康」を"Health is a state of complete physical, mental and social well-being and not merely the absence of disease or infirmity."（「完全な肉体的，精神的及び社会的福祉の状態であり，単に疾病又は病弱の存在しないことではない」昭和26年官報掲載の訳）としている．近年，この定義にスピリチュアル，変動する（dynamic）という視点を追加することが議論されている[1]が，「完全な状態；a state of complete」とはどのような指標に照らして評価するのだろう．

一人ひとりが，自分の健康をどうとらえるか（**主観的健康**）には，いくつもの指標がある．例えば，「私は，病気一つしたことがなく健康だ」という場合は，病気があるかどうか，「昔，事故で片足を失ったが，今はいたって健康だ」という場合は，身体障害があるかどうか，「近ごろは気力が充実しているから健康だが，昨年の今ごろは，仕事で失敗して眠れない日が続き，不健康そのものだった」という場合は，心理状態の変化が指標になっている．このように，個人の**健康観**には多様性がある．しかし，成人は「大人」として，心身ともに成熟し，自立および自律して生活する存在である．それゆえ，成人は，自分で自分の健康をどのようにとらえようとも，健康上の問題について**セルフケア**（self care）しているとみなすことができる．

実際，健康情報があふれている現代社会では，デスクワークばかりの人がウォーキングを始め，**個食**＊になりがちな人が健康食品を利用したりする．「健康のありがたさを入院して初めて知った」というように，セルフケアを意識していない人もいるが，そういう人も空腹になれば食事をし，疲れたら眠るというような**普遍的なセルフケア**を継続している．

一方，本人がうまくセルフケアしていると見なしていても，それが周囲の見方（**客観的健康**）にそぐわない場合もある．この客観的健康の指標として最も用いられているものが，医学的指標である．とりわけ，健康日本21政策のも

plus α
WHO「健康」の定義の翻訳について
現在，WHO「健康」の定義の訳文は，「健康とは，身体的，精神的ならびに社会的に完全に良好な状態にあることであり，単に病気や虚弱ではないことにとどまるものではない」というものが一般的である．これらの翻訳ではwell-beingが「良好な」と翻訳されている．しかし，このwell-beingには福祉，幸福，福利などの意味もあるため，原文と発表当時の官報の翻訳を掲載した．

→ ナーシング・グラフィカ『成人看護学概論』12章参照．

用語解説 ＊
個食
孤食ともいう．家族が一人ひとり違う時間に食事をとること．個食は，一人分や一食分に小分けされた食品のこともいう．

とにある日本では，公衆衛生学的データから医学的指標が示され，健康保持のための行動（**保健行動**）が推奨されている．

一例を挙げよう．

高橋さんは建設の仕事から帰ると熱いお風呂に入り，晩酌して心身の疲労を癒し，眠ることを大事な生活習慣としていた．彼は，「風呂に入って晩酌してよく眠ること，これが私の健康法だ」と，自分の健康に自信をもっていた．彼にとってはこのライフスタイルの継続が，健康維持のためのセルフケアにほかならない．しかし彼は，自覚症状がないにもかかわらず，職場の健康診断で肝機能異常と高血圧を指摘された．そして，医師からこのままではアルコール性肝炎になったり，脳出血を起こしたりする危険があると言われ，小冊子を渡された．その小冊子には，アルコールを控えることの重要性や，急激な血圧変動を避けるために塩分を控え，風呂はぬるま湯が望ましいと説かれていた．高橋さんにとって，主観的な健康維持に大切なセルフケアが，客観的な健康の指標によって否定されたのである．高橋さんは，行動の変容を迫られた．その後も彼は晩酌をやめなかったが，つまみを控え減塩を試みた．その結果，客観的健康指標でも健康だとみなされれば，高橋さんのセルフケアは成功したと評価される．しかし，もし反対にアルコール性肝炎や脳出血などを発症すれば，セルフケア不足とみなされ，健康障害についても自己責任と受け止めざるを得なくなる．

このように，**成人にとって健康であるということは，常に自分自身の健康観と客観的な健康指標（特に医学的指標）との一致や不一致を吟味し，バランスをとりながらセルフケアを継続することである**といえよう．

➡ ナーシング・グラフィカ『成人看護学概論』7章参照．

2 成人にとっての危機とは

1 危機という言葉

看護学では，自殺が危惧されるような**心理的危機**についての文献が多数ある．一方，医学では，**生命危機**という言葉が多用される．

広辞苑によれば，**危機**は，「大変なことになるかもしれないあやうい時や場合，危険な状態」とされる．英語で危機に相当する言葉はcrisis（クライシス）という語であり，分離する（to separate）を意味するギリシア語のクリシス（krisis）に由来している．生命の危機はまさに生死の分かれ目であり，生と死とを分離する状態である．

米国で保健医療従事者に多用されているMosby's Dictionaryによれば，crisisとは，"a transition for better or worse in the course of disease, usually indicated by a marked change in the intensity of signs and symptoms."[2]（疾病の経過の中で，状態が良くなるか悪くなるかの移行期であり，通常，強烈な症状や徴候によって明らかな変化が示される）とある．生命の危機だけではなく，疾病が良くなるか悪くなるかの瀬戸際といった意味で

plus α
疾病自己責任論
健康・病気の原因と責任を個人個人に求める考え方．一人ひとりの努力によって健康を守ることができるというポジティブな意味もあるが，むしろ，社会的に健康を保障することを縮小しようとする口実として使われるなど，問題も多い．

ある.ほかにも経営危機,経済危機などというように,会社や国など人間の集団がなんらかの危険な状態に陥るときにも用いられる.戦争や国際紛争が起こりそうな状況は,まさに社会の危機である.

すなわち危機は,個人の危機を指す場合と,集団の危機を指す場合とがあり,良くなるか悪くなるかの分岐となる移行期を指し,放っておくと悪いほうに傾きかねない状況を示す概念である(図1.1-1).

2 個人の危機

個人の危機に焦点を当てたものに,精神医学・心理学の分野で発展した**危機理論**がある.この理論によれば,危機には**発達的危機**(maturational or developmental crises)と,**状況的危機**(situational crises)がある.

発達的危機は,エリクソン(Erikson, E.H.)のアイデンティティ形成を柱にした**発達理論**に基づいたもので,人が成長・発達に伴って必ず経験していく危機をいう.一般に受験,就職,結婚,妊娠,出産,定年退職などのライフイベントがこれに当たる.例えば,結婚は,互いの異なる生活習慣を変容させつつ,夫婦という単位の中で自己を確立していく経験を伴う.このことが,それぞれのアイデンティティ形成がうまくいくか,あるいは破綻して精神・心理的に著しく不安定な状態に陥るかという分岐点になるという考え方である.これは,結婚しないとしても,結婚に象徴される親密性などの発達課題を人生の中でどう経験していくかによって,アイデンティティ危機に陥ることを意味している.

これに対して状況的危機は,偶発的に,また多くの場合,予測できないものとして経験する危機をいう.一般に引っ越し,事故,病気,倒産,離婚,自然災害,戦争などの出来事がこれに当たる.例えば突然の交通事故は,自他共に外傷はなかったとしても,金銭的なトラブルが発生し,通常の生活の維持に影響を与え,これまでの方法では対処しきれない経験を伴う.これが,アイデンティティの形成にとって危機になることを意味している.

危機は,必ずしもマイナスの側面だけをもっているのではなく,アイデンティティを確立していく契機となる.言い換えれば,自分探しの旅の途中の豊かな経験となりうる.しかし,危機の経験によって,精神・心理的な破綻を来し,メンタルクリニックや心理カウンセリングを必要とする場合もある.危機理論は,このような臨床領域で発展し,複数のモデルが開発されている.

➡ ナーシング・グラフィカ『成人看護学概論』14章参照.

成人期は,発達的危機のみならず,状況的危機に遭遇しやすい.転勤の多い人は,数年単位で居住地を変え,そのたびに家庭生活の再構築を迫られるし,運送業など移動の多い人は,常に交通事故の危険にさらされている.最も典型的な状況的危機が,疾病や事故

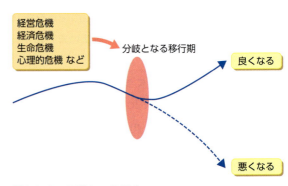

図1.1-1　危機という概念

等によるものである．この危機は，心理的危機としてみるだけではすまされず，時に生命の危機となり，身体的存在が脅かされる身体的危機でもある．そして，この身体的危機を理解するときに有効なのが，**生物医学モデル**を基盤にしている**臨床医学**である．

あらゆる臨床医学は疾病の診断と治療に関与し，多数の疾病が増悪，進行すると生命の危機につながっていくことを示している．しかし，とりわけ**集中治療医学**はintensive and critical care medicine，**救命救急医学**はemergency and critical care medicineと英語表記されるように，まさに，クリティカルな状況，危機的な状況へのアプローチとしての知識と技術が集約されている．これらの医学は成人を身体機能の成熟した生物としての個体ととらえ，その個体が生命の危機にさらされる状況を理解し，危機を回避する"知"といえる．

➡ ナーシング・グラフィカ『成人看護学概論』2章参照．

成人にとって精神・心理的な危機は，必ずしも専門家の支援を必要とする状況とはいえず，たいていは日常の周囲のサポートを得ることも含めて，セルフケアによって乗り越えていける．しかし生命の危機は，たとえ自分自身が医師や看護師で，クリティカルケアに関する知識と技術を身に付けていたとしても，その人自身が危機にあるときは，他者に依存せざるを得ない．つまり生命の危機状況は，成人であっても，個人のセルフケアだけでは回避できないのである．したがって，成人の危機を支える上で，生物医学モデルに基づくことの重要性は，強調してもしすぎることはない．

3 集団の危機と成人の危機状況

家族は人間にとって最小単位の社会といわれ，最も身近な集団である．この家族の中の誰かが危機に陥れば，家族員すべてに心理的動揺が生じるし，家庭生活のリズムが崩れる．とりわけ，家庭や職場での社会的役割が大きい成人が危機に陥った場合，周囲への影響も大きくなる．例えば，家庭の主たる生計を支える成人が会社の倒産という社会的危機に陥った場合，家族員全員の生活にその影響が及ぶ．また，外傷や疾病による身体的危機や，仕事上のトラブルに起因する心理的危機に陥った場合でも家族の生活に影響を与えていく．それは，家族機能の破綻という家族危機に陥るリスクを抱えもつ．このような家族を単位とした危機については，**家族社会学***，**家族看護学**などで論じられている．

また，**地域社会の危機**も，成人の危機と密接に結びついている．例えば，自然災害によって居住地域の水道，電気，ガスなどの供給や交通網等が危機状況に陥ると，日常生活の維持が困難になり，放置されれば脱水，低栄養，不衛生などから感染症をはじめとする疾病が発生し，住民一人ひとりが身体的な危機を被る恐れがある．さらに，こうした突然の生活の崩壊がもたらす心理的ダメージは大きく，先の見通しのつかないストレス状態が放置されれば，心理的危機に陥る．また，通勤，通学路の遮断などで，社会生活の中断が長期にわたれば，学業の停滞，職場での地位の失墜などにもつながり，社会的危機に陥ることも考えられる．このとき成人は，家族や地域社会の機能を維持し，保護す

用語解説 *

家族社会学

「家族」という視点から社会のさまざまな問題を研究する学問．現代社会において大きく変化しつつある家族のあり方を踏まえ，その背景となる文化的，社会的要因や家族と個人の関わりについて学ぶ．

る役割も担っているため，自分自身の危機に対処するだけでなく，地域社会の危機に対処することをも求められる．

職場の危機も成人の危機に密接に結びついている．例えば工場火災などは，そこに働く人にとってだけでなく，周辺住民の生活を脅かす．このとき，ある成人は，工場労働者として働き，工場での安全管理者であると同時に，近くの社宅に家族と暮らしているというようなことがある．そのような人にとって工場火災は，自分自身が生命の危険にさらされるだけでなく，仕事上の責任を果たせなかったという心理的危機であり，責任者として降格処分されうるといった社会的危機でもあり得るし，そればかりか家族にも危機が発生し，地域社会の生活にも破綻を来しかねないものとなり，深刻な危機的状況に陥る．

このように，成人に限られたことではないが，人は皆，一人で生きているのではなく，集団の中に生きており，その集団が危機的な状況に陥れば，当然誰しもがその影響を免れないのである．

こうした集団の危機を回避するためには，地域社会や会社等の組織規模での**危機管理**や**安全対策**が重要となる．戦争や国際紛争の回避といった危機対策は，まさに国という集団の政治的課題であり，政治学や法学などの社会科学にとっても重要なテーマである．**阪神・淡路大震災**＊と**地下鉄サリン事件**＊を機に，1997（平成9）年，厚生労働省が**健康危機管理基本指針**を発出した．この指針では，「健康危機管理とは，医薬品，食中毒，感染症，飲料水その他何らかの原因により生じる国民の生命，健康の安全を脅かす事態に対して行われる健康被害の発生予防，拡大防止，治療等に関する業務であって，厚生労働省の所管に属するものをいう」[3]と定義されている．この政策を受けて，都道府県，市町村レベルでの危機管理対策が進められると同時に，会社組織等の組織規模でも対策が進められ，地域看護領域，産業看護領域のテーマとなった．このような中，**東日本大震災**＊を経験し，災害看護がますます重要になっている．

このように，成人にとっての危機には，個人の精神・心理状態が破綻するリスクのある心理的危機，生命の危機に代表される身体的危機，その人の属する社会集団が危険にさらされることに伴う社会的危機があり，一人の成人の危機とその人が属する家族，地域，職場，もっと言えば，地球規模での集団の危機と相互に密接に関連し合っている（図1.1-2）．

この集団の危機と個人の危機が不可分であることを前提とし発展してきた看護に，市区町村，都道府県単位で配置される保健師を中心とした**公衆衛生看護**がある．しかし，2020年に生じた新型コロナウイルス感染症のパンデミックでは，現在配置されている保健師の人員だけでは集団の危機脱却を目指す看護の提供が絶対的に不足し，学校看護，産業看護，病院や長期療養施設における看護，訪問看護も含め，ありとあらゆる看護の場で，個人の健康危機回避に向けた看護の総力が問われた．

用語解説＊
阪神・淡路大震災
1995（平成7）年1月17日午前5時46分，兵庫県の淡路島北部を震源として発生した大都市直下型の大地震により6,400人以上の死者を出した災害．道路，鉄道，電気，水道，ガスなどのライフラインが寸断され広範囲で機能しなくなった．

用語解説＊
地下鉄サリン事件
1995（平成7）年3月20日午前8時過ぎ，東京都内の地下鉄で同時多発的にサリンがまかれ，13人が死亡し，約6,300人が負傷した事件．

用語解説＊
東日本大震災
2011（平成23）年3月11日午後2時46分，東北地方太平洋沖で発生した地震および，地震による巨大津波や余震により15,800人以上の死者，2,500人以上の行方不明者を出した災害．地震と津波の影響により，東京電力福島第一原子力発電所で放射性物質の放出を伴う原子力事故が発生した．2019年4月時点における避難指示区域からの避難対象者は約2.3万人（2013年8月時点では約8.1万人）であった．

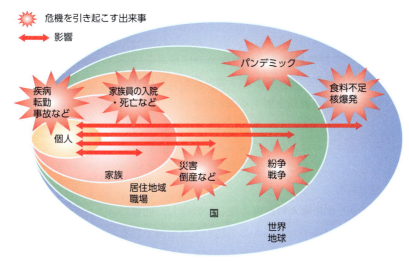

図1.1-2　個人の危機と集団の危機の相互作用

plus α
新型コロナウイルス感染症

新型コロナウイルス感染症（COVID-19）のパンデミックは，個人と集団の危機が密接に関連していることを痛感させる出来事となった．日本では，感染症法（感染症の予防および感染症の患者に対する医療に関する法律）に基づく危機管理が行われた．2020年1月には同法の「指定感染症」に指定され，行動制限を伴う厳重な危機管理が実施された．2021年2月，「新型インフルエンザ等感染症」（2類相当）に位置付けが変更され制限を緩めつつも，慎重な対策が継続された．2023年5月には，同法における5類となり感染症予防行動は個人に委ねられ，さまざまな制限が解かれた．

3 成人看護学における健康危機状況

成人は自分の健康をセルフケアしている．したがって，成人看護学の立場では，看護職者が関わる危機状況は，成人期にある個人に生じる健康の危機状況であるといえる．

成人期の健康危機状況について看護職者として出合ういくつかの例を挙げよう．

A：仕事中に機械に巻き込まれ，第3・4・5指が切断されて救急外来に飛び込んできた32歳の男性（真鍋さん）

B：ただの痔だと思うけれども痛みが強いのでなんとかしてもらおうと受診しただけなのに，直腸の内診を受けおののき，さらに直腸癌の疑いがあるので精密検査を行うと言われ，外科外来待合室で呆然としている54歳の男性（谷口さん）

C：白血病で数回の化学療法の末に部分寛解が得られたものの，骨髄移植を予定しているため，引き続き入院している21歳の女性（沢田さん）

D：昇格したばかりなのに，倦怠感，食欲不振が続き，複数の診療科を受診するが何も病気はないと言われ続け，出勤する気になれないと職場の保健師に電話してきた43歳の女性（岡島さん）

E：仕事先へ移動中に胸部に激痛が生じ，周囲に助けられ救急車で搬送されてきた60歳の男性（海野さん）

Aの真鍋さんは，労働災害で受傷し救急外来を受診し，身体的には生命の危機に陥る危険性は低いが，心理的にはかなり不安定で，社会的には仕事の継続について困難を抱えることが予測される状況である．

Bの谷口さんは，がんの疑いを告知され心理的に動揺していると推察され，

手術療法が必要とされれば，身体的危機のリスクや，しばらく職業生活を休む社会的危機も生じうる状況である．

Cの沢田さんは，白血病の再発および骨髄移植に伴う生命の危機が予測され，同時に，長期にわたる治療に伴う行動制限，繰り返す副作用の苦痛症状から心理的ストレスが蓄積し，社会復帰にも時間を要することが予測される状況である．

Dの岡島さんは，医学的に病気ではないと言われている以上，身体機能上の深刻な問題はないと考えられるものの，不安は継続し，社会生活の維持も困難になっていると考えられる状況である．

Eの海野さんは，本人の予期せぬときに本人の意思に反して発症し，他者に助けられ救急搬送されており，心筋梗塞等のなんらかの急性の生命危機であることが推定され，心理状態も不安定で，社会的な役割にもほとんど本人は対処できない状況である．

これらの健康危機状況を，疾患や治療といった医学に基づいた視点で表現すると，A，Eが救急患者，B，Cはがん患者，同時に，Bは手術患者，Cは慢性疾患患者，Dは精神障害患者等となる（疾患別・治療別の分類）．健康レベルの視点で見てみると，A，Eは急性期といえるが，Bは急性期としてよいかどうか議論が分かれるし，Cは急性期とも慢性期ともとれるし，Dは慢性期とするしかないかもしれない（健康レベル別の分類）．

けれども，すべての患者には，次のような共通点がある[4]．

①医学的に「病名」がつけられているかどうかなど，診断によって健康悪化の種類を分類されていなくても，健康状態は，これ以上放置すると悪化していくと考えられる．
②身体的な生命の危機の可能性の有無があるかを，医学的知識の応用でアセスメントする必要がある．
③心理的危機に陥りやすく，危機理論やストレス・コーピング理論等の心理学的知識の応用によって，心理的対処をサポートする必要がある．
④社会的な役割の遂行には健康状態の悪化を考慮した工夫が必要であるが，社会的に「病気である」と受け止められることで役割遂行の免除や支援が受けられるような調整が必要とされる．
⑤本人のこれまでの自分自身に対する「健康」の認識が，医学に基づいた医師の判断のもとに置かれ，本人なりの選択や決定が困難になりやすい．
⑥本人のこれまでのセルフケアでは対応困難な状況であり，セルフケアを補ったり，代行したりする必要がある．

以上から，本書では健康危機状況を次のようにとらえる．

健康危機状況とは，その人にとって健康状態が危うい状況を指し，医学的診断の有無にかかわらず，健康状態が良くなるか悪くなるかの移行期であり，セルフケア困難な状況をいう．

---

plus α
健康危機という用語の使われ方

2004（平成16）年3月に看護学教育の在り方に関する検討会（第2次）報告として出された「看護実践能力育成の充実に向けた大学卒業時の到達目標」において，看護実践能力の構成として示されたものの中に，Ⅲ群の特定の健康問題を持つ人への実践能力の一つとして，「健康の危機的状況にある人への援助」が挙げられている．このころから政策上の「健康危機管理指針」という用語が主流を占めるようになった．2011（平成23）年3月11日には「大学における看護系人材養成の在り方に関する検討会最終報告」が発出され，看護実践能力の一覧で「健康の危機的状況」という言葉が「急激な健康破綻」という表現に置き換えられている．

本書が示す「健康危機状況」と類似する語について整理しておく（**表1.1-1**）．厚生労働省や文部科学省などが示している語は，いずれも「健康」を医学的な疾病との関係でとらえて，生命の危険を含むものとしている．しかし，本書の健康危機状況という概念は，生命の危機と心の危機を分けず，生命の危機をはらむ場合には心の危機もあり，もっと言えば，社会的な危機にも陥る恐れがあることを指す（**図1.1-3**）．また，健康レベルが良くなるか悪くなるかの分岐点にある状況ととらえている（**図1.1-4**）．

　この健康危機状況は，医学モデルでいう疾病ではなく，薄井[5,6]がいう**看護学モデルとしてのライフサイクルモデル**から「疾病」とする状況の中の特に生命力が脅かされている状況を指す（**図1.1-5**）．しかし，薄井が看護学モデルで「疾病」を定義していても，現在，疾病という概念は一般に，医学的診断に基づいた言葉として定着して使用される傾向にある．したがって，本書では，健康危機状況という言葉を用いることで，医学的診断の有無にかかわらずに健康状態をとらえようと提案している．

　この医学的診断の有無にかかわらないとする点は，看護職者が，目の前で「具合が悪い」と苦しんでいたり，「どうにかなってしまうのではないか」と不安を抱えていたりする人に出会うときに，非常に重要な考え方である．看護職者の多くは，通常，なんらかの保健医療施設で働いており，医学的診断のつい

表1.1-1　健康危機状況と類似する用語の使われ方

用　語	解　説
健康危機管理	1997年，厚生労働省が「健康危機管理基本指針」を示し，初めて「健康危機管理」という語が公的に用いられた．この指針においては，「健康危機」は定義されておらず，「健康危機管理とは，医薬品，食中毒，感染症，飲料水その他何らかの原因により生じる国民の生命，健康の安全を脅かす事態に対して行われる健康被害の発生予防，拡大防止，治療等に関する業務であって，厚生労働省の所管に属するものをいう」とされている．つまり，国民という集団の「健康危機」に焦点が当てられたものである．本書の「健康危機状況」という概念は，この「健康危機管理」において個人に生じる健康の危機的状況に焦点を当てたものと近いものであるが，この指針でいう「健康」は客観的指標に基づくものに限定されており，本書でいう「主観的健康観」は含まれていない．
健康の危機的状況にある人への援助	2004年3月，文部科学省の看護学教育の在り方に関する検討会（第2次）報告書として「看護実践能力の充実に向けた大学卒業時の到達目標」が公表された．この中で，「卒業時到達目標とした看護実践能力の構成」はV群とされ，そのⅢ群に位置づけられた「特定の健康問題をもつ人への実践能力」の7項目（「健康の保持増進と健康障害の予防に向けた支援」「次世代を育むための援助」「慢性的疾病を持つ人への療養生活支援」「治療過程・回復過程にある人への援助」「健康の危機的状況にある人への援助」「高齢期にある人への健康生活の援助課題の判断と支援」「終末期にある人への援助」）のうちの一つとして示された．本書の前身である「健康危機状況」の構想段階（2005年5月初版，安酸史子・鈴木純恵・吉田澄恵．ナーシング・グラフィカ㉓．成人看護学－健康危機状況）は同時期に検討・公表されたが，文科省の用語は本書の健康危機状況より生命の危機に焦点があたっている．
急激な健康破綻と回復過程にある人々を援助する能力	2011年3月，文部科学省の大学における看護系人材養成の在り方に関する検討会が「大学における看護系人材養成の在り方に関する検討会最終報告書」を公表した．この中で，2004年の大学卒業時の到達目標が再検討され，「看護実践を構成する5つの能力群と，それぞれの群を構成する20の看護実践能力」が示された．この5つの能力群のⅢ群である「特定の健康課題に対応する実践能力」4項目（「健康の保持増進と疾病を予防する能力」「急激な健康破綻と回復過程にある人々を援助する能力」「慢性疾患および慢性的な健康課題を有する人々を援助する能力」「終末期にある人人を援助する能力」）の中で，「急激な健康破綻」という語が用いられている．この用語は「健康の危機的状況にある人」や本書の「健康危機状況」と比して，よりはっきりと予測困難な生命の危険にある状況に焦点をあてている．

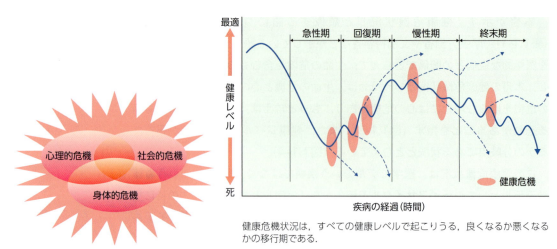

図1.1-3 身体的危機・心理的危機・社会的危機の相互関係

図1.1-4 健康レベルからみた健康危機状況

健康危機状況は，すべての健康レベルで起こりうる，良くなるか悪くなるかの移行期である．

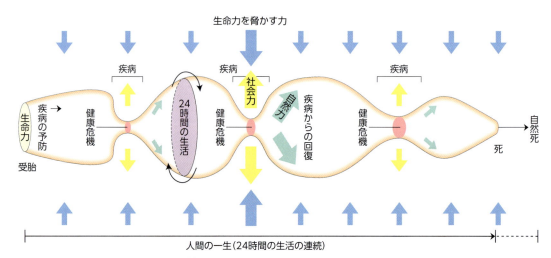

薄井坦子．科学的看護論．改訂版，日本看護協会出版会，1978，p.25 および 薄井坦子．ナースが視る病気：看護のための疾病論．講談社，1994，p.12-13を参考に作成．

図1.1-5 ライフサイクルモデルからみた健康危機状況

た健康状態の人，つまり，なんらかの疾患名をもった患者と出会うことが多い．そのため看護職者は，訴えがあると，まずはその疾患に由来する身体機能の悪化がないかを考えて対応することを習慣づけていく．しかし，患者の健康状態は必ずしも，単一の疾患に由来しない状態であることも多い．患者の具合の悪さや不安が，少なくとも悪くはならない，あるいは，良くなる方向に向かう見通しが立ち，ひとまず患者が安心できるような対応をしていくことが，看護職者には求められている．つまり，看護職者は常に，そのとき，その場の目の前のその人の健康危機状況を回避していくという視点をもっていることが重要なのである．

➡ ナーシング・グラフィカ『成人看護学概論』3章参照．

引用・参考文献

1) 臼田寛ほか．WHOの健康定義制定過程と健康概念の変遷について．日本公衆衛生雑誌．2004, 51 (10), p.884-889.
2) Anderson, DM. et al. Mosby's Medical, Nursing, & Allied Health Dictionary. 6th ed. 2002, p.449.
3) 厚生労働省健康危機管理基本指針．https://www.mhlw.go.jp/general/seido/kousei/kenkou/sisin/（参照2024-11-11）．
4) 吉田澄恵．「健康危機」という視点の模索：医学モデルを超えていくために．ラポール．2002, 14, p.6-7.
5) 薄井坦子．科学的看護論．改訂版，日本看護協会出版会，1978.
6) 薄井坦子．ナースが視る病気：看護のための疾病論．講談社，1994.
7) Smith, JA. 看護における健康の概念．都留春夫ほか訳．医学書院，1997.
8) 松本孚．健康概念の再検討：超越的健康論への道．人体科学．1993, 2 (1), p.135-141.
9) 野尻雅美．生態的健康観：21世紀の健康観．日本公衆衛生学会誌．2003, 50 (2), p.79-82.
10) 山崎喜比古編．健康と医療の社会学．東京大学出版会，2001.
11) 青木きよ子ほか．成人看護学の構築：「健康障害」のある対象の「セルフケア」を主軸として．看護展望．1999, 24 (5), p.70-75.
12) アギュララ，DC．危機介入の理論と実際：医療・看護・福祉のために．小松源助ほか訳．川島書店，1997.
13) 岡堂哲雄ほか．危機的患者の心理と看護．中央法規出版，1987, (シリーズ患者・家族の心理と看護ケア, 5).
14) 平野かよ子ほか．公衆衛生．第5版．メディカ出版，2021, (ナーシング・グラフィカ, 健康支援と社会保障2).
15) 長田恵子ほか．災害看護．第4版．メディカ出版，2017, (ナーシング・グラフィカ, 看護の統合と実践3).

重要用語

主観的健康，客観的健康
セルフケア
保健行動

危機，発達的危機，状況的危機
身体的危機，心理的危機，社会的危機

生物医学モデル
ライフサイクルモデル
（看護学モデル）

2 健康危機状況にある成人に生じるセルフケア不足

学習ポイント

- 健康危機状況にある成人には，①苦痛，②身体機能悪化の恐れ，③生活行動変更への対応困難，④心理的・精神的混乱，⑤家族および重要他者の不安や負担に関するセルフケア不足があることを理解する．
- 成人の特徴を踏まえた①苦痛の緩和，②身体機能悪化の予防と早期発見，③生活行動変更への支援，④心理的・精神的混乱への支援，⑤家族および重要他者の不安や負担への支援を理解する．

1 五つのセルフケア不足

1節で示したように，健康危機状況とはその人にとって健康状態が危うい状況を指し，医学的診断の有無にかかわらず，健康状態が良くなるか悪くなるかの移行期であり，セルフケアが困難な状況をいう．そして，看護職者にはこの健康危機状況を回避する，あるいは脱却できるように成人のセルフケアを支援する関わりが求められている．

この健康危機状況では，次の五つが成人の通常のセルフケア能力では対応しきれない問題（**セルフケア不足**）として共通し，それに対する看護活動が必要であると考える（図1.2-1）．

①苦痛
②身体機能悪化の恐れ
③生活行動変更への対応困難
④心理的・精神的混乱
⑤家族および重要他者の不安や負担

　なお，これらの五つのどの看護問題がよりセルフケア不足になっているかは，時期によって，また健康レベルによって，あるいは個人のセルフケア能力によって，さまざまな差異がある．これらの問題を発見し，アプローチしていくための方法は2章で述べるが，ここでは，自分の健康をセルフケアしていこうとしている成人の特徴を踏まえて支援するために重要な点を概説する．

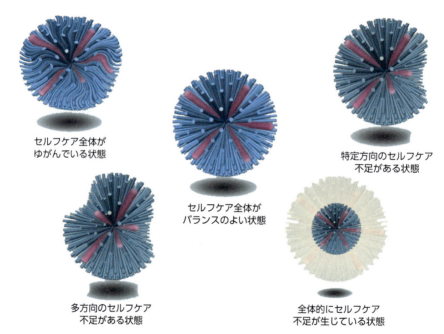

一人ひとりがセルフケアしていることは多種多様にあり，そのすべてを看護問題とすることは難しい．
健康危機状況では，①苦痛に関するセルフケア，②身体機能悪化に関するセルフケア，③生活行動変更に関するセルフケア，④心理・精神的混乱に関するセルフケア，⑤家族や重要他者の不安や負担に関するセルフケア（図の赤い部分）が困難になってセルフケア不足となりやすいと考えられ，これらについて看護問題として対応することが重要である．
また，これらのセルフケア不足は健康レベルによって，さまざまなバリエーションがある．
セルフケア全体がバランスのよい状態，セルフケア全体がゆがんでいる状態，特定方向のセルフケア不足がある状態，多方向のセルフケア不足がある状態，全体的にセルフケア不足が生じている状態などが考えられる．

図1.2-1　一人ひとりのセルフケアの状態と健康危機状況における五つの看護問題

2 苦痛の緩和

1 全人的苦痛として理解する

　苦痛も，その英語であるpainも，臓器や器官にある痛覚が刺激されて痛みとして知覚する疼痛だけでなく，人間のあらゆる苦しみ（suffering）を含む言葉である．つまり苦痛には，頭痛，胸痛，腹痛，下肢痛，皮膚損傷部痛，点滴刺入部の炎症痛などの痛みだけでなく，吐き気や呼吸困難，発熱，倦怠感など，医学的には**症状**（symptom）と呼ばれるものもあれば，ベッド上安静，上肢固定，下肢挙上固定などの活動や動作の制限に伴うわずらわしさや不快感など，医学的には問題にされにくいものも含まれている．

　人は，安定した状態であれば苦痛を感じていない．人は，子どものころから何か苦痛を感じると，「異常を知らせる**サイン**（sign）」として受け止め，助けを求めることを学んでいる．小さな傷であれ，それが「痛み」を伴うからその傷があると気づき，悪化するのを食い止めることができる．苦痛は人間にとって，必ずしも悪い面だけをもっているのではない．しかし，苦痛があれば人はそれが異常だと認知するので，「この痛みはどうなっていくのだろう」「この苦しみはいつまで続くのだろう」と不安を抱く．また，苦痛が長く続いたり，繰り返し生じたりする場合は，「こんなに痛ければもう仕事も何もできない」というような社会的な苦痛や，「こんな状態なら死んだほうがましだ」というような自分の存在そのものを脅かすような**実存的**（spiritual）な痛みまでも引き起こしていくことが，慢性疼痛ケアや終末期看護の領域で指摘されている[1]（図1.2-2）．また逆に，緊張して腹痛が起こったり，仕事がうまくいかない苦悩から眠れず頭痛が引き起こされたり，自分などいないほうがましだと苦悩していると息苦しくなったりといったように，心理的苦痛，社会的苦痛，実存的苦痛は，身体的苦痛と密接に結びついている．このように，人の苦痛は**全**

> **plus α**
> **症状と徴候とサイン**
> 医学的には広く疾病や傷害による異常を症状（symptom）というが，狭く患者の訴えを症候（symptom）ということもある．徴候（sign）は，チアノーゼなど第三者がとらえられるものをいう．しかし医学的に認められなくても，本人にとって警告の知らせという意味のサインというものもある．

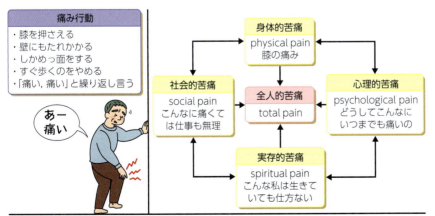

吉田澄恵．Q&A大特集 看護編：痛みについて．整形外科看護．2001，6（6），p.34より改変．

図1.2-2　痛みをもつ患者の痛み行動と全人的苦痛

人的苦痛として身体的，心理的，社会的，そして，実存的苦痛を関連づけて理解することが重要である．

2 過去の苦痛体験による影響を考慮する

子どもは苦痛の体験が乏しいため，わずかな外傷による痛みや，ちょっとした吐き気にも驚いて一人では対応できないが，成人は，さまざまな喜怒哀楽を経験する中で苦痛の体験も重ねている．経験したことのある苦痛であれば，どのようにその苦痛が回復し，あるいはひどくなったり軽減したりしていくのかを体験的に理解している．また，体験したことのない苦痛でも，身近な人の苦痛を共に苦しんだ体験（**共感共苦***）を通して理解することができる．そのため，青年期，壮年期，向老期へと苦痛の体験的理解が可能になる．しかし，一人ひとりの体験は千差万別で，青年期に親族や友人の病気や死，事故に巻き込まれる体験をする人がいる一方で，向老期に至るまでほとんど病気も事故もなく，身近にもいなかったという人もいる．また，紛争が繰り返される地域や自然災害のあった地域の人は，苦しみの体験を多く分かち合う経験をしている．

高度経済成長を背景に，日本は感染症予防の普及，居住環境や交通安全対策の改善などによって病気や事故の危険を回避しやすく，安全に暮らせる社会になった．しかし，その過程で核家族化が進み，居住地や血縁関係などのコミュニティーでの結びつきが減弱した．これは生きていく上での苦痛の体験を分かち合うことが困難になった社会ともいえ，苦痛への対応を学び合う場が減っているとみなすこともできる．生きてきた時代や社会背景によって，苦痛の体験には差が生じる．したがって，一人ひとりの成人の苦痛体験はさまざまであり，苦痛へのセルフケア能力には個人差があることを十分に踏まえておく必要がある．そして，周囲からは重大に見えなくても，苦痛を訴えているその人は健康危機状況にあると受け止め，その苦痛を緩和し，苦痛によって引き起こされている不安を軽減するとともに，本人がセルフケアできるようにしていくことが重要である．

具体的な苦痛緩和の方法は，対症看護や症状別看護，緩和ケアが参考になる．本書では，身体的な痛みに焦点を当て，2章1節で紹介する．

用語解説 *
共感共苦 compassion
倫理学，哲学，人道援助，思想史などで用いられる概念で，他者の苦しみを本当に理解することは難しいということをわかった上で，他者が背負っている苦しみをともに背負っていこうとするあり方をいう．

3 身体機能悪化の予防と早期発見

1 医学的知識の不足を補う

外傷が要因になっている健康危機状況では，障害された部位の損傷に伴う身体機能の変化だけでなく，出血に伴うショックの恐れなど，全身への影響が生じる（図1.2-3）．また，疾患に伴う健康危機状況では，手術や重大な副作用発症のリスクのある薬物を使用した治療を必要とするなど，今，苦痛の要因になっていることだけでなく，今の状態に引き続いて起こりうる障害や，治療によって避けることが難しい身体への影響など，**合併症***や**二次障害***といった身体機能の悪化のリスクがある（図1.2-4）．

用語解説 *
合併症と二次障害
合併症（complication）とは，二つ以上の病態が同時にまたは前後して起こってくるときに，それらに直接の因果関係があると言い切れないものをいう．二次障害は，前後して起こった病態または機能障害のうち，前者が原因で後者を引き起こした場合の，後者のことをいう．しかし，厳密に区別することは難しい．

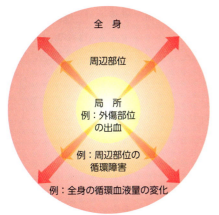
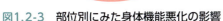

図1.2-3　部位別にみた身体機能悪化の影響

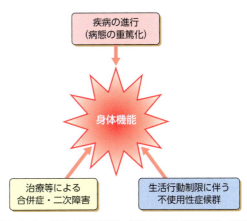

図1.2-4　健康危機状況における身体機能悪化の要因

しかし人は，今ある苦痛が改善すれば「良くなった」と感じるし，今までなかった苦痛が出てくれば「悪くなった」と感じる．また，まったく苦痛の自覚がなかったにもかかわらず，検診などで疾病が見つかり，手術や化学療法など侵襲の強い治療を行えば，それによって苦痛が引き起こされ，「かえって悪くなった」と感じることになる．すなわち，さまざまな苦痛を体験している成人であっても，身体機能に関する医学的知識がないと，本人のセルフケア能力だけでは身体機能の悪化を予防したり，発見したりすることは難しい．したがって，健康危機状況にある人に対応するときには，人間の身体機能に関する医学的知識をもつ者，すなわち医療者がその悪化の予防に努め，早期に発見し，本人に代わって「悪くなっていく」というリスクを回避しなければならない．

2 本人なりの対応を支える

けれども，例えば看護職者が**不使用性症候群**＊（廃用症候群）を予防しようと，「だるくても，じっと寝ているだけでは具合が悪くなりますから動きましょう」と言っても，苦痛があるときに，誰もが当然のこととしてそれに従順に応じるだろうか．また，鎮痛薬を使ってやっと眠っているときに，副作用を心配する看護職者から「血圧を測らせてください」と言われたら，不快になる人もいるだろう．

これまでの歴史の中で，医学への信頼が人々の間に広まり，「身体のことは専門家の判断に任せるしかない」と考え，たいていの成人は医師や看護師といった医療の専門家の判断や行動を「正しい」こととしてとらえている．また，多少納得できなかったり不快に思ったりしたとしても，指示や助言に従おうとする．しかし一方で，「自分の身体のことは自分が一番わかっている」と考えていたり，「あの人の言うことは疑わしいが，この人の言うことならば信用できる」と考えている人もいる．情報社会の中で，医療事故や医療者による犯罪の報道が日常的にあり，専門家への信頼は揺らいできている．また，患者会や障害者団体の活動など，当事者が参加する医療の重要性も強調されている[2]．患

> **用語解説**＊
>
> **不使用性症候群**
> **disuse syndrome**
>
> 廃用症候群ともいう．筋肉・骨・関節等の機能は使わないこと（不使用）によって低下する．安静によって生じるこれらの臓器の退行性変化や症状を不使用性症候群という．運動器障害だけでなく，循環器障害，自律神経障害，精神障害も含まれる．

者のための図書館が生まれ，一般市民向けに医学的知識を概説した書籍や雑誌が量産され普及してきている．

このような時代背景の中，特に自律して生活を営んでいこうとしている成人は，医療の受け手というよりも，医療の利用者として「自分の身体は自分で守る」という意識をもって行動しようとしている．それは例えば，手術直後の麻酔が覚醒したばかりのその瞬間に，何がどうなっているのか理解しようと質問したり，交通事故で運ばれてきたその瞬間に，命が危ないなら教えてほしい，連絡しなければいけないと動き出そうとしたりするといった行動として表れる．したがって，健康危機状況において，看護職者は，身体機能の悪化の予防と早期発見を本人に代わって行うだけでなく，本人が自分の状態を理解しようとし，自分でできることを見いだそうとしていることに十分に注意を払い，わかりやすく説明し，自分でできることや医療者が行っていることを伝えるなど，セルフケアを支援する必要がある．

加えて，身体機能の悪化の予防と早期発見は，医学的にも重大であり，医師と看護師の協働が重要である．疾患や治療についての医学的知識（疾患別・治療別看護）は，各臨床医学書等を参考に学修するとともに，目の前のその人の病態を判断し，治療を行っている医師に直接尋ねて観察視点を明確にし，どのようなときに医師を要請するかを確認しておくことが重要である．本書では，疾患や治療に共通する身体機能悪化への対応について2章で解説する．

4 生活行動変更への支援

1 生活習慣，生活様式の影響を考慮する

成人は，成長発達に伴い生活の中心を占める社会的役割も変化し，それにつれて生活様式も変化していく[3]．しかし，衣・食・住といった生活の基本的な部分，生きていく営みについては安定した状態であることを前提として過ごしている．また，日本社会には朝起きたら洗面し，活動し，帰宅したら入浴して眠るという生活パターンがあり，洗面や入浴が夜と昼を区別する儀式として定着しているし，外から帰ったら靴を脱ぎ，手を洗うことによって内と外を区別するという生活様式がある[4]．また，排泄をトイレで行うことは当然のこととなっている．こうした**生活習慣**や**生活様式**は，子どものころから暮らしている社会で習得したものであり，成人は，その安定性を前提としている．しかし，16，17世紀のヨーロッパでは，水につかると身体に水分が浸透すると考えられて，入浴が不安の種であったという指摘がある[5]．また地球上には，排泄を必ずしもトイレでする習慣のない地域もある．このように，異なる文化的背景をもつ社会では，生活習慣や生活様式は同じではないし，当たり前ではない．

また，生まれたときから目の見えなかった人は，見えないことによって生活行動の変更を迫られることはない．見えない状態でも自由に行動できていた生活空間から切り離され，違った空間で生活することによって不自由になる．目

plus α

患者のための図書館

自分の受ける医療について理解を深めたいと望む患者のために，医療情報を提供したり，家族や一般市民に図書室を開放したりする病院が増えている．専門書・雑誌の閲覧やコピーサービスなどを行うほか，専任司書を常駐させているところもある．

コンテンツが視聴できます（p.2参照）

患者のための図書館

が見えないからトイレに行けないのではなく，トイレの場所に不慣れであるから排泄行動が困難であるに過ぎない．また，長年にわたり右股関節痛があり，右足をかばって時々車椅子を使ってきた人にとっては，右足をかばって車椅子に移動する動作は身に付いたものであって，そのこと自体に不自由はない．逆に，むしろ右足に体重を乗せて移動するよう迫られることのほうが難しい．

　健康危機状況にある成人と接するときには，今どのような生活行動の制限があるかを把握し，また，これからどのような生活行動変更を必要とするのかを予測することによって，それが，その人の通常の生活習慣や生活様式とどのように異なっているかを照らし合わせ，可能な限り滞りなく24時間の生活を続けられるように支援することが重要である．

2 医学的な行動制限への対応困難を支える

　健康危機状況，とりわけ生命の危機が差し迫っているような状況では，個人の生活習慣や生活様式を知る間もなく，医学的な判断によって飲食禁止，ベッド上安静，入浴禁止といったさまざまな**生活行動制限**が必要とされる場合がある．また，輸液ルートを常時確保し，持続的に輸液し薬剤を注入することによってしか心機能を維持できないとか，人工呼吸器を装着しなければ呼吸機能低下を補えないとか，尿道留置カテーテルを挿入して時間尿量を監視しなければ腎機能低下を把握できないというような状態に置かれることもある．

　このような医学的な指示に基づく行動や動作の制限は，その人にとって対応困難なものとなる．ライフサポートのための医療用具や医療機器は，ほとんど通常の生活では未知のものであることを踏まえ，それらを調整し取り扱うことが，その人自身を大切にすることにつながっていると十分に感じながらケアすることが必要である．

　本書では2章において，生活行動の変更への対応困難をどのように予測し，どのように看護方法を導き出していくかについて概説する．

5 心理的・精神的混乱への支援

1 多様な表出を理解する

　健康危機状況にある成人にとって，**心理的・精神的混乱**への支援の重要性は強調しすぎることはない．意識もなく，心肺脳蘇生が必要なほどの重篤な生命危機状況であれば，自分の状態を認知することが困難であったり，表現したりすることができないため，心理的・精神的混乱がどの程度なのか推し量ることは難しい．しかし，もし意識があり，自分の状態を感じ取ることができるならば，良くなるか悪くなるかわからない状況は，心理的・精神的に動揺をもたらす．人は精神的に動揺すると，大騒ぎしたり，じっと耐えたり，いろいろ質問したり，できそうもないのに仕事先と連絡をとろうとしたりと，さまざまな言動を起こす．そのような心理的・精神的動揺，混乱がわかるとき，誰もがその人を何とか少しでも安定させられるように支えたいと感じる．ただ，明らか

に外傷や身体症状が見られるときに動揺していることは受け止めやすいが，他者から見て，さして大きな危険もないように見えるときに動揺している人を見ると，戸惑うかもしれない．

しかし，**心的外傷後ストレス障害**（post traumatic stress disorder：PTSD*）として知られるように，過去の心理的危機の体験が，心理的・精神的動揺を大きくする要因になることがある．例えば，以前，腹痛があったときに様子をみていたら何日も治らず盲腸炎で緊急手術になったという体験のある人が，胃癌の手術後に，腸蠕動が再開するときの痛みを悪くなる徴候ではないかと思って不安を感じるとか，家族が造影剤を使った検査でショックを起こしたことがある人が，自分の術前検査の前におびえているというようなことがある．また，男性は「男の子は泣いてはいけない」と育てられるなど男らしさというジェンダー*（gender）の中で，感情表現を抑制するのがよいこととされる文化に置かれがちであり，不安や心配の表出を抑圧しているとする研究もある[6]．したがって，成人が心理的な動揺をどのように表出するかについては，多様性があることをまず理解しておく必要がある．

2 受け止める

人は子どものころからさまざまな苦痛体験を重ね，苦痛への対応を学ぶと同時に，心理的・精神的動揺も経験し，乗り越える方法を学んでいる．言い換えれば，年齢を重ねるほど，さまざまな状況にあって自らの心の安定を図ることができるようになっている．このような心の不安定さや危機に際して，人がどのように反応し，どのように乗り越えていくのかについて，心理学のストレス・コーピング理論や危機理論をみると，人は，必ずしも専門家の援助がなくても，自分自身で自分の心をケアしていることがわかる．したがってまず重要なことは，たとえその人がどのような言動をしたとしても，それはいずれもその人なりに自分の心を安定させようとしている反応であると「受け止める」ことである．「受け止める」というケアが，そのときの危機を支えることになるのである．

> **用語解説***
> **PTSD**
> 災害や事件に遭遇して激しいストレスにさらされた人が，何かのきっかけでその光景を思い出したり，不安や緊張状態が続いたり，不眠を訴えたりするなど，さまざまな症状がみられる．精神医学分野では，アメリカ精神医学会によるDSMに基づくか，国際疾病分類（ICD）に基づくかなど診断に関するいくつかの論点がある．

> **用語解説***
> **ジェンダー**
> 生物学的性をセックス（sex）というのに対し，社会的・文化的性のことをジェンダーという．「男らしさ」「女らしさ」など，ある時代に，それぞれの共同体や社会において定義された性で，考え方や行動に影響を及ぼしたり支配したりする．

> **臨床場面とのつながり**
>
> 看護師がナースステーションにいると，トイレから叫び声が聞こえた．行ってみると，顔面の皮膚腫瘍を切除し皮膚移植をして数日の南さんが，鏡の前で震えている．見ると，術創部を覆っていたガーゼが少しずれ，まだ周囲の皮膚となじんでいない移植部が露出している．看護師に気づき，「顔が，顔が…」と言う．こんな場面に遭遇したことは一度もなかったため，看護師自身も動揺したが，とにもかくにも受け止めることが大事だと思い，「南さん」と声をかけながら抱きかかえた．南さんはしばらく泣いた後，「ああ，いい大人がこんなに若いあなたに甘えてしまって，格好悪いわね」と言いながら，涙を拭いて「大丈夫」と言って部屋に戻って行った．

3 他のセルフケア不足を補う

精神看護学者の坂田は，患者には，「苦痛を軽減したい」「緊張を軽減したい」「感情的に安定したい」「医療者とよい人間関係を築きたい」「自己概念を安定させたい」「家族や仲間との関係を維持したい」「心のよりどころを得たい」というニードがあるという．そして，「苦痛を軽減したい」というのが，最も差し迫ったニードであり，苦痛が続くことによって欲求不満や葛藤が生じ，攻撃的になることもあると指摘している．健康危機状況は，具合が良くなるか悪くなるかの移行期であり，それを最も感じるのが，苦痛が緩和されたかどうかである．したがって，心理的・精神的な混乱を回避するために重要なことは，心の安定だけを取り上げて関わることではなく，これまで述べてきた苦痛を緩和する援助，身体機能の悪化を予防する援助，生活行動の変更に伴う困難を支える援助等，同時に他のセルフケア不足を補うことである．

臨床場面とのつながり

丸尾さんは激しい下痢と発熱で入院し，絶食（消化管の安静）と輸液（脱水予防），抗生物質および解熱薬による症状コントロールを行っている．医師から，便の培養結果が出ないとはっきりしないが，明日には症状が落ち着いてくるだろうと話され，解熱してきていた．しかし腸蠕動亢進により，ときおり激しい下腹部痛に襲われている．あまりの痛みに，このままではどうにかなってしまうかと不安で，ナースコールをした．

最初に対応した看護師は，「痛くてつらいですよね」と手を握り，しばらくそばにいた．少し気分が紛れた様子だったが，別室のナースコールが鳴ったため，看護師は「ごめんなさい」と言って退室した．

丸尾さんはしばらく痛みを我慢していたが，再びナースコールをした．このときに対応した看護師は，どこがどのように痛むのかを確認し，「腸の動きが激しいときに痛みが出ていると思います．炎症が治まってくるまで続くかもしれませんが，温めると腸の動きが落ち着くといわれているので，そうしてみましょう」といい，温タオルを用いて腹部と腰背部に温罨法を実施した．そして，温タオルの上からそっと手をあて，やさしく下腹部をさすり，一緒にいた中学生の娘に「心配ね．でも，きっとよくなるから．しばらくお母さんのおなかをこうしてさすっていてくれる？ 気が紛れて楽になるの．必ずまた来ますから」と言って退室して行った．

6 家族および重要他者の不安や負担への支援

1 本人の健康危機が不安や負担となる

家族をどう定義するかにはさまざまな議論があり，生物医学的には，遺伝的な関係を前提として使用される．これは，遺伝的な要因で身体機能を判断していく上では重要であろう．一方，看護学においては，家族心理学や家族社会学

と類似して,むしろ生活を共にしていること,あるいは,家族であると互いに認識し合っている複数の人間で構成される生活の最小単位であることが重視されている.本書も後者の立場をとるが,近年の日本社会では非婚の成人が壮年期にも多数おり,単独世帯が増加している.しかし,人は一人で生きているのではなく,他者と支え合っており,自分自身を社会の一員として安定させていく上で大きな影響をもっている人の存在によって,その人の規範や価値観を自分自身に取り入れながら暮らしている.このように,人が社会の中で暮らしていく上で重要な影響をもっている人のことを,社会学や社会心理学領域で**重要他者**(significant others)という.もちろん,家族は互いに代表的な重要他者であるが,家庭生活だけでなく,地域生活,職業生活や学業生活など,さまざまな生活の場で役割を担う成人は,誰かにとっての重要他者として存在している.したがって,家族だけでなく,その人の存在が重要な他者にとっては,その人が健康危機状況に陥ることが大きな不安となり,さまざまな負担が生じることになる.

2 本人へのケアが家族を支える

具体的に家族の不安や負担をどのようにアセスメントすることができるのか,また,どのように対応したらよいかについては2章にまとめるが,ここでは,これまで述べてきた患者本人への「苦痛の緩和」「身体機能悪化の予防と早期発見」「生活行動変更への支援」「心理的・精神的混乱への支援」を行うことが,家族や重要他者の不安の緩和になり,負担の軽減になることを指摘しておきたい.

家族を一つのシステムとみなす考え方がある.これは,例えば人間の身体を臓器別に分解してしまうと,もはやそれは生命をもった存在でいられなくなるように,家族というものも,一つの切り離せない関係をもったひとかたまりのものであるとみていこうとする考え方である.

したがって,健康危機状況にある成人を看護していく上では,まず,その人自身ができる限り,その人の通常の家族,重要他者とのつながりの中に戻っていけるように,あるいは,そのつながりを維持していけることを目標に,苦痛の緩和,身体機能の悪化の予防,生活行動変更の支援,心理的・精神的混乱への支援を継続していくことが重要である.

■ 引用・参考文献

1) 宮下光令編. 緩和ケア. 第2版, メディカ出版, 2016, (ナーシング・グラフィカ, 成人看護学7).
2) 藤田磯史郎. 参加型医療と患者:生きるために結び合う患者たち. 晃洋書房, 2001.
3) 矢野眞和. 生活時間の社会学:社会の時間・個人の時間. 東京大学出版会, 1995.
4) 坂田三允編. 日本人の生活と看護. 中央法規出版, 1998, p.33-35, (シリーズ生活をささえる看護).
5) ジョルジョ・ヴィガレロ. 清潔になる〈私〉:身体管理の文化誌. 見市雅俊監訳. 同文舘, 1994.
6) 多賀太. 男性のジェンダー形成:〈男らしさ〉の揺らぎのなかで. 東洋館出版社, 2001.

重要用語

セルフケア不足	合併症	PTSD
全人的苦痛	生活習慣	家族
苦痛体験	生活様式	重要他者
身体機能悪化	行動制限	

3 代表的な健康危機状況と看護の特徴

学習ポイント

- 代表的な健康危機状況を通して，さまざまな健康危機状況を知る．
- 手術等の侵襲的治療を予定して受ける人の健康危機状況と看護の特徴を理解する．
- 救命救急治療を必要とする人の健康危機状況と看護の特徴を理解する．
- 集中治療を必要とする人の健康危機状況と看護の特徴を理解する．
- 終末期（ターミナルステージ）にある人の健康危機状況と看護の特徴を理解する．

この節では，代表的な四つの健康危機状況の特徴を概説する．

1 健康危機状況において体験する経過とセルフケア不足

本節では代表的な健康危機状況として，「手術等の侵襲的な治療を予定して受ける状況」，「救命救急治療を必要とする状況」，「集中治療を必要とする状況」，「終末期にある状況」の四つを取り上げる．それぞれの特徴は後述するが，ここではこれらの四つの状況下において患者が体験する経過の中で，どのようにセルフケア不足が生じるかを比較する（図1.3-1，図1.3-2，図1.3-3，図1.3-4）．

一つ目の「手術等の侵襲的な治療を予定して受ける状況」では，手術療法を受ける人は，健康障害が発見されると外来を受診し，手術によって獲得できる結果への期待と，手術に伴うリスクや術後障害への不安の間でシーソーのように揺れながら手術の意思決定を行う．この場合，術前から今後生じうるセルフケア不足を，ある程度予測することができる．このため，一人ひとりが自分に生じるセルフケア不足に対して，医療者とともに計画的に対応していくことができる．

二つ目の「救命救急治療を必要とする状況」では，健康障害とほぼ同時に，予期せぬセルフケア不足が発生する．健康障害の程度が深刻で，自身で助けを呼ぶことすらできない状況であれば，そばにいる人（バイスタンダー）に発見されることで医療につながっていくのであり，そうした周囲のサポートがなければ，セルフケア不足に対応することは困難な状況に置かれてしまう．

三つ目の「集中治療を必要とする状況」では，手術等の侵襲的な治療を予定

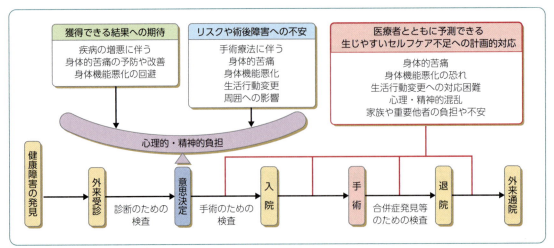

図1.3-1　手術を受ける人が体験する経過とセルフケア不足

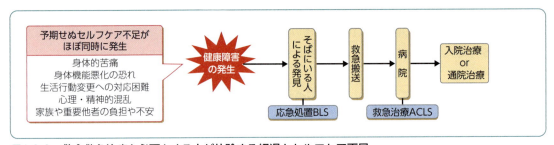

図1.3-2　救命救急治療を必要とする人が体験する経過とセルフケア不足

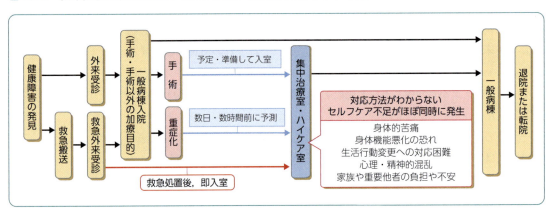

図1.3-3　集中治療を必要とする人が体験する経過とセルフケア不足

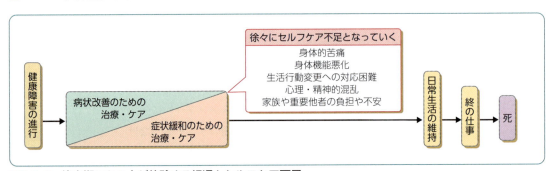

図1.3-4　終末期にある人が体験する経過とセルフケア不足

していて必要となる場合，疾患の治療の過程で重症化したために必要となる場合，救命救急治療の延長として必要となる場合などがあり，セルフケア不足を予測できるかどうかは状況によって差がある．ただし，集中治療を必要とする状況では，**集中治療室**（intensive care unit：**ICU**）や**ハイケア室**と呼ばれるような生命危機に対応できる医療機器等が完備され，医療者が常時いる特殊な環境下に置かれることになるため，患者にとっては対応方法がほとんどわからないセルフケア不足がほぼ同時に発生し，家族・重要他者の面会制限などで多大な負担や不安を有する状況となる．

四つ目の「終末期にある状況」では，健康障害の進行によって症状改善のための治療・ケアよりも，症状緩和のための治療・ケアを多く受けるようになっていき，徐々にセルフケア不足となっていく．

これら四つの健康危機状況では，セルフケア不足が本人に予測できるのか，いつどのように生じるのかに違いがある．しかし，看護職者はどの状況であっても，その患者にどのような健康障害が発生しているのか，それにはどのような治療が行われるのか等についての医学的知識を用いることで，患者がこれから体験することになる経過とセルフケア不足を，ある程度，推論することができる．したがって，健康危機状況における看護では，看護職者が医学的知識を応用し，患者が体験するであろう経過と，その経過で生じる五つのセルフケア不足を予測し可能な限り準備して，意図的，計画的にセルフケア不足を補ったり，代行したりする看護を実施していくことが重要である．

2 手術等の侵襲的治療を予定して受ける状況

1 健康危機状況としての特徴

手術療法は端的に言って，人体に物理的な侵襲(しんしゅう)を加えて，診断あるいは修復を行う外科処置である．大別して，①診断のための生検，②腫瘍や臓器の摘出，③損傷された臓器や器官の修復，形成，再建，④移植，などがある[1-3]．外科治療の歴史では，20世紀は生理学と解剖学に基づいた治療を目指し，麻酔法や無菌法の発展を背景に，人工心肺を使用した臓器移植に至るまで，大きい侵襲の手術（**高侵襲手術**：maximally invasive surgery）を行うように変化した（**表1.3-1**）．一方，21世紀を迎えるころから，分子生物学や遺伝学に基づいた治療法が開発され，ロボット工学や光学機器，画像技術，コンピュータ技術を活用し，内視鏡下手術に代表されるように侵襲の少ない手術（**低侵襲手術**：minimally invasive surgery）も行われるようになった[4,5]．近年は，生命維持に極めて危険の高い大きな侵襲の手術もあれば，組織損傷も微細でほとんど周辺組織にダメージを与えない小さい侵襲の手術まで，多種多様な目的で手術が行われている．しかし，どんなに低侵襲な手術であっても，手術療法が人体をメスや針で傷つける行為を伴う以上，痛みや出血は避けられない．手術療法を受けるということは，生きていくために，身体への侵襲を引き

手術室看護

plus α

身体侵襲を受けるときの看護

手術療法を受ける状況とその看護は，血管造影法を用いた治療や検査，内視鏡を用いた治療や検査，化学療法など，身体侵襲を受ける治療や検査の状況にも活用できる．

受けざるを得ない事態なのである．

このような手術療法を受ける状況には，①手術の意思決定に伴い心理的危機に陥りやすい，②手術侵襲による身体的危機に陥る，③術後急性期のセルフケア不足となる問題を予測・準備して対応する，④手術担当医師，麻酔担当医師等との情報共有に基づいたチーム援助が不可欠である．

表1.3-1　目的別に分類した手術の種類

手術の種類	内容
診断のための手術	病気の原因を明らかにする必要上行う手術．内視鏡的生検・肝生検・腎生検など．
腫瘍とともに臓器を摘出するための手術	①食道・胃・肝臓・結腸・肺などの重要臓器の切除は，術後機能低下を伴う恐れがある． ②乳房・子宮・卵巣・精巣などの生殖器の手術は，シンボル喪失によって自尊感情に影響を与える． ③四肢の切断，上顎・下顎の切除は形態的・機能的変化を来し，自己概念に影響を与える．
病気を根治するための手術	虫垂切除術・胆嚢摘出術，気胸，痔ろうなど．
身体障害部を修復・形成・再建するための手術	腹壁が弛緩して生じている鼠径ヘルニアの根治手術，熱傷後の形成術，心臓弁膜症に対する弁切開術・人工弁置換術など．変形性股関節症など人工物への置換術．
病気を根治することはできないが，症状を軽快させる手術	動脈硬化性の下肢動脈血行障害に対する交感神経摘除術，ドレナージ術など． 頸椎症性脊髄症，前立腺肥大症など（圧迫を除去する）．
先天性機構異常に対する手術	体表では口唇裂など，体内では食道閉鎖症・先天性心疾患などに対する手術など．
機能の廃絶した臓器に対する新しい臓器の移植	腎移植・肝移植など．手術後の拒絶反応や生命倫理の問題を内包する．
ホルモン過剰分泌疾患に対する手術	バセドウ病・原発性上皮小体機能亢進症，副腎や膵臓のホルモン産生腫瘍に対するそれぞれの内分泌腺切除など．

慶應義塾大学病院中央手術部編．慶應義塾大学病院周手術期看護マニュアル：総論．メディカ出版，1997, p.8をもとに一部改変．

2　手術を受ける人の体験

事例❶

無症状にもかかわらず，手術を受けることになった安藤さん，53歳，男性．

　人間ドックで注腸造影検査を受けたところ，結腸の異常を指摘された．病気に関する本を見たところ，良性のポリープあるいは結腸癌かもしれないこと，がんの場合は手術が必要と知り，意を決し評判のいい自宅近くの病院の外科を受診した．初回の受診では採血と胸部X線検査を受け，詳しい検査をしなければわからないと告げられ，大腸内視鏡検査を予約した．結果が出るまでは気にしても仕方がないと仕事に集中し，1週間後に検査を受けた．内視鏡担当医師に尋ねたところ，2個のポリープを取ったが，ほかにやや大きめの腫瘍が一つみられると説明された．帰宅後，妻に話しながら，がんだろうと覚悟した．

　2日後に胸部と腹部のCT検査を行い，1週間後の外来で検査結果を聞くことになり，妻を同伴した．「S状結腸癌」と紙に書いて説明を受け，転移は見つかっていないが，手術をするほうが良いと勧められた．仕事の都合をつけなければならないため必要な入院日数と職場復帰までの見通しを尋ねたが，主治医は「手術で取った腫瘍の病理検査結果によっては追加治療が必要かもしれないので，はっきりとは言えない．入院は2週間程度でよいが，職場復帰までは最低1カ月くらい」と言い，**セカンドオピニオン**＊という方法があるとも話した．安藤さんは迷ったが，自宅からの利便性が良いことなどから，この病院で手術を受けることを決意した．1週間後に受診した際には妻も同行し，二人で説明を聞いた．担当看護師が同席する中，「腹腔鏡下S状結腸切除術」と「出血，イレウス，感染，縫合不全のリスク」と紙に書いて説明され，術後数カ月整腸に配慮が必要であり，排便障害があるかもしれないと聞いた．さらに，状況により輸血が必要になるからと，輸血に伴うリスクも説明された．また，

手術を受けるために必要な検査として呼吸機能検査，心電図検査，麻酔科受診の予定が入り，入院予約して帰宅した．麻酔科受診の際には麻酔科の専門医師から，「全身麻酔を受ける方へ」という小冊子をもらい，麻酔の影響でいろいろなリスクがあることを聞いた．入院日までは，病気や手術のことは考えないようにし，不在中の仕事の段取りをつけることに全力を傾けて過ごした．

入院初日，パジャマに着替え，看護師から病棟生活について案内を受け，もはや病気とも手術とも向かい合っていくしかないと考えた．主治医のほかに若手の医師が担当医になると挨拶に来て，妻とともに手術の方法や起こりうる危険についての詳細な説明があった．また，担当看護師から「手術を受けられる方へ」という説明書をもらい，寝る前に下剤を飲むこと，21時以後は食べ物は摂ってはならないこと，手術後はいろいろな管が体に入れられること，痛みがあるときの対処法，手術翌日には歩行開始の見通しであるなど，回復までの生活について説明を受けた．いくつかの同意書にサインをして看護師に渡し，もう後には戻れない，とにかく手術を済ませて頑張るしかないと思った．

事例 ❷

長年の痛みを緩和するため手術を受けることになった大木さん，42歳，女性．

子どものころ，先天性臼蓋形成不全（寛骨臼形成不全）を指摘され，大人になってから股関節にトラブルが出てくるかもしれないと聞いており，20代後半から時々右股関節に痛みを感じるようになった．整形外科医師より，股関節に負担をかけないよう太らないようにすること，変形を予防し，骨がもろくならないように食生活に気をつけることなどの助言を受け，心掛けていた．30代後半になって痛みが頻繁になり，変形性股関節症と言われた．股関節周囲の筋力維持と杖歩行を勧められ，ときおり理学療法士に運動訓練メニューを教えてもらいながら，定期受診していた．

数カ月前から時々立っていることもつらく，坐薬で痛みをコントロールするようになり，主治医に「磨耗と変形が進んだのでそろそろ手術が必要」と言われた．通院の間に知り合った，同じように人工股関節置換術を受けた人に聞いたところ，術後は痛みは楽になるが，入院は1カ月近くかかり，しばらく車椅子生活をしなければならず，人工股関節の脱臼予防を身に付けなければならないことなどを知った．なかなか決心できないでいたが，夫が「仕事の都合をつけて子どもたちの世話ができるようにするから，痛みで苦しまないようにしたらいい」と言ってくれたので，決心し入院した．

> **用語解説＊**
> **セカンドオピニオン**
> 診断や治療方針に関する主治医以外の医師の意見のこと．医療の主体は患者であるという考えが広まりつつある近年，主治医による診断や治療の説明だけでなく，第三者である専門家の意見を聞きたいという人が増えている．特に治療法の進歩が著しい領域や治療の選択肢が複数ある場合など，セカンドオピニオンの必要性は高まるといえる．

この二つの事例には性別や年齢，家族背景，社会的役割だけでなく，手術を要する診断名や術式などさまざまな違いがある．また，事例1は全く自覚症状を感じていないのにもかかわらず手術を受ける状況であるのに対し，事例2は，長年の慢性疾患の症状増悪を改善するために決意して手術を受ける状況であるという違いもある．このように，一人ひとりが手術を決意するまでの経過は多種多様である（➡p.36 図1.3-1）．しかし，どちらも健康障害を発見して受診し，疾患による身体的苦痛の予防や改善と，身体機能悪化の予防を手術に期待し，同時に手術に伴うリスクや術後障害を覚悟した上で，手術の意思決定を必要とすることは共通している．そして，手術の意思決定の後に術前検査を受け，入院し，手術を受け，術後の身体的苦痛や身体機能悪化の恐れなどのセルフケア不足を医療従事者によって補われて回復し，退院し，再び外来通院へと経過していくのである．

3 手術の意思決定と術前不安への支援

この経過の中で，手術の**意思決定**に関わる時期は，心理的危機となりうる．かつては，病状の診断と治療方針の決定は高度に専門的な判断を要するため，医師が行うものであり，患者はそれに従うことが当然とされていた．**おまかせ医療**と呼ばれるこのような状況は，医師の判断に従順に応じるというスタイルであり，患者自身は多くの情報を自分で考え合わせ，自己決定する必要はなかった．この状況は，「おまかせ」という日本人の心理的対処行動[6]であるともいわれ，必ずしも患者にとって不都合な面だけではなかった．しかし，このおまかせ医療は，手術以外の選択肢があることや，術後に生じる苦痛や後遺症として残りうる二次障害について十分な情報がなく，十分な納得のないまま手術が行われる側面もあった．これに対し，1980年代後半になって患者の権利に関する運動が盛んになり，近年では**インフォームドコンセント**（informed consent）の考え方が普及し，患者自身が**自己決定**することが当然となっている．これは，患者の自律が尊重されるという点で，倫理的に大きな意義がある．しかし，手術に関連するさまざまなリスクについて，自分なりに咀嚼して意思決定することは大きな重圧になり，心理的危機状況に陥りやすい．

子宮摘出術を受ける患者が，手術の意思決定に際して獲得できるもの（gain）と失うもの（loss）を，どのように認知していたかという研究[7]がある．同様に，多くの患者は利益と不利益を考え合わせつつ，自分なりに危機状況に対処している．一方で，この時期の患者は，援助を求める意識がないという指摘[8]もあり，看護職者，とりわけ外来看護師は，明確な求めがなくても意思決定場面に同席し，表情や言動を観察しながら働きかけていくことが必要といえる．また，手術が決定したあとも，患者にはさまざまな**術前不安**がある（表1.3-2）．術前不安の多くは，手術が終わるまで解消されるものではないが，確かな情報が得られたり，的確で安定した対応があると軽減される．例えば，麻酔中に目が覚めるのではないかという不安には，術中は麻酔担当医が持続的にモニタリングし，麻酔薬を調整しながら確実に効果を維持させていることを伝えたり，麻酔担当医に直接会って不安を打ち明け，応答を聞いたりすることなどでかなり軽減する．また，**患者識別バンド**や**術前チェックリスト**などを用いて，複数の職員で確認するしくみがあることを知れば，偶発的な事故への不安の幾分かは軽減できる．

4 標準的な看護計画の利用

このようにして患者は，心理的な危機を回避しながら手術当日を迎えるが，この日から術後急性期は，手術侵襲によって身体的な危機に陥るリスクがある．手術療法に伴う侵襲は，単に切開，切除，摘出，縫合といった術式に伴うものだけでなく，麻酔や輸血によるものもある．これらの侵襲は患者にさまざまな身体的苦痛（創部痛，術中体位による同一体位痛，チューブ・ドレーン類挿入部痛や違和感，麻酔等の影響による吐き気，倦怠感など）を引き起こし，

---

plus α

さまざまな医療事故対策

手術に伴って起きやすいエラーについては多くの研究があり，周術期に関わる看護師は情報伝達に関することのほか，術中の器械遺残を避けること，チューブ類の誤抜去防止，手術台からの転落防止など，重責を担っている．

表1.3-2　手術に関連する不安や心配の例

- 手術は成功するだろうか.
- 輸血をしても危険はないだろうか.
- 麻酔が効かなくて途中で目が覚めたりしないだろうか.
- 麻酔にはどんな危険があるのだろうか.
- 何か事故が起こってしまわないだろうか.
- 痛みはどのくらいなのだろうか.
- 後遺症は残らないだろうか.
- 傷跡はどのくらいの大きさだろうか，目立つだろうか.
- 手術後順調に回復するだろうか.
- 食べたり飲んだりはいつからできるのだろうか.
- いつごろから仕事に復帰できるだろうか.
- 元どおり暮らせるようになるのだろうか.
- 自分がいない間の仕事は大丈夫だろうか.
- 自分がいない間の家族の生活は大丈夫だろうか.
- 自分がいない間のペットや植木の世話は大丈夫だろうか.

表1.3-3　手術に伴う生活行動への影響

時期	生活行動制限の内容
術前	術前からの飲食制限 血管確保に伴う動作困難 (術前与薬として鎮静薬を使った場合：歩行禁止)
術後急性期	術創部の痛みに伴う動作制限 手術部位の安静の必要性に伴う動作制限 ルート類による動作制限 (麻酔合併症予防のため，術後数時間のベッドアップ禁止等を行う場合がある)
術後回復期	手術部位の身体機能の低下や喪失（術後障害）に伴う生活への影響

合併症や術後障害などの身体機能悪化のリスクを与える．また，術後の患者には，酸素マスク，輸液ルート，尿道留置カテーテル，複数のモニタリング機器（心電図モニター，パルスオキシメーター，自動血圧計など）が装着され，これらによる動作制限が加わる．さらに，術式によって，切開部位の動作時痛があったり（開腹術後の腹筋使用時痛，開胸術後の呼吸筋使用時痛など），手術部位の治癒のために局所の安静を必要とし，特定の動作制限を守らねばならないことがある（喉頭摘出術後の頸部過伸展・回旋の禁止，股関節置換術後の術肢屈曲・内旋禁止など）．これらの動作制限により生活行動の変更が必要になる（**表1.3-3**）．また，手術による身体の形態変化や機能喪失は，**ボディイメージ**や**自己概念**の変化をもたらし，制限された生活は多大なストレスとなり心理的・精神的な混乱を引き起こす要因となる．これらはいずれも，成人が通常の生活で獲得してきたセルフケア能力では対応することが困難であり，看護師によるセルフケア不足の代行，補完が必要になる．加えて，患者のこのような状態が家族や重要他者に不安や負担を引き起こすことになる．ただし，セルフケア不足となりやすいこれらの問題については，予定されている術式，麻酔等からある程度予測が可能であり，計画的な対応を行いやすい．

それゆえ，一般に手術を受ける状況を支える看護は，術式別の**標準看護計画**や**クリニカルパス**[*]などによって，手術当日を基点にしたスケジュールに沿って原則的，手順的に看護を提供することができる（**図1.3-5**）．

> **用語解説**＊
> **標準看護計画とクリニカルパス**
> 標準看護計画は，患者の個別性にかかわらず起こりやすい看護問題とその対策を，術式別，疾患別，処置・検査別などでまとめた計画書．クリニカルパス（またはクリティカルパス）は，包括支払い方式と合わせて導入される医療管理のいわば手順書．診断名別に，標準的な治療・検査計画，標準看護計画などを総合し，支払い費用と連動させ，施設ごとに医療チーム共同で開発する．

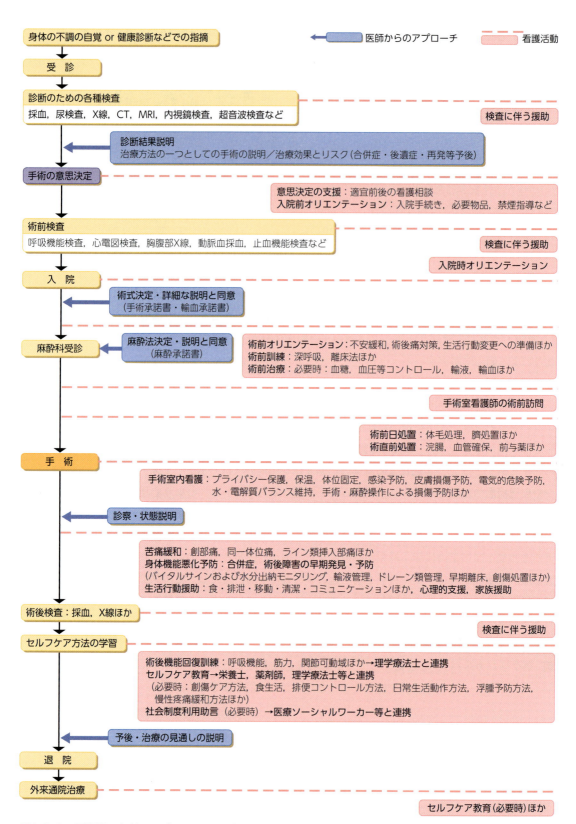

図1.3-5　周術期の患者スケジュールと標準的な看護活動

3 救命救急治療を必要とする状況

1 健康危機状況としての特徴

成人が救命救急治療を必要とする状況として代表的なものは，心筋梗塞，くも膜下出血，脳梗塞などの加齢や生活習慣に伴う血管の変化に関連した急性疾患の発症であり，これらはまさに，生命の危機状況である．このほか，糖尿病でインスリン自己注射中である人が，通常は良好なコントロール状態であったのに体調を崩し，しかも多忙さゆえに間食をとりそびれて低血糖発作に見舞われ対処が間に合わなかったとか，胆石や尿管結石など診断がつけば生命の危機はないことがわかるものの，発症したときは激烈な腹痛に襲われ恐怖を感じるというような状況もある．また，つらいことがあって飲み過ぎたあげくの急性アルコール中毒や，著しい不安に襲われて過換気症候群に陥るといった状況も起こりうる．

救命救急治療を必要とする状況

人は，自らの生命の危機においては自分で自分を蘇生させることはできない．また，強い身体的苦痛症状が出現すれば，周囲に助けを求めるのが精いっぱいの場合もある．救命救急治療を必要とするような危機状況は，ほとんどセルフケアできない状況であり，予期せぬ危機として訪れることが多い．そして身体的危機，心理的危機，社会的危機が同時発生的に生じるという特徴をもっている（➡p.36 図1.3-2）．

2 救命救急対応による生命の危機回避

救命には，心停止の予防，早期認識と通報，**一次救命処置**（BLS；**心肺蘇生とAED**），二次救命処置と心拍再開後の集中治療の四つの「**救命の連鎖**（chain of survival，図1.3-6）」が重要とされ，救命救急治療を必要とする状況では，素早い救命医療がすぐに受けられる搬送システムと受け入れ体制，そばにいる人（**バイスタンダー**：bystander）による素早い対応が重要である．

日本の救急医療体制は，1963（昭和38）年の消防法改正により事故，災害時の患者搬送が市町村の消防機関の業務として義務づけられ，1964（昭

> **plus α**
> **救急医療体制**
> すぐに119番通報するだけでなく，他の初期体制を有効に活用しよう．救急医療体制は各都道府県，市町村ごとにWebサイトや公報で，住民に公表されている．消防庁が運営する救急安心センター事業（♯7119）など，けがや疾病で救急車を呼ぶ前に医師や看護師のアドバイスを受けることができる電話相談窓口なども知っておきたい．

> **plus α**
> **救命の連鎖の見直し**
> バイスタンダーによる救命について，米国では「AHA心配蘇生と救急心血管治療のためのガイドライン2020」を公表し，救命の連鎖に新たに「回復」を追加している．日本では，総務省消防庁が「救命の連鎖」の市民への普及を進めているが，2024年11月段階では変更されていない．いずれにしても重要なことは，救命には専門的な訓練を受けているかどうかにかかわらず，日常から市民の参加が不可欠であるということをいかに普及するかということである．

厚生労働省．日本救急医療財団心肺蘇生法委員会監修．救急蘇生法の指針2015：市民用．
https://www.mhlw.go.jp/file/06-Seisakujouhou-10800000-Iseikyoku/0000123021.pdf，（参照2024-11-11）を参考に作成．

図1.3-6 救命の連鎖（chain of survival）

39）年の救急病院等を定める省令に始まり，漸次，整備されていった．そして1997（平成9）年の救急医療基本問題検討会を受け，現在は機能分担による初期（一次），二次，三次救急医療体制が整備されている（図1.3-7）．また，病院到着前の対応（プレホスピタルケア）として，ドクターヘリやドクターカーの整備も推進されている．しかし，救急車をタクシー代わりにするなどの不適切な利用や，過疎地域での開業医の相次ぐ閉院など，課題は山積している．

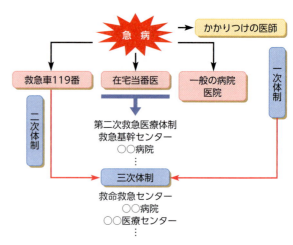

図1.3-7　救急医療のしくみ

バイスタンダーによるBLSについては，2010年10月に**アメリカ心臓協会**（American Heart Association：**AHA**）が発表した「AHA心肺蘇生と救急心血管治療のためのガイドライン2010」を基礎にしたものの普及が推進され，日本では2004（平成16）年，一般市民が緊急時に**自動体外式除細動器**（automated external defibrillator：**AED**，図1.3-8）を使用しても医師法違反に当たらないことが明確にされた．全国各地でAEDの設置が進められ，一般市民が行う除細動，すなわち**パブリックアクセス除細動**（public access defibrillation：**PAD**）の普及が進められている．これと並行して，気管挿管，薬剤などを用いて，医師と看護師，救急隊員等，数名のチームで行う蘇生法であるadvanced cardiovascular life support（**ACLS：二次救命処置**）も，AHAのガイドラインに基づいたプログラムの普及も進められている．日本における心肺蘇生ガイドラインの見直しは，5年ごとに行われるAHAのガイドラインの見直しに合わせて日本蘇生協議会が行っている．2021年現在は，**ガイドライン2020**（図1.3-9）をベースとした心肺蘇生がスタンダードとなっている．ただし，COVID-19感染症のパンデミックを契機に，呼気吹き込みを行うACLSには運用上の注意喚起が示されている．

また，救命救急治療を必要とする状況として忘れてはならないものに，労働中の外傷や急変と交通外傷，そして自殺がある．密閉された作業場での一酸化炭素中毒や，器械作業中に指を切断するなどの労働災害，特に業務上疾病がある．これらについては，労働安全衛生法に基づいて，労働者が50人以上の規模の事業所では，**安全管理者***や**衛生管理者***を選任することが義務づけられ，予防等を行うしくみがある．事業所に**産業看護師***が雇用されている場合もあるが，成人が職場で遭遇しうる危機状況にはほとんどの場合，看護職者は不在であり，産業看護は大きな課題といえよう．

交通外傷の場合は，渋滞等の道路事情による救急搬送システム上の課題が多い．加えて，**病院到着時心肺機能停止状態**（cardiopulmonary arrest on

用語解説*
安全管理者
安全にかかる技術的事項を管理する者で，労働者50人以上規模の事業所について選任する．免許制度はないが，一定年数の実務経験が必要とされる．

用語解説*
衛生管理者
労働衛生の技術的事項を管理する者で，労働者50人以上規模の事業所について選任の義務がある．衛生管理者免許試験に合格して，都道府県労働局長の免許を受けた者のほか，医師，歯科医師，労働衛生コンサルタントなどから選任する．

用語解説*
産業看護師
看護師の資格を有し，企業において産業保健活動に携わる者のこと．「日本産業衛生学会」では，職場におけるすべての労働者の健康障害の予防と健康の保持増進，福祉の向上に寄与することを活動の目的と定めている．日本産業衛生学会，https://www.sanei.or.jp/，（参照2024-11-11）．

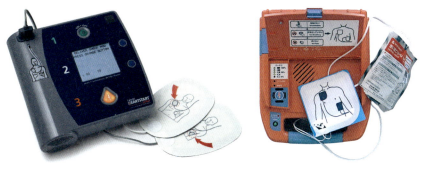

（左：レールダルメディカル製，右：日本光電工業製）

図1.3-8　自動体外式除細動器（AED）

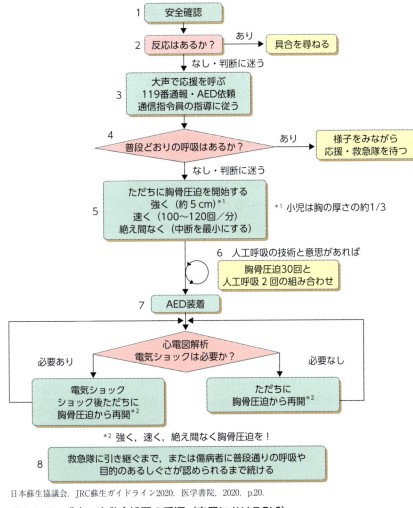

日本蘇生協議会．JRC蘇生ガイドライン2020．医学書院，2020，p.20．

図1.3-9　成人一次救命処置の手順（市民におけるBLS）

plus α
ガイドライン2020

日本蘇生協議会は，国際蘇生連絡委員会（ILCOR：イルコア）が作成するConsensus on Science with Treatment Recommendations（CoSTR：コースター）に基づいて5年ごとに「JRC蘇生ガイドライン」を更新している．ガイドライン2015の際から成人の場合，呼吸がなければ気道確保も呼気吹き込みもせず，すぐに胸骨圧迫を始めるという点が改訂され，ガイドライン2020では大きな変更はないが，一般市民が119番通報した際には通信司令員の指示に従うことを強く推奨する改訂などが加えられた．

arrival：CPAOA）を除く外傷による死亡患者の40％近くが，予防できる**外傷死亡**（preventable trauma death：PTD）であるという調査結果がある[9]．これを受けて，救急救命士を中心に，**JPTEC**（ジェイピーテック）（Japan prehospital trauma evaluation and care）と呼ばれる，病院搬送前の**外傷観察・処置標準化プログラム**[10]が普及しており，全国各地に外傷センターの設置も進められている．

自殺という自らの意思で生命を絶とうとする行為は，突発的なものであれ計画的なものであれ，心理的危機状況の結果招かれる最悪の事態であり，身体的危機として発見されるかどうかは，バイスタンダーが存在するかによって決定的な差が生じてくる．高橋は，自殺に至るような精神状態になる人の発見に果たす看護師の役割の重大さを指摘している[12]．実際の救急処置は外傷治療や中毒治療に準じるが，自殺者の心理的・社会的危機状況は深刻であり，精神医療を受けられるようにすることが重要である．

一方，自然災害などにより多数の救命救急を必要とする人が発生した場合，救命救急治療を必要とする人の優先順位を判断する**トリアージ**（triage）が必要になる．このとき，**緊急度と重症度**＊という二つの視点がある．緊急度とは，いかに早く治療をしなければならないかということであり，重症度は，どれくらい生命の危険があるかということである．たいていは，重症度が高ければ緊急度も高いが，例えば指の切断では，重症度は高くないが，一刻も早く切断指の接合術を行わなければならない．また，重症度は高いが，緊急に治療を行っても回復が望めない死亡寸前の状態ということもなくはない．このトリアージの考え方は，救急外来などで二人以上の患者が同時に救急対応を求めてきた場合にも必要なものである．災害時には，この働きを担うことができる医師，救急救命士，看護師等がトリアージを行い，**トリアージタグ**（図1.3-10）を使用して救命救急治療を行えるようにしている[13]．また，2012（平成24）年度の病院医療における診療報酬の改定では，**院内トリアージ実施料**が新設された．救急外来においては，主として看護師がトリアージを行うこととなり，トリアージナースの養成が行われている[14]．

以上，救命救急を必要とする状況について述べてきたが，この状況にある人に看護を提供していく上では，まず生命の危機の徴候，すなわち，生命維持に関連した身体機能の悪化を早期発見し，次に身体的苦痛の緩和，さらには心理・精神的な混乱への対応，生活行動変更への対応困難の支援，家族や重要他者への対応を行う．

3 発症別対応パターンの習熟と現場対応への精通

危機回避を迅速に行う上では，①**発症別の対応パターン**を熟知しておくこと，②危機が発生している現場での対応に精通していること，が重要である．

発症別の対応パターンとは，例えば意識障害の場合，まず生命の危険性を評価し，呼吸・循環の管理を行い，問診，緊急検査，神経学的検査，頭部CT検

用語解説 ＊
重症度と重傷度

重症度は症状の程度を示し，重傷度は傷病の程度を示しているが，厳密な区別はされていない．火傷などでは，火傷の深さと広さで重傷度を表すが，症状の程度を表す重症度はその他の要因でも異なってくる．救急医療におけるトリアージにおいて，どちらの表記もあるが，総務省のトリアージプロトコルでは，緊急度と重症度の判断が重要と記載されている．

plus α
トリアージタグの方法

災害時のトリアージではSTART（スタート：simple triage and rapid treatment）法に基づき，院内救急トリアージではJTAS（ジェイタス：Japan triage and acuity scale）法が用いられる．

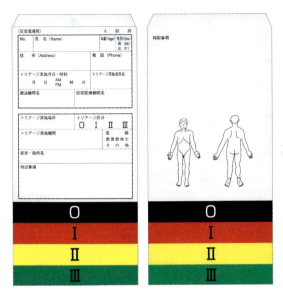

人体図には，負傷個所を斜線で表示する．

トリアージ区分
0（黒）：死亡群（救命不能群）
Ⅰ（赤）：最優先治療群（緊急治療群）
Ⅱ（黄）：待機的治療群（準緊急治療群）
Ⅲ（緑）：軽症群（軽処置群）

図1.3-10 トリアージタグ（左：表面，右：裏面．30％に縮小）

査等で診断できるように支援し，緊急手術か手術待機の準備を行うという流れになっているといったことである．少なくとも意識障害，胸痛，頭痛，呼吸困難など**表1.3-4**に挙げた状況については，このパターンを習得しておきたい．

　危機が発生している現場での対応とは，例えばドクターヘリで駆けつけるフライトナースであるならば，ヘリコプター内に備えてある医療機器の使用や航空搬送中の連絡，搬送先病院の救急外来スタッフ等との対応である．救急外来で働いている看護師ならば，どのような病状の患者にはどの医師が対応するのか，緊急血液検査，緊急CT，緊急X線撮影は誰とどのように連絡したら迅速にできるのか，緊急入院する場合には事務職員とどのように連携するとよいのかなどである．訪問看護ステーションで働く訪問看護師であるならば，訪問先の患者の自宅のどこに何が収納してあるのか，誰にどのように連絡すればよいのかである（**表1.3-5**）．

4 集中治療を必要とする状況

1 健康危機状況としての特徴

　日本集中治療医学会は，**集中治療**について"生命の危機に瀕した重症患者を，24時間の濃密な観察のもとに，先進医療技術を駆使して集中的に治療するもの"[15]と定義しており，**集中治療室**（intensive care unit：ICU）と呼ばれる専門の病室と，各病態に精通した専門医師だけでなく，重症患者を総合的に診療できる**集中治療医**（intensivist）や重症集中看護のスペシャリストを含めたICUチームの存在が重要であると述べている．しかし，一方で集中治療を行うための人材育成には一定期間以上の年月をかけた十分な経験が不可欠で

表1.3-4　救命救急治療を行う人への看護のため対応パターンを整理しておくとよい症状

発症症状	症状と関連づけて学習しておきたい病態の例
意識障害	脳出血，脳梗塞，くも膜下出血，脳腫瘍，一過性脳虚血発作，アダムス・ストークス発作，低血糖，高血糖，一酸化炭素中毒，アルコール中毒，尿毒症，肝性昏睡，CO_2ナルコーシス
頭痛	くも膜下出血，髄膜炎，慢性硬膜下血腫
胸痛	狭心症，心筋梗塞，解離性大動脈瘤，肺梗塞，気胸，膿胸，食道裂孔ヘルニア，帯状疱疹，脊椎カリエス
呼吸困難	気管支喘息，肺梗塞，心不全，胸水，気胸
腹痛	消化管穿孔，胃・十二指腸潰瘍，胆石，急性膵炎，虫垂炎，腹膜炎，尿管結石，腸閉塞，子宮外妊娠，卵巣嚢腫，大腸炎
ショック	アナフィラキシーショック，心原性ショック，敗血症性ショック
けいれん	てんかん，脳腫瘍，低カルシウム血症，解離性障害
吐血・下血	食道静脈瘤，胃・十二指腸潰瘍，潰瘍性大腸炎，直腸癌

表1.3-5　精通しておくとよい危機の現場での対応項目の例

医師との連携方法	救急対応の医師（当直医，当番医，応答医等） 主治医あるいは主治医となりうる医師（各診療科医師，各医師の専門領域，得意領域） 病状説明内容の基本パターン
緊急処置用物品の位置	挿管セット，輸液セット，輸血セット 尿道留置カテーテル，胃洗浄物品，膿盆，創傷処置物品など
緊急薬品の位置，使用法，使用禁忌，混合禁忌，副作用	電解質輸液，強心薬，利尿薬，抗てんかん薬，鎮痛薬，鎮静薬，インスリン，電解質補正薬，中毒への拮抗薬や活性炭など
医療機器の使用方法	輸液ポンプ，心電図モニター，酸素ボンベ，除細動器，12誘導心電図，パルスオキシメータ，血糖測定器，人工呼吸器，血液浄化装置
緊急検査のための方法	簡易検査方法，検体の搬送・提出法，CTやMRI等の位置とそこまでの行程所要時間，臨床検査技師，放射線技師等との連携方法
血液バッグ・血液製剤の入手・保管・使用法	全血，MAP，FFPなど
苦痛緩和ケア物品の位置，使い方	安楽枕，氷枕，氷頸，氷嚢，電気毛布，人工脂肪，離被架，温タオル，毛布，タオル類，吸い飲み，ガーグルベースンなど
事務的な対応の方法	受診手続き，支払い手続き，入院手続き，保険証の取り扱い，事務職との連携方法，医療記録類の取り扱いなど
家族等への対応のための工夫	待機できる場所，医師説明の基本パターンなど

あるため，人材確保が困難であり，可能な限り良質な集中治療を広く実現するための**遠隔ICU**の普及も進められている．

　日本の集中治療室には，さまざまな疾患に対応できる総合型の集中治療室のほか，身体の特定の部位のダメージに対応できる専門の集中治療室，周産期や小児のための集中治療室などがあり，人工呼吸器をはじめとする救急蘇生装置など多数の医療機器が常備されている（**表1.3-6**）．つまり，集中治療を必要とする状況は，患者からみれば生命の危機にあるだけでなく，見慣れないさまざまな医療機器に取り囲まれ，常時，医療従事者の監視下に置かれることとなり，通常の入院よりもさらに非日常的な時空間の中に置かれる状況なのであ

表1.3-6 ICUの種類と対象患者・施設基準

	種類	対象患者（疾患）	入院料名称	面積・病床数	室内に常時備える装備・器具	清浄度	施設（院内）
全般	救命救急ICU	・意識障害または昏睡 ・急性呼吸不全または慢性呼吸不全の急性増悪 ・急性心不全（心筋梗塞を含む） ・急性薬物中毒 ・ショック ・重篤な代謝障害（肝不全、腎不全、重症糖尿病等） ・広範囲熱傷 ・大手術を必要とする状態／大手術後 ・救急蘇生後 ・その他外傷、破傷風等で重篤な状態	救命救急入院料	・救命救急センターを有する病院の救命救急治療室 ・内法15m²/床以上	・救急蘇生装置（気管内挿管セット、人工呼吸装置等） ・除細動器 ・ペースメーカー ・心電計 ・ポータブルX線撮影装置 ・呼吸循環監視装置	—	・自家発電装置 ・電解質定量検査、血液ガス分析を含む必要な検査が常時実施可能
	集中治療室（ICU）		特定集中治療室管理料	・専用施設 ・内法20m²/床以上（内法15m²/床以上）		原則バイオクリーンルーム	
	外科系集中治療室（SICU）	全身麻酔での外科手術直後、容態安定までの短期収容	専用の基準なし、ICU基準に則る.				
部位別	脳卒中集中治療室（SCU）	・脳梗塞 ・脳出血 ・くも膜下出血	脳卒中ケアユニット入院医療管理料	・専用の治療室	・救急蘇生装置 ・除細動器 ・心電計 ・呼吸循環監視装置	—	CT、MRI、脳血管造影等が常時行える体制
	冠動脈疾患集中治療室（CCU）	心筋梗塞・狭心症を急性発症し、緊急の処置・管理を要する患者	専用の基準なし、ICU基準に則る.				
	脳神経外科集中治療室（NCU）	脳神経疾患・頭部外傷での脳外科手術後の患者					
	腎疾患集中治療室（KICU）	急性の腎不全・肝炎で緊急の処置・管理を要する者、腎障害を合併した重症患者					
	呼吸器疾患集中治療室（RICU）	急性呼吸不全、慢性呼吸不全の急性増悪、喘息の重責発作、心不全、大手術後					
周産期・小児専門	母体・胎児集中治療室（MFICU）	・合併症妊娠 ・妊娠高血圧症候群 ・多胎妊娠 ・胎盤位置異常 ・切迫流早産 ・胎児発育遅延や胎児奇形などの胎児異常を伴うもの	母体・胎児集中治療室管理料	・専用施設 ・15m²/床以上 ・6床以上	・救急蘇生装置 ・心電計* ・呼吸循環監視装置* ・分娩監視装置 ・超音波診断装置	原則バイオクリーンルーム	
	新生児集中治療室（NICU）	ICU対象患者と同じおよび以下の症状がある患児 ・高度の先天奇形 ・低体温 ・重症黄疸 ・未熟児	新生児特定集中治療室管理料	・専用施設 ・内法9m²/床以上	・救急蘇生装置 ・新生児用呼吸循環監視装置 ・新生児用人工換気装置 ・微量輸液装置 ・経皮的酸素分圧監視装置または経皮的動脈血酸素飽和度測定装置 ・酸素濃度測定装置 ・光線治療器		ICU基準と同じ
	新生児回復治療室**（GCU）		新生児治療回復室入院医療管理料	—		—	
	小児集中治療室（PICU）	ICU対象患者と同じ	小児特定集中治療室管理料	・専用施設 ・15m²/床以上 ・8床以上	・救急蘇生装置 ・除細動器	原則バイオクリーンルーム	

* 必要な際に迅速に使用でき、緊急の事態に十分対応できる場合においては、この限りではない.
** 新生児回復治療室の装備・器具：必要な際に迅速に使用でき、緊急の事態に十分対応できる場合においては、この限りではない.

る．また，このような状況になることについては，侵襲が大きい手術であることがわかっていて予定し準備できたり，疾患の重症化に伴って，数日・数時間前に予測できることもあれば，救急搬送され救急処置後の即入室などで，予測不能な場合もある．したがって，集中治療を必要とする状況は，生命の危機だけでなく，身体的，心理的，社会的危機に陥っている状況であり，患者にとっては対応方法がほとんどわからないセルフケア不足がほぼ同時に発生し，家族・重要他者の面会制限などで多大な負担や不安を有する状況という特徴がある（➡p.36 図1.3-3）．

> **集中治療看護領域のスペシャリスト**
> 日本看護協会による認定看護師21分野では，**救急看護**，**集中ケア**，**新生児集中ケア**の3分野があり，2026年度までは養成され，その後も継続的に更新可能となっている．ただし，2020年度以後は，特定行為研修が含まれた19分野に再編成され，救急看護と集中ケアは**クリティカルケア**に統合された．また，より高度で広範囲なクリティカルケアについては，大学院修士課程の修了後に日本看護協会の資格審査を必要とする「急性・重症患者看護」の専門看護師がいる．ドクターヘリで活動するフライトナースや，ラピッドカー（ドクターカー）に同乗し，救急現場に駆けつけて救命救急看護を行う看護師は，これらの資格を有する場合もあるが，各施設で十分な経験を積んだ看護師の配属という形となっており，特定の資格というわけではない．

2 生命と非日常における人間の尊厳を守るセルフケア支援

集中治療を必要とする人を支える看護は，生命維持を支えることであり，日常の中では自分自身で守ることができる人間の尊厳を，見慣れない医療機器に囲まれ，24時間他者に監視されるという非日常の中で守ることである．

五つのセルフケア不足の観点からみてみよう．

「身体的苦痛」としては，疾患の症状に伴う苦痛だけでなく，人工呼吸器や複数の静脈点滴ルート，各種モニタリングのルート類を装着していることに伴う苦痛がある．「身体機能の悪化の恐れ」については，特定の臓器の疾患に伴う悪化だけでなく，敗血症（sepsis），多臓器不全（multiple organ failure：MOF）などの全身性の重篤な病態の悪化のリスクがある．加えて，さまざまな装着物がありベッド上で過ごすことに伴う不使用性症候群も程度の差はあれ，必発する．「生活行動変更への対応困難」は，24時間監視と急変に備えるためにプライバシーが確保されにくく，医療機器が発する音，アラームの音に囲まれ，体にはさまざまな装着物がある状況で，食事，排泄，清潔，更衣はもちろん，姿勢を変えることさえどのようにしてよいかわからないほどの状況となる．無論，生命の危機で集中治療を必要とするというだけでも，「心理・精神的混乱」に陥りやすく，物理的環境の非日常の中でも，せん妄となることも

避けがたい．加えて，集中治療を終えた後にも，**集中治療後症候群***（post intensive care syndrome：**PICS**）が生じるリスクもある．「家族や重要他者の負担や不安」は，本人が生命危機にあるばかりでなく，面会も制限され，面会できたとしても，さまざまな医療機器を装着している見慣れない姿に動揺し，言葉をかけることも，からだに触れることにも戸惑うような状況となる．

したがって看護者は，生命危機にある病態を理解し，患者にとっても家族にとっても見慣れない医療機器も含めて，その人がどのような状態にあるのかを正確に把握し，安心感をもたらすように関わることが重要である．そのためには，時々刻々と変化する病態について，24時間監視装置に表示されるバイタルサインズと，30分，1時間，3時間ごとといった定期的な観察によって把握・判断し，複数の看護師や医師，多職種とこまめに報告・連絡・相談し，情報と判断を共有すること，装着されているすべての医療機器類の意味と取り扱いを図示する（図1.3-11）などして熟知しておくことが不可欠である．

また，不使用性症候群やPICSを防ぐためにも，**早期離床**（early ambulation）が重要であり，感染症の予防と日常性の維持をふまえ，かつ，循環動態や呼吸機能への影響を考慮しつつ，口腔ケアや点滴やドレーン等の刺入部や創傷のケア，全身各所の清潔ケアを通してセルフケア支援を行う．非日常の中で日常性を保つために，不必要なアラーム音が鳴らないようにしたり，採光と換気に配慮し，患者の視野に医療機器が入らないようにしたり，体を動かしても各種ルート類が混乱したり抜けたりしないように必要十分なゆとりをもたせつつ，確実に固定するとともに，どのように動くことができるかなどを本人に伝える．落ち着いた穏やかな態度で意識の有無にかかわらず，名前で話しかけ，一つ一つの関わりの際に声をかけ，丁寧に接する．できる限り，テレビや音楽を楽しんだり，読み物や書き物ができるよう支援する．家族や重要他者の面会時には，患者の状況がわかるように説明し，感染予防や医療機器の安全に配慮しながらも可能な限り本人に触れたり，会話できるような方法を伝えるなどの重症患者家族のニーズに応じる看護を行う．

具体的な看護については，3章3節の「集中治療室入室患者」で紹介する．集中治療看護の先駆けは，ナイチンゲールが術後患者の治療と看護のために，回復室という考え方を提唱したことに始まるというとらえ方もある．集中治療を必要とする状況だからこそ，看護の本質が問われることを念頭に置き，どんな状況にあっても，人は自分で自身の健康をセルフケアしようとしているということを忘れず，セルフケアの再獲得も視野に支援していきたい．

用語解説 *
集中治療後症候群

PICSとは，ICU在室中，あるいはICU退室後，さらには退院後に生じる身体障害・認知機能・精神の障害で，ICU患者の長期予後のみならず，患者家族の精神にも影響を及ぼすものとして知られている．本人に生じるものをPICS，家族に生じるものをPICS-Fとし，過度な鎮静をしないようにしたり，早期離床を行うこと，家族を含めた対応を行うことなどの予防的取り組みの重要性がエビデンスとともに普及されている．

plus α
重症・救急患者家族アセスメント

山勢博彰らが，CNS-FACE（Coping & Needs Scale for Family Assessment in Critical and Emergency care settings）という重症・救急患者家族アセスメントのためのニード＆コーピングスケールを開発しており，31項目のCNS-FACE Ⅱが無料でWeb公開されている．重症・救急患者の家族への対応を考える上で特に有用なツールである．http://ds26.cc.yamaguchi-u.ac.jp/~cnsface/user/html/about.html，（参照2024-11-11）．

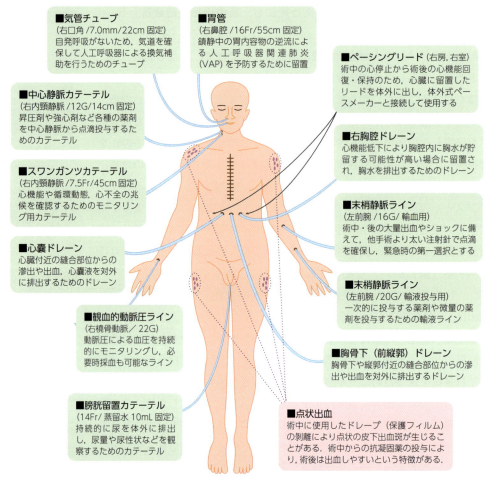

- 大動脈弁置換術は，人工心肺を用いて大動脈弁を人工弁に置換する手術である．
- 術式を調べ人体への侵襲を理解し，各ルートがどのように身体に留置されるかを理解しておくことが重要である．

図1.3-11 集中治療を必要とする人に装着されている医療機器の意味と取り扱いの把握：人工心肺使用の大動脈弁置換術（AVR）直後の例

5 終末期にある状況

1 健康危機状況としての特徴

　ある女性は，40代で肝硬変の末期と診断され，あと数年の命であろうと言われ，その時点から人生の終末の時期ととらえた．夫は仕事量を減らし，妻と過ごす特別な時間を増やし，腹水のたまっているおなかを抱えながら入退院を繰り返しつつも旅行に出かけ，60歳を過ぎて夫の腕の中で亡くなっていった．

　ある男性は，胃癌で手術もできないと言われたが，化学療法で腫瘍マーカー値が下がり，生き続けられると感じていた．外来通院し，体調が不良でも熱心に仕事を続け，未来を考えて暮らした．家族もまた，特別な日々を過ごすのではなく，通常の生活の維持を心掛けた．死期が迫ったことを認めざるを得ないと感じたのは，イレウス状態となって何も食べられなくなり，骨転移の痛みが

ひどくなり，トイレまで歩くこともできなくなった亡くなる数週間前のことだった．

ある女性は，突然意識を失って救急搬送され，回復の期待があり手術を受け，人工呼吸器のサポートを受けて治療を続けていた．しかし，目覚めることなくあらゆる反射が失われ，20日後に亡くなった．

人が死んでいくありようは，生きてきたありようと同じに，多彩で多様である．呼吸不全，心不全，腎不全，肝不全など，臓器の機能不全に陥ることが見通せるような，病期の進行が比較的判断しやすい疾患であっても，いつからを**終末期**とするかは難しい．けれども，人には必ず死が訪れる．そして，一般には，生命を維持する身体機能の悪化の程度からの判断，あるいは診断名と病期分類から大多数の患者にみられる傾向や研究結果などによる判断に基づいて，医学的に，死期が半年以内に迫っていると見通せる状態が終末期（ターミナルステージ）とされた[16]．近年，終末期の概念は検討されなくなり，病期としての判断以上に**緩和ケア**と呼ぶチームアプローチをいつごろ導入するかが論点になっている．

セルフケアという視点で見れば，たいてい死期が迫るほどに，その人の身体機能は悪化し，身体的苦痛が増強し，生活行動が不自由になっていく．また，心理的には混乱し恐怖におびえながら旅立っていく人もいれば，穏やかに別れを告げる人もいるものの，心理状態は，安定していると思えば，次にはとても不安定になるというように，まさに**危機的状況**になる．加えて，家族あるいは重要他者にとって，その人が死んでいくことに伴う**予期的悲嘆***が訪れ，心理的危機に陥っていく（➡p.36 図1.3-4）．

つまり，終末期は身体的苦痛についても身体機能悪化のリスク，生活行動変更，心理・精神的混乱のセルフケア不足が徐々に増大し，家族や重要他者に多くのセルフケアを依存していくという特徴をもつ．

しかし，ここで終末期を健康危機状況ととらえると，身体機能も身体的苦痛も生活行動の対応困難も，すべてのセルフケア不足は悪くなる方向だけではなく，良くなる方向にも向かいうるという視点を失わないことに意義があると考える．

2 回復への可能性を念頭に置いたケア

終末期にある人の看護は，**ターミナルケア**，**終末期看護**，**緩和ケア**といった文献に詳しいが，たとえどんなに終末期にあると見なすほかない状況にあっても，良くなるかもしれないことを考えてケアを続けることが重要である．それは，決して延命治療を無理やり行うことではない．生命維持もまた人間の普遍的なセルフケアだが，それはすべてではなく，一部分にすぎない．セルフケアは，本人が自分自身の生を大切にしようとする営みのすべてである．そのため，そのセルフケアが続けられるようにしておくこと，そういう看護を続けることが重要なのである．

> **用語解説***
> **予期的悲嘆**
> 大切な人の死という喪失が予期される場合，そのことを考え，現実の死が訪れる前に家族や重要他者が喪失感を抱き，心理的反応を示すこと．予期的悲嘆によって，衝撃に耐える力を強め，心の準備ができれば，患者の死が現実になったときの悲嘆を軽くすることができるといわれる．

もう二度と立つことはないかもしれないが，立て膝をしたときのために，清拭しながら足関節の他動運動を続け，関節拘縮(こうしゅく)を予防する（身体機能悪化の予防），褥瘡を予防する（創傷増悪・疼痛の予防）．また，もうのどの渇きを感じてはいないかもしれないけれども，氷水で唇を湿らせるケアを続ける（苦痛の緩和）．もう使うことはないかもしれないけれども，いつも開いていた手帳をすぐそばに置いておくように部屋を整える，もう友人と会話することはできないとわかっていても，もし目覚めたときにこんな自分の姿を見られたのかと失望しなくてすむようにきれいに身づくろいをし続ける（共に生活行動変更への対応困難の支援）．こういうケアの持続が重要であることを見失わないこと，それが本人を尊重することであり，家族や重要他者を支えることにつながる．そのことを強調しておきたい．

■ 引用・参考文献

1) 宮田留理．"手術療法を受ける人の看護"．成人看護学．山崎智子監修．金芳堂，1988，p.286，(明解看護学双書，5)．
2) 川崎多恵子．"周手術期看護の基本"．慶應義塾大学病院周手術期看護マニュアル：総論．慶應義塾大学病院中央手術部編．メディカ出版，1997，p.2.
3) 井上智子．周手術期看護の新しい考え方とエビデンス．月刊ナーシング．2003，23(8)，p.18-26.
4) 小柳仁．"外科の歴史と外科医の立場"．標準外科学．第9版．小柳仁ほか編．医学書院，2001，p.3-8.
5) 森田孝子．周手術期看護．学習研究社，2003．p.448-450，(Nursing Selection, 9)．
6) 岡谷恵子．手術を受ける患者の術前術後のコーピング分析．看護研究．1988，21(3)，p.261-268.
7) 秋元典子．子宮全摘術の決意時における患者の納得の仕方．看護研究．1993，26(6)，p.19-29.
8) 井上智子．"手術患者の意思決定"．数間恵子ほか編．手術患者のQOLと看護．医学書院，1999，p.14-24，(看護QOL BOOKS)．
9) 大友康裕ほか．重症外傷搬送先医療施設選定には，受け入れ病院の診療の質評価が必須である：厚生科学研究「救命救急センターにおける重症外傷患者への対応の充実に向けた研究」の結果報告．日本外傷学会誌．2002，16，p.319-323.
10) JPTEC協議会．http://www.jptec.jp/，(参照2024-11-11)．
11) 高橋祥友ほか．自殺予防へのプロの対応：医療従事者のための早期発見と治療．医学と看護社，2013．
12) 松本俊彦．「死にたい」現場で向き合う自殺予防の最前線．日本評論社．2021．
13) 日本臨床救急医学会．緊急度判定支援システム JTAS2017ガイドブック．へるす出版，2017．
14) 日本救急看護学会トリアージ委員会，日本救急看護学会．トリアージナースガイドブック 2020．へるす出版，2019．
15) 日本集中治療医学会．https://www.jsicm.org，(参照2024-11-11)．
16) 山勢博彰編．救急・重症患者と家族のための心のケア：看護師による精神的援助の理論と実践．メディカ出版，2010．
17) 日本蘇生協議会．https://www.jrc-cpr.org/，(参照2024-11-11)．
18) 日本救急医療財団．救急蘇生法の指針2010（医療従事者用）．へるす出版，2012．
19) JPTEC協議会．JPTECガイドブック．改訂第2版補訂版．へるす出版，2020．
20) 日本外傷学会．外傷初期診療ガイドライン：JATEC．改訂第6版．へるす出版，2021．
21) 日本臨床救急医学会．日本救急看護学会．外傷初期看護ガイドラインJNTEC．改訂第4版．へるす出版，2018．

重要用語

手術（侵襲的治療）	BLS，一次救命処置	ターミナルケア
術前不安，意思決定	ACLS，二次救命処置	緩和ケア
インフォームドコンセント	トリアージ	
救命救急治療	終末期	

4 健康危機状況における看護者の苦悩と支え合い

学習ポイント
- 健康危機状況において看護者が直面する苦悩を知る．
- 苦悩を分析・解釈するときに，臨床能力の不足，物理的制度的課題，コミュニケーションの不足，役割葛藤，倫理的ジレンマという視点があることを知る．
- 苦悩を抱えていくために，その場で支え合うこと，少し離れた位置にいる人の視点を用いること，看護者自身がセルフケアしていくことの重要性を知る．

1 健康危機状況における看護者の苦悩

健康危機状況にある患者には，苦痛，身体機能の悪化のリスク，生活行動変更への対応困難，心理・精神的混乱，家族や重要他者にも不安や負担というセルフケア不足があると述べてきた．特に，心理・精神的な動揺があったり，意識レベルが低下していたりして，本人には，自己決定したり，妥当な判断をしきれないことが多々ある．

こうした特徴から，健康危機状況に対応する看護職者は，「この行為は本当にこの人にとって善いことだろうか？」とか，「今，一番大事にしなければいけないことは何だろう？」といった**苦悩**を抱える．これらの苦悩は，**倫理的ジレンマ**として論じられることが多い．倫理的ジレンマは，なかなか答えの出せないものであり，自らの人間観，人生観，死生観，生命観といった奥深い価値の深層に問いかけていく作業を伴う．しかし，実際に臨床場面で遭遇する苦悩の中には，ほかにも臨床能力の不足，コミュニケーション不足，物理的制度的課題といった視点からも検討していくと，解決への方向性が導き出せることがある．また，倫理的ジレンマが哲学，心理学等によって研究されることの多い概念であるのに対し，社会学領域で明らかにされている**役割葛藤**という概念を用いて考えると，集団の中での自己や他者の立ち位置の違いからくる違いに気づき，別の方向性を見いだすことができる[1]．

1 事例：緊急入院患者を担当したある看護師の苦悩

ここで，ある一人の看護師の苦悩の事例を紹介し，①臨床能力の不足，②物理的制度的課題，③コミュニケーションの不足，④役割葛藤，⑤倫理的ジレンマという分析視点を紹介しよう．

> **事 例**
>
> 　アルバイト先に向かう途中のバイク事故で個室に緊急入院してきた吉岡氏は，一人暮らしの青年で，全身への重大な外傷はなく，右脛骨・腓骨骨折があり，直達牽引を行っている．数日後に骨接合術を行い，その後に車椅子離床，松葉杖歩行，退院という見通しが立っているものの，現在はベッド上臥床である．入院後間もなく，吉岡氏は痛みが強く，「さっき痛み止めの点滴をしたけど効かない，なんとかしてほしい」とナースコールしてきた．しかし処方されている鎮痛薬の使用は4時間空けることとなっていた．看護師の吉田さんは，新たに坐薬を使用してみれば痛みが軽減されるかもしれないと考え，医師に連絡をとり，痛みが強くつらがっているので，他の対策を考えてほしいと話した．しかし，医師は手術が終わり次第，診察するから我慢してもらいたいと応じた．吉田看護師はそれを吉岡氏に伝えたが，舌打ちをされてしまい，無力感でいっぱいになった．
>
> 　翌日，吉田看護師が再び吉岡氏の部屋に行くと，吉岡氏が携帯電話で誰かと通話している場面に遭遇した．緊急入院して連絡をとりたいところもあるに違いなく，動けないのだから当然だと思ったが，病室での携帯電話での通話は禁じられているので伝えたところ，再び舌打ちをされにらまれた．次に訪室したときに，牽引療法と骨折による神経麻痺や循環障害がないかを観察するために足を見せてほしいというと「なんでもないから，もうほっといてくれ」と怒鳴られた．しばらくして事故後は簡単な清拭と更衣しかしていないため，快適になってもらおうと考え清拭を申し出たが，「別に汗をかいていないから」と断られた．
>
> 　吉田看護師は，もう吉岡氏のところには行けないと感じていた．しかし，看護計画には，「下腿骨折に伴う痛みの増強の恐れ」「骨折および牽引療法に伴う腓骨神経麻痺，下腿循環障害の恐れ」「骨折およびベッド上安静に伴う便秘，筋力低下，褥瘡の恐れ」「牽引療法に伴う行動制限と事故による緊急入院に伴うストレス」という問題が挙げられており，局所と全身の観察を怠ってはいけないと考えていた．

　このような場面での看護師の苦悩を考えてみる．

　まず，鎮痛薬の効果がないことに対して，吉田看護師は医師の指示を求めているが，患者に満足できる対応はできていない．この状況で吉田看護師は，医師の指示した鎮痛薬使用の指示に意見をもっているが，それは言わず患者に待ってもらうこととなり，それを伝えることにより患者のいらだちを目の当たりにする．

　次に，携帯電話の使用については，患者のストレスを考慮しつつも，病院内のルール違反と考えて注意し，かえってストレスを増大させている．ついには，看護師として必要だと判断した観察も清潔ケアも実施できなかった．

　この事例には，全く別の展開がありうる．

　まず，鎮痛薬の効果がないと言われたときに，痛みについて丁寧に観察することができる．例えば，牽引している下肢の大腿の下に置いてある枕の位置が悪く，不要な筋緊張を強いられて筋肉痛が発生していることもある．そうであれば，それを説明し，枕の位置を工夫し，下腿骨折部に振動を与えないように大腿部の筋疲労を緩和するようなマッサージを行うことでいくらか緩和するし，その方法を吉岡さんに伝えれば，吉岡さんも痛みへのセルフケアが少しできるようになる．また，局所の炎症反応が強く現れているのだから，牽引の妨げにならないように冷罨法を行えば緩和できるかもしれない．さらに，医師に連絡した際にも，患者の苦痛がどれほど強く，待てる状況にないと判断してい

ることや，坐薬の使用を提案するなど，自分の意見をはっきりと言うことができる．他の患者の手術中に連絡を受けた医師は，吉岡さんのことを集中して考えるのは困難であるかもしれず，この提案があれば柔軟に対応したかもしれない．あるいは，同僚の看護師が吉田看護師の苦悩に気づき，吉岡さんの苦痛の緩和がうまくいっていないことを相談できるように支援すれば，その看護師が適切な対応を見いだし，実施できたかもしれない．

　携帯電話の使用を見つけたときには，緊急入院後の病院内での生活についての案内が不十分だったことを詫び，連絡をとりたいのに動けなくてどんなにつらいだろうと察したことを言葉にし，共感を示したなら，吉岡さんは少しほっとできたかもしれない．そして，医療機器があるときには，携帯電話の病室内での使用を禁じている施設もあるが，吉岡さんの状況と同室者の状況を確認して医療機器を使用していなければ，同室患者のために通話は控えてほしいが，医療機器に影響はないのでメールなどは使用してよいことをしっかり説明したり，安心して通話できる場所にベッドごと移動することを提案することもできる．

　下肢の観察については，下肢の知覚異常は自覚していなくても，循環障害や神経麻痺が進んでいて知覚鈍麻になっている恐れもあるので，確認する必要があることを説明し，了解を得て実施することができる．清潔ケアについても，吉岡さんが清拭という方法がわからないだけかもしれず，背部と殿部と骨折した下肢以外は自分で拭けるような方法を説明すれば，やってみようと考えるかもしれない．

plus α
医療機関における携帯電話やインターネット回線の使用
携帯電話の医療機関での使用については通話を含め，医療機器の電子的トラブルを回避するために，使用禁止区域を限定している施設が主流である．このほか，有料でインターネット環境を完備する施設もある．

　このように，吉田看護師の苦悩の背景には，疼痛緩和に関する対応，ストレス緩和への対応，下肢の異常の早期発見の対応，清潔援助の方法のいずれをとっても，臨床能力の不足がある．また，自らの考えを患者にも医師にも伝えていないという意味で，コミュニケーションの不足もみられる．また，病院内のルールを守ってもらうという組織の一員としての役割（**官僚的役割**）と，患者のストレスを緩和するために最善を尽くすという看護師としての役割（**専門職役割**）が，**役割葛藤**を起こしている．また，携帯電話の使用禁止というルールを守るように指示するだけでは患者の自己決定を阻害することになっているし，苦痛の緩和の求めに対して，医師がそのときその場で応じられないことを容認し，ただ患者を抑圧し忍耐させることとなってしまい，患者の権利の擁護者として対応することもできておらず，看護師の行動としてみた場合，倫理的な課題がある．ほかに，ベッドごと移動できるようにするためには，病院の設備がベッドのまま移動できる環境になっていなければ不可能であるし，そうした時間をつくりだすのには，看護師のマンパワー不足があるかもしれない．

2 臨床能力の不足を直視する苦悩

　この事例では，一人の看護師の**臨床能力***の不足が際立っている．もう少し，それぞれの看護問題についての正確な判断能力と具体策を知っていれば

用語解説＊
臨床能力
ベナーは，臨床看護師の技能の熟達には，初心者，新人，一人前，中堅，エキスパートの各レベルがあるとする．偶発的出来事に対処できるのは，一人前以上である．看護師の臨床能力については，日本看護協会がクリニカルラダーを示している．

違った対応が可能である．しかし，多種多様な苦痛の緩和方法を身に付け，生命危機や予測外の急変に十分対応できるようになったとしても，「今，なんとかしてほしい」という健康危機状況にある目の前の患者に，たった一人の看護師ができることには限界があり，個人の臨床能力を向上させることはそれほどたやすくはない[2]．

　患者はたった一人の看護師になんとかしてほしいと望んでいるわけではなく，複数の看護師で知恵を集めて対応できればそれでよい．しかし，そうするにはまず相談することを選ばなくてはならず，そのためには一人の看護師として自分の臨床能力の不足を直視するという苦悩を引き受けねばならない．

3 物理的制度的課題に関する苦悩

　この事例のように，一人の患者の問題からベッドごと移動できるようにマンパワーを確保する，病院設備を整える，携帯電話の使用に関する病院内ルールの状況に応じた運用を可能にするなど，物理的制度的な課題が見いだされることもある．しかし，病院内ルールのような組織的なルールを一時的に緩和することはできても，物理的制度的な課題は予算も時間も必要とし，そのときその場での対応には間に合わないことが多い．

4 コミュニケーションの不足に関する苦悩

　この事例の吉田看護師は，患者とも他の看護師とも医師とも**コミュニケーションが不足**している．コミュニケーション能力は臨床能力の一つともいえるが，職場集団のなかでのコミュニケーションはあらゆる職種の課題である．とりわけ，他者に危険を知らせたり，不安を惹起するようなことを知らせたり，不快な思いをさせるとわかっている場合に，それを伝えるのは難しい[3]．

　救命救急や急性期における処置・治療は，ある程度の行動のパターンを身に付けてスムーズに事を運ぶ必要がある．それを心得ている者同士ならば，言葉によるコミュニケーションをあまり必要としない．こうした以心伝心的な環境では「確認作業」が抜け落ちる危険性がある．また，「このくらいの知識はもっているだろう」と過信し合って動いていると，思わぬミスを招いたり，手に余る作業を負わされ能力の限界を感じるといった苦悩につながったりもする．

　このほか，医療現場におけるコミュニケーションにおいては，医師の権威の前に看護師が意見を言うことをはばかり，相談や報告というスタイルのコミュニケーションになってしまうこと[4]が指摘されている．また，さまざまな出来事についての裁量権をめぐって職種間の権力闘争が起こったり[5]，チーム医療に求めるものが必ずしも患者の問題解決にあるとは限らず，専門性を発揮できることにあったり，多職種が交わることにあったりするなどのずれがある[6]という指摘もある．加えて，医師は医師で，どこまで専門的なことを伝えたらよいかなど患者とのコミュニケーションに苦悩している状況もあり[7]，インフォームドコンセントへの看護師の参加[8]など，一人の看護師の努力では変えることのできない背景が多々ある．

5 役割葛藤（role conflict）

事例でも，患者のストレス緩和と病院のルールの遵守について**役割葛藤**がみられたが，**専門職役割**と**官僚的役割**の葛藤は日常茶飯事である．専門職は知識に裏付けられ，自律的に判断し，自由裁量を広くもてることによって，専門職役割を果たせるようになる．しかし一方で，どんな組織集団の中にも，複数の人が共に働くための官僚機構があり，その組織内のルールに従うことが組織成員のすべてに求められる．そのため，専門職性を身に付け自分で判断できるようになるほど，官僚的な地位が低く裁量権がないと，組織の中での役割を守ることへの葛藤が強くなることが知られている[9]．

看護職は，医療行為を医師の指示を受けて行うことが法的に定められている職種であり，この意味で，医師の指示に従うという役割も期待されている．健康危機状況では，時々刻々と変わる治療法に対応することが必要になり，診療の**介助業務**と**療養上の世話業務**の二つの役割が葛藤を起こす場面も多々ある．

こうした役割葛藤は，一人ひとりがそのときその場で，柔軟にどの役割を重視するか判断して対応するなどで解消されることもある．サッカーチームでいえば，状況に応じてフォワードがゴールキーパーの役割を演じるというようなことである．しかし，役割は，他者との相互作用を通して他者からの期待を反映しているものであり，毎回変わる当直医，交替勤務の看護師等，集団の成員が入れ替わり立ち替わりし，できるだけ早急に危機回避しようとするような状況下では，一人ひとりの能力に応じて役割を変化させると混乱を来すこともある．そのため，迅速に対応するには，職種によってどんな役割を担うかというように官僚制で決定しておくことも重要であり，役割葛藤に直面する苦悩も避けがたいものとなる．

6 倫理的ジレンマ（ethical dilemma）

健康危機状況に限ったことではないが，看護現場では，同等の望ましい選択肢（あるいは複数の望ましくない選択肢）を前に，何が本当にその人にとって善いことかと悩む．こうした苦悩を**倫理的ジレンマ**（ethical dilemma）という．倫理的ジレンマは解決策や答えは一つとは限らない[12]．また，看護職が倫理的ジレンマを感じることができるか（**倫理的感受性**）さえ疑わしく，多くの課題があることが指摘されている[10]．

医療分野における倫理を考えていくときの判断基準の一つが，**QOL**（quality of life）であり，本人の意思尊重である．救命と延命を目指してきた医療は本人の望まない過剰な医療となることがあり，QOLという概念が導入されたことで，「死は必ずしも敗北ではない」という価値観が大切にされるようにもなった．そのことによって，患者自身の生に対する価値観を重視できるように変わってきた．

しかし，健康危機状況においては，**SOL**（sanctity of life，いのちの神聖さ）という概念を強調しておきたい．

倫理的感受性における看護職の課題

例えば，薬にその効果がないのにあると言って使うと，ないはずの効果が出ることをプラシボというが，これを応用して，古くから鎮痛薬と偽って生理食塩水を使うといった方法が行われていた．しかしこれは，近年では患者をだましていることになり，倫理的問題とされている．このように，医療の場でよく行うことだと，倫理的問題をはらんでいることに気づけなくなるのである．

Life

Lifeに相当する日本語には，生命，生活，人生，いのち，生などがある．生命とは生物学的な意味を強く表し，いのちや生は，心身を分けない存在としての意味，生活と生命，人生をすべて含めた言葉として用いられることが多い．

ICUの看護師が,「急変したA氏をクリティカルケアのためにICUに送りたいと要請があったが,ベッドに空きがない.死が避けられないことが判明しているB氏を病棟に移してもよいだろうか」と悩むことがある.これは,医療の配分のための生命の選択の一例といえる.また,自殺を図った人を救命した場合,「本人が死にたがっているのに,存命を強いるのはいかがなものか」という苦悩もある.こうした,二つの生命の選別が必要になったり,本人の意思が生きることに向かっていない状況で「なにが本当に善いことなのか？」という問いにさらされたとき,QOLという概念だけで議論していくと,社会が考えるQOL（価値観）を,意識的にであれ無意識的にであれ,個人（患者）に押し付けようとする動きが出てこないとも限らない.特に,現在の日本のように頭脳労働が多くを占める社会においては,半身麻痺の人であっても知的作業に支障がないならば働くチャンスは十分にある.一方,身体的な異常はなくとも脳に障害を負って知的作業が行えない人の場合は,職を確保しにくく,場合によっては「役に立たない」と社会から切り捨てられかねない.このような価値観がはびこれば,それは医療現場にも影響を及ぼすだろうし,「救命できるのに助けない」といった事態が発生しかねない.QOLは命の選別をしかねない概念なのである[11].

このような,人間の価値を社会的に生産的であるかどうかで選別するような事態を,健康危機状況で受け入れるわけにはいかない.目の前のその人に「生きていてほしい」「存在していてほしい」と心から願う姿勢がなければ,死にそうにつらいという人の生きる苦しみを抱きとめることはできない.これまで医療の世界では,SOLはあえて声高に語られてはこなかった.設備や技術が未熟で,命を守ることそのものが難しい社会では,SOLは保障することさえ難しかったからだ.「生きているだけで価値がある」という考えは,医療の大前提だといえる.

倫理的ジレンマは,一人ひとりが日々の看護の中で,自分自身の存在をかけて考え続けていくしかない苦悩なのである.

2 苦悩を抱えていくために

患者の健康危機状況における看護職者の苦悩は,いくつかの分析視点で多角的にとらえると,立ち止まって考えることができる.

立ち止まって考える視点,分析視点を身に付けるには自己学習が必要である.また,十分な臨床能力を身に付けていくためには,情報を獲得し,経験を積んでいくしかない.このとき,あふれる情報を取捨選択するには,自分自身の言葉で理解するように心掛けることが重要である.こうした力は**情報リテラシー***と呼ばれる.看護系の専門雑誌は,日進月歩の医学的知識や看護方法やトピックを提供している.また,本当に患者に行われる治療を理解したいと思うのならば,医学雑誌もときにしっかり読むことが必要である.しかし雑誌類

用語解説*

情報リテラシー

情報やデータを取り扱う上で必要となる知識を,さまざまな情報機関,情報機器やネットワークを活用して得る能力のこと.コンピュータやソフトウエアの操作,インターネットでの情報検索能力だけでなく,あふれる情報を目的に応じて評価,選択し,創造的に活用する広い知識と能力のことをいう.

は新しい情報を得るのには適しているものの，系統立った深い知識を得ることは難しい．知識を整理し深く刻み込むためには，書籍類を活用することが重要である．

　また，インターネットの情報は，信憑性という点で，さまざまなレベルのものがある．情報の発信者が誰であり，いつであるのか，責任は明瞭なのか，根拠は明示されているのかに注意して活用しなければならない．痛みや苦しみを分かち合うための患者同士の支え合いは，ネット上で盛んに行われ公開されている．これらを活用することで，今，目の前にいるその人の苦しみの一端を深く感じ取る機会を得ることもできる．また，看護研究者の活用も意図的に行いたい．立ち止まって考えるための支援は，研究者の仕事だからである．けれども，健康危機状況で，目の前の危機を回避しようと必死に看護を提供しているときに，立ち止まって考えるゆとりはなかなかない．どんなに分析視点を獲得しても，それを，そのときその場で活用し，一人で考えていくことは難しい．それにもかかわらず，苦悩は毎日避けられないものとして存在している．

　したがって，まず，その場にいる者同士で支え合うことが大切である．互いに異なった苦悩を抱えていることを前提に，互いの能力の不足を認め合って支え合っていくことである．そしてもう一つ，その場にいる者の苦悩をわかろうとする人で，少し離れた位置にいる人の意見を聞くことも重要である．なぜなら，渦中にいると，人は状況を客観視することが難しくなる．とりわけ，組織的な解決を要する役割葛藤は，全体状況が見える位置にいなければ気づきにくいし，渦中にいると倫理的問題には鈍感になりやすいからである．そして最後に，自分自身を取り戻すための時間をもつこと，そのことなしに，人の危機を支えることは継続できない．セルフケアの不足を補う看護は，自分自身のセルフケアをし続けることによってしか続けられないのである．

■ 引用・参考文献

1) 織田あゆみ．臨床看護師の役割葛藤．平成15年度 東洋大学大学院社会学研究科修士論文．
2) パトリシア・ベナー．ベナー看護論：達人ナースの卓越性とパワー．井部俊子ほか訳．医学書院，1992．
3) 吉川肇子．リスク・コミュニケーション：相互理解とよりよい意思決定をめざして．福村出版，1999．
4) 野村拓ほか．わかりやすい医療社会学．看護の科学社，1997．
5) ダニエル・チャンプリンス．ケアの向こう側．日本看護協会出版会，2002．
6) 細田満和子．「チーム医療」とは何か：医療とケアに生かす社会学からのアプローチ．日本看護協会出版会，2012．
7) 箕輪良行ほか．医療現場のコミュニケーション．医学書院，1999．
8) 今川旬子．"患者の自己決定を支える看護職の役割：インフォームド・コンセントと関連して"．社会変動と看護職の社会的役割．木下安子ほか監修．橋本宏子ほか編．中央法規出版，2000，p.23-51．
9) エリオット・フリードソン．医療と専門家支配．進藤雄三ほか訳．恒星社厚生閣，1992．
10) 石橋美和子．看護における倫理的問題への実践的対応と考え方の基礎．Quality Nursing．2002，8（4），p.302-307．
11) 吉田澄恵．いま，考えてほしい倫理の問題：第3回SOLの再獲得－あなたに今生きていてほしいと願ってケアを続けるために．臨牀看護．2004，32（3），p.377-382．
12) 桂川純子．医師および患者との関係：看護師が抱くバイオエシックスの問題を分析する視点．臨牀看護．2004，30（12），p.1814-1818．
13) 矢貫隆．「自殺」生き残りの証言．文藝春秋，1995．
14) チャールズ・RK・ハインド編．いかに"深刻な診断"を伝えるか：誠実なインフォームドコンセントのために．人間と歴史社，2000．

重要用語

倫理的ジレンマ
役割葛藤

コミュニケーション
SOL（sanctity of life），QOL

情報リテラシー
支え合い

◆ 学習参考文献

❶ オリバー・サックス．左足をとりもどすまで．金沢泰子訳．晶文社，1994．
山中で転落事故に遭い大腿四頭筋断裂となり，自ら危機状況を脱し回復していった過程について，身体の状況から心の機微に至るまで，一方で，神経科医である視点で冷静に分析しながら繊細に克明に書かれている．

❷ 薄井坦子．ナースが視る病気：看護のための疾病論．講談社，1994．
医学的診断の有無にかかわらず，看護学において疾病をどう理解できるかを示しており，古くてもコアとなる書である．

❸ 小島操子．看護における危機理論・危機介入 フィンク／コーン／アグィレラ／ムース／家族の危機モデルから学ぶ．第4版，金芳堂，2018．
日本の看護に危機理論を紹介した著者が，豊富な経験をもとに心理的危機を支える危機理論を解説している．

❹ 氏家良人．救急・集中治療領域における緩和ケア．医学書院，2021．
救急・集中領域で必要とされる苦痛の緩和ケアについて，患者と家族に向き合い続ける救急・集中治療医と緩和ケア医が2つの領域の統合に向けて執筆している．

❺ 宮下光令．緩和ケア．第3版，メディカ出版，2022（ナーシング・グラフィカ，成人看護学6）．
一般病棟や外来，在宅などで，がんの診断時から看護師を含むすべての医療者によって提供される「基本的緩和ケア」を学ぶテキスト．今後，重要になってくる非がん患者への緩和ケアの章も設け，最新のサポーティブケアを解説している．

❻ 永井良三総編集．疾患・症状別今日の治療と看護．改訂第3版，南江堂，2013．
医師が執筆した看護師向けの疾患と治療の概説書．医学書には，診断と治療のために医師が知っておくべき情報が含まれるが，この概説書には，医師がともに働く看護師に知っておいてほしいと考える疾患の病態や治療指針が明示されている．

❼ 日本プライマリケア連合学会．プライマリケア看護学．基礎編．南山堂，2016．
救急外来に来院した患者や訪問看護の場など，生命危機ではなくても，本人にとっては具合が悪く医療を必要とするときの医療は，プライマリケアという分野で知識と経験が蓄積されている．本書は，そこに焦点を当ててまとめられている．

❽ 坂田三允編．日本人の生活と看護．中央法規出版，1998，（シリーズ生活をささえる看護）．
日本人の文化や生活と，看護の関係性をわかりやすくまとめてある．古いがこれに変わる書はいまだ新たに出版されていない．

❾ 数間恵子ほか編．手術患者のQOLと看護．医学書院，1999，（看護QOL BOOKS）．
手術を受ける患者の意思決定と治療参加，自己管理を支えるための状況理解と看護方法を解説している．とりわけ，術後障害に関する看護に詳しい．古本しかないかもしれないが，現在も重要な実践がある．

❿ 道又元裕．すごく役立つ 周術期の全身管理：術前・術後ケアと尿・便・体温の疑問解決．学研メディカル秀潤社，2018．
手術侵襲に伴う生理的な反応を含めて，術前から術後まで身体機能の悪化をモニタリングし，回復を支えるために必要な知識がわかりやすく解説されている．

⓫ 小澤知子．臨床事例で学ぶ急性期看護のアセスメント．地域医療連携時代の系統的・周術期アセスメント．メディカ出版，2020．
看護学の初学者向けに，術後の状態をアセスメントする方法が図表やイラスト入りでわかりやすく解説されている．

⓬ 日本救急看護学会．改訂第4版外傷初期看護ガイドラインJNTEC™．へるす出版，2018．
外傷で救急初療を必要とする患者への看護についての系統的な観察・判断・連携・実施を学会がまとめており，学会員向けの研修でテキストとして使用されているガイドブック．

⓭ 山勢博彰編．救急・重症患者と家族のための心のケア：看護師による精神的援助の理論と実際．メディカ出版，2010．
救急・重症患者とその家族の心理状態の特徴と具体的なケアの方法を解説している．

⑭ 日本蘇生協議会・日本救急医療財団監修．JRC蘇生ガイドライン2020．へるす出版，2021．
　AHAのガイドラインに基づいている日本における救急蘇生法の指針．

⑮ 一般社団法人JPTEC協議会．JPTECガイドブック．改訂第2版補訂版，へるす出版，2020．
　病院に搬送される前に，外傷患者に遭遇したとき，標準的にどのように救護する必要があるかについてまとめたガイドライン．

⑯ 総務省消防庁Webサイト．
　https://www.fdma.go.jp/，（参照2024-11-11）．生活密着情報には，応急手当の基礎知識，心肺蘇生法が掲載されている．このほか，救急，救助に関わる情報，災害に関わる情報が得られる．

⑰ 日本中毒学会Webサイト．
　http://jsct-web.umin.jp/，（参照2024-11-11）．学会推奨の急性中毒の標準治療がまとめてある．

⑱ 古賀雄二．深谷智恵子．日常性の再構築をはかるクリティカルケア看護．基礎から臨床応用まで．中央法規，2019．
　急性・重症患者看護専門看護師を中心に，ICUなどの集中治療を必要とする人への看護について，マズローのニード階層にそって，重要な視点を，基礎から応用まで網羅的にまとめてある．

⑲ 日本クリティカルケア看護学会・日本救急看護学会．救急・集中ケアにおける終末期看護プラクティスガイド．医学書院，2020．
　救急外来や集中治療室などで，本人も家族もほとんど想定していなかった終末期にどんな看護実践が実施できるか，具体的な行動でも示している．

第1部 健康危機状況

2 健康危機状況における看護方法の検討

学習目標
- 苦痛の緩和のための看護方法を知る．
- 身体機能悪化に対応するための看護方法を知る．
- 生活行動変更を支援するための看護方法を知る．
- 心理・精神的混乱を支援するための看護方法を知る．
- 家族・重要他者の不安や負担に対応するための看護方法を知る．

1 苦痛の緩和

学習ポイント
- 健康危機状況にある成人の苦痛について理解できる.
- 健康危機状況における「緩和ケア」の必要性とその意味が理解できる.
- 健康危機状況に活用できるコンフォート理論について理解できる.
- 苦痛をアセスメントする方法を理解できる.
- 苦痛緩和の方法を理解できる.

1 健康危機状況における成人の苦痛と「緩和ケア」の必要性

1 健康危機状況における成人の苦痛

「広辞苑(第6版)」によると,苦痛とは「精神や肉体が感ずる苦しみや痛み」とある.医学大事(辞)典や看護大事(辞)典には「苦痛」の定義は見当たらないが,「痛み」については「組織の実質的または潜在的な傷害によって生じる不快な感覚情動体験,あるいは心因のみによって生じる同様の体験」[1]と定義づけられている.すなわち**苦痛**は,痛みだけではなくその他の苦しいと感じる症状,例えば悪心(嘔気)・嘔吐,呼吸困難,口渇,不眠などを含んだやや漠然とした概念で,ただ単に身体的な感覚体験ではなく,感情を含んだ情動体験であることが理解できる.さらに,身体的な要因が何もない場合でも,心理的な要因があれば痛みという感覚情動体験をする点は非常に特徴的である.つまり,不安,恐怖,心配,緊張,抑うつ,混乱などの心理的要因があれば,身体的な組織の傷害がなくとも「痛み」を体験するということである.これは**心身医学***の考え方にもあるように,「こころ」と「からだ」が不可分であることを示している.このように身体と心理が複雑に関係して「苦痛」という感覚情動体験が生じるということは,苦痛の緩和を考える上で,身体面だけに目を向けて援助するのではなく,心理面の援助も重要であることを示唆している.

自らの健康に危機をもたらすような状況で苦痛を感じることが多いが,苦痛の要因と考えられるものを図2.1-1に示した.このように健康危機状況においては,一つの要因だけではなく,さまざまな要因が複雑に影響し合って苦痛をもたらしていることがわかる.苦痛に対する援助を考える場合にも,どのような要因が苦痛をもたらしているのか一人ひとり個別にアセスメントし,それに応じて対応していく必要がある.しかし,苦痛をもたらしている要因は多岐にわたり,複雑に関連し合っているため,容易にアセスメントできるものではない.そのため一般的に苦痛緩和のためのケアは,包括的に行われることが多い.

健康危機状況におけるさまざまな苦痛の要因は,いずれも患者にとって不快

用語解説*
心身医学

「こころ」と「からだ」は有機的に結びついているという「心身一如(いちにょ)」の考え方に立脚する医学.これまでの身体中心の医療に対する反省から,病気よりも病人を中心とした全人的な医療を目指している.そのため,診断や治療において,心身両面から幅広く総合的に症状をとらえ,心理,性格,行動パターンや環境要因まで含めたアプローチを行う.

plus α
苦痛緩和のために重要な「環境」の調整

ナイチンゲール(Nightingale, F.)は『看護覚え書』で,「その病気につきもので避けられないと一般に考えられている症状や苦痛などが,実はその病気の症状などでは決してなくて,全く別のことからくる症状―すなわち,新鮮な空気とか陽光,暖かさ,静かさ,清潔さ,食事の規則正しさと食事の世話などのうちのどれか,または全部が欠けていることから生じる症状であることが非常に多い」と述べている[2].病気が原因と考えられている苦痛や痛みの多くは環境によって生じることが示されており,苦痛を緩和する場合には「環境」を整えることにも十分な配慮が必要であるといえる.

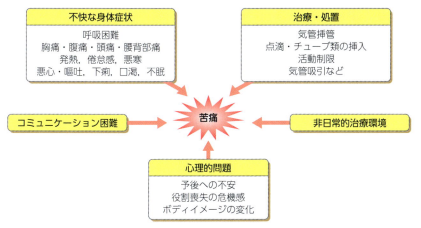

図2.1-1　健康危機状況における苦痛の要因

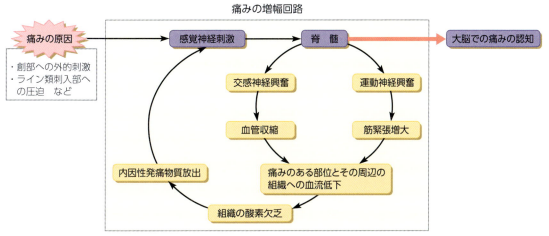

細川豊史. 痛みの悪循環. 伊藤正男ほか総編集. 医学大辞典. 医学書院, 2003, p.114を参考に作成.

図2.1-2　痛みの悪循環

で苦しみを感じるものであるが，その中でも特に耐え難いものは**疼痛**である．疼痛は激烈な場合には，人格を破壊するとまでいわれている．激しい疼痛は疾病の存在を示唆し，人を受診行動に向かわせ，疼痛の緩和を望み，たとえつらい治療や処置でも受けさせることにもつながる．つまり，痛みそのものは不快な体験ではあるが，警告信号としても機能しているということである．また，図2.1-2で示したように，痛みは放置すると悪循環を生じることが明らかになっている．したがって，痛みにはできるだけ早期に対処する必要がある．

　さらに，痛みには個人差があることは周知の事実である．つまり，患者によって効果的な方法が異なる．ある人に効いたからといって，ほかの人にも効果があるとは限らない．心理的な要素が複雑に関係しているため，医学的治療のように確率論的に効果を論じることは難しい．できるだけ多くの「手段」を知っておく必要があり，それらを複合的に用いて援助することが重要である．

2 健康危機状況における「緩和ケア」の必要性

WHOは,「**緩和ケア**とは,生命を脅かす病に関連する問題に直面している患者とその家族のQOLを,痛みやその他の身体的・心理社会的・スピリチュアルな問題を早期に見出し的確に評価を行い対応することで,苦痛を予防し和らげることを通して向上させるアプローチである」(2002年)と定義付けている.ここでの「生命を脅かす病に関連する問題に直面している患者とその家族」という表現は,まさに健康危機状況にある患者とその家族を表していると考えられる.

健康危機状況にある患者では,看護の役割としても医師と協働して薬剤なども使用しながら問題解決を図っていくことが多く,身体的なケアをしっかり行うことが求められる.しかし,たとえ身体的ケアがしっかりと行われていても,心理社会的・スピリチュアルなケアが十分に行われていなければ,さまざまな問題が生じてくる.例えば,健康危機状況にある患者が疼痛を経験している場合,その症状が一体いつまで持続するのかわからないという不安が生じる.そうした心理的不安が疼痛を増強させることは,前述したとおりである.つまり健康危機状況であれば,危機的状況から患者の生命を守る身体的ケアだけでは不十分で,心理社会的・スピリチュアルな部分にも介入していく緩和ケアの考え方が必要となる.

また,健康危機状況における緩和ケアには,単なる治療のサポートや身体的ケアの補助という意味だけでなく,もっと積極的な意味が内包されていると考えられる.つまり,緩和ケアによって身体・心理・社会・スピリチュアルなバランスをある程度コントロールすることで,患者の本来もっている自然治癒力がうまく発動されるようにすることが可能となる.その意味では緩和ケアが主であり,逆に治療はそのためのサポートとして位置付けられるのではないだろうか.そして,看護師は緩和ケアを実践する主体であり,さまざまな方法を用いて苦痛を緩和する責任を負っている.

以下では,まず苦痛の緩和に役立つ理論として,キャサリン・コルカバのコンフォート理論を紹介する.その後,健康危機状況にある患者の苦痛を緩和する具体的な方法について検討する.代表的な薬物療法をはじめ,科学的にはまだエビデンスレベルが十分に認められていないものの,経験的なエビデンスとして効果が認められている**代替・補完療法***も含めて考えたい.

2 コンフォート理論

コンフォート(comfort)は,日本語では「安楽」と訳されているが,両者の意味する内容は全く同じというわけではない.日本語の「安楽」は身体的・精神的な苦痛・不安がなく快適な状態を意味しているが,英語のコンフォートは「安楽」の要素に加えて力づける,勇気づける,元気づける,強くするといった意味が含まれており,より幅広い概念である.

用語解説*

代替・補完療法

Complementary and Alternative Medicineの頭文字をとってCAMとも呼ばれる.現代西洋医学以外の治療法や健康法など,すべてのものを指す.したがって,中国医学などの伝統医学から,健康補助食品,太極拳やヨガ,アニマルセラピー,園芸療法,アロマセラピー,音楽療法,温泉療法,指圧,カイロプラクティック,信仰に至るまで,さまざまなものが含まれる.これらは非侵襲的で全人的なケア方法が多く,看護への応用の可能性があるものも含まれている.

コンフォートという用語は，1800年代のナイチンゲールの時代から用いられているが，1994年にキャサリン・コルカバ（Kolcaba, K.）が中範囲理論としての**コンフォート理論**を提唱した．この理論では，患者・家族など，ケア利用者のコンフォートに焦点を当てており，利用者中心でホリスティックな考え方を有している．苦痛は身体と心理が複雑に関係して生じるため，苦痛の緩和を考える上では身体面だけでなく，心理面，スピリチュアルな面にも目を向けて援助することが重要であることは前述したとおりであるが，コンフォート理論はまさにこの考え方に沿っている．

このようにコンフォート理論は単に苦痛緩和のための理論ではなく，苦痛や不安を緩和することが困難な状況にある患者・家族であったとしても，よりホリスティックな視点でのコンフォートを考えることができるという点で，まさに健康危機状況にある患者に適用できるものである．

1 理論の概要

|1| コンフォート理論の前提

コルカバのコンフォート理論の前提となるものは，次の四つである．

❶**ホリズム（holism）** 人間は**全人的（ホリスティック）**な存在であるため，身体的苦痛は身体的な側面のみで生じてくるとは限らず，心理・社会・スピリチュアルな側面でも影響を受ける．コンフォートは，ホリスティックな状態と考えられているため，それを達成するためには身体的介入だけでなく，全人的な介入が必要である．

❷**人間のニード** 人間には健康でありたい，コンフォートでありたいという**ヘルスケアニード**がある．そのため患者・家族は，より高いレベルのヘルスケアを求める．ニードは人間の行為を方向づけ，ニードの充足は意欲にもつながる．患者は潜在的・顕在的なコンフォートニードをもっているため，それが満たされることを望み，充足されることによって元気づけられ，回復に向けての意欲も高まる．

❸**看護理論** コルカバは複数の看護理論家の考え方をもとにして，**緩和（relief）**，**安心（ease）**，**超越（transcendence）**という三種類のコンフォートの状態があると考え，それを理論の基盤とした．

❹**ヒューマン・プレス理論** 心理学者のヘンリー・マレー（Murray, H.）が提唱した人間のニードに関する理論で，ストレス状況下にある人間が適切な介入の結果，ホリスティックな知覚が生じるという考え方を基盤にしている．この理論の概念を基に下位概念としてコンフォート理論の枠組みを形づくった．

|2| コンフォート理論の枠組みと主要概念

コンフォート理論の枠組みを**図2.1-3**に示す．

a コンフォートとは

コンフォートには緩和，安心，超越の三つの状態があり，コンフォートは身体的，サイコスピリット的，環境的，社会文化的といった四つの文脈の中で生

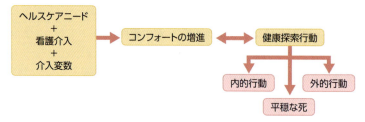

図2.1-3 コンフォート理論の枠組み

じるとしている．**緩和**はニードを満たすことができた状態であり，苦痛や不快が満足できるレベルまで緩和された状態である．**安心**は，平静あるいは満足した状態である．**超越**は，患者に苦痛が存在していたとしても，それを克服した状態である．この超越は，看護師と患者の関係性の中で，患者の通常の能力以上の潜在的な力が発揮された結果として生じてくるものである．

こうしたコンフォートの状態が生じてくるのは，身体感覚に関係する身体的コンテクスト（状況），自尊心，自己概念，セクシュアリティ，人生の意味といった患者の認識に関係するサイコスピリット的コンテクスト，周囲の状態や条件に関係する環境的コンテクスト，対人関係・家族関係・社会的関係に関係する社会的コンテクストの四つのコンテクストがある．

コンフォートは「4つの経験のコンテクスト（身体的，サイコスピリット的，社会的，環境的）の中で，緩和，安心，超越というニードを満たすことにより強化されるという，即時的な経験である」（Kolcaba，2003/太田，2008）と定義付けられる．また，コンフォートはホリスティックで複合的な状態であるため，患者・家族はコンフォートの各側面を区別して知覚するのではなく，同時に知覚するとしている．つまり，安心というコンフォートの状態を経験することで，緩和や超越といった状態も同時に経験することがあるし，超越の状態を経験すると，緩和の状態が得られていなくても，苦痛を克服し安心の状態を経験することもある．

このようにコンフォートの考え方を用いることによって，健康危機状況で苦痛が著しく，安心や緩和の状態が達成できない状況であったとしても，超越を目指し，患者や家族の苦痛・不安を少しでも乗り越えられるように動機付け，励ましを提供するコンフォートケアが可能となる．

b コンフォートケア（看護介入）

コンフォートを達成するための看護介入としては，次の三つの方法がある．

技術的手段（technical comfort measures） 主として緩和の状態をもたらすためのケアである．恒常性の維持を目的としたバイタルサインの測定や血液検査のモニタリング，疼痛時の薬剤使用などの介入がある．これらは患者の生理機能の安定化を図り，コンフォートを維持・回復させ，合併症を予防することにつながる．

∴ **コーチング（coaching）** 主として安心の状態をもたらすためのケアである．情報提供，希望をもたらす言葉，傾聴などにより不安を緩和し安心感をもたらし，回復に向けての現実的な計画をサポートするといった介入である．

∴ **魂の栄養（comfort food for the soul）** 看護師・患者の関係性を通して，主として超越の状態をもたらすためのケアである．患者個々に応じたやり方で，患者が力づけられたと感じることができるようにする介入である．例えば，後述するマッサージや音楽療法，回想法，手を握る，イメージ法といった代替療法が含まれる．

c 介入変数

介入変数とは，看護師がコントロールすることが困難であるが，コンフォートケアの方向性や成功するかどうかに影響を及ぼすものである．つまり介入が成功するかどうかの決め手となるものである．

介入変数の例としては虐待，貧困，悪性疾患，認知障害，体格，性差，年齢，体重，疾患の進行度，予後，処置時間の長さ，教育，社会的支援，看護経験年数，看護師の知識，看護体制，勤務人数などがある．多くは患者・家族の要因だが，看護師や病院，病棟の体制に関するものなども含まれ，これ以外にもコンフォートへの影響要因は無数に考えられるため，非常に多様である．

d 健康探索行動

健康探索行動とはコンフォートの状態が達成された結果として生じるものである．患者・家族が意識するかどうかにかかわらず，良好な状態に向けて取り組む内的・外的な行動を意味しており，次の三種類がある．

∴ **内的行動** 目に見えない細胞・臓器レベルでの治癒，酸素飽和度・血圧値・腸蠕動・心拍出量などの改善，免疫機能の向上などが含まれる．

∴ **外的行動** 目に見える変化で，セルフケアができるようになる，歩行や排泄といった機能の改善，健康維持プログラムを実施できるようになる，入院期間が短縮するといった内容が含まれる．

∴ **平穏な死** 終末期にある患者が症状コントロールされ，患者と家族がともに死を受容し，平穏に死を迎えることができるようになることを意味している．

2 コンフォート理論の看護実践への適用プロセスと注意点

表2.1-1にコンフォート理論の看護実践への**適用プロセス**を示す．内容的にはアセスメント，計画，計画の具体化，実施，評価といったもので，通常の看護過程とほぼ同様である．ただし注意点として次のようなものがある．

表2.1-1 コンフォート理論の看護実践への適用プロセス

1. コンフォートニーズのアセスメント（アセスメント）
2. ニーズを満たすためのコンフォートケアの計画（計画立案）
3. コンフォートケアが成功するための介入変数の考慮（計画の具体化）
4. ケアリングのある方法でコンフォート増進を意図した介入（実施）
5. コンフォートニーズに見合った健康探索行動が得られたかの検討（評価）

:・ケアリングのある介入　最も重要なのは，**ケアリングのある方法**でコンフォート増進を意図した介入を実施することである．ケアリングのある方法で介入することで，ホリスティックなアウトカムとしてのコンフォートの増進につながることが期待できる．

:・介入変数の考慮　介入変数をどのように考慮するかということも重要なポイントである．コンフォート理論では，ケアリングのある方法で適切に介入しても，コンフォートが増進されないときに考慮すべきものとして「介入変数」を取り上げている．

　介入変数の内容は前述したとおり多様であり，患者・家族の置かれている状況によって介入変数も変化するため，看護師自身が臨機応変にそれを考慮する必要がある．介入変数をどのように考慮すべきかについて，コンフォート理論では明確に述べていない．そのため看護師の介入変数を見極める力量と，それを考慮したケア計画を考えることができる力量が求められる．例えば看護師の勤務人数は決まっており変更できないが，患者の状況によっては，一時的にでも当該患者に対して多くの看護師が気にかけるといった工夫の余地はある．

:・コンフォートニードに応じたケアの選択　患者・家族のコンフォートニードに応じたケアを選択し，計画することができるかが重要となる．コンフォート理論では技術的手段など三種類のコンフォートケアがあると述べているが，具体的なケア内容まで説明しているわけではない．コンフォートは状況依存的なものであるため，ある患者に効果的だったコンフォートケアを，別の患者に実施してもうまくいくとは限らない．また，同じ患者であっても，状況が違えば以前うまくいったコンフォートケアが成功するとは限らない．そのため，患者の状況に応じて臨機応変にコンフォートニードをアセスメントし，適切な判断のもとにケア方法を検討しなければならない．

:・コンフォートケアの評価　コンフォートケアの評価方法について検討する必要がある．コンフォートの測定尺度がいくつか開発されているが，コンフォートそのものが状況依存的であるため，さまざまな状況における測定尺度が必要である．しかし，まだ十分に信頼性・妥当性のある測定尺度が開発されているわけではない．したがって，コンフォート理論で健康探索行動として示したコンフォート増進時の患者・家族の内的行動，外的行動の変化の有無を，意図的に観察，測定することも必要となる．

3 苦痛のアセスメント方法

　前述したように「苦痛」は漠然とした概念であるため，中でも概念的に明確にされている「疼痛」についてアセスメント方法の概要を述べる．疼痛は身体的要因だけではなく，心理・社会的要因も複雑に絡み合って生じてくるため，疼痛の部位や程度といった身体的情報だけでなく，痛みに対する認知や反応に影響を及ぼす心理・社会的情報も含めてアセスメントする必要がある．また，

介入前の初期アセスメントと，それをもとに疼痛緩和の介入がなされてからの経時的な評価を含めたアセスメントが必要である．

健康危機状況における「緩和ケア」にとって重要な要素

1．患者との信頼関係を築く
信頼感は安心感につながり，患者の心理的安定をもたらす．それが，苦痛増強の悪循環を断ち切ることにつながる．

2．看護師が「こころのもつパワー（力）」の重要性を認識する
こころが身体的苦痛に影響していることを認識していなければ身体的アプローチしかできなくなり，苦痛に対する緩和ケアの幅を狭めてしまうことになる．

3．患者とともに苦痛の緩和を実施する
苦痛は複雑な要因により生じるため，苦痛の緩和方法も患者によって異なる．患者の好みや価値観に応じて，患者に合った方法を共に試行錯誤しながら見つけ出していく必要がある．

---

1 初期アセスメント

具体的な疼痛緩和計画を検討するには，患者本人から疼痛に関する詳細な情報を収集する必要がある．臨床で容易に適用できるように，マカフェリー（McCaffery, M.）らは次のような指標を提唱している[3]．

a 痛みの部位

どこが痛むかは，言葉による表現だけでは具体性に欠けるため，人体図（前面，後面，側面）を用いて，指し示してもらう（図2.1-4）．

b 痛みの強さ

痛みは主観的なものであるため，できるだけ客観的に表現するために，数字や言葉に置き換えてもらう．その場合，使用するスケールは患者が使いやすいものとし，同じ患者には同じスケールを用いるようにする．一般的にはNRS（numerical rating scale）やVAS（visual analogue scale）がよく用いられている（図2.1-5）．痛みの強さは，「現在の強さ」「痛みが最も強いときの強さ」「痛みが最も軽快したときの強さ」「我慢できる程度の痛みの強さ」をそれぞれスケールに照らして答えてもらう．

c 痛みの性質

痛みの性質は，痛みの原因を検討し，効果的なコントロールの方法を考えるときに役立

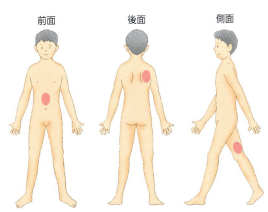

痛みのある部位を指で示してもらう．あるいは図のように●印をつけてもらうようにして，痛みの部位を把握する．

図2.1-4 痛みのある部位を把握するための人体図

つ場合がある．例えば，「衝撃のような」「稲妻のような」「撃たれたような」と表現される激烈な痛みは，神経障害性の疼痛である場合が多く，抗てんかん薬が効果的であるなどである．

d 痛みの開始，持続時間，変化，リズム

日常生活における痛みの変化のパターンを知ることは，痛みを生じさせる行動や痛みを軽減させるものを推測するのに役立つ．

e 痛みの表現方法

痛みを口頭で伝えられない患者の場合には，表情や姿勢といった痛みを示す特定の表現方法を用いることがある．

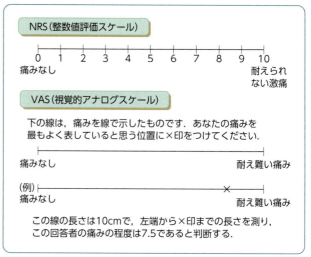

図2.1-5 痛みの強さを測定するためのスケール

したがって，患者がどのような痛みの表現方法をとるかを知ることは，痛みのアセスメントや介入に対する評価を行う際に重要となる．例えば，患者によっては，疼痛時により冷静な態度をとり，じっと耐えようとするかもしれないし，泣いたり，うめいたりするかもしれない．

f 痛みの軽減因子

これまでの生活において，痛みをうまくコントロールできる患者独特の方法があれば，それを入院生活でも疼痛コントロールに活用できる可能性があるため，重要な情報である．

g 痛みの要因，増強因子

患者にとって痛みを増強させるようなものがあるのか，もしあれば，それは何なのかを知っておくことは，痛みのコントロール計画を立てる上で役に立つ．例えば騒々しい環境では痛みが増強するような患者の場合には，静かな環境を提供するための工夫をすることができる．

h 痛みによる影響

痛みが患者の日常生活や自尊感情などにどのような影響を及ぼしているかをできるだけ詳細に知ることは，痛みによる影響を最小限にするための計画を立案する上で重要である．例えば，痛みによって身体的活動がどの程度制限されているか，睡眠障害や摂食障害が生じているか，それはどの程度か，気力に影響を与えているか，また他人との関係性や自尊心に影響を与えているかなどを具体的に質問する．

i その他

上記の枠組み以外に痛みのコントロールに役立つ，あるいは関係するかもしれないようなことがあれば，何でも話してもらう．

痛みのフローシート（記入例）

年月日： 20XX年3月25日　　患者氏名： 田中　太郎　氏　　使用した痛みスケールの種類： NRS

処方されている鎮痛薬： 疼痛時　レペタン0.2mg筋注

時　刻	10:30	11:00	12:00						
痛みの程度	6	8	4						
介入内容	冷罨法	レペタン0.2mg筋注							
呼吸回数	18回	22回	16回						
血　圧	120/60	135/68	110/54						
脈　拍	82回	98回	70回						
覚醒レベル	クリア	クリア	クリア						
その他（副作用など）		悪心（－）							

図2.1-6　痛みのフローシート（記入例）

2 フローシートの活用（図2.1-6）

フローシート*では，疼痛に対して**薬理学的介入**や**非薬理学的介入**を行い，痛みの程度が時間経過や患者の行動とともにどのように変化したのか，またバイタルサイン（呼吸，血圧，脈拍）がどのように変化したのかを記録する．フローシートの活用により，与薬量の調整や薬剤選択の変更，与薬のタイミング，より効果的な疼痛緩和方法を模索することが可能となる．

4 苦痛緩和の方法

苦痛を緩和するためには，その方法をできるだけたくさんもち，患者とともにどの方法がよいかを考えることが重要である．過去の苦痛緩和の経験や希望，価値観に応じて，適切な方法や活用の組み合わせが見つかるまで，一緒にさまざまな方法を試してみる．またそれが見つかったとしても，時間的な経過で効果がなくなることもあるため，フローシートを使用した継続的な効果の評価と，適切な方法を模索することが大切である．

次に，代表的な苦痛緩和の方法を紹介する．

1 薬物療法

痛みに対しては単に鎮痛薬だけではなく，痛みの原因になる組織の損傷に伴う浮腫や血流不全，痛みからくるうつ状態，不眠などに対しても**薬物療法**を検討する必要がある．鎮痛薬には**表2.1-2**に示すように消炎解熱鎮痛薬（非ステロイド性，ステロイド性），オピオイド（麻薬性鎮痛薬），局所麻酔薬，鎮痛補助薬（抗うつ薬，抗てんかん薬，抗不安薬），漢方薬などがある．

その他の苦痛をもたらす不快な症状（悪心・嘔吐，下痢，呼吸困難など）に対しても同様で，それぞれの症状緩和のための薬剤と，それがもたらすその他

用語解説*

フローシート
flow sheet

フローシートには，何かをつくり出していく，生み出していくための工程を時間の流れに沿って図示する工程図と，なんらかのデータを時間の流れに沿って整理していくデータ流れ図がある．痛みのフローシートや病院内で多用されている体温表，経過表は後者である．

表2.1-2　鎮痛薬の種類

分類		商品名	適応	副作用
消炎解熱鎮痛薬	ステロイド	プレドニン®，メドロール®，デカドロン®，リンデロン®など	抗炎症作用による鎮痛（関節リウマチ，痛風などの疼痛緩和）	糖尿病，消化性潰瘍，骨粗鬆症，感染，精神症状など
	非ステロイド性抗炎症薬	バファリン，ポンタール®，ロピオン®，ロキソニン®，ボルタレン®など	外傷，術後痛，がん性疼痛などの炎症性疼痛	胃腸障害，腎障害，肝障害，アレルギー，高血圧，喘息，肺炎，肺水腫など
オピオイド（麻薬性鎮痛薬）		モルヒネ塩酸塩，フェンタニル，レペタン®，ソセゴン®など	強力な鎮痛作用	便秘，悪心・嘔吐，意識レベル低下，瘙痒感，呼吸抑制，依存症，尿閉など
局所麻酔薬		リドカイン，ポプスカイン®など	表面麻酔，浸潤・伝達麻酔，脊椎・硬膜外麻酔，経静脈的麻酔による疼痛緩和	中枢神経興奮症状，アレルギー，添加アドレナリン中毒（血圧上昇，頻脈，不整脈など）
鎮痛補助薬	抗うつ薬	トリプタノール，テトラミド®，ドグマチール®など	精神的な疼痛，神経因性疼痛	眠気，倦怠感，食欲不振，悪心・嘔吐，便秘，頻脈など
	抗てんかん薬	アレビアチン®，デパケン®など	神経痛，脊髄損傷後の疼痛，糖尿病性ニューロパチーなど	眩暈，消化器症状，頭痛，発疹，肝機能障害など
	抗不安薬	ホリゾン®，サイレース®，デパス®，ハルシオン®など	不安・不眠の緩和，筋緊張による疼痛など	眩暈，倦怠感，脱力感，集中力減退など
漢方薬		桂枝加苓朮附湯，越婢加朮湯，桂芍知母湯，葛根加朮附湯，芍薬甘草湯，呉茱萸湯など	関節痛，神経痛，腹痛，頭痛など	特になし

の症状（電解質・酸塩基平衡異常，不眠など）に対する薬剤を検討する必要がある．

　薬物療法に関して，看護師が注意すべき重要なポイントがいくつかある．一つには，看護師が状況を判断して必要時に鎮痛薬を使用するような場合には，いつ薬剤を使うかのアセスメントが必要になる．また鎮痛薬の効果を評価し，必要時には医師に対して薬剤変更の必要性を相談することも看護師の重要な責務である．こうしたことのためにも，疼痛の程度と変化を継続的にアセスメントすることが求められる．

　また，薬剤使用による**副作用**に関する知識をもち，その出現を観察し，必要時には早期に対処することが求められる．例えば，中枢神経に作用するオピオイドのような呼吸抑制をもたらす薬剤は，患者に別の苦痛を招く危険性があるため，予測的に関わる必要がある．同様にオピオイドは腸管運動を低下させるため便秘を生じる場合があるが，これも長期化すると患者は新たな苦痛を体験することになる．副作用によって新たな苦痛を体験することのないよう注意を払うことは，看護師の重要な役割である．

　鎮痛薬を拒否し，痛みを我慢する患者は多い．その理由は表2.1-3に示すような痛みや薬剤に関する誤解であることが多いが，痛みがもたらす影響や薬剤についての正しい知識を患者が納得するような方法で説明することも，看護師の重要な教育的役割の一つである．

表2.1-3 痛みや薬剤に対する患者の誤解や恐れ

恐れや誤解	正しい考え方
麻薬を使用すると薬物中毒になる.	麻薬を使用しても適量であれば中毒は起こらない.
現在使用している薬剤を連用すると効果がなくなる.	鎮痛薬に対する耐性はコントロール可能である.薬剤を変更したりその他の手段を併用することもできる.
鎮痛薬の使用により意識がなくなるのではないかという恐れ.	一時的に入眠状態が起こることはあるが,同量の薬剤を数日使用していると消失してくる.持続するような場合には,薬剤を減量したり覚醒のために刺激剤を使用することもできる.
鎮痛薬の使用により,自分自身をコントロールできなくなったり,「奇妙な気持になる」ことに対する恐れ.	そのような感覚が生じたら,薬剤を変更することもできる.
痛みを伴う注射に対する恐れ.	鎮痛薬は経口,舌下,静注,坐薬など痛みを伴わない注射以外の与薬方法も可能である.
痛みは我慢できるならば,薬剤を使用しないほうがよい.	痛みを我慢することで体動制限や呼吸抑制が生じ,それにより合併症を引き起こす可能性がある.

2 感覚変調療法

感覚変調療法は次に示すとおり数多くのものがあるが,特に**禁忌**がない限り,患者の好みに応じていろいろと変更,あるいは組み合わせて使用することが可能である.刺激を与える部位は,疼痛部位だけでなく,**図2.1-7**に示すようにほかにも疼痛緩和に有効な部位がある.なぜ,疼痛部位から離れた部位の刺激で疼痛が緩和されるのかはまだ十分に解明されてはいないが,経験的に有効であるとされている.

どの程度の時間,実施すべきかも患者個々によって異なるため,試行錯誤の要素が大きいが,痛みの増強や皮膚の炎症が生じなければ,だいたい20〜30分程度の刺激が最もよく用いられている.

a 罨法(温罨法,冷罨法)

罨法は数百年前から経験的に疼痛緩和などに用いられ,その効果も認められているが,メカニズムは明らかにされていない.

温罨法は,皮膚との接触部が40〜45℃程度の温度となるように,ゴム製の温枕や温湿布,温カイロ,温水,電気式温熱治療器などを用いて体表面を5〜20分程度加温する方法である.温罨法は筋のけいれんを緩和し,関節運動を改善させ,疼痛を軽減する効果があるといわれている.しかし温罨法は急性外傷や出血傾向のある患者では,血流の増加により出血を助長する危険があるため禁忌とされている.また知覚鈍麻,意識障害のある患者では,特に火傷,水疱形成などに注意する必要がある.

冷罨法は,皮膚との接触部が15℃程度の温度となるよ

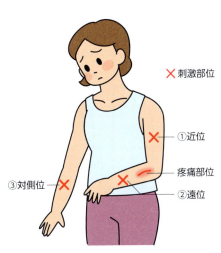

①疼痛部位の近位(疼痛部位と脳の間),②疼痛部位の遠位,③疼痛部位の対側位などを刺激すると緩和されると考えられている.

McCaffery, Mほか.痛みの看護マニュアル.メヂカルフレンド社,1995を参考に作成(出典:McCaffery, M. et. al. Pain : Clinical Manual for Nursing Practice. Mosby, 1989).

図2.1-7 疼痛緩和に有効と考えられる刺激部位

うに，ゴム製の氷枕や氷嚢，冷却枕のような冷凍ゲルパック，冷水などを用いて体表面や皮下の筋肉を冷却する方法である．通常の貼用時間は皮膚と表在神経に対しては10〜15分程度，深部神経や筋肉に対しては約30〜45分であるとされている．冷罨法は出血や浮腫および炎症反応の軽減，疼痛緩和，筋攣縮の軽減などの目的で行われる．しかし冷罨法は，急性の重症外傷，外傷後の回復期（創治癒が遅延する），消化性潰瘍（冷却により胃酸分泌が増加する），レイノー病*などの末梢血管病変，胃腸けいれん（冷却により腸蠕動が亢進する），寒冷アレルギーなどの患者には不適切とされている．また凍傷，関節のこわばりなども生じる危険がある．

温罨法か冷罨法かの選択は患者の好みに従うが，禁忌でない場合は両方を組み合わせて用いることも効果的である．激痛であったとしても，間欠的加温や加温と冷却の交互使用により緩和できるといわれている．また温罨法，冷罨法いずれにしても，皮膚の組織障害を予防するために，貼用時には必ず布にくるんで使用することが望ましい．

b マッサージ・指圧

痛みに関係している発痛点や刺針点（鍼灸でいう経穴もしくはツボ，図2.1-8）に対して**指圧**や**マッサージ**を行い，疼痛緩和などの効果を図ろうとするものである．ツボは，疼痛個所やその周囲を指先で軽く押さえると気持ちよい感じがあったり，どこかに響く感じがしたり，痛みを生じたり，痛みが増強するような部位である．そのような感覚が生じるかを患者に確認しながら，できるだけ正確にツボを探し出す．ツボはくぼんでいたり，硬結や浮腫となっ

> **用語解説***
> **レイノー病**
> 手足の血行が悪くなり，指先が青白くなって痛んだりしびれたりすることをレイノー現象という．原因不明でこのような現象が起こるものを，レイノー病という．

> **plus α**
> **指圧の方法**
> 手掌や母指などで徐々にツボを加圧し，3〜7秒程度，同一の圧で持続圧迫する．患者の呼吸に合わせ，呼気時に圧迫し，吸気時に緩めるようにする．圧迫の強さは，患者が気持ちよいと感じる程度が望ましい．痛みを感じるほどの強さは逆効果となるため注意する．最初は1日1〜2回，1回につき5〜10分程度を目安に行い，患者の反応を見ながら徐々に変えていくのが望ましい．

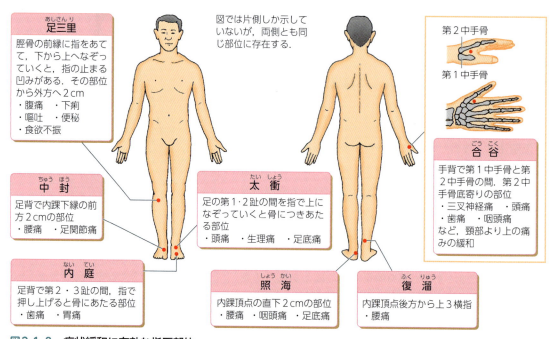

図2.1-8　症状緩和に有効な指圧部位

ていたり，周囲とは異なる温冷感や乾湿感があることもあり，触ったときの感覚を大切にしながら探していく．

　マッサージや指圧は，疼痛緩和だけでなく，睡眠の誘導や疲労・倦怠感の軽減，浮腫の軽減，身体可動性の改善，コミュニケーションの促進，うつ状態の軽減，不安の軽減などの効果があるといわれている．マッサージに**アロマセラピー***と音楽を併用すると，より効果的であるといわれている．ただし，マッサージ・指圧は，出血している患者，あるいは易出血の患者では，出血を助長したり内出血を生じる危険性があるため控えるべきである．また熱傷や切傷などの部位は，感染の危険性がある．さらに血栓静脈炎の部位をマッサージすると血栓の遊離を促進させたり，炎症を悪化させる可能性があるために不適切である．骨折部位も骨癒合に悪影響を及ぼすため，禁忌と考えられる．

c バイブレーション（経皮刺激）

　バイブレーションは電気式マッサージ器などを用いて，疼痛緩和を図るものである．振動数は100～200Hz程度が快適で効果がある．通常15分程度の刺激では実施中のみの疼痛緩和で，刺激後数時間の疼痛緩和には，25～45分程度の刺激が必要とされている．また，間欠的な刺激を繰り返す方法が最も適している．

　バイブレーションは，急性・慢性の筋肉痛やけいれん，神経性疼痛，幻肢痛，関節リウマチ，急性・慢性の歯痛や顔面痛などの場合に用いられる．血栓静脈炎のある部位，皮膚の受傷部位（火傷，切傷部位），灼熱痛，片頭痛などの場合には，不適切であるといわれている．

d 皮膚へのメンソール塗布

　メンソールは外用性鎮痛薬であり，皮膚に塗布して温感，冷感を感じさせ，それによって疼痛の感受性を低下させたり，気を紛らわせたりすることで疼痛を緩和すると考えられている．

　メンソールの使用は通常は3～4回/日で，関節炎や背部痛，緊張性頭痛，頸部痛，筋・関節・腱の疼痛などに適している．開放創や粘膜への使用，皮膚過敏症などの場合には，刺激が強すぎて逆に痛みを増強させたり，皮膚障害を生じるため不適切である．

e 経皮的電気神経刺激法（TENS）

　TENS（transcutaneous electrical nerve stimulation）とは，皮膚に固定した電極を通して，低電位の電流を身体に流すことで疼痛緩和を図るものである（図2.1-9）．

　合併症として電気刺激，電極ゲルや粘着テープの刺激などによる皮膚症状が考えられる．

> **plus α**
> **マッサージの方法**
> 指圧のように圧迫するだけではなく，「さする」「もむ」という刺激が加わる．主として手のひらでやや圧を加えながら皮膚の表面をゆっくりとさする，母指や手根部で皮膚を圧迫しながら前後，左右あるいは輪を描くようにもむ，などを行う．

> **用語解説***
> **アロマセラピー**
> ハーブなどの植物から抽出された精油（エッセンシャルオイル）を用いて，心と身体に働きかける療法．吸入や芳香浴など嗅覚に働きかけたり，マッサージや塗布，入浴，足浴，手浴など，皮膚からの吸収によって効果を期待するものである．1997年，医療従事者向けに日本アロマセラピー学会が設立され，独自の資格認定を行っている．

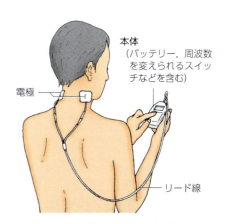

上胸部，頸部，上腕部の痛みや頭痛の場合

図2.1-9　TENSの使用例

f 注意転換法（気晴らし）

　聴覚や視覚，触覚，運動感覚といった痛み以外の知覚刺激に意識を集中させることで，痛みに対する注意を転換させ，痛みを一時的に緩和させようとするものである．腰椎穿刺，ドレーン抜去などの一時的な痛みに対して，音楽を聴く，絵や写真などを見て心の中で景色を思い浮かべる，その人が好きなものを触ったり撫でたりする，頭や手足をリズムに合わせて動かすなどで，痛みに集中しない状況を生み出すことができる．

3　心理的療法

a 音楽療法

　音楽療法は，音がもっている癒しの効果を用いて，身体・心理・情緒面の統合を図り，症状や障害の緩和を期待するものである．音楽療法の普遍的な定義はないが，2001年に設立された日本音楽療法学会によると「音楽のもつ生理的，心理的，社会的働きを用いて，心身の障害の回復，機能の維持改善，生活の質の向上，行動の変容などに向けて，音楽を意図的，計画的に使用すること」と定義付けられている．音楽療法には，楽器を演奏する，歌を歌う，音楽に合わせて身体を動かす，単に音楽を聴くなどの種類があるが，健康危機状況では，受動的に音楽を聴くという方法しかとれない場合が多い．しかし，それでもリラックス効果が認められたとする報告がある．そのほかにも不安の緩和，疼痛の緩和，ストレス軽減，高齢者や頭部損傷患者への刺激による覚醒促進などの効果があるとされている．

　健康危機状況で受動的に音楽を聴いてもらう場合には，まず患者の好みに合った音楽をできるだけ多くの選択肢から選んでもらう．そして，場合によっては周囲に音が漏れてほかの患者の迷惑にならないように，また周囲の雑音によって音楽療法の効果が減少しないように，ヘッドホンを使用してもらうとよい．音楽療法で注意すべき点は，選択した音楽が患者の嗜好や感情とうまく合うかどうかである．うまく合えば期待する効果が非常によく得られるが，合わない音楽はただの雑音にしか聞こえず，かえってストレスが蓄積するからである．また選択した音楽によっては，過去の不快な記憶や経験を想起させることがある．そのような場合には中止して，ほかの楽しい思いに注意を向けるようにする．さらに頭部外傷などの急性期では，音楽による刺激が頭蓋内圧を亢進させるため，避けるべきであるとされている．

　現在，日本においては学会認定の資格である**音楽療法士**＊が誕生している．必要に応じて，学会に相談できる音楽療法士を照会して連携を図り，患者のためにより効果的な方法を模索していくことが重要である．

b 漸進的筋弛緩法

　漸進的筋弛緩法はリラクセーション法の一つであり，1929年にアメリカの生理学者であるエドモンド・ジェイコブソン（Jacobson, E.）によって開発された方法である．これは静かな環境のもとで楽な姿勢を保ちながら，全身の

---

plus α

TENSのエビデンス

TENSの疼痛緩和のメカニズムは不明とされているが，その成功率は慢性の非悪性疼痛では20〜40％，術後創部痛では70〜90％とかなり高率であるといわれている[5]．キャロル（Carroll, D.）らは，TENSに関する19件の無作為比較試験の論文を対象にメタ・アナリシス（統計解析）を行い，短時間の疼痛緩和効果があることを見いだしている[6]．

plus α

音楽療法のメカニズム

効果をもたらすメカニズムが明らかにされているわけではないが，次のような仮説が考えられている．右脳は情報処理の創造的，非言語的，直感的な面を，左脳は分析的，論理的な思考をつかさどるとされており，音楽は本来非言語的であるため右脳に働きかける．それがもとになり右脳と左脳の間の情報伝達がなされるようになり，そうした情報伝達が多くなされるほど，記憶の中の経験（例えばリラックスの記憶）がより統合されるといわれている．

用語解説 ＊

音楽療法士

日本音楽療法学会（従来は連盟）が1997年から資格審査を行っており，合格すると学会認定音楽療法士となる．

筋肉群（両手，上腕，背中，肩，首，顔など）を緊張させた後に弛緩させることを順々に行い，それぞれの感覚に注意を向け，その緊張と弛緩の感覚の違いを認識することを繰り返し訓練することで，無意識のうちに緊張している状態に気づき，必要に応じて弛緩させるというコントロール方法を身に付けるようにするものである．

　漸進的筋弛緩法は，高血圧患者の血圧管理，手術や検査時の苦痛や不安の軽減，化学療法に伴う悪心・嘔吐の緩和，慢性閉塞性呼吸障害患者の呼吸困難や不安の緩和，さらには不眠の改善など，さまざまな効果があることが報告されている．ただし，漸進的筋弛緩法によるリラクセーション効果で低血圧状態となる場合があるため，実施後は危険防止のため，数分間安静にして動き回らないようにする．また慢性疼痛をもつ患者では，筋肉の収縮弛緩に注意を向けると痛みに気持ちが集中してしまい，かえって強い痛みを感じる場合があるため注意が必要である．さらに幻覚や妄想のある患者では，これらを助長する可能性があるため避けるべきであるといわれている．

c タッチ

　トビアソン（Tobiason, S.）が「看護にタッチがよく使われるので，かえってナースはめったにタッチの治療的価値を考えない」[7]と述べているように，**タッチ**は看護師が意識的に用いているか否かは別として，日常の看護場面で非常によく使われている介入方法である．タッチの効果としては，不安の緩和やリラクセーションの促進，興奮の鎮静化，勇気づけ，コミュニケーションの促進などがあるといわれているが，その効果は看護師であれば誰しもが，経験的に感じているものであろう．

　タッチにおける生理的反応はさまざまである．外傷などによる痛みに対して指圧のような皮膚深部への圧迫を行うと，中枢神経系を刺激し，エンドルフィンの放出を引き起こし，その結果，痛みが緩和される．マッサージのように身体をさすったり，撫でたり，もんだりすると，副交感神経の反応が促進され，脈拍や血圧の低下，鎮静がもたらされる．また，タッチによりさまざまな種類のサイトカインや神経ペプチドの放出が促進され，免疫機能が高まると考えられている．

　タッチの方法は，これが確実に効果がある，適切であるというものはまだ見いだされていない．今後，意図的にタッチを用いて介入し，評価していくことでしか明らかになってこないであろう．具体的には，抱擁（ほうよう）する，腕で肩を抱える，手を握る，手首や手，肩などにやさしく手を置く，背中をさする，ゆっくりとリズミカルに身体の一部（腕，手，顔など）をさする，疼痛部位のあたりをマッサージするなどの行為を指すが，患者によっては不快感を感じる場合もある．患者の表情や態度を観察し，タッチに対する思いや過去の経験，タッチされている身体部位との関連などを考慮し，タッチの方法やその適切性を判断していく必要がある．

---

plus α
漸進的筋弛緩法の理論的根拠

人はストレッサーに直面すると適度な緊張を無意識的に引き出して，ストレッサーに対処する．そのときの生体反応に筋緊張などがある．筋緊張は悪循環を繰り返すといわれている．しかし，漸進的筋弛緩法によって筋肉の緊張と弛緩の身体感覚を知覚することで緊張に気づき，弛緩している状態の快の感覚を強化できるようになると，習慣化していた緊張反応を減弱させ，悪循環を断つことができると考えられている．

plus α
タッチの理論的根拠

皮膚は身体の中で最も大きな感覚器官であり，その組織の中には接触，圧迫，温度，痛みなど多数の受容体が存在する．それによって外部からのさまざまな侵襲から身を守ったり，安楽のメッセージを運んだり，生化学的な癒しの反応を引き起こすことができる．また外部から受けた皮膚刺激は生涯を通して記憶に残り，あるタッチを受けたとき，過去の記憶からそれが苦痛を和らげるものなのか，脅威なのかを瞬時に思い出すことができる．この記憶がタッチに対する反応に大きく影響すると考えられている．

plus α
タッチとセラピューティックタッチ

通常「タッチ」という言葉を用いるとき，そこには「身体的接触」という意味が含まれる．本文中で述べられている「タッチ」も，この意味で用いている．一方，看護方法の一つとして「セラピューティックタッチ」が存在する．「セラピューティックタッチ」は，「タッチ」という表現をしているが，身体的接触は必要とせず，患者のエネルギーの場（東洋の「気」の考え方と同様）を調整する技である．

d イメージ法

イメージ法は，現実には存在しない状況を想像したり空想して疑似体験をすることで，感情や情動を変化させ，心身の治療や変容をもたらそうとするものである．イメージ法は，精神療法として不安・恐怖症，うつ状態の治療としても用いられたり，リラクセーション効果による副交感神経活動の刺激によるストレスの軽減や，緊張緩和による疼痛の軽減をもたらしたり，悪心・嘔吐にも効果があるとされている．さらには治療的な効果として，がんや疣贅（ゆうぜい），免疫系への効果なども報告されている．

具体的には，リラックスした気分の中で自然に浮かんでくる野原の場面などの刺激的ではない自由なイメージを使う方法と，音楽を利用したり，指導者が場面のイメージを指示したりして誘導的にイメージを引き出す方法などがある．

イメージ法においては，患者に及ぼす生理学的影響を予測することが大切である．リラックス状態で血圧や脈拍に悪影響を及ぼす場合があったり，イメージ法によって過度の緊張状態になる場合もあるため，施行中や施行後に十分に観察し，状況によっては中止の判断をしなければならない．また精神障害患者への実施は，精神療法の専門家でない限りは避けるべきである．

4 環境管理

ナイチンゲールが，環境が苦痛や痛みに与える影響を述べているように，環境にも配慮する必要があると考えられる．

アメリカの**看護介入分類**＊（nursing interventions classification：**NIC**）では，安楽を促進するための方法がいくつか挙げられているが，その中の一つに「環境管理：安楽」がある．その具体的介入内容として，ナイチンゲールが言及したものと同じように，快適な温度，快適な明るさ，静かさ，清潔保持，安楽な体位，快適な衣類やベッドなど，環境を整備することへの配慮が苦痛の緩和に必要であることが示されている．

---

plus α　イメージ法の理論的根拠

脳と身体が生化学的に連動していることや，イメージ法による介入が不調な状態を緩和すると明らかにされていることに由来する．例えば，暖かい日だまりにいる状態を思い浮かべ，手が温かくなるとイメージすると実際に手が少しずつ温かくなる．このように，自律神経系を通して生理学的な変化をもたらすことが実証されている．

用語解説＊　看護介入分類（NIC）

1987年から，アメリカのアイオワ大学が中心となって開発してきたもので，看護師が実施するあらゆる介入（患者の期待される成果を高めるために行うケア）を標準化し，分類したもの．現在は542種類の介入が，30の類（クラス）に分類されている．その類の一つに「身体安楽促進」があり，その中に「指圧」「アロマセラピー」「罨法」「マッサージ法」「環境管理：安楽」など14種類の介入が位置付けられている[8]．

引用・参考文献

1) 伊藤正男ほか編．医学大辞典．医学書院，2003，p.1757．
2) フローレンス・ナイチンゲール．看護覚え書．湯槇ますほか訳．現代社，1985，p.2．
3) Margo McCafferyほか．痛みの看護マニュアル．季羽倭文子監訳．メヂカルフレンド社，1995．
4) キャサリン・コルカバ．コンフォート理論：理論の開発過程と実践への適用．太田喜久子監訳．医学書院，2008．
5) 前掲書3）のp.207．
6) Carroll, D. et al. Transcutaneous electrical nerve stimulation（TENS）for chronic pain（Review）. The Cochrane Library, 2005, Issue 4.
7) Tobiason, S. Touching is for everyone. American Journal of Nursing. 1981, 81, p.728-730.
8) Bulechek, GM. ほか．看護介入分類（NIC）．中木高夫ほか訳．原書第5版，南江堂，2009．
9) 寺澤捷年ほか．絵でみる指圧・マッサージ．JJNスペシャル．医学書院，1995，p.45．
10) 日本医師会編．疼痛コントロールのABC．医学書院，1998．
11) 荒川唱子ほか編．看護にいかすリラクセーション技法：ホリスティックアプローチ．医学書院，2001．
12) Mariah Snyderほか編．心とからだの調和を生むケア：看護に使う28の補助的／代替的療法．野島良子ほか監訳．へるす出版，1999．
13) マラヤ・スナイダー．看護独自の介入：広がるサイエンスと技術．尾崎フサ子ほか監訳．メディカ出版，1996．
14) 岡崎寿美子編著．看護診断にもとづく痛みのケア．第2版．医歯薬出版，2002．
15) Katharine Kolcaba. Comfort Theory and Practice. Springer Publishing Company, 2003.

重要用語

苦痛　　　　　　　　　苦痛のアセスメント　　　　心理的療法
疼痛　　　　　　　　　薬物療法　　　　　　　　　環境管理
緩和ケア　　　　　　　感覚変調療法　　　　　　　コンフォート理論

2 身体機能悪化への対応

学習ポイント
- 身体機能の悪化を，局所と全身の生理的反応，病態の進行，合併症・二次障害，不使用性症候群という視点から予期する方法を理解する．
- 身体機能悪化に対応する方法を理解する．
- その人の身体機能の悪化を予測できる場合とできない場合の対応方法の特徴を理解する．

1 身体機能悪化の予期

1 身体機能の悪化を考える方法

1章で述べたように，健康危機状況にある成人がセルフケア不足となる問題の一つに，身体機能の悪化の恐れがある．このセルフケア不足を補うには，看護職者が，医師とともに医学的知識を用いて，本人に代わって身体機能の悪化を予防し，早期発見・早期対処することと，本人がセルフケアできるように支援していくことが重要である．

成人の身体機能の変化は，加齢による影響と，疾患・外傷による影響，生活習慣・生活行動による影響の三つの視点から考えることができる．

①加齢による影響では，身体の**生理的反応**による回復の力が衰えていく．②疾患や外傷による影響では，生理的な回復の力を超えていれば，病態の進行として現れる．これに抗するために行うものが治療であるが，治療は回復を促進する一方で，合併症や二次障害という身体機能の悪化を招きうるものでもある．さらに，治療に伴って生活行動が制限される．それゆえ，③生活行動による影響として，不使用性症候群が生じうる．

これらの知識を応用して，健康危機状況においては，患者が示しているなんらかの**症状**（symptom）や**徴候**（sign）と a．生理的反応による回復，b．疾患や外傷による病態の進行，c．治療等による合併症・二次障害，d．生活行動制限による不使用性症候群に関する知識を照合しながら身体機能の悪化を分析解釈し，**推論**することができる．この分析・解釈においては，①どこかおかしいところがあるのか，どんな変化が起こりうるのか（**局所の状態とその変化**），②このおかしさは全身のどのような反応なのか，あるいはどんな反応

---

plus α

予期，予測，想定，推論

予期とは，前もって覚悟し，あらかじめ準備して待機しておくことを指す．予測は，論理的にあらかじめ推測しておくこと．想定は，予測はできないが，ある一定の状況や出来事を仮に思い描くこと．推論は，推理や推察によって考えを推し進めてみることをいい，必ずしも予測したり想定したりすることを伴うとは限らない．

➡ ナーシング・グラフィカ『成人看護学概論』3章参照.

plus α

臨床的推論

近年，医学，看護学，リハビリテーション学などで臨床的推論という思考法の教育が行われつつある．

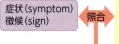

図2.2-1　身体機能の悪化を考える方法

を引き起こしていくのか（**全身の生体反応とその変化**），の二つの視点でみていることが必要である．つまり，局所と全身の両方から身体機能の悪化を考えることが重要である（**図2.2-1**）．

2　生理的反応による回復

　人間の体は端的に言って，小さな一つひとつの細胞（cell）が寄り集まって組織（tissue）を形成し，組織と組織が集まって器官（organ）や臓器（internal organ）を形成し，さらに，その器官と器官が助け合って特定の働き（function）をなす系統（system）を構成し，その各種の身体機能（body function）が統合していくことによって，**ホメオスタシス**（homeostasis：**恒常性**）という状態，すなわち一定の状態を保とうと常にバランスをとって生きている[1]．つまり，生物が生きているということは，細胞一つひとつが，酸素と栄養と水を得ることによって，助け合いながら働いている**有機体**＊として機能しているということである．

　そのため，疾患や外傷など何らかの刺激がストレッサーとして加わると，細胞一つひとつ，あるいは組織，器官・臓器といった単位で，局所のダメージを回復しようとする生理的反応が起こってくる．それが充血，止血，増殖，炎症等である．そして，この局所の状態は，自律神経系や内分泌系によって全身に伝達され，身体内部での助け合いが機能して，できるだけ生命維持への影響が最小になるような反応が起こってくる．しかし，これらの生理的な反応が及ばない状態になると，機能不全に陥り，死が避けられないものとなるのである[2]．一方，損傷範囲が小さければ，局所での炎症反応と**創傷治癒過程**をたどって回復していく．

　次に，手術を必要とする状況を考えてみよう．手術療法では，局所および全身にさまざまなストレッサーが加わり生理的反応が起こる（**図2.2-2**）．ま

用語解説＊
有機体
生物は形態的にも機能的にも分化した各部分からなり，部分相互が密接な関係をもって全体として一つの統一体を形づくっている．このような有機的構成をもつものを有機体という．

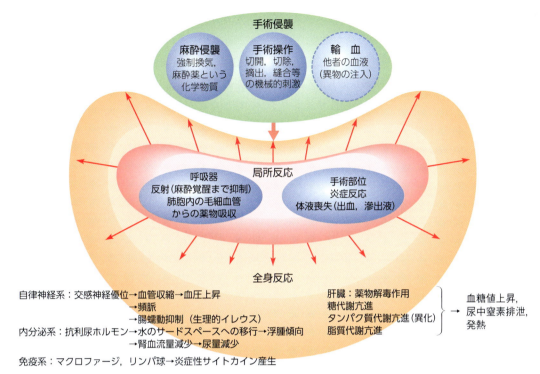

図2.2-2 手術侵襲と生理的反応（吸入麻酔の場合）

ず，麻酔によって人工呼吸（生理的呼吸とは反対の強制換気）という物理的刺激があり，麻酔薬という化学物質の浸透がある．そして，手術操作に伴う切開・切除等の機械的刺激が加わり，さらに状況によっては輸血という方法で，他者の血液という異物となりうるものが注入される．

これらの手術侵襲に対して局所的にみると，呼吸器では，麻酔覚醒すれば抑制されていた咳嗽反射が起こる．また，手術部位での炎症反応が始まる．そしてこの局所反応は，すぐに自律神経系と内分泌系の働きによって全身の生理反応に結びつく．手術部位での体液喪失は，循環血液量の減少につながる．すると，それをできるだけ回避しようと自律神経系が働き，交感神経優位の反応が起こり，血管が収縮し血圧が上昇，頻脈傾向となる．これに伴い，腸蠕動が抑制される（**生理的イレウス**）．同時に内分泌系が働いて抗利尿ホルモンが分泌され，通常は水が貯留しないような**サードスペース***と呼ばれる場所に体液が移行して貯留し浮腫傾向となり，腎血流量も減り尿量が減少する．また，肺胞の毛細血管から吸収された麻酔薬は血管を通って全身を巡るが，この化学物質を代謝するために肝臓での解毒作用が働く．加えて，さまざまな活動に必要なエネルギーを産生するために糖代謝が盛んになり，タンパク質が動員され異化が促進する．同時に脂質代謝も促進され，脂肪酸はエネルギー源となる．当然こうした代謝の亢進に伴って**吸収熱**と呼ばれる全身性の発熱が起こる．また，

用語解説*
サードスペース

浮腫，胸水，腹水などは，生理的範囲を超えて間質に体液がたまったり，胸腔や腹腔に水分が移行して生じる．このような空間をサードスペースという．

異物の侵入に対する反応として，マクロファージやリンパ球が動員され，炎症性**サイトカイン**＊も分泌され，免疫系が働く．

したがって術直後は，生理的反応として血圧上昇，脈拍増加，尿量減少，発熱，血糖値の上昇（**外科的糖尿病状態**），タンパク質代謝の亢進の証としての尿中窒素排泄，血中の白血球数や炎症性サイトカインの増加などが起こりうるのである．なお，この全身性の炎症反応が強く現れた病態を，**SIRS**＊（systemic inflammatory response syndrome）という．

ムーア（Moore, F.D.）は，この急性の生理的反応から始まる術後の回復過程を4期に分けて説明している（**表2.2-1**）．前述の特徴的な状態が傷害相（または異化期：acute injury phase）であり，これに続いて，自律神経系と内分泌系の反応が落ち着き，血圧，脈拍，体温が正常化し，サードスペースに移行していた水が血管内に戻ってくることによって利尿がついて尿量が増える転換相（または利尿期：turning point phase）と呼ばれる時期となる．そして，タンパク質の合成が盛んに行われ，失われていた筋力が回復していく筋力回復相（または同化期：muscle strength phase）となり，やがて，脂肪が合成され十分に回復した状態となる脂肪蓄積相（fat gain phase）へと回復過程

用語解説 ＊
サイトカイン
細胞相互の情報伝達のために，細胞から分泌される化学物質の総称．インターロイキン（IL），腫瘍壊死因子（TNF）などがある．マクロファージ，リンパ球などからサイトカインが分泌され，炎症過程を進める．

表2.2-1　術後の生理的回復過程と心理的変化

	第1相	第2相	第3相	第4相
特徴を表す名称	傷害相 or 異化期 acute injury phase	転換相 or 利尿期 turning point phase	筋力回復相 or 同化期 muscle strength phase	脂肪蓄積相 fat gain phase
期間（開腹・胃亜全摘出術程度の手術の場合）	侵襲開始から術後2〜4日間持続	第1相後の1〜3日間	第2相後の数週間	第3相後の数カ月〜数年
特徴	筋タンパク異化亢進 全身の内分泌系，代謝系，循環系の変動が大きい．	循環の安定 利尿	タンパク合成（同化） 内分泌系，代謝系の変動の消失	体脂肪の増加
観察，モニタリングできる指標	発熱（吸収熱） 心拍数増加，血圧上昇，末梢冷感，尿量減少，浮腫傾向（水分貯留），口渇，血糖値上昇（外科的糖尿病状態），腸蠕動停止	解熱 心拍数，血圧安定 尿量増加，口渇消失 血糖値正常化 排ガス	体重回復 筋力の回復 食欲，性欲の回復	体重増加 食欲亢進
手術創部	術創部痛 癒合弱く，機械的な力で容易に開く．	創部痛軽減 癒合．抜糸可能	創部痛消失 赤色瘢痕	白色瘢痕
心理的変化	傾眠傾向，無関心 自分の判断意思で刺激に対処する行動がとれない．生命の安全に関する情報に過敏 「生命の安全を確認し，生きていけるという確信がもてる」ことが課題	周囲への関心，会話の意欲 身体機能の現実吟味 現実吟味を回避する場合，保護世話を受ける状態にとどまろうとする．過信するとはしゃぎすぎる．「自己の身体機能の現実吟味と，術後の自己の身体の受容ができる」ことが課題	社会の中での自己の位置づけへの関心をもつ．現実を踏まえた社会的活動，対人関係，仕事のしかたなどを考える．「社会の中での自分の位置づけと自己受容ができる」ことが課題	生活していけると現実認知し，将来目標をもって実現のための身体的訓練と調整を行う．「目標実現のために身体的訓練と調節をする」ことが課題

Francis D.Moore による分類に関する外科学テキスト類と，佐藤禮子らによるものを統合して作成[3-10]．

をたどる.

　これらの生理的反応は，手術操作による切開や切除範囲が大きく，麻酔時間が長時間に及ぶなど侵襲が大きいほど強く現れ，傷害相が長くなり，反対に侵襲が小さければすぐに転換相になって筋力回復相に変わっていく．また，加齢による生理的な回復力によっても差異が出てくる．例えば，ほとんど身体機能の予備能力に差異のない人が，開腹して内部臓器の摘出術を受けた場合と，皮膚表面の腫瘍の切除術を受けた場合では，後者のほうが回復が早いなど経過が違ってくる．また，全く同じ開腹術でも，青年期の患者と向老期の患者では経過に違いが出てくるのである．

3 疾患や外傷による病態の進行

　疾患や外傷による**病態の進行**は，各診療科あるいは各臨床医学の資料を参照し，主要疾患の進行や急性増悪の状態を理解しておくことが必要である（**表2.2-2**）．ごく単純に応用すれば，運動器に疾患や外傷があれば運動機能の悪化に，循環器に疾患や外傷があれば循環機能の悪化について考えていけばよい．現在の看護学教育では，これらの臨床医学の学習量が相対的に減少しているが，健康危機状況において成人の身体機能の悪化を判断する上では最も重要であり，医師と協働する上でも不可欠である．

4 治療等による合併症，二次障害

　薬物療法では肝機能障害のリスクや，免疫機能低下が避けられないというものもあるし，放射線療法では，皮膚障害が避けられないなどがあり，あらゆる治療法は，合併症や二次障害のリスクをもつ．また，内視鏡検査，血管造影検査など検査によっては身体への侵襲を伴うものも多々ある．したがって，患者に行われる治療等の処置については，それがどのような身体侵襲になりうるのか，どのような合併症と二次障害が起こりうるかを予測しておくことが重要である．手術療法では，手術操作，麻酔などの侵襲を伴う．加えて術中に体位固定を必要とする．そこで，手術操作については外科系医師が，麻酔操作や麻酔管理については麻酔科医師が，体位固定については手術室看護師が，身体侵襲を最小にするためにできる限り愛護的な手技を実施し，清潔操作や輸液管理，効率的な手技による時間短縮，肢位や除圧の工夫等によって予防的に対応していく．しかし，術前の身体機能の予備能力によって，これらの侵襲による生理的反応の範囲を超える病態を想定しておく必要がある．これが**術後合併症**（postoperative complications）である．

　止血操作を十分に行えば後出血のリスクは小さいが，止血機能に障害をもつ人の場合は，より注意が必要である．また，吸入麻酔の覚醒時に十分に換気し，気管吸引を丁寧に行い，深呼吸を促すことで術後無気肺のリスクを小さくすることはできるが，喫煙習慣のある患者では，喀痰をかなり意識的に行わなければならない．また，創部痛や同一体位痛は，程度の差はあっても避けられない．例えば，胸部後側部切開の開胸術で筋肉切開の範囲が広ければ，起床動

用語解説

SIRS

次の四つの条件のうち二つを満たす場合がSIRSと定義されている．
① 体温＞38℃または＜36℃
② 脈拍数＞90回/min
③ 呼吸数＞20回/minまたは$PaCO_2$＜32Torr
④ 白血球数＞12,000/μLまたは＜4,000/μLあるいは未成熟白血球細胞＞10％

SIRSの状態になると免疫能力が低下し感染症が発症しやすく，多臓器不全にも移行しやすい．

plus α

輸血後肝炎

他者の血液や血漿中のウイルスが，輸血により感染することによる肝炎であり，現在の日本では，B型肝炎，C型肝炎，ヒト免疫不全ウイルスに対するNAT（核酸増幅試験）が血液スクリーニングに用いられ，ほとんど発症しなくなっているが，検出できない期間（ウインドウピリオド）はゼロではなく，未知のウイルスのリスクも否定できない．

表2.2-2 診療科（臨床医学）と関連する身体機能

多く標榜される診療科名（最も関連する臨床医学分野）		最も関連する身体機能
総合診療科（総合診療医学・プライマリケア医学・家庭医学）		あらゆる身体機能の変調
内科系	内科（内科学一般）	全身性の身体機能の変調
	消化器内科，胃腸科（消化器内科学）	消化機能，排便機能の変調
	循環器内科（循環器内科学）	心機能，循環機能の変調
	呼吸器内科，呼吸器科（呼吸器内科学）	呼吸機能の変調
	内分泌・代謝内科（内分泌代謝病学）	内分泌・代謝機能の変調
	血液内科，腫瘍内科（血液・腫瘍内科学）	造血機能の変調
	腎臓内科（腎臓内科学）	腎機能の変調
	神経内科（神経内科学）	脳脊髄神経機能，末梢神経機能の変調
	リウマチ科，アレルギー科，膠原病内科（膠原病・アレルギー内科学）	免疫機能の変調
	心療内科（心療内科学）	心因性，ストレス性の身体機能の変調
	皮膚科（皮膚科学）	皮膚機能の変調
	老年科・老年内科（老年医学）	高齢者の加齢に伴う身体機能の変調
	小児科（小児科学）	小児期の身体機能の変調
外科系	外科（外科学一般） 消化器外科，肛門科（消化器外科学） 呼吸器外科（呼吸器外科学） 内分泌外科（内分泌外科学） 乳腺外科（乳腺外科学） 心臓血管外科（心臓血管外科学）	手術療法が必要となる胸部・腹部臓器の身体機能の変調
	脳神経外科，脳外科（脳神経外科学）	脳神経機能の変調
	整形外科（整形外科学）	骨・筋肉に関する機能の変調
	泌尿器科（泌尿器科学）	排尿機能，男性生殖機能の変調
	産科，婦人科，産婦人科（産婦人科学）	女性生殖機能の変調
	耳鼻咽喉科，頭頸部外科（耳鼻咽喉科学）	聴覚，平衡感覚，嚥下，発声，嗅覚等，耳・鼻・咽頭の機能の変調
	形成外科，美容外科（形成外科学）	皮膚機能，形態的な変化に伴う身体機能の変調
	小児外科（小児外科学）	小児期の身体機能の変調
	眼科（眼科学）	視機能の変調
	口腔外科（口腔外科学）	咀嚼，嚥下，構音などの口腔の機能の変調
その他	精神科，神経科，メンタルヘルス科（精神神経科学）	精神神経機能の変調
	放射線科（放射線医学）	免疫機能の変調
	麻酔科，ペインクリニック（麻酔学）	認知・知覚機能の変調
	リハビリテーション科 理学診療科（リハビリテーション医学）	運動機能の変調

作のみならず，呼吸筋の動きで痛みは大きく出るが，皮膚腫瘍切除・縫縮術の場合，皮膚の創面がきちんと合っており湿度が保たれていれば痛みは小さい．また，仰臥位の手術では，手術時間の長さや体格，脊椎変形の既往等の有無によって腰背部痛の程度に違いが出てくる．これらの痛みそのものは生理的反応

であって身体機能悪化ではないが，痛みによって呼吸が浅くなると無気肺のリスクが高くなるなど，苦痛への対応としてだけではなく，身体機能悪化の要因になるものとして対応していかなければならない．したがって，術後合併症を予測していく上では，行われる術式，麻酔，手術体位の情報を正確に知り，患者の術前の身体機能を評価し，照合していくことが必要である．

また，人体にメスを入れれば神経損傷を避けられなかったり，血管処理に伴う血行障害が起こったり，形態的な変化を伴ったりすることが多い．人間の身体の形態は，その構造によって機能を果たしているので，形態の変化が原因となって，二次的に機能障害を生じることが避けられない場合がある．

このような手術に伴う二次障害を，一般に**術後障害**という．これには，身体が適応していくまでの一時的なものと，生涯にわたるものとがある．例えば，胃は袋状の形態をしていることと幽門輪があることによって，食物を十二指腸，小腸にすぐに送り出すことなく貯蔵し，撹拌する機能を担うことができる．しかし，胃切除術によって残存胃が小さくなり幽門輪が切除されれば，貯蔵するスペースが少ないことによって起こる**ダンピング症候群***が避けられない．この症状は，術後数年のうちに残胃が拡大するという適応によってみられなくなることが多い．一方，膀胱全摘出術・尿路変向術（回腸導管法）では，膀胱という袋が失われた部分に回腸を補い，一時的に尿を貯留できるようにするものの，もともとの膀胱容量を貯留できるまでに適応することはなく，集尿袋を装着した生活になる．このような術後障害を最小にするために，治療効果と患者のQOLを考慮した術式の開発がさまざまに行われている．したがって，手術療法に伴う術後障害を予測していく上では，予定されている術式について正確に知り，その情報からどのような形態変化が起こりうるのか，神経損傷や血行障害が生じるとするならば，どの器官・臓器がダメージを受けると考えられるか，また治癒過程で周囲の組織と癒着することがあるとしたら何らかのダメージは残らないだろうかと考えておくことが必要になる[11-13]（**表2.2-3**）．

5 生活行動制限による不使用性症候群

身体機能は，使わないことによって衰えることが知られている．これを**不使用性症候群**（disuse syndrome：「廃用症候群」ともいう）という[14]．ほかに不動（inactivity）症候群，運動不足病などともいわれ，とりわけ骨・筋肉系を使わないことによる機能低下が大きい．一般に，1日の安静によって生じた筋力を回復させるのには1週間，1週間の安静ならば1カ月かかるといわれており[15]，加齢等により生理的な細胞の再生能力が落ちた状態になるほど，より深刻に現れる．多様な分類があるが，主なものを挙げると，同一肢位による関節可動域（range of motion：ROM）の低下，褥瘡（pressure ulcersまたはbedsore），筋萎縮に伴う筋力低下（muscle weakness），腸蠕動低下に伴う便秘（constipation），下肢静脈血うっ滞に伴う深部静脈血栓症（deep vein thrombosis：DVT），心拍出量低下に起因する心機能低下，自律神経失

用語解説*
ダンピング症候群

摂取した食物が急激に空腸を満たすと，腸管粘膜の血流量の増加，腸内の浸透圧の上昇などが起こる．また食後，血糖値が急激に上昇することで，膵臓のβ細胞が過剰にインスリンを分泌して低血糖を招き，倦怠感，頭痛，発汗，頻脈などの症状が現れる．これらをダンピング症候群という．

plus α
ICU症候群，スパゲティシンドローム，術後せん妄

ICUで治療を受けることは，生命の危険，死の恐怖を体験することでもある．ICU症候群とは，外界から隔離されルート類に囲まれた環境で，睡眠リズムが乱れ，せん妄，錯乱，幻覚などの精神症状が出現することを指していた．しかし，ICUに入室するだけで生じるという誤解があることや，せん妄のアセスメントを行い予防することの重要性を鑑み，近年はほとんど用いられなくなってきている．また，多数のラインやルートに囲まれた状態を表してスパゲティシンドロームといっていた時期もあるが，今は用いられない．一方，特に術後に起こるせん妄は術後せん妄として，予防や早期発見のための多くの研究がある．

表2.2-3　術後合併症と術後障害

	解　説	生じうる病態
術後合併症	手術操作，麻酔，術中体位管理において，愛護的な手技で侵襲を最小にし，輸液管理や清潔操作等によって予防的に対応しうるが，生理的反応の範囲を超えることを想定しておく必要がある病態．術前の身体機能の予備能力によってリスクに差異が出る．また，創部痛や同一体位痛は，程度の差はあっても避けられない．	手術操作による手術部位への影響 　創部痛（手術部位痛） 　後出血 　縫合（吻合）不全 　手術部位感染症（創感染） 麻酔法・体位・全身の生理反応による他臓器への影響 　呼吸器：呼吸器合併症（無気肺，肺炎，低酸素血症） 　循環器：血圧変動，不整脈，深部静脈血栓症（DVT） 　腎臓　：腎不全，尿閉，尿路感染症 　肝臓　：薬剤性肝機能異常，輸血後肝炎 　脳神経：術後せん妄 　運動器：同一体位痛
術後障害	治療効果と安全性を考慮して選択された術式であっても，避けられず残存した機能障害．手術操作や硬膜外麻酔・腰椎麻酔，体位管理の過失に伴う神経損傷等，過失による後遺症も生じうるが，ここでは除外する．	手術操作（術式）に伴う手術部位の機能障害 　形態変化が起こることによるもの 　避けられなかった神経損傷，血行障害によるもの 　治癒過程で生じうる癒着によるもの 　　↓ 　慢性疼痛（例：下肢切断術後の幻肢痛） 　摂食・嚥下障害（例：喉頭摘出術後の嚥下障害） 　癒着性イレウス（例：下部消化管，骨盤内臓器手術後） 　消化・吸収障害（例：胃切除術後のダンピング症候群） 　リンパ浮腫（例：子宮摘出術後の下肢リンパ浮腫） 　排尿障害（例：直腸切除術後の神経因性膀胱） 　排便障害（例：S状結腸切除術後の頻便） 　性機能障害（例：直腸切除・人工肛門造設術後の勃起障害） 　運動機能障害（例：人工股関節置換術後の脱臼） 　認知機能障害（例：脳腫瘍切除術後の高次脳機能障害）など

表2.2-4　主な不使用性症候群（disuse syndrome）

- 同一肢位による関節可動域（range of motion：ROM）の低下
- 褥瘡（pressure ulcers または bedsore）
- 筋萎縮に伴う筋力低下（muscle weakness）
- 腸蠕動低下に伴う便秘（constipation）
- 下肢静脈血うっ滞に伴う深部静脈血栓症（deep vein thrombosis：DVT）
- 心拍出量低下に起因する心機能低下
- 自律神経失調に伴う起立性低血圧
- 肺活量低下や気道内分泌物貯留に伴う呼吸機能低下
- 膀胱カテーテル長期留置に伴う膀胱萎縮
- 精神活動の減少に伴う見当識障害，せん妄

調に伴う起立性低血圧，肺活量低下や気道内分泌物貯留に伴う呼吸機能低下，膀胱カテーテル長期留置に伴う膀胱萎縮，精神活動の減少に伴う見当識障害，せん妄などがある（表2.2-4）．

　これらの不使用性症候群は，あらゆる健康レベルで起こりうるものであるが，健康危機状況では，苦痛のために安静が必要となったり，治療のために生活行動制限が避けられなかったりする場合が多い．

　人工呼吸器管理が必要な呼吸状態ならば，当然のことながら，呼吸筋の筋力低下がある．加えて，その間は，人工呼吸器に同調しやすくするために薬剤による**鎮静**（sedation）が行われ，睡眠状態が数日間にわたることもある．このような状態に置かれれば，会話することもないため表情筋を含め顔面の筋力も低下していく．とりわけ生命危機状況になれば，日常では見かけることもな

い医療機器に取り囲まれ多数のルート類が装着される．これらは身体拘束感を強めるものであり，そうした非日常的な状況によって，**せん妄**という状態に陥りやすい[16]．

このように健康危機状況では，生活行動の制限によって，どの機能を使用しない状態が続いているかを考えることによって，身体機能の悪化を考えておくことが重要となる．

2 身体機能悪化への対応方法

1 リスクのアセスメントと予防法の実施

健康危機状況では，①生命の危険につながるかどうか，②苦痛を増強させるかどうか，③回復の見通しはどのくらいか，に着眼しながら，➡p.84 図2.2-1に示したような考え方で，目の前のその人に身体機能の悪化のリスクがあるかどうかをアセスメントし，予防法を実施していくことが重要である．

これらを行うためには豊富な医学的知識が求められる．しかし，生理的な身体機能に関するもののみならず，多岐にわたる疾患や外傷に伴う身体機能の悪化を考えるのに十分な医学的知識を身に付けることは，そう簡単なことではない．したがって，自分自身の判断能力の限界を自覚し，患者に起こりうる病態を判断できる看護師や医師の判断を共有することが重要である．

医師の判断は各臨床医学の専門分野で行われるので，時には主たる担当医だけでなく適切な診療料の医師と連携することも考慮する．ただし，このとき，生活行動制限に伴う身体機能への影響は，重大な障害につながりにくいことから十分に検討されない傾向がある．不使用性症候群の中には避けられないものもあるが，行動制限を補うケアによって最小にできるものもある．例えば，関節可動域低下は他動的な運動をしっかり行うことで予防でき，褥瘡は体位変換や除圧を行うこと，深部静脈血栓症は下肢のマッサージを行ったり臥床中の足の底背屈運動を促したりすること，呼吸機能低下は深呼吸を促すこと，膀胱萎縮はできるだけ早期に膀胱カテーテルを抜去し排尿援助を行うこと，便秘は腹部温罨法(おんあんぽう)やマッサージを行うことなどによって補うことができる．治療に伴う行動制限は，身体機能の悪化のみならず，生活行動の不自由さにつながり，多大な心理的ストレスにもなっていく．したがって，患者が疾患や治療に伴ってどのような生活行動制限を必要とするのか，またそれは本当に避けられないものなのかを検討することは，看護学的にとりわけ重要なことである．

2 検査結果の把握と観察，モニタリング

通常，医療機関を受診すれば，さまざまな**検査**が行われる．このうち，生命維持に関係する重要な検査項目については，基準値等を目安に，生理的な予備能力が十分にあるか，異常はないかについて常に注意を払う（表2.2-5）．ただし，基準値等との照合は，あくまでも成人一般との比較であるため，可能な限りその人個人の検査結果の変化という視点から評価していくことが重要であ

表2.2-5　生命維持に重要な検査項目

身体機能	検査項目
呼吸機能	動脈血ガス分析，呼吸機能検査（％ＶＣ，1秒率），パルスオキシメータ測定値，呼吸数，胸部X線
循環機能	12誘導心電図，胸部X線，血圧，脈拍数
脳機能	意識レベル，瞳孔所見，見当識
腎機能	血清BUN，血清クレアチニン，クレアチニンクリアランス検査，PSP検査，1時間尿量
肝機能	血清ALT，血清AST，ICG検査
止血機能	血小板数，トロンボテスト，FDP
免疫機能	白血球数，CRP
栄養・代謝機能	血清タンパク（TP），血清アルブミン（Alb），血清ナトリウム，血清カリウム，血清クロール，空腹時血糖，OGTT（75g経口糖負荷試験）

る．また検査は，疾患を診断し治療方針を確定するためにも行われるので，必ずしも身体機能の評価をする上で重要でないものもある．しかし，患者自身はいずれの検査結果も，自分自身の身体の何らかの異常を知ることにつながるととらえており，検査を受けるというだけで不安に陥ることも少なくない．したがって，患者の受けるすべての検査については，どのように医師から説明を受けているのか，どのような方法で検査を受けるのか，結果についてはどのように知らされるのか，または知らされているのかを把握しておくことが重要である（表2.2-6）．

　また，刻々と病態が変化する恐れのある場合には，各種モニタリング機器が装着される（図2.2-3）．これらのモニタリング機器類は，アラームを設定しておくと異常値を知らせてくれるので，異常を早期発見するための監視にとっては重要である．しかし，これらの機器類が示す値は，あくまで数値指標であり，それ以上でも以下でもない．パルスオキシメーターの値で酸素飽和度が十分だと安心していたら，CO_2ナルコーシスを見落としそうになるとか，心電図モニターのアラームが鳴らないので眠っていると思ったら，起床しては危険な人がベッドサイドに立ち上がっていたというようなことが起こらないとはいえない．**モニタリング**というのは，持続的に注意深く監視し続けることである．したがって，看護職者自身の五感を用いて，いつもと違うことはないか，どう変化しているのか，元気が出てきたのかなくなってきたのかといった，その人個人の変化に着眼した観察を継続することが何よりも重要である．

　なお，以上のような医学的な検査結果や指標に基づいて，正常と異常に着眼して観察していくこと（**正常と異常**）に加え，同じような状況に置かれている成人の反応として，普通の反応とそうとはいえない反応（**普通と逸脱**）に着眼したり，その人自身の日常の言動かどうか（**日常と非日常**）に着眼していくことも心掛けたい．そのためには，患者自身をよく知っている家族や重要他者の

> plus α
> **SaO_2，SpO_2**
> ヘモグロビン1分子は4分子の酸素を運搬する能力があるが，その何％が結合可能であるかを示す動脈血の酸素化レベルを動脈血酸素飽和度（SaO_2）という．血液にどの程度酸素が含まれているかを示す値を経皮的動脈血酸素飽和度（SpO_2）といい，低酸素血症の早期発見のためパルスオキシメーターによって持続的にモニタリングする．

表2.2-6 検査を受ける方法からみた検査一覧

通常の病院で検査を受ける方法		種類
看護師による身体計測		身長計測，体重測定，血圧・体温・脈拍・呼吸数測定，胸囲，腹囲ほか
医師による診察		問診（主訴） 視診（身体各部の形状や大きさや色調，歩行状態など） 聴診（呼吸音，心音，腸蠕動音，血管雑音） 打診（腹部，胸部，背部） 触診（身体各部の硬さや可動性など） 内診（直腸診，双合診） 筋運動検査（関節可動域測定，徒手筋力テストなど） 神経検査（皮膚知覚，反射，協調運動ほか） 眼底検査，視力・視野・眼圧検査 額帯反射鏡検査（前鼻鏡，耳鏡，咽頭）
末梢血採血	採血のみ	血算，血液像，生化学検査，凝固検査，血液感染症（HB，HC，HIV，梅毒） その他（腫瘍マーカー，自己抗体，サイトカイン，薬物血中濃度，遺伝子など）
	試薬の注入，内服などの後	ICG検査 OGTT（75g経口糖負荷試験） ホルモン負荷試験の一部
動脈血採血		血液ガス分圧
尿・便・喀痰の採取	採取のみ	1回尿（尿比重，尿糖，尿タンパク，尿ケトン，尿潜血） 尿培養，便潜血，便培養，喀痰培養，喀痰細胞診 24時間蓄尿検査（尿中タンパク，糖，Na，K，Cl，Ca，UA，クレアチン，C-ペプチドほか）
	試薬注入や水分制限などの後	PSP排泄試験 尿濃縮試験
検査器具を使用した検査 ＊生理検査室その他に出向いて行うことが多く，臨床検査技師か医師が行う．		心電図（12誘導心電図，負荷心電図，ホルター心電図） 脳波，筋電図，聴力，平衡機能，呼吸機能，基礎代謝など 超音波検査（心エコー，腹部エコーなど）
X線室での撮影	撮影のみ	単純X線撮影（身体の各部位） 断層撮影（トモグラフィ），乳房撮影 KUB（腎尿管膀胱撮影）
	穿刺・造影剤注入等の侵襲を伴う撮影	上部消化管造影（胃透視，食道造影，嚥下造影） 注腸造影 血管造影検査（DSA：脳血管造影，心臓カテーテル検査，腹部血管造影） 脊髄造影検査 IVP（静脈性腎盂造影），DIP（点滴静注腎盂造影）
画像診断室での撮影 ＊一定時間以上，閉鎖環境で検査を受ける．	CT室 ＊部位により造影剤使用や前処置の有無など違いがある．	コンピュータ断層撮影（CT：computed tomography） 3D-CT（三次元CT）
	MRI室	磁気共鳴画像検査（MRI）
	RI室 ＊放射性同位元素を注入後に撮影	シンチグラム（骨，甲状腺，副甲状腺，副腎，心筋，脳） SPECT（single photon emission computed tomography：単光子放出断層撮像法） PET（positron emission tomography：陽電子放出断層撮像法）
内視鏡検査 ＊何らかの前処置を必要とし，組織の一部を採取する（生検）が行われることも多い．		胃内視鏡，気管支鏡，大腸ファイバースコープ，超音波内視鏡，膀胱鏡
穿刺して検体を採取するもの		骨髄穿刺，胸腔穿刺，腹腔穿刺，腰椎穿刺
皮膚反応でアレルギー反応をみるもの		パッチテスト，皮内注射（抗菌薬など）

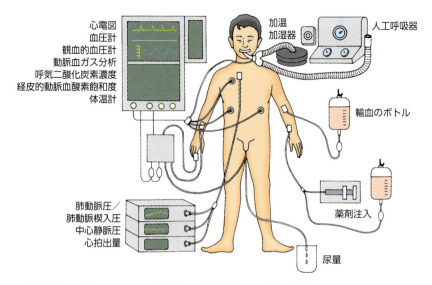

図2.2-3　各種モニタリング機器が装着された状態の模式図

もつ印象などの情報を意図的に観察に活用していくとよい．

3 早期発見，早期対処のための準備とセルフケア教育

　身体機能の悪化は，予防しようとしてもしきれないことがある．その場合，いかに**早期発見**し，**早期対処**できるかが，影響を最小にするために重要になってくる．早期発見のためには，これまで述べてきたように，可能な限り予測的にリスクをアセスメントし，注意深い観察・モニタリングを続けることが大前提になる．しかし，成人の場合，もう一つ付け加えることができる．それは，本人自身にどのような異常を感じたら医療者に助けを求めるとよいかについて**セルフケア教育**をしていくことである．

　健康状態の悪化と改善を繰り返している慢性疾患の人であれば，自分の身体の異常について自覚する力をある程度身に付けている．しかし，健康危機状況では，何が異常なのかどうかもわからず混乱してしまうことも少なくない．したがって，まずは生命の危険や急変の可能性のある徴候や症状にはどのようなものがあるかを教え，それを医療者に伝えてもらうことがセルフケアになるということを知らせていく．ただし，強い不安を抱えているなど心理的にも動揺しやすいので，伝える上では工夫が必要である．例えば，「こちらできちんと見ていますし，このモニターからも私たちに伝わるようになっています．でも，もし，どこかつらいとか苦しいとか，変な感じがするとか，少しでもおかしいなと思うことがあったら，どうか遠慮せずにナースコールを押して伝えてください．そうしていただけると私たちも素早く対応できるので，ご自分のためにそうしてください」などというようにである．ただ，身体の感覚に気づく力が不足している場合もあるので，「締めつけられるように痛む」「ずきずきする痛みがどんどんひどくなる」「ぼーっとしてくるような感じがする」「しびれ

がひどくなってくる」といったように，具体的にどういう感覚があったら呼ぶとよいのかを伝えていくほうがよいこともある．

また，急変の可能性が予測される場合には，起こりうる急変時にどのように対応するかをあらかじめ決めておき，必要物品を準備し，待機しておくということも重要である．手術後にICUに入室する予定を組んでおくとか，帰室時までに術後ベッドを整えて

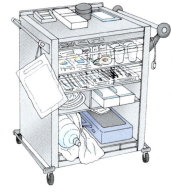

救急カートには次のような物品を準備しておくことが多い．バッグバルブマスク（アンビューバッグ）セット，エアウェイセット，ラリンジアルマスクセット，挿管セット，静脈点滴セット，胃管セット，消毒液，静脈切開セット，中心静脈ラインキット，Aラインセット，気管切開セット，気管チューブ予備，吸引器具，救急薬品など．

図2.2-4　救急カート

おくということがその例である．ほかにも，出血傾向にある場合，輸血を準備しておく，初回離床時に肺塞栓症の発症のリスクがあるので，医師が同席しているところで離床する，気管挿管チューブを抜くときには，すぐ吸引できるように待機して行うといったことがある．終末期であれば，蘇生処置を行うことそのものが苦痛を強いることになるので，家族がそばにいれば蘇生を行わないと決定しておくといったこともある．ただし，救命しないことと，身体機能の悪化に対して対策をとらないことは必ずしも同じではない．終末期だからといって，何の対応もとらないということにはつながらない．

一方，どれだけ一人ひとりの身体機能の悪化を予測して予防的に対応していても，想定外の急変に遭遇することがある．これに対応するには，急変に迅速に対応できるシステムが不可欠である．まず，いつでも**救急カート**（図2.2-4）を使えるようにしておくこと．これは，物品の点検も重要であるが，それと同時に，デモンストレーションを繰り返すなど医療チームとしての準備が重要である．また，施設によっては，緊急時にACLSを確実に行うために，**緊急招集体制**（スタットコール*；stat call）をとっておくことも必要である．ただし，ACLSの備品を随所に配置していないような急変の頻度が少ない施設では，救急室に患者を緊急搬送するほうがよいということもある．重要なことは，急変に応じる体制を予期的に整えておくということである．

3 予測性の有無別にみた身体機能悪化への対応方法

最後に，その人の身体機能の悪化を予測できるかどうかによっての対応の違いをまとめておく（図2.2-5）．

1 身体機能の悪化を予測できる場合

まず，身体機能の悪化が予測できる場合について述べる．手術等の侵襲的な治療を予定している場合や，診断名がついており疾患の進行が推論できる場合，また，ターミナルステージにある場合では，身体機能の悪化を予測あるいは推論することが可能である．

用語解説ˎ
スタットコール
緊急呼び出しを意味するコードブルー（code blue）などの暗号で招集されることもある．病院内全館放送を行い，緊急対応ができる医師や看護師が駆けつけることをいう．

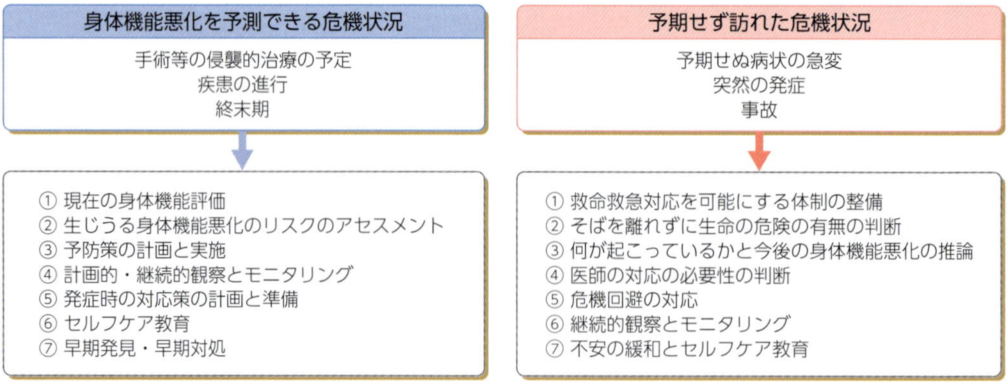

身体機能悪化を予測できる危機状況	予期せず訪れた危機状況
手術等の侵襲的治療の予定 疾患の進行 終末期	予期せぬ病状の急変 突然の発症 事故
① 現在の身体機能評価 ② 生じうる身体機能悪化のリスクのアセスメント ③ 予防策の計画と実施 ④ 計画的・継続的観察とモニタリング ⑤ 発症時の対応策の計画と準備 ⑥ セルフケア教育 ⑦ 早期発見・早期対処	① 救命救急対応を可能にする体制の整備 ② そばを離れずに生命の危険の有無の判断 ③ 何が起こっているかと今後の身体機能悪化の推論 ④ 医師の対応の必要性の判断 ⑤ 危機回避の対応 ⑥ 継続的観察とモニタリング ⑦ 不安の緩和とセルフケア教育

図2.2-5　身体機能悪化への対応方法

　この場合，①**現在の身体機能評価**を行い，②**予定されている治療等から考えられる身体機能悪化のリスクと照合して予測的にアセスメント**を行う．このとき，術式，麻酔等の治療について自ら調べるだけでなく，担当医師が合併症や術後障害等の身体機能悪化のリスクについて具体的にどのようなものを考慮しているのか，その人に特にリスクが高いものは何であると想定しているのか，また，どのような生活行動制限が必要で，それがどの程度の期間続く見通しなのかについて情報提供を求め，予測を共有する．そして，③**予防策を計画し実施する**．このときは，疾患別標準看護計画，術式別標準看護計画あるいはクリニカルパスなどを十分に活用する．ただし，個別の問題への計画が抜け落ちることがあるので十分に注意する．また，④**計画的・継続的観察とモニタリング**を行い，⑤**発症時の対応策の計画と準備**をしておく．そして，⑥**セルフケア教育**を行う．もし，手術等が予定されている治療であれば，術前訓練，術前オリエンテーションといったように，事前に患者自身に予防策を含めた教育を行っておくことが望ましい．ただし，この実施においては，心理的な混乱や不安の程度によっては逆効果になってしまうこともあるので，その場合，「知る」「わかる」「できる」という教育目標のうち，言われたら思い出せる程度の「知る」という目標を達成するレベルでよいことを患者自身と共有して教育していくとよい．これらによって，⑦**早期発見・早期対処**へとつなげるのである．

2　身体機能の悪化を予測できない場合

　次に，予期せず訪れた危機状況への対応方法についてまとめる．これは，救急外来に緊急搬送されてくるといった状況が典型的であるが，必ずしもそればかりではなく，すでに診断がついている入院患者の予測できなかった病状の急変や，新しい病態の突然の発症，転倒などの事故などがある．この場合，まず，①**救命救急対応を可能にする体制の整備**をしておくことが重要である．そして，発見したり訴えをキャッチしたら，②**そばを離れず生命徴候**（vital signs：バイタルサイン）**の把握**を行う．このときみるバイタルサインとは，

呼吸と循環によって身体の隅々まで酸素と栄養とが供給されているか否かを表しているのであって，数値として測定できなければ意味がないというものではない．また反対に，生きているということは，死んでいないということである．生物としての人の**死の徴候***は，呼吸停止，心停止，瞳孔散大で確かめられる．つまり，呼吸が機能している，心臓が機能している，そして，脳幹の生命維持機能が働いていることを確かめることが重要である．体温計，血圧計等がなくても，できる限り深部体温が反映する部位に触れて体温を感じ取り，意識レベルを確かめ，胸郭の動きなどから呼吸状態をみて，脈拍を触れることによって，生きている証を見いだすことができる．成人では一般に，橈骨動脈などの末梢動脈で脈拍が触知できなければ，収縮期血圧60mmHg以下のショック状態といわれる．

用語解説 *
死の三徴候
①心臓停止：循環機能の喪失，②呼吸停止：酸素の取り込み機能の喪失，③瞳孔散大および対光反射喪失：身体を自律的に調整している脳幹機能の停止，を死の三徴候という．

これらのことを理解して，そばを離れないで生命徴候を判断するのである．そして，生命徴候からみて急いで対応する必要がないと判断できたなら，③**何が起こっているかを考え**，今後の**身体機能悪化を推論**してみる．その上で，④**医師の対応を必要とするかどうかを判断**し，⑤**危機を回避するための対応**を行う．そして，⑥**継続的観察とモニタリング**をしながら，⑦**不安を緩和し，セルフケア教育**をしていくのである．

引用・参考文献

1) 林正健二編．解剖生理学．第4版，メディカ出版，2016，（ナーシング・グラフィカ，人体の構造と機能1）．
2) セリエ，H．現代社会とストレス．杉靖三郎ほか訳．法政大学出版局，1988．
3) 北野正剛編．標準外科学．第15版，医学書院，2019．
4) 出月康夫ほか編．NEW外科学．改訂第3版，南江堂，2012．
5) 三島好雄監修．外科学．へるす出版，1989，p.92-100．
6) 中村紀夫ほか監修．新臨床外科学．第2版，医学書院，1989，p.15-16．
7) 山崎智子監修．成人看護学．金芳堂，1998，（明解看護学双書，5）．
8) 竹内登美子編．周手術期看護2：術中・術後の生体反応と急性期看護．医歯薬出版，2000．
9) 中島恵美子ほか編．周手術期看護．第3版，メディカ出版，2017，（ナーシング・グラフィカ，成人看護学4）．
10) 佐藤禮子ほか．術後経過に伴う患者への働きかけに関する研究（その1）：心理的状況変化に対応した言葉がけ．日本看護学会第12回看護総合（1）．1981，p.242-245．
11) 吉田澄恵．手術に関連した合併症という共同問題に対する看護師の役割．臨牀看護．2002，28（5），p.646-651．
12) 井上智子．"周手術期患者への看護技術：術後合併症予防看護技術を中心に"．成人看護学Ⅰ．佐藤禮子監修．日本看護協会出版会，2003，p.86-110，（実践看護技術学習支援テキスト）．
13) 数間恵子ほか編．手術患者のQOLと看護．医学書院，1999，（看護QOL BOOKS）．
14) Thompson, JM. et al. Mosby's Clinical Nursing. 1997, 4th ed. p.1599-1600.
15) 上田敏．リハビリテーションの思想：人間復権の医療を求めて．第2版増補版，医学書院，2004．
16) 一瀬邦弘ほか．せん妄：すぐに見つけて！すぐに対応！照林社，2002，（ナーシング・フォーカス・シリーズ MOOK）．
17) 吉田澄恵．アセスメントに基づいた周手術期看護：術後肺塞栓症の予防および発症時の看護．臨牀看護．2001，27（2），p.193-199．

重要用語

生理的反応
症状（symptom）
徴候（sign）
手術侵襲
合併症，二次障害
不使用性症候群
アセスメント
モニタリング

3 生活行動の変更への支援

学習ポイント
- 生活行動とその構造を理解できる．
- 生活行動の変化に影響する要因を理解できる．
- 医学的治療として生活行動制限が必要とされる場合，看護援助を導く思考プロセスを理解できる．
- 身体に装着されているルートを，生活行動の代行・補完という視点から考えられる．
- 健康危機状況における生活行動に関する患者教育のポイントを理解できる．

1 生活行動とは

　ここでいう**生活行動**とは，人間として生きていくために必要不可欠な活動のことで，息をする（呼吸する），飲む・食べる，排尿する，排便する，清潔を保つ，身体を動かすという営みである．のどの渇きや空腹感は飲むことや食べることによって満たされ，便意や尿意という生理的な欲求は排泄によって満たされる．これらは，原始的で本能的な生物体としての生きるための活動であり，快感を伴い心地よさを伴う．新鮮な空気を十分に取り入れて呼吸ができること，口渇や空腹が満たされること，尿や便がすっきりと排泄されること，思ったように身体を動かせること，身体の各部を清潔に保つことは，すべて快感を伴い心地よさを得られる活動である（図2.3-1）．

1 成長・発達する人間としての生活行動の変化

　生活行動は，人間の成長・発達に伴い学習して獲得され，変化する．それは，認知機能および学習機能の発達に伴う変化である．

図2.3-1 生活行動は心地よさを得られる活動

小児期は生活行動を獲得する学習期間であり，生活行動を他者が補完し，それを学習することで育まれ，他者の影響を大きく受ける時期である．学童期は学習途上の期間であり，大人への依存から自立へと旅立つ時期である．成人期は，社会生活に伴う生活行動が自立し，状況の変化に合わせて変容する．成人期は社会的役割が大きく，役割遂行の思いから生活行動が変容する．老年期は加齢による身体機能の低下から生活行動が変化する．

獲得された生活行動は習慣化されるため，生活行動の変更には戸惑いが生じ，生活行動を修正するには動機付けと努力や工夫，そしてエネルギーが必要とされる．また，自立して呼吸，飲食，排尿・排便，清潔保持，移動ができることは，その人の自尊心を支える基盤でもある．自立していたことを他者へ依存することは，自尊心の低下を生ずる危険性や，他者への依存に抵抗を抱く場合がある．

2 生活行動の階層構造

日常生活行動とは，生命維持のための生理的欲求を充足する行動にとどまらず，社会生活を維持するための行動も含み，日常的に繰り返され，文化や慣習の影響を受けてその人らしさを反映するものである[1]．生活行動を階層構造で表すと，図2.3-2のようになる．呼吸（息をすること）は，生命活動の維持に欠くことができない．そして，食べる・排泄する・清潔を保つ生活行動は，いずれも運動機能の姿勢機能，移動機能，作業機能[2]に支えられ成り立つ行動である．

図2.3-2　生活行動の階層構造

次項に，健康危機状態に陥った患者への生活行動変更に伴う看護支援について述べていきたい．

2 健康状態と「生活行動」の関係

健康危機状況では，健康を維持するための予備力がさまざまな原因で低下し，健康維持・増進に向けたエネルギーが縮小され患者自身の実行能力が低下することで，生活行動の変更も余儀なくされる．

成人にとっての生活行動は，その行動の適否（方法）は問わず，自立した行動である．健康的な生活行動を営むには，安定した感情を保つとともに，認知や学習を働かせ，身体活動に耐えうる呼吸・循環機能と，行為や動作をつなげる身体運動機能が必要とされる．

健康状態が低下すると病状の深刻さとは関係なく，訪れた健康危機状況に対する本人の意味解釈の深刻さの程度によって，感情が不安定（不安）になり，認知機能や学習機能がうまく働かず，通常の生活行動を営むことが困難になる（図2.3-3）．大脳の外傷など脳の器質的な

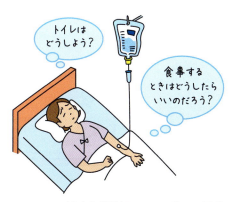

図2.3-3　健康危機状況によって生じる混乱

障害からも,このような状態が引き起こされる.

　骨,筋肉,靱帯という身体運動機能を直接つかさどる部分がダメージを受けたり,身体運動の司令塔である中枢神経,指令を受けて働く末梢神経が障害されて動かすことができない場合も,生活行動が困難になる.この場合,その障害の程度と生活行動への影響は相関し,障害の程度が大きいほど生活行動への影響も大きい.

　また,活動に必要な酸素を供給するために働く呼吸機能や循環機能が低下することにより,行動をつかさどる道具(骨,筋肉,靱帯)はそろっていても,力不足により道具を使えない状況に陥る.酸素供給に影響する呼吸機能や循環機能のレベルによって,生活行動が影響される.

　もちろん,前述した機能障害は認められないものの,苦痛を伴うため生活行動がとれない場合もあり,苦痛が強いほど生活行動への影響が大きい.活動により健康状態が悪化すると予測される場合,治療上,生活行動が制限される.

　次に,医学的治療で要求される生活行動の制限と,それによる生活行動の変化について説明する.

3 医学的治療で要求される生活行動の制限と生活行動の変化

　健康危機状況では,健康を維持するための予備力の低下,すなわち実行能力の低下に伴い生活行動が変更されるだけでなく,医学的治療でも生活行動が制限され,生活行動が変化する(図2.3-4).

　治療の効果が最大限に得られ,かつ生活(心身ともに)への影響を最小限にして健康回復に向かうようにすることが,看護援助の基本である(図2.3-5).したがって,医学的治療上,何を目的とした生活行動の制限か,期待する治療効果は何かがわかることで,どの動作を制限し看護師が代行・補完したらいい

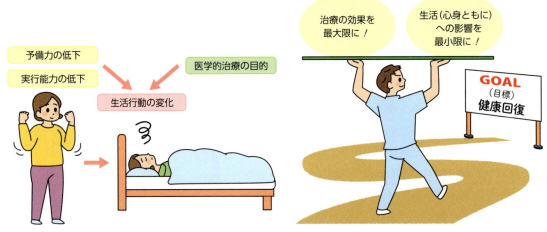

図2.3-4　生活行動の変化　　　　　図2.3-5　看護援助の基本

表2.3-1 医学的治療上の生活行動の制限

種類	例
①障害の拡大を予防するためのもの（悪化の予防） 　a. 身体運動全体の制限 　b. 部分的な制限	心筋梗塞, 脳血管障害, 呼吸不全, 心不全, 脊髄損傷の可能性 骨折, 靱帯損傷, 局在している外傷
②治療効果を最大限に高めるためのもの	骨の固定や人工関節置換目的の手術後, 靱帯損傷の再建術後, 皮膚移植手術後
③診断・治療に有用な検査結果を得るためのもの	胃内視鏡：前夜から飲食禁止 血管造影（大腿動脈使用）：股関節伸展, 安静臥床 腎機能検査：24時間蓄尿　など
④手術を含めた治療による機能の変化に伴うもの	胃切除術後の分割食, 膀胱摘出後の排泄経路の変更　など
⑤全身状態の悪化や機能の低下に伴うもの	移動機能の低下・障害, 咀嚼・嚥下機能の障害, 消化管の通過障害, 尿排泄機能の障害　など

のか，どの動作は制限する必要がないのかなど，健康回復へ向けた援助方法を見いだすことが可能となる．

表2.3-1に，治療上の生活行動の制限を五種類述べたが，直面する状況は，一つもしくは複数が組み合わされている．

1 障害の拡大を予防するための制限（悪化の予防）

現在の健康状態がこれ以上悪化しないよう，生活行動を制限される場合がある．これには多発外傷などで，障害部位や障害個所が特定できず，治療方針が明確になっていない場合も含まれる．

制限される生活行動は，障害されている部位や機能により，身体運動全体が制限される場合と，部分的に制限される場合とがある．身体運動全体が制限される場合とは，全身運動によって酸素消費が高まることによる呼吸・循環への負荷が，障害を拡大する可能性のある状況が主であり，心筋梗塞，脳血管障害，呼吸不全，心不全などの場合である．また，脊髄損傷の可能性がある場合も脊椎の固定が必要とされるため，身体運動全般が制限される．

部分的な身体運動が制限されるのは，特に骨折や靱帯損傷，局在している外傷などを受傷した場合である．さらに，防御機能の低下により感染リスクが高い場合は，程度の差はあるが，隔離され生活空間が制限されることもある．

生活行動の中で，**どのような行為や動作が障害の拡大につながる可能性があるのか**を理解し，障害の拡大を予防するために生活行動を代行・補完することが看護援助には求められる．

2 治療効果を最大限に高めるための制限

治療効果を最大限に高めるために，生活行動の制限が要求される場合がある．骨折などによる骨の固定や人工関節置換後，靱帯再建術後，皮膚移植術後のように，術後の局所的な安静が必要とされることがある．また，局所の安静保持を目的として行われる牽引療法などもある．そのほか，胸腔ドレナージなど，効果的な**ドレナージ***が行われるよう行動が制限される場合もある．ま

用語解説*
ドレナージ

滲出液，膿，血腫や空気（胸腔内）など，生体にとって有害であり病的に体内に貯留したものを，人為的に体外へ誘導したり排出すること．この目的で挿入される管をドレーンという．

た，消化管の術後は，切除し再建した吻合部の安静を保持するために，食物の経口摂取が一定期間制限され，食に関する生活行動が制限・変化する．

いずれの場合も，現在の健康状態とそれに対する治療計画，**治療上要求されている生活行動の制限は何を目的としているものかを理解**することが重要である．さらに，どのような日常生活行動の制限が治療効果を最大限に高めることになるのかを考慮し，患者が実行不可能な生活行動を代行・補完するための看護援助を見いだすことが必要となる．

3 診断・治療に有用な検査結果を得るための制限

診断や治療計画の立案，治療の評価をする際，必要な情報として画像検査や臨床検査，生理機能検査などが行われる．検査の目的を果たす有効なデータを得るために，運動や飲食などの生活行動が制限されることがある．安全に検査が実施され有効なデータを得るためには，どのような生活行動が制限されるのかを理解する必要がある．

特に侵襲を与える検査後には，障害の拡大の予防を目的として一定時間の安静が要求され，一時的に生活行動が制限される場合もある．

4 手術を含めた治療による機能の変化に伴う制限

手術を含めた治療による身体機能の変化に伴い，日常生活行動が変化する場合もある．例えば胃切除術後の分割食や，膀胱摘出後の排泄経路の変更など，臓器の摘出や再建により機能が変化する場合などである．治療により身体機能がどのように変化し，生活にどう影響し，生活行動の変化を余儀なくされているのかを理解することが必要である．

5 全身状態の悪化や機能の低下に伴う制限

病状悪化など原因はさまざまであるが，筋力低下や全身状態の悪化，呼吸・循環機能の低下により生活行動は制限される．移動機能の低下や障害に対しては，杖や車椅子などの補助具を利用し，咀嚼・嚥下機能の障害には経管栄養や胃瘻造設，消化管の通過障害には**中心静脈栄養**＊（intravenous hyperalimentation：IVH）として**高カロリー輸液**（total parenteral nutrition：TPN）が必要とされることもある．尿排泄機能の障害には，尿道留置カテーテルが挿入される．患者が自分自身でできないから看護師が代行・補完するというだけではなく，制限されている生活行動は何か，**それが制限されていることは何を意味するのかを考える**ことが重要である．

用語解説 ＊
中心静脈栄養
血流量の多い中心静脈内にカテーテルを留置して，高濃度の糖や高張液を注入するもの．十分なカロリーやタンパク質を体内に入れることができる．

4 生活行動を代行・補完する看護援助

生活行動が制限され変更を余儀なくされた場合，他者や機器の助けを借りず，患者自らでその行動を変化できる場合と，患者自身の実行能力に応じて，補完・代行が必要とされる場合とがある．補完・代行は，他者（看護師に限らず家族なども行うが，ここでは看護師に限定する）がその役を担う場合と，医療機器や医療器具が担う場合，看護師と医療機器・器具の双方が担う場合があ

る（図2.3-6）．**補完**とは患者の行動を補助することであり，**代行**とは患者に代わって行うことである．行動制限はないが，健康状態など患者自身の実行能力が低下したため，補完・代行が必要とされる場合もある．また，行動制限で患者の持ち合わせている実行能力が勝る場合には援助が不要もしくは少なく，反対に不足している場合には，その不足の程度に合わせた援助が必要とされる．

1 看護援助を導く生活行動のとらえ方

「食べる」「排泄する」など一連の行為を動作と生命活動の組み合わせとしてとらえ，どの動作や生命活動が何のために制限されているのかを理解し，患者が持ち合わせている実行能力を判断することで，生活行動のどの部分を代行・補完する必要があるのかを見いだすことが可能となる（図2.3-7）．生活行動には「食べる」「排泄する」以外にもさまざまな活動があるが，例としてこの二つに着目し，解説する．

「食べる」一連の行為を考えてみよう．「食べる」行為は，①空腹感→②食事場所へ移動し，食事姿勢の保持→③食品の選択→④○○を食べる意思→⑤（道具を用い）手を伸ばす→⑥把持する→⑦口に運ぶ→⑧咀嚼→⑨嚥下，という動作に分析できる．消化管に取り込まれた食物は，⑩消化・吸収され→⑪満腹感を得る（図2.3-8）．

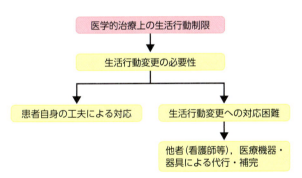

図2.3-6　医学的治療上の生活行動制限によって生じる生活行動の変化

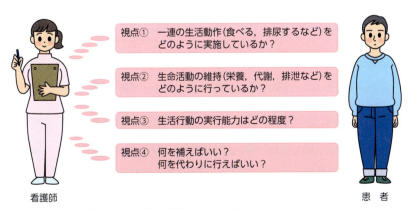

図2.3-7　看護援助を導く生活行動のとらえ方

図2.3-8 「食べる」行為の一連の動作

　右上腕骨折で，肩関節から肘関節までギプス固定されている場合，（利き手が右）⑤の手を伸ばし，⑥把持し，⑦口に運ぶという部分が困難になる．このような場合は，道具や配置，食物形態の工夫などが援助として必要とされる．

　呼吸機能の障害により酸素化の働きが低下している場合は，「食べる」一つひとつの動作や消化・吸収に酸素を要することから，呼吸困難が増強し状態は悪化する．したがって，最も安楽な体位で，使いやすい道具を用い，取りやすいように食事を配置して一連の動作による酸素需要を最小限にするとともに，「食べる」動作の合間に十分な酸素を供給できるようゆっくり休みながら食べるなどの工夫をする必要がある．制限された活動範囲の中で，酸素化がうまく行えないという実行能力の低下に対し，看護師が「食べる」行為を補完する．

　「排尿する」行為を女性の場合で分析すると，①膀胱に一定量尿が貯留する→②尿意を感じる→③（排尿を我慢しながら）トイレに移動する→④（排尿を我慢しながら）立位を保持したまま着衣を下ろす→⑤（排尿を我慢しながら）座位になり，座位を保持し→⑥腹圧をかけて尿を排出する→⑦ペーパーで尿道口周囲を拭き→⑧立位保持で着衣を上げ着衣を整える，となる．

　脳梗塞などの脳血管障害を発症したケースでは，梗塞部位によっては尿意を感じなかったり，尿意を感じるが動作が障害されたりする場合がある．障害の拡大予防のための処置，あるいは発症に伴う機能障害・機能低下により，尿道からの自力排尿という生活行動が制限され，膀胱に挿入されたカテーテルを通して排尿するという生活行動の変更，変化が起こる．尿意を感じない場合は，膀胱に一定量尿が貯留しても，②尿意を感じて③トイレに移動することができないため，尿意がなくとも，一定時間経過したらトイレへ行くよう援助する．尿意を感じるが動作が障害される場合は，障害された動作の代行・補完を行う．

2 患者が持ち合わせている実行能力の判断

生活行動を実行する能力に大きく影響するのは，身体の健康状態である．活動のために必要な酸素を供給する呼吸・循環機能，姿勢や移動，作業機能を要素とする身体運動機能である．姿勢機能とは，姿勢をつくり保持する機能，移動機能とは，自分の意思に沿って身体を移動させる機能である．作業機能とは，つまむ，握る，持ち上げるといった基本的な動作の機能である．したがって，呼吸・循環機能，身体運動機能の側面からのアセスメントが必要である．

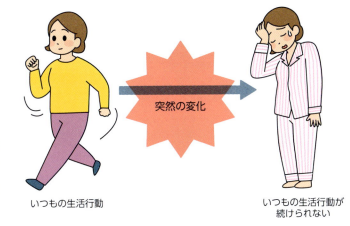

図2.3-9　突然の健康危機によって生じる混乱

患者の実行能力を判断する際，身体の健康状態だけでなく，生活行動を実行しよう，もしくは他者にゆだねようとする意思も重要な要素となる．健康危機状況では，突然訪れた健康状態の変化によって，いつものように生活行動を実行しようという意思は持続しているが，それには苦痛症状が伴ったり実行不可能であったりする場合もあり，混乱が生じる（図2.3-9）．

この混乱は，突然の健康危機による身体変化の驚きと，それと同時に医療者から要求される**病者役割**も影響している．パーソンズ（Parsons, T.）は，病者であることによる社会的役割として病者役割（sick role）を概念化した[2]．それによると，「病者」は自分の状態を自分ではどうすることもできず責任が負えないことが認められ，正常な社会的役割義務を免除された人とされる．しかしその代わり，自ら回復に向けて努力し，専門家に援助を求め，援助者に協力しなければならない義務がある．健康危機状況で患者は，突然に医療者から病者役割を期待され要求されて混乱し，自分の状態や状況を飲み込めず理解できないと，援助者に援助を求めるという病者役割の義務が遂行できなくなり，病者役割を期待している医療者との間にずれが生じる．

5 生活行動を代行・補完するものとしてのルート類の管理

1 ルート類の目的と種類

ここでいう**ルート類**とは，チューブ，カテーテルなど，身体に装着されるラインすべてを含める．ルート類はその装着目的から，①排出，②注入および補充，③測定およびモニター，④消化管および循環補助等の治療，に大別できる（表2.3-2）．

①は，体内に貯留した滲出液，膿，血液，空気などを人為的に体外へ誘導・

表2.3-2 ルート類の装着目的と種類

目 的	種 類
①排 出	ドレーン（体内に貯留した滲出液，膿，血液，空気などを排出させる） 消化管内に貯留した消化液や膀胱に貯留した尿を排出するもの
②注入および補充	薬剤や栄養成分を血管，消化管を通して注入するもの 気道粘膜を介した薬剤投与，酸素の補充のため気道に挿入されるもの
③測定およびモニター	循環動態をモニターするカテーテル類 心電図，経皮的動脈血酸素飽和度，体温をモニターするライン
④消化管および 循環補助等の治療	S-Bチューブ（止血），大動脈内バルーンパンピング，イレウス管など

排出する**ドレーン**や，消化管内に貯留した消化液や膀胱に貯留した尿などを排出するものである．②は，血管や消化管，気道に挿入されるものである．薬剤や栄養成分の注入経路として広く用いられるのが静脈であり，薬剤を注入する特殊な方法として動脈が選択される場合もある．消化管には，鼻腔や造設された胃瘻・腸瘻を介して栄養成分，水・電解質，薬剤が注入される．気道には，気道粘膜を介して薬剤が投与されたり，鼻腔や口腔からカニューレやマスクを介して酸素が投与される．③には，静脈圧や動脈圧，心臓の詳細な循環動態を評価するため，主に圧を測定しモニターするチューブ（**カテーテル**）類（**スワンガンツカテーテル***など）と，心電図や経皮的動脈血酸素飽和度，体温などをモニターするために装着するラインなどがある．④は，食道静脈瘤の破裂に対して用いられる止血用のゼングスターケン－ブレイクモアチューブ（Sengstaken-Blakemore tube：**S-Bチューブ***）や**大動脈内バルーンパンピング***（intra-aortic balloon pumping：**IABP**），**イレウス管***などのチューブである．

①と②のルート類は，治療の目的だけでなく，生活行動を代行・補完するという視点でとらえることができる．例えば，経管栄養（経鼻胃チューブ）は，前者の視点では栄養を補うルートととらえられるが，後者の視点では「食べる」ことを補うルートとみることができる．ここでは，生活行動を代行・補完するルートとしての視点から整理し，上記の中でも**尿道留置カテーテル**，**輸液**（末梢静脈輸液，中心静脈輸液），**経管栄養**（胃瘻や腸瘻も含める）に焦点を当て，その管理を述べる．

2 生活行動を代行・補完するルート類の管理の視点

患者に装着されているルート類は，治療上必要とされているものである．看護援助を考えるときに，ただ単に患者に装着されている「物の取り扱い」と考えるのではなく，**患者の生活行動にとってルートの意味することを考えると**，創造的な看護援助が可能となる．ここでいう「ルートの意味すること」とは，**患者の営む生活のどの部分を補うものであるか**，ということである．尿道留置カテーテル，輸液，経管栄養などが挿入されている場合を考えてみよう．

用語解説*
スワンガンツカテーテル
肺動脈内にカテーテル先端を留置して血行動態諸指標を測定するもの．心不全の重症例に使用される．

用語解説*
S-Bチューブ
食道静脈瘤の破裂に対して用いられる止血のためのチューブ．膨らんだバルーンが食道壁を圧迫し，止血を図る．

用語解説*
大動脈内バルーンパンピング
経皮的に胸膜部大動脈にバルーンを留置し，バルーンの拡張と収縮によって心仕事量を少なくするとともに，冠血流量の増加と心筋を保護する装置．

用語解説*
イレウス管
腸閉塞症に用いられる，腸管内の減圧を行うチューブ．先端部のバルーンが蠕動により肛門側へ送り込まれる．

a 尿道留置カテーテル

尿道留置カテーテルは，膀胱内に挿入されたカテーテルから常時尿が流出するため，膀胱内は尿で充満することなく，前述の「排尿する」一連の行為が全く行われずに排尿される．これは，生活行動がどう変化したのだろうか．「排尿する」行為が不要になると，一定間隔でトイレに移動する必要がなくなり，着衣の上げ下げや立位の保持，座位になったり立ち上がったりする動作も不要となる．排尿行為の煩わしさがなくなるともいえるが，排尿に伴う生活リズムや排尿動作に伴う適度な身体への負荷，膀胱に充満したときの尿意の感覚や，排尿時や排尿後の爽快感なども共に失う．男性であれば，便器の前に立って行う排尿動作ができないことに，大きなショックを感じる場合もあるだろう．

カテーテルが尿道を介して膀胱へ挿入されていることから，感染やカテーテルの逸脱に注意するとともに，尿が無用に膀胱内に停滞し，膀胱が過伸展して膀胱尿管逆流を起こすことのないよう，カテーテルが詰まったりしないように注意する必要がある．また，健康回復に向けて日常生活動作を拡大する場合には，尿道留置カテーテルの挿入に伴い消失する生活活動動作を，なんらかの活動で補う必要がある．

b 輸液，経管栄養

輸液（末梢静脈輸液，中心静脈輸液），**経管栄養**（胃瘻や腸瘻も含める）は，いずれも「食べる・飲む」生活行動が，治療上変更されたものである．輸液の場合，前述した「食べる」①〜⑨すべての行為が変更されている．輸液により静脈内に注入された栄養分は，消化管を経由せず体内に取り込まれる．血液生化学的変化はあるため，満腹感が得られるというよりも，空腹を感じなくなる．経管栄養や胃瘻，腸瘻は，①空腹を感じ，②食事をする場所に移動し，食事姿勢を保持し，③食べるものを選択し，④○○を食べるという意思をもつことは可能である．その後，⑤（道具を用い）それに手を伸ばし→⑥把持する→⑦口に運ぶ→⑧咀嚼する→⑨嚥下する行為は不要であるが，消化管に取り込まれた食物は⑩消化・吸収され，⑪満腹感を得られる．輸液が持続的に行われる場合は，口から「食べる」ことによる生活リズムは消失するが，消化管に「注入」されることで食生活リズムを保つことは可能である．より健康的な「食べる」生活が維持できるよう，経管栄養や胃瘻，腸瘻の場合は，通常の食事時間帯に食事する場所に移動し環境を整え，「注入」ではなく「食事」できるよう配慮することが必要である．

6 健康危機状況における生活行動に関する患者教育のポイント

健康危機状況にある患者は，急激な身体の変化を現実のこととして受け止めるのに時間を要する場合がある．自分自身がどのような状況に置かれているのかという現実認知が可能となり，精神状態が落ち着き**レディネス***が整ってか

用語解説*
レディネス
学ぶ準備．学習にとって必要な知識や経験および程度をとらえる視点などをいう．

ら，患者教育が開始される．

1 患者教育の方向性

　健康の回復には，治療上必要とされる活動制限や生活行動の拡大を自ら実行できるように支援し，患者教育を行うことが重要である．今の健康状態から自分でできること，できないこと，したほうがいいこと，してはならないことを正確に理解することは，自らが健康回復に向けた療養生活を送るために重要である．しかし，突然の健康危機状況においては，自分の健康状態を理解するのは困難で，多大な努力が必要となる．認知のみに働きかける口頭説明だけでなく，身体状況を自らの目で確認できるよう視覚に働きかけたり，挿入・装着されているルートに触れさせて触覚に働きかけたり，客観的なデータとして画像検査，臨床検査等の結果を示したりするなど，さまざまな方向からアプローチすることが重要である（図2.3-10）．

　特に援助を必要とするのは，「**治療上してもかまわないのに，しないようにする**」（不必要な安静，不必要な活動制限）ことと，「**治療上制限されているにもかかわらず，やろうとする**」（安静，活動制限の遵守不能）ことである．動くことへの不安や恐怖から不必要な活動制限をしたり，ルート類が多く装着されている場合などは，動き方がわからず安静にしていることもある．このような場合は，動かない理由を尋ね，動き方を具体的に指導する．逆に，安静が遵守できない場合は，苦痛などの自覚症状がなかったり，大丈夫という自身の判断から安静にできないこともある．安全を守る対策を講じるとともに，何がそうさせているのかを多角的にアセスメントし，援助を考える必要がある（図2.3-11）．

2 健康危機状況の生活行動に影響する要因

　自覚症状の有無と行動に伴う苦痛の出現・増悪は，生活行動に影響する．自覚症状があり，行動に伴い苦痛が出現・増悪する場合には，生活行動が縮小す

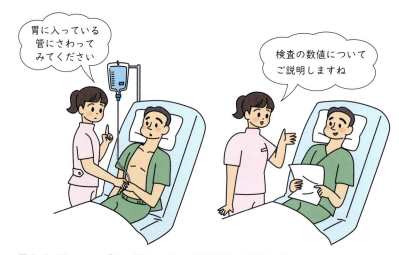

図2.3-10　さまざまな働きかけにより患者の理解を促す

る．すなわち，自覚症状が深刻であればあるほど，また行動に伴い苦痛が増悪するほど，自ら行動しなくなる．症状が増悪することの恐怖や不安，また現に存在している苦痛がその行動を妨げる．苦痛の緩和は，不必要に生活行動を狭めてしまわないためにも重要である．逆に自覚症状がなく，行動に伴い苦痛が出現しない場合，平常どおり行動しやすい．例えば，**無痛性心筋梗塞**では自覚症状がはっきりしないため，持ち合わせている心機能の許容範囲以上に行動してしまうことがある．

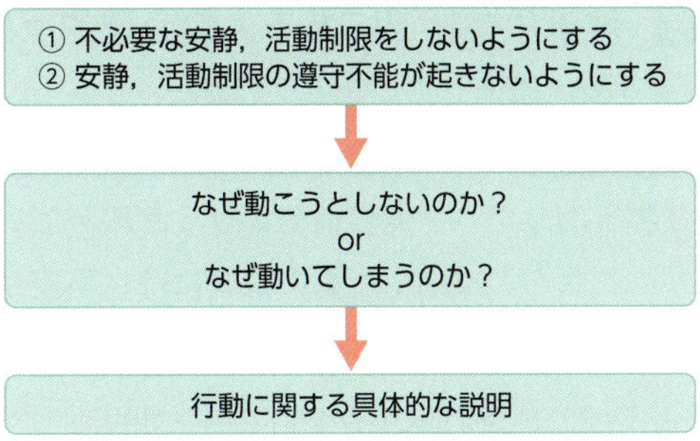

図2.3-11　生活行動に関する患者教育のポイント

用語解説＊
無痛性心筋梗塞
心筋梗塞の15〜20％に認められ，高齢者や糖尿病患者に多くみられる．

　自覚症状や苦痛の有無とその程度，どうすると症状が出現したり苦痛が増悪するのか（**増強要因**），どうすると症状や苦痛が緩和するのか（**緩和要因**）の情報を収集し，アセスメントすることが大切である．

引用・参考文献

1) 中西純子．「日常生活行動」の概念分析．愛媛県立医療技術大学紀要，2004, 1（1），p.49-56．
2) 野口美和子，中村美鈴編．機能障害からみた成人看護学5：運動機能障害／性・生殖機能障害．第2版，メヂカルフレンド社，（新体系看護学全書別巻9）．
3) 岡堂哲雄．病気と人間行動．中央法規出版，1987，（患者・家族の心理と看護ケア，1）．
4) 永井秀雄ほか編．ドレーン＆チューブ管理マニュアル．改訂2版．学研メディカル秀潤社，2019．

重要用語

生活行動　　　　　　　　アセスメント　　　　　　　レディネス
生活行動の制限　　　　　病者役割
生活行動の代行・補完　　患者教育

4 心理的・精神的混乱への支援

学習ポイント
● 健康危機状況にある人の心理的・精神的混乱およびそれらを引き起こす体験が理解できる．
● 健康危機状況にある人の心理的・精神的状態のアセスメント方法が理解できる．
● 健康危機状況にある人の心理的・精神的安定を図るための看護方法が理解できる．

1 健康危機状況にある人の心理的・精神的状態

　健康危機状況，すなわち，自分が通常行っているセルフケアでは自分の健康を保てなくなり，その結果，医学的治療を必要とする状況に陥った人々は，心理的・精神的にどのような体験をしているのだろうか．

1 健康危機状況にある人の心理的反応

a 不安・恐怖

健康危機状況にある人々は，怒ったり，悲しんだり，落ち着かずにうろうろと歩き回ったり，無表情でぼうっと座っていたり，さまざまな反応や行動を示す．これらの反応や行動の根底には，**不安**が存在している．

不安とは，未知のつかみどころのない危険や脅威に対する恐れの感情である[1,2]．不安は，自己の存在あるいは自己の存在と同一視するような何らかの価値が脅かされたときに引き起こされる[3]．適度な不安は，自己の危険を知らせる信号として働き，人の行動を建設的な方向へと向かわせる．しかし，不安が量的に過度になったり，質的に過重になったりすると，人の行動を分裂的で破壊的な方向へと向かわせる．

不安によく似た感情として**恐怖**がある．恐怖とは，既知の，はっきりとした，そして外的・直接的な危険や脅威に対する恐れの感情である[1]．不安も恐怖も，危険や脅威に対する反応であるが，不安の場合には，危険や脅威の源泉が漠然としており，時にはまったく特定できないのに対して，恐怖の場合には，それが明瞭に認識される[4]．

b 抑うつ

抑うつ状態は，不安と並び，健康危機状況にある人に多くみられる心理的反応である．抑うつ状態とは感情の状態であり，憂うつで元気がない状態である．悲哀感，憂うつ，歓びの喪失，絶望，不安，希死念慮といった悲観的気分や落ち込みが認められる．抑うつ状態は，喪失（自尊心，コントロール，大切な人，養育者，愛，身体の部分，力，自律心，将来の可能性などの喪失あるいは喪失の可能性）に対する一過性の悲哀反応として最も頻回にみられる状態である[5]．したがって，悲哀反応としての抑うつ状態は，喪失体験が克服されるにつれ次第に改善する．

2 心理的・精神的混乱を引き起こす体験（図2.4-1）

a 身体的苦痛・身体機能の悪化

例えば，喀血を繰り返し，救急外来に担送されてきた人がいるとしよう．口から何度も出てくる真っ赤な血は死を連想させ，自分は死んでしまうのではないだろうか，この先どうなってしまうのだろうかと強い不安を引き起こすだろう．健康危機状況にある人が体験する耐えがたい身体的苦痛や急激な身体機能の悪化は，人を自己の生命の危機に直面させ，強い不安を引き起こす．

b 疾患への罹患

身体的苦痛や身体機能の悪化は，医学的診断名の有無にかかわらず，そのこと自体が不安を引き起こす．しかし，診断名が告げられ，疾患に罹患している事実もまた，人を自己の生命の危機，あるいは生活の質の危機に直面させ，不安を引き起こす場合がある．例えば，糖尿病に罹患していることを告げられた人は，生涯にわたって糖尿病の管理を行っていかなければならない事実に直面

図2.4-1　健康危機状況にある人の心理的・精神的混乱を引き起こす体験

し，強い不安を感じるかもしれない．

c 病院という環境

　住み慣れた環境は人に安定感を感じさせる．健康危機状況にある人は，一時的とはいえ，家族や慣れ親しんだ地域や職場から離れて入院生活を送ることになる．そこで見るものはなじみのないものばかりであり，所狭しと並べられたベッド，さまざまな医療機器，見知らぬ人々，耳慣れない医学用語などは，不安や恐怖を引き起こす．特に，ICUで治療を受けざるを得ない人々は，ICUという空間の極端な非日常性に，強い不安や恐怖を体験することが多い．

　また，病院という環境が，成人の自律性を阻害することによって，心理的混乱を引き起こす場合がある．成人は自分自身で状況を判断し行動する．また，成人には長年のうちに自分なりのやり方というものが備わっており，そのやり方を用いてさまざまな問題解決を行っている．健康危機状況にある人は濃厚な医学的管理下に置かれる．そのため，治療をはじめ日常生活行動に至るまで，医療者が主導権を握って状況を判断し，人々はそれに従うことが求められることが多い．例えば，問題に立ち向かうためにじっくりと一人で静かに考えたいと思っても，多床室という環境がそれを困難にするといったように，成人にとって自律的な行動がとれないことは，大きな心理的混乱を引き起こす．

d 身体の一部の喪失／喪失の可能性

　健康危機状況にある人は，健康を回復させるために医学的治療を受けるが，治療の結果，身体のある機能を失ったり身体の外観が変形したりすることは，人々に大きな不安や恐怖を引き起こす．

　人は，意識的にまた無意識的に，自分自身の身体や自分自身のあり方により，自分自身の価値をとらえている．身体の機能や外観の変化は，この自分自身の価値を支えているものの変化を意味する．そのため，人は自分自身に価値を感じることができなくなり，不安や恐怖を体験する．

　特に，変化する機能や外観が「その人」にとって特に価値のあるものであるとき，その心理的混乱は増大する．例えば，スポーツ選手が交通外傷のために

片脚を切断しなければならなくなったとしよう．片脚切断によって運動機能は大きく損なわれ，外観も著しく変化する．このことは強い混乱や悲しみをもたらすであろう．しかも，スポーツ選手であり，その脚で自分の社会的地位を築いてきた人である．おそらく無意識的に，身体の機能性に高い価値を置いていると思われる．この人にとって片脚切断は非常に価値あるものの喪失を意味するため，より大きな心理的混乱を引き起こすだろう．

e 人々とのつながりの変化

人間は社会的な存在であり，人と人との関係の中で生きている．まして，身体の調子が悪いときは誰しもが心細くなり，親しい人々にそばにいてほしいと心から思う．健康危機状況にある人は，一時的とはいえ，家族や慣れ親しんだ地域や職場の人々から離れて入院生活を送ることになる．親しい人々との関係を絶たれてしまうこと，さらに，見知らぬ人々と衣食住を共にしながら関係を築かなければならないことは，大きな不安を引き起こす．

一方，健康危機状況においては，日常の人間関係から離れることによって生じる不安もあれば，治療の場から日常の人間関係に戻る際に生じる不安もある．例えば，友人との会食を通して人との関係を築いてきた人が，胃癌の治療で胃の全摘出術を受けたとしよう．この人は社会復帰を前に，食べることを通して築いてきた人々との関係が一時的に，あるいは長期的に失われてしまうことに不安や恐怖を感じるかもしれない．疾患に罹患したことや，治療によって身体の機能や外観が変化したことにより，その人がもつ従来の人間関係に変化が生じると予想されるとき，その人は社会復帰を前に，人々が自分から去って行きはしないだろうか，自分は以前と同様に人々の輪の中に入っていけるだろうかと不安を感じる．

f 自分が果たしてきた役割の変化

人は社会の中でさまざまな**役割**をもち，その役割を遂行することで自己実現を果たし，そのことを自己の価値の一部としてとらえている．特に，成人期にある人々は，社会生活や家庭生活の中で役割や責任を遂行することを社会的にも期待されている．しかし，健康危機状況に陥ると，人は**病者役割**をとることが求められる．すなわち，治療のために社会的な役割を一時的に免除され，医療者に援助を求め，医療者と協力して状態の回復に努めることが求められる．しかし，例えば，職場で自分が主任となっている重要なプロジェクトが進行しているのに休職しなければならないなど，自分がこれまで果たしてきた役割を一時的とはいえ留保することは，人々に大きな不安を引き起こす．また，病者役割では医療者にある程度依存することが求められるが，医療者に依存することもまた，不安を引き起こす場合がある．特に，日本文化・社会は成人男子に自立・自律的で問題に対して泣いたり愚痴を言ったりしないことを期待する傾向があるため，成人男子にとって，多くが女性である看護師に依存しなければならないことは不安を引き起こすことが多い．

一方，病者役割から通常の社会的役割に移行する際に生じる不安もある．モデルを職業としていた人が交通事故に遭い，治療の結果，顔に大きな傷が残ってしまった場合のように，疾患への罹患や治療による身体の機能や外観の変化により，その人がもつ従来の社会的役割に変化が生じると予想されるとき，特に，変化の影響が職業に及ぶと予想されるとき，社会復帰を前に，人は自分の存在や価値が脅かされ，大きな不安を体験する．

2 健康危機状況にある人の心理的・精神的状態のアセスメント

1 不安の存在および程度を把握する

まず最初に，実際に不安が生じているのか，不安の程度はどれほどであるかを把握する．

人は不安を感じると，この不快な緊張を軽減しようとさまざまな反応・行動を示す．したがって，たとえその人が状況にそぐわない反応や行動をしているように見えても，それは，その人が自分なりに心を安定させようとしている結果であることを理解する必要がある．

不安によって引き起こされる反応・行動を表2.4-1に示す．これらをもとに，不安の存在をアセスメントする．不安によって引き起こされる反応・行動を不安の程度別に整理したものが表2.4-2である．これらをもとに，不安の程度をアセスメントする．不安によって引き起こされる反応・行動は不安の程度によって異なる．軽度の不安では，通常，知覚は研ぎ澄まされ，学習や問題処理能力は高まる．しかし，不安が増強するにつれ，知覚にゆがみが生じ，学習や問題処理が不可能となる．

不安によって引き起こされる反応・行動から不安の存在や程度を推測する上で重要なことは，表現される反応・行動がその人固有のものであるということである．例えば，泣き叫んだりせわしなく動き回ったりして不安を表現する人もいれば，笑ったり冗談を言って表現する人もいる．その人が不安を抱えているかどうかは，その人が不安を感じるときにいつもどのような反応や行動をと

表2.4-1 不安に伴って生じる反応・行動

1．生理的反応	心拍数の増加，血圧の上昇，呼吸数の増加，発汗，顔面蒼白／紅潮，食欲減退／過食，嘔気・嘔吐，筋肉のけいれん，下痢，頻尿，疲労，口渇，脱毛，疼痛（腹痛，胃痛，胸痛），無月経，吹出物，手の震えなど
2．情緒的・心理的反応	緊張，心配，神経質，気がかり，憂うつ，興奮，恐れ，自信の欠如，不幸の予感，コントロールの欠如，警戒心の増大，注意力の低下など
3．認知・思考	集中力の欠如，周囲に対する無関心，健忘症，沈思，思考遮断（記憶不能），現在や将来よりも過去に関心が向く，極度の注意深さなど
4．行動	いら立つ，落ち着かない，忍耐がなくなる，爆発的に怒る，攻撃する，泣く，話し方や声の調子が変化する，抑圧的になる，退行，陽気にふるまう，理性的にふるまう，依存する，拒絶する，自閉的になるなど

新太喜治．手術室．メディカ出版，1995，p.458．(Clinical Nursing Guide, 19)．

表2.4-2 不安の程度別にみた人間の反応・行動の特徴

不安の程度	軽度 (mild)	中等度 (moderate)	高度 (severe)	非常に高度 (panic)
知覚力 認知力 集中力	知覚・認知能力が高まる． 注意力が増す．	知覚領域がいくらか狭くなる． 問題状況に対しては注意力が高まる． 問題に関連のある感覚的情報に対しては集中力が高まる．	知覚領域が非常に狭くなる． ・注意を集中できない ・細かなことにあれこれと関心を寄せる ・物事の関連性を見いだせない 目前の状況を明確に把握できない．	知覚領域の障害 ・状況をゆがめて理解する ・現実的な状況把握ができない ・ささいなことを誇大化する
学習能力	学習能力が高まる． 問題解決能力が高まる．	学習能力が高まる．	学習困難	学習不能
行動・生理的反応	何度も質問する． 関心を向けてもらいたがる． 卑下する． 誤解する． 他者が認める行動に積極的に参加する． 緊張緩和の行動をとる． ・唇をかむ ・爪をかむ ・指でとんとんたたく ・足を小刻みに動かす	震える． 困惑する． 行ったり来たりする． 多弁になる． 重要他者が認める行動に積極的に参加する． 声が震える． 声の調子が変わる． 心拍数や呼吸数の増加・筋緊張の増大・発汗・頻尿・切迫尿・身体の不調・不眠	不快感があることを否定する． 物事に確信がもてない． 目的のない行動をとる． 自分の役割を十分に果たせない． 言語表現が困難あるいは不適切 頻脈・過呼吸・頻尿・切迫尿・悪心・頭痛・めまい・不眠	ひどく震える． 活動が非常に活発になる． 行動不能 意思の伝達ができない． 意思の伝達に知性が欠ける． 散瞳・呼吸困難・顔面蒼白・失禁・嘔吐・不眠

川野雅資．看護診断：恐怖と不安．看護研究．1992, 25（1），p.42-46を参考に作成．

るのかを理解し，それと対比して考えてみるほかない．家族や友人を活用し，その人が不安を感じるときにどのような反応や行動をとるのかについて，積極的に情報収集する必要がある．

2 不安に関連する事柄を把握する

先に述べた，不安によって引き起こされる反応・行動や不安の程度別にみた反応・行動は，不安の有無やその強さを知る手がかりとなり，援助の必要性を把握する手段となる．しかし，これらは援助の内容を示すものにはなりにくい．そこで次に，「その人」に不安を引き起こしている事柄や，不安を増強させたり軽減させたりしている事柄を把握する．これらの不安に関連する事柄を取り除いたり，影響を緩和したり，あるいは強めたりすることによって，不安軽減のための援助が可能となる．

不安に関連する事柄を把握するための方法には，「その人」についての理解をもとに推測する方法と，「その人」の内的体験を引き出すような関わりから把握する方法とがあり，双方の方法とも重要である．

a 「その人」についての理解をもとに不安に関連する事柄を推測する

「その人」が健康危機状況に陥ったことで体験するさまざまなことが「その人」に不安を引き起こすかどうか，その不安を増強させたり軽減させたりするものは何かを，「その人」についての理解をもとに考え，不安に関連する事柄を把握する．この推測にとらわれすぎてはいけないが，この推測をもって「その人」に接することにより，不安により気づきやすくなることが多い．

まず、1項の（2）（→p.110）で述べたような、健康危機状況において心理的・精神的混乱を引き起こす事柄が、「その人」の場合はどのような状況になっているか情報収集する（表2.4-3）．

次に、これらが「その人」に不安を引き起こしているかどうかを、「その人」についての理解をもとに考える．

表2.4-3　健康危機状況において心理的・精神的混乱を引き起こす事柄

① 身体的苦痛の有無や悪化している身体機能
② その状態につけられた医学的診断名
③ 「その人」が体験している病院環境
④ 治療によって変化する／した身体機能や外観
⑤ 「その人」が体験している人々とのつながりの変化
⑥ 「その人」が体験している社会的役割の変化

①身体的苦痛や身体機能の悪化は、存在していること自体が不安を引き起こすが、例えばこの人に、強い痛みの中で最期を迎えた人を看取った経験がある場合、体験している強い痛みは自分の死を連想させ、不安を増強させるかもしれない．

②生命の危機を招くような疾患や生活の質を低下させてしまう可能性をもつ疾患に罹患した事実は、不安を引き起こす．しかし、例えば前述の例のように、糖尿病への罹患の事実を告げられ、生涯にわたって糖尿病の管理を行っていかなければならないことに強い不安を感じている人がいるとしよう．この人に情緒的にも物質的にも支援してくれる人々が周りに大勢いる場合、その不安は緩和されるかもしれない．

③病院の、非日常的で、その人の自律性に制限をもたらすような環境は、不安を引き起こす．しかし、例えば入院治療を受けている人が看護師であった場合、環境への慣れという点で、あまり不安を感じなくてもすむかもしれない．また、問題解決のレパートリーが豊富な人であった場合、結果的に病院という環境がもつ制約の影響度が小さくてすみ、不安の程度は軽度かもしれない．

④人間にとって身体が変化することは、大きな心理的混乱を引き起こす．前述の例のように、スポーツ選手が片脚を切断しなければならない場合、その人にとって非常に価値あるものの喪失体験となるため、心理的混乱はさらに増大することが考えられる．

⑤慣れ親しんだ人々から離れることや見知らぬ人々と新しい関係を築くこと、また、社会生活への復帰にあたって人間関係が変化する可能性が予測されることは、大きな不安を引き起こす．例えば、もともと人づきあいの苦手な人の場合、親しい人から離れ、見知らぬ人と24時間にわたる関係の構築を迫られることは、さらに大きな不安を引き起こすかもしれない．がん患者で、その人が暮らしている地域が「がん＝死」というイメージを強くもっているような環境である場合、人々が自分から離れていってしまうのではないかという思いが不安を増強させることが考えられる．

⑥自分がこれまで果たしてきた役割を一時的とはいえ留保することや、病者役割に移行すること、また、社会生活への復帰にあたって社会的役割が変化する可能性が予測されることは、大きな不安を引き起こす．しかし、例

えば，留保する役割を代わって引き受けてくれる人がいる場合，不安は軽減するかもしれない．また，他者への依存を受け入れやすい傾向の人の場合，病者役割に移行することにあまり不安を感じなくてもすむかもしれない．一方で，例えば，タクシーの運転手で交通外傷のために片眼球の摘出術を受けた人の場合，片眼視になると第二種運転免許は所持できなくなり，タクシー運転手の職業を失ってしまうため，社会復帰を前に強い不安を感じることが考えられる．

このように，職業や過去の経験，その人の考え方や価値観，困難に出遭ったときの解決方法など，「その人」がもつさまざまな背景・特質が，不安を引き起こしたり，増強させたり軽減させたりする．不安のアセスメントにおいては，「その人」を十分に理解することが欠かせない．

b 「その人」の内的体験を引き出すような関わりから不安に関連する事柄を把握する

これまで述べてきたように，「その人」についての理解をもとに，ある程度不安に関連する事柄を推測することはできる．しかしながら，やはり，「その人」の内的体験は「その人」に表現してもらうより方法はない．「その人」の理解に基づく推測と同時に，「その人」の内的体験を引き出すような関わりをし，不安に関連する事柄を把握する．

❶ 信頼関係を構築する

人が自分の内的体験を話すためには，相手を信頼する必要がある．死や人生についてどのように考えているか，そして，自分が脅えていることや泣きたい気持ちを他人に話すのは容易なことではない．その人の内的体験を引き出す関わりを行うためには，まず，信頼関係を築くことが重要となる．

看護職者は，自分が力になりたいと思っていることを伝え，誠実に心を傾けてその人の話を聴く．その人が固有の価値をもつ主体であることを心にとめて，その人の状態をそのまま受け入れる（**受容**）．そして，その人の気持ちを自分の中に起こったことのように感じ取り，その理解を言葉にして返す（**共感**）．このような看護職者の受容的態度・共感的態度により，その人は自分が直面している問題についての考えや気持ちを言葉にするようになる．看護職者が気持ちに共感するためには，「その人」を十分に理解しておくことが不可欠である．

❷ 不安に関連する事柄を引き出す

受容的態度・共感的態度を示しながら，まずは，不快に感じている事柄やその感情を自由に存分に話してみるよう促す．そして，コミュニケーション技術を用いながら対話を進展させ，表2.4-4の点を把握する．

表2.4-4　不安に関連する事柄を引き出すときのポイント

①現在の気持ち
・現在どのような気持ちでいるのか
②不安を引き起こしている事柄
・どのような事柄が不安を引き起こしているのか
・その事柄をどのように受け止めているのか／認知しているのか
・なぜそのように受け止めているのか／認知しているのか
③不安に影響を及ぼしている事柄
・どのような事柄が不安を増強／軽減させているのか
④不安に対する対処方法
・不安にどのように対処しようとしているのか

3 健康危機状況にある人の心理的・精神的安定を図るための看護方法

健康危機状況に陥り，心理的に不安定な状態にある人への看護の目標は，できるだけ早く心理的な安定を図り，その人本来の精神機能が発揮できるよう支援することである．まず，不安や緊張の緩和を図り，気持ちを落ち着けるための援助を行い，その後，その人自身が不安に対処できるように援助する．

1 不安や緊張を緩和する

a 安心・安楽をもたらす

ぬるめのお湯での入浴や足浴，背部への温湿布の貼用，軽いマッサージ，適度な運動などは，身体の緊張をときほぐし，不安の緩和に役立つ．家族や親しい友人がそばにいることもまた，不安の緩和に役立つ．さらに，自分を理解してくれ，さまざまな欲求を充足させる「技術」をもっている看護職者がそばにいることは，大きな安心感をもたらす．

b 環境を整備する

静かで落ち着いた環境は心を安定させる．高温，高湿，よどんだ空気，強い光，音などは不安を増強させるため，適度に調整する．さらに，花を飾ったりするなど，気持ちが和らぐよう工夫する．また，スクリーンの使用等によりプライバシーが守られるような環境にすることも，不安の緩和において非常に重要である．

c 睡眠・休息を確保する

不安を抱える人にとって，良好な睡眠や休息を得ることは難しい．睡眠や休息が十分にとれないと適応のためのエネルギーが枯渇し，心理的状態も回復しないばかりか，身体の回復も遅延する．身体の緊張を緩和する看護技術を積極的に用い，入眠薬等を有効に使って，睡眠・休息を確保する．

d 体験している身体的苦痛・身体機能の悪化の改善を図る

疼痛や呼吸困難など，身体的苦痛や身体機能の悪化は，生命の存続に対する明らかな脅かしとなり，不安を引き起こすため，積極的に改善する．

2 「その人」自身が不安を克服できるよう援助する

不安援助の本質は，自分が不安の状態にあることをその人自身が知って，不安に対処できるようになることである．不安援助の基本は，アセスメント同様に信頼関係であり，不安を抱いている人に対して積極的に関心を向け，受容的・共感的態度で接することが重要である．

その人自身の不安克服に向けた援助は，不安の程度に応じて行う．以下，不安の程度が軽度・中程度の場合と強度（危機状態）の場合に分けて説明する．

a 不安の程度が軽度・中程度の場合

不安の程度が軽度か中程度で，その人が実際に起こっている出来事に対して，少なくとも促されれば注意を集中することができる場合，次のような段階

で援助を行う．

❶**自分を不安にさせている脅威の正体を洞察できるよう援助する**

不快に感じている事柄やその感情を自由に存分に話してみるように促す．コミュニケーション技術を用いながら対話を進展させ，その人が自分を不安にさせている脅威の正体をじっくり探れるようにする．

この援助方法は，結果的には，先に述べた「内的体験を引き出すような関わりから不安に関連する事柄を把握する」と並行して行われる．つまり，看護職者は，不安に関連する事柄のアセスメントを行う一方で，不安克服のための援助の第一段，すなわち，その人に自分を不安にさせている脅威の正体を探らせる援助を行っていることになる．

❷**脅威の正体に対処できるようにする**

その人が感じている脅威は真にそれほどの脅威なのか，また，現実的なものなのかなど，脅威の再評価を行うよう援助し，脅威に対して適切で現実的な知覚が得られるようにする．そして，その人が再評価した脅威に取り組むための対処方法を学習し，実行できるよう援助する．

b 不安が強度（危機状態）の場合

不安が強度で，その人が注意力を集中できない場合，前述のような方法は適当ではなく，脅威の正体を洞察させるとかえって不安を募らせる結果となる．不安が強度で危機的状況にある人に対しては，危機に対する看護介入が必要となる．まずは，積極的関心，受容的・共感的態度でその人を支え，危機の段階に応じて，少しずつ現実と向き合い，不安に対処できるよう援助する．

➡ ナーシング・グラフィカ『成人看護学概論』14章参照．

引用・参考文献
1) ヘンダーソン, V. ほか. 症候と看護. 荒井蝶子ほか監訳. メヂカルフレンド社, 1981, (看護の原理と実際, 5).
2) 小島操子. 不安を伴った患者への援助の技術. 臨牀看護. 1981, 7 (6), p.812-819.
3) メイ, R. 不安の人間学. 小野泰博訳. 誠信書房, 1963, p.152-194.
4) 長谷川浩. 不安の構造. 臨牀看護. 1981, 7 (6).
5) サイモン, NM. 監修. ICU看護のヒューマン・アプローチ：看護婦・患者・家族の心理的ケアのために. 稲岡文昭ほか監訳. 日本看護協会出版会, 1987.

重要用語

不安	役割	共感
恐怖	病者役割	
抑うつ	受容	

5 家族または重要他者の不安や負担への対応

> **学習ポイント**
> - 成人が健康危機に遭遇した場合，その人を取り巻く家族または重要他者の関係性について理解する．
> - 成人の健康危機状況が及ぼす家族または重要他者への影響を理解する．
> - 健康危機状況にある成人患者の家族または重要他者の不安や負担を軽減するための看護方法を理解する．

1 家族または重要他者との関係性

1 家族というユニットの定義

　看護師は，健康危機に遭遇した患者に接する場合，患者のみならず**家族**の存在にも目を向けなければならない．一般的に家族といえば，血縁を中心としたつながりをもった複数の個人が同居している，もしくは同居していなくても支え合いながら生活する形を思い浮かべる．同居する人々の構成は一つの世代の場合もあるが，多くは複数の世代がつながったユニットを家族ととらえることができる．複数世代で構成された家族の一つの例は，日本人になじみのあるマンガ『サザエさん』の磯野家のようなつながりである．

　しかし，近年の日本をはじめとする先進国の情勢の中では，「家族」が必ずしも磯野家のようなものではないことを誰しもが感じている．しかし，出生数の減少による少子化や独身者の増加，配偶者を亡くした独居高齢者の増加などによって，ユニットとしての家族は縮小し，かつ世代間のつながりも希薄化する傾向にある．

　その一方で，患者が健康危機状況に陥ったときに，血縁や法的なつながりはないが，互いが信頼し合い依存し合う関係の人に，**重要他者**として意思決定の支援を委ねる人が増えてきている．こうした状況に対応する医療者は，患者の重要な意思決定に法的なつながりのない人が関わることに戸惑いを感じることもある．このように，変化する社会情勢の中で家族というユニットも変化し，重要他者といわれる人の患者との関係性が多様化している．そこで，改めて医療者が遭遇する家族の様相，重要他者のあり方についてとらえ直す必要性が高まっている．

　家族の定義はさまざまな研究者によって多様に提示されているが，今回はライトらが示した定義[2]の概念を参考にしながら，家族とは何かを考えてみる．ライトらの定義では「家族とは，強い感情的な絆，帰属意識，そして，お互いの生活に関わろうとする情動によって結ばれている個人の集合体である」とされており，「絆」「帰属意識」が重要な概念になっている．加えて，従来の家族の基本的な概念である「血縁」を加えて整理してみると，医療者が健康危機状

---

plus α

夫婦の完結出生児数

戦後，出生数は大きく低下し，1972（昭和47）年に2.20人となってから2002（平成14）年までは多少の増減を含んだ横ばいが持続していた．2005（平成17）年以降減少に転じ，2010（平成22）年には1.96人と2人を下回り漸減傾向であった．最新の調査である2021（令和3）年は1.99人となり，増加に転じたようにみえた．しかし，晩婚化による実態を反映していないため，2015（平成27）年までの集計条件50歳未満を2021年は55歳未満に調整して算出した結果，1.90人となり，出生数は減少している実態が浮き彫りになった[1]．

況にある患者と接する際に出会う重要他者として，図2.5-1，表2.5-1に示すような五つのタイプが存在しうる．

a タイプ1

タイプ1は血縁関係のある者同士が物理的，経済的，心理的な多様な側面で支え合っている関係で，サザエさんを取り巻く磯野家の人々を一例とする関係である．医療者はその構成やつながりをとらえることができる立場にあり，患者にとってその家族または家族員が重要他者であることを把握できれば，効果的な対応を進めることができる．

b タイプ2

タイプ2は患者との法的なつながりがあり，患者との信頼関係や依存関係はあるが，医療者にとってはその人が患者の重要他者であることが認識できにくい場合である．

例えば，再婚歴のある老年期の女性が健康危機に陥ったとする．入院の手続きや患者にとって重要な場面には現夫が付き添っていることから，医療者はその女性の重要他者は再婚した現在の夫であると認識していた．しかし，女性には前夫との間に娘があり，実際にはその娘が患者の心理的な支援の重要な役割を果たしていた．しかし，患者自身も娘も現夫への遠慮の気持ちから娘が重要

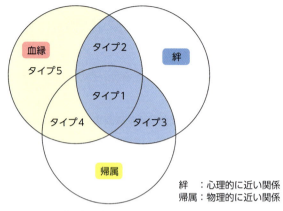

絆　：心理的に近い関係
帰属：物理的に近い関係

図2.5-1　「家族」「重要他者」の様相

表2.5-1　「家族」「重要他者」の様相とその特徴および例

タイプ	血縁	絆	帰属	特徴と例
1	○	○	○	血縁関係や法的なつながりがあり，患者との間で物理的，経済的，心理的な多様な支援が相互に行われている． 例：サザエさんに対する磯野家の家族たち
2	○	○	／	患者と血縁関係にあり心理的側面や一部の物理的な側面で相互に支え合っているが，患者に関わる意思決定に関与するのは患者と同居している他の家族員であり，タイプ2の人はその家族員への遠慮のために患者に対する重要な役割が果たし切れていない場合がある． 例：再婚した母親に関する意思決定を現在の夫が請け負い，その意思決定に異議を唱えることができずにいる前夫との間の子ども，など
3	／	○	○	患者とのつながりには法的な保証はないが，強い絆と連帯感があり，相互に信頼し合っている．ただし，血縁がないために患者とのつながりに法的な保証がない．医療者がその人を患者の重要他者と認識するためには患者の意向の確認が必要となる． 例：非常に頼れる友人，事業や活動を共にしている信頼し合う仲間，内縁関係のパートナーなど
4	○	／	○	患者と血縁関係があり同居をしているが，患者に対する支援は実際には果たしていないケースが相当する．実際には問題は表面化しにくく，隠されることもある．患者と家族員の関わりを見て，医療者が漠然と感じる違和感や患者の身体の虐待の痕跡などをきっかけに役割の不履行が露呈することがある． 例：虐待（ネグレクト）をする家族の関係
5	○	／	／	患者と血縁関係にあるが，実際には患者と長らく離れて暮らしており，交流も途絶え，患者との信頼関係も希薄である．こうした状況でその家族員を重要他者とするか否かについては，患者と家族員の両方の意向を確認する必要がある． 例：音信不通の状態が続いている子ども，など

な存在であることを表明せず，娘も控えめに対応していたとする．こうしたタイプ2の人は，患者にとって重要な存在であるが，複雑な背景と水面下での支援のため，医療者はこのタイプの存在に気づきにくい．

c タイプ3

タイプ3は患者との間に法的な関係の保証はないが，強い絆と連帯感が存在し，信頼し合っている関係である．

例えば，非常に頼れる友人，事業や活動を共にしている信頼し合う関係，内縁のパートナー関係などが含まれる．患者に血縁者がない場合や患者が血縁以上にこうした人との関係を大事に思う場合には，患者自身がタイプ3の人を自らの保証人や重要他者として医療者に紹介することもある．医療者はタイプ3の人の存在を認め，その人からの情報を重視したり，患者に関する日常の支援者として教育的に関わったりすることがあるかもしれない．しかし，医療者は重要な意思決定の場面において，法的なつながりのないタイプ3の人への対応に抵抗を感じることがあるかもしれない．

d タイプ4

タイプ4は，患者と血縁関係にあり同居しており，一見，血縁も帰属の関係もある人である．しかし実際には，患者への支援役割に負担を感じ，支援を放棄している人である．場合によっては患者への暴力などの虐待行為をすることもある．

医療者が家族構成の情報からタイプ4の人を患者支援の中心となり得る存在だと認識した場合，この人に患者を支援するよう期待し，その役割を果たす力を高めるよう要望することがある．タイプ4の人はそうしたことを負担に感じ，いらだちや怒りを抱き，患者への対応にネガティブに作用し，虐待的な対応が助長される危険性がある．

e タイプ5

タイプ5は，患者と血縁関係はあるものの，患者と交流していない時期が長く続き，絆の意識も希薄な人である．

患者が急に健康危機状況に陥った場面では，医療者は患者の身元保証のために，何らかのつながりのある人に連絡をとる必要がある．患者が一人暮らしで身近に頼れる人がいない場合には，法的なつながりのある人に，さまざまな対応や意思決定への関わりを依頼しなければならないこともある．タイプ5の人は患者について十分な情報を持ち合わせておらず，また患者を理解できていないために，医療者からの期待や要望に対して困惑し，医療者からの要請に負担を感じ，いらだちや怒りを表出することもある．万一，医療者からの要請に応えようと努力しても，実際にはその支援が患者にとっては適切なものでない危険性もある．

以上のように，患者を取り巻く家族というユニット内で，個々人がとる対応

は多様であり，タイプ1〜3は患者にとって効果的な力を発揮する人といえ，タイプ4，5は患者にとって非効果的な影響をもたらす人と分類できる．

　医療者は，患者の重要他者となりうる人を見極め，重要他者としてのあり方を育む支援が重要であるが，その見極めが難しい場合も少なくない．医療者には，血縁や同居という表面的な情報にとらわれることなく，患者や患者を取り巻く人々と誠実な態度で話をし，その関係性を丁寧に聞き取り，帰属の特徴や絆の質をアセスメントする力が必要である．

2 帰属の特徴や絆の質

　この節では，**帰属**の特徴や**絆**の質をアセスメントするための枠組みを紹介する．表2.5-2は，人が自らの家族というユニットを形成するきっかけの一つである結婚を軸にして，年月の長さとその間の構成の変化や，構成するメンバーの成長発達の特徴を加味しながら家族の成長と健康領域の問題を示したものである．家族の成長という概念は，婚姻率が低下している日本の情勢には必ずしも合致しないかもしれないが，構成員が変化すると家族というユニットの抱える課題も変化する，という観点を参考にしてみる．

表2.5-2　家族ライフサイクルの各段階における発達課題と健康領域の問題

段　階	発達課題	健康領域の問題
第1段階 家族の誕生	・お互いに満足できる結婚生活の確立 ・親族ネットワークとの調和 ・家族計画	・性的役割や夫婦の役割調整 ・家族計画に関する教育やカウンセリング ・出産前教育やカウンセリング
第2段階 出産家族	・個人，夫婦，親としての感情や考え方を内包した創造的なコミュニケーションパターンの再確立 ・拡大家族や友人との関係の再調整	・家族中心の出産準備教育 ・子育てや出産後の家族計画 ・身体的な健康問題の早期発見・早期治療など
第3段階家 学齢前期の 子どもをもつ家族	・子どもの社会化 ・親子関係の変化への適応と調整	・家族の子どもへの分離の準備（子どもが変化に対応していけるように） ・子どもの感染性疾患や事故など
第4段階 学童期の 子どもをもつ家族	・子どもが学業に励むようにすること ・円満な夫婦関係を維持すること ・子離れを学ぶこと	・子離れに対する不安や孤独感 ・子どもの学力に過剰反応する ・学校恐怖症や子どもの自己中心的な行動
第5段階 10代の 子どもをもつ家族	・自立・責任・制御の変化と子供の自立への援助 ・老いた親の世話の始まり	・子どもの問題行動の表面化 ・家庭状況に関する夫婦・同胞の葛藤 ・子ども，親の葛藤および姑の葛藤
第6段階 新たな出発の 時期にある家族	・子どもとの心理的絆を保ちながら巣立ち後の変化への適応，生活の再構築 ・夫，妻の年老いた病気の両親を援助すること	・慢性疾患の増悪，肥満，高血圧など ・女性の更年期障害 ・長期の飲酒や喫煙，食習慣などの影響の顕在化
第7段階 中年期にある家族	・健康的な環境を整える ・年老いた両親や子どもとの間に満足のいく有意義な関係の維持 ・夫婦関係を強固なものにすること	・夫婦の離婚問題 ・ひとりよがりの満足感 ・年老いた両親の世話の問題
第8段階 退職後の 高齢者家族	・満足できる生活状態を維持すること ・減少した収入での生活に適応していくこと ・夫婦関係の維持や配偶者の喪失に適応すること ・家族の絆を統合させたものとしての維持 ・加齢化の中で自分自身の存在の意味を見いだすこと	・老人の社会的価値の低下 ・機能や体力の低下 ・家族に共通する喪失（経済・家・社会的喪失，きょうだいや配偶者の死） ・退職

髙谷恭子．小児看護で用いられる理論．小児の発達と看護．第6版，メディカ出版，2019，p.72．（ナーシング・グラフィカ，小児看護学1）．

a 重要他者という役割は最初は未熟なものである

　成人の二人が結婚すると，第1段階のユニットが形成される．二人の主体性や価値観には違いが存在するが，話し合い，折り合いをつけたりしながら自分たちの主体性や価値観をつくり上げていく．この段階のユニットにおいて，いずれかが健康危機状況に陥ると，患者のパートナーは患者の家族としての役割を果たすことが期待され，当人にもその役割を果たす意思が芽生える．しかし，患者との家族ユニット形成の期間が短いパートナーは，患者の過去の健康情報（既往歴や家族歴など）に関して十分な情報をもっていないため，医療者は患者にとってのもう一つの家族ユニットである親子の関係に着目することがある．患者を取り巻く家族は，一つはパートナーとの第1段階の家族であり，もう一つは両親らとの第6段階の家族が存在する．

　患者を取り巻く第1段階の関係と第6段階の関係の中での，パートナーの果たす重要他者としてのタイプを考えてみる．

　第1段階の家族を形成している成人患者の場合，そのパートナーは前項で示したタイプ1の家族となる素地を有している．しかし，この段階の家族の課題として，パートナーは患者に対する親密性や価値観の共有に十分な確信はもてずにいる．患者を取り巻くもう一つの第6段階の家族（患者の親）が，このことに配慮しながら，患者に関する過去の健康情報などをパートナーと共有することができていれば，パートナーのタイプ1としての位置付けも確かなものとなっていく．しかし，第6段階の家族が患者との間の親子の依存関係を相互依存の関係に転換できなければ，パートナーは，患者を支援する重要他者としての確かさを感じられず，阻害された感覚を抱くタイプ2の立場を余儀なくされる事態や，時には，タイプ4の患者支援を放棄する事態を招く危険性がある．重要他者は家族間でその力を育むものであり，医療者はそれを支援する必要がある．

b 重要他者という役割は過剰に負担を背負う危険性がある

　家族の第6・7段階を迎えた夫婦は，子どもが巣立ち，子育てから解放される一方で，社会的に多様な役割を抱えることがある．就業者であれば，責任のある役職を得るかもしれない．地域活動に参加していれば，中心的な役割を果たすことが多いかもしれない．家族との関係をみると，老齢期の親世代に対する介護の問題に遭遇することがあり，子どもの世代が第2段階から第3段階を迎えている場合には祖父母という役割も加わるかもしれない．成長発達の観点からみると，自身や配偶者が中年期であり，自身や配偶者の健康問題にも直面することもある．

　この多様な役割を担う時期に，老齢期の親の健康危機状態と配偶者の健康危機状態が重なることも少なくない．そして，中年期の世代は親に対しても配偶者に対してもタイプ1の重要他者であることが期待され，当人もその役割を果たそうとするだろう．しかし，すべての役割をこなすにはかなり大きなエネ

ルギーを要し，時には負担が過剰になり，自身の健康状態も不安定になることがある．または，ストレス耐性が低減し，その結果，タイプ2の家族員（老齢期の親世代に対するきょうだい，配偶者に対する配偶者のきょうだいなど）との役割配分への不平から，その家族員との関係性が不安定になったり，重要他者として支えるべき当事者（健康危機状態にある親や配偶者）への不適切な態度が生じるようになり，本来，タイプ1の家族として役割を担っていた人が，徐々にタイプ4の重要他者に転じていく危険性もはらんでいる．

医療者は，過剰な負担を背負う家族員に対して，その人の役割遂行の意思を尊重しながらも負担を軽減する方策を受け入れてもらえるよう，重要他者の心身両面への配慮をしながら丁寧に対応する必要がある．

以上のように，重要他者は，未熟な役割から成熟した役割に発展しうる可能性を備えていることもあれば，重要他者としての強い意思や責任感とは裏腹に，過剰な負担が重要他者自身の心身のバランスを崩し，支援が悪化していくというもろさも備えている存在である．それゆえ医療者は，患者にとって重要他者となりうる人について，その年代や家族のライフスタイルを参考にしながら，複雑に重なり合った観点を整理して関係性をとらえようとする姿勢をもち，流動的であることを踏まえて，随時，アセスメントを繰り返すことが重要である．

2 家族についてのアセスメント方法

医療者が，患者との接点の場面からとらえる患者とその家族の様子は，水面上に出ている氷山の一角を見ているようなものである．実際の家族の様相は，医療者がとらえている様相よりも，もっと複雑でもっと多様であることが少なくない（図2.5-2）．

前項で，患者にとっての重要他者は，最初から固定された存在ではないかもしれず，また，最初から明らかな重要他者が存在していたとしても，状況の変化に伴い，その人の支援のあり方も変動する例を述べた．健康危機状況に直面して，患者はもとより，家族らもその状況の中で何とか適応できる方法を模索している存在といえる．そこで，今回，複雑で多様な構造を系統的にとらえるために，ロイが提唱した適応モデルの主要概念を参考にして情報を整理する．

1 ロイの「適応システムとしての人間」を参考にしたアセスメント法

ロイ適応モデルにおいて，人は，ある刺激を生理的様式，自己概念様式，役割機能様式，相互依存様式という四つの様式を統合したコーピングプロセスによって反応的な行動を示す．ある行動は，適応の範疇のものであることもあれば，時には適応の範疇を超えた不適応な状態を示すこともある（図2.5-3）[4]．患者と重要他者となりうる人々について，次に示す観点で個々の情報を整理する．

図2.5-2 健康危機状態にある患者と水面下で抱える可能性のある家族や重要他者の課題

a 生理的様式

酸素化：呼吸，循環に関連する健康状態
栄養：栄養の摂取と吸収に関連する健康状態
活動と休息：活動，睡眠，リラクセーションに関連する健康状態
防衛：免疫に関連する身体状態

b 自己概念様式

【身体的自己】

①**身体感覚**：自分自身が存在していることを実感する体験（患者であれば病気であるという体験，家族であれば，病気の患者に寄り添うという体験）の中で，「疲れた」「痛い」などと身体がどのような状態であるかについて表明されること．

②**ボディイメージ（身体像）**：自分自身の容姿や外観を，「今日の顔色はさえない」などのように表明されること．

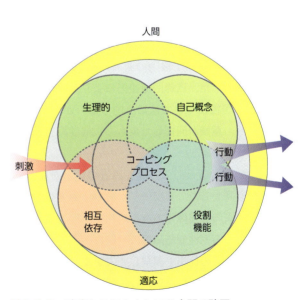

図2.5-3 適応システムとしての人間の略図

【人格的自己】
① **自己一貫性**：直面している状況に抱く不均衡さを何とか回復しよう，あるいは不均衡さの中でも，何とか安全や安定さを維持できると思えるような振る舞いをしたり，発言をしたりすること．
② **自己理想**：どうなりたい，何をしたいかに関連したこと．
③ **道徳的・倫理的・霊的自己**：自分自身が何を大切に思い，どのようなことに価値や意味を見いだしているかに関連したこと．

c 役割機能様式
各自が抱えている病気前の役割と現在の役割を整理する．
① **一次的役割**：年齢，性，発達段階
② **二次的役割**：一次的役割と発達段階に関連した課題を引き受けるもの．
例：母親，妻，娘，職業，地域活動，趣味の活動，慢性的な疾患／永続的な機能損傷を抱えることになったこと．
③ **三次的役割**：一次的，二次的役割に関連した責任を果たすときの方法．
例：病気になったこと，入院した妻に代わって家事をするようになったこと．

d 相互依存様式
受容的行動と，他者への養育的行動をはじめとする貢献的行動のバランスをとらえる．
① **受容的行動**：他者に愛情を表現する，他者の行動に対して感謝する，他者に自身のケアをしてもらって（他者のケアを受け入れて）自分を守る．
② **貢献的行動**：他者へケアをする，他者と触れ合う，他者に対して身体的・精神的サポートをする，他者への思いやり深い態度を示す．

2 アセスメントの事例

事例をもとにこの枠組みを用いてアセスメントし，看護者としての対応を考えてみる．

患者は結婚して第1段階の家族ユニットを形成し始めたばかりの時点で交通事故で受傷した．広範囲脳挫傷により現在，意識障害の状態であり，患者自身は現状や予後については知る由もないが，受傷後の治療の成果も70％と未確定であり，意識が回復した後も高次機能障害や性機能障害を抱える可能性が高い．

患者の重要他者として，妻と患者の両親が関わっている．妻は，受傷時の朝，夫婦喧嘩をしたエピソードがあり，受傷した夫に対して罪悪感を抱いている．そして夫の意識障害である現状や，意識回復後に予想される後遺症としての高次機能障害や性機能障害の可能性への衝撃を感じながらも夫を支える意思決定をし，自らの仕事を調整して夫を支えようと努力している．しかし，意思とは裏腹に，ユニットを形成したばかりで，実際には夫の健康に関する情報をほとんど知らないことに落胆し，重要他者としての意思が揺らぐこともある．

事例 ❶

- 結婚後半年の夫婦
- 夫は交通事故による脳挫傷, 骨盤骨折のため入院治療中. 脳挫傷に対して低体温療法中.
- 現状では意識の回復の可能性は70％程度, 意識が回復したとしても後遺症として高次機能障害や性機能障害があると医師から説明を受けた.

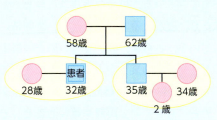

生理的様式

	酸素化		栄養		活動と休息		防衛	
	安定	不安定	安定	不安定	安定	不安定	安定	不安定
患者	○	人工呼吸器管理中		たんぱく異化亢進による浮腫, 胸水の貯留がある		意識障害 意識回復後も高次機能障害の可能性が予測されている		性機能障害の可能性
妻	○			体重減少(-2kg/1週間)		睡眠不足, 片頭痛	○	
患者の父	○		○		○		○	
患者の母	○		○	体重減少(-2kg/1週間)	○	易疲労	○	

役割機能

	一次的役割	二次的役割		三次的役割
		獲得したもの	断念せざるを得ないもの	
患者	32歳 男性		コンピュータ会社勤務 ハンググライダー仲間とのサークル活動 地域の青年団団員	入院 意識障害の回復の可能性70% 意識障害回復後の高次機能障害の可能性, 性機能障害の可能性
妻	28歳 女性	インテリアデザイナー	英語教室の受講生 社内の大型プロジェクトメンバー	平日(18〜19時), 週末(13〜14時, 18〜19時)の面会
患者の父	62歳 男性	会社員(定年退職後の嘱託職員) 自治会役員, 囲碁仲間との交流		週末の面会
患者の母	58歳 女性	主婦 趣味の仲間との交流	花のアレンジ教室の受講生	毎日の面会

相互依存様式

	受容的行動			貢献的行動	
	他者からの愛情表現	他者からの感謝	他者からのケアの受け入れ	他者へのケア・触れ合い・身体的サポート	他者への精神的サポート・思いやり深い態度
患者	妻からの愛情表現 父母からのいたわり		妻からのケア 母からのケア		
妻	患者の父母からのいたわり	患者の父母からの感謝	患者の母からの患者に関する情報(結婚前の健康に関する情報, 入院後の日々の日中の面会時の様子)	患者の身体清拭の一部の実施(週末) 患者の背部や腰部のマッサージ	患者への申し訳なさ 患者へのいたわり 患者の父母への感謝 患者の父母への申し訳なさ
患者の父	患者の母との共感	患者の妻からの感謝			患者へのいたわり 患者の妻へのいたわり・感謝 患者の母へのいたわり
患者の母	患者の父からのいたわり	患者の妻からの感謝		患者の妻への料理の差し入れ 患者の妻への患者に関する情報提供	患者へのいたわり 患者の妻へのいたわり・感謝 患者の父への感謝

妻には，不安や疲労で睡眠不足や食欲低下が起こり，ストレスによる身体症状が出てきている．患者の両親はこうした妻の様子を気遣い，妻に食事を差し入れたり，妻が仕事で対応できない時間帯に患者を見舞いながらケアを助けたりしている．さらに，妻に患者の過去の健康状態などについて情報を提供し，妻がタイプ1の重要他者として役割を担えるよう，支援している．

a アセスメント①：重要他者はどのタイプの支援者か

患者に対して妻と両親が重要他者として関わっており，妻がその役割の中核となる意思を示し，患者の両親が支える体制がつくられている．妻はタイプ1の重要他者であるが，患者とのユニット形成の期間が浅いため重要他者としての無力さを感じやすく，自信を喪失している．**両親はそのことを認識し，重要他者としての妻をさりげなく支援し，妻の重要他者としての成長を見守ろうとしている．**

b アセスメント②：重要他者の抱えている課題は何か

患者が抑うつの状態となり，**妻もまた過剰なストレスを抱え始めており**，妻はタイプ1の重要他者であるが，**タイプ4の硬直した思考に陥る危険性が心配される**．患者は社会復帰や夫婦間の生殖に関する問題など，**今後さらに深刻な意思決定に直面することが予想され**，そのときには患者のみならず，**妻も問題に直面する当事者となる．**

c アセスメント③：看護者はどのような対応をすればよいか

❶ **妻のストレス耐性の不安定さ**　看護師は常に妻の健康状態にも気を配り，疲労感や抑うつ感の出現を見逃さないように配慮する．

❷ **妻の思考の硬直化**　他者に対する罪悪感や，自身の未熟さへの自信喪失の言動に対し，その思いを表出させるとともに，患者の両親がさりげなく支援してくれている事実を伝え，さらに重要他者として気負うことなく徐々に成長することの意義を伝える．適宜，妻と患者の両親が共に話し合う機会をもつことを促したり，患者の意識が回復した後には患者と妻が話し合う場を設け，それぞれの場の必要に応じて看護師も同席し，お互いの思いをうまく伝え合うことができるように仲介する機会を設定することも必要である．

❸ **妻も重要他者の支援を必要とする当事者になる可能性の認識と複数の重要他者の配置**　患者を取り巻く状況の中で，今後も重要な意思決定を要することが続くと予想されること（社会復帰，挙児の問題）を患者，妻，患者の両親に説明し，重要他者として妻の果たしている現状を認めながら，さらに重層的に重要他者の存在を準備しておくことを勧める．

子どもをもつ夢を抱いていた妻と，生殖能力を喪失するかもしれない不安で，自尊心が低下してしまった夫

事例 ❷

- 患者（36歳，女性，保育士），夫（38歳，長距離トラックの運転手），長女（14歳）
- 乳癌（T4N0M0 ステージⅢb）．化学療法と手術療法が併用された．
- 術前の化学療法にトラスツズマブとドセタキセルを含む治療が行われ，約6カ月の治療後に手術が行われた．
- 術後もトラスツズマブが継続され，約1カ月後の心エコー検査で左室拡張末期径（EDD），左室駆出率（EF）の軽度の低下が認められた．
- その後，約4カ月時から息切れが自覚され，トラスツズマブがいったん中止されたが，以後さらにEDD，EFが低下し，うっ血性心不全で入院した．
- 患者の母も乳癌で，40歳で亡くなっている．
- 患者，夫とも血縁者は他県に在住しており，今回の入院について話していない．

生理的様式

	酸素化		栄養		活動と休息		防衛	
	安定	不安定	安定	不安定	安定	不安定	安定	不安定
患者	○	息切れはあるが，酸素化の低下は見られず		食欲不振 体重減少		右手の活動制限 不眠・不安		抗がん薬による易感染状態
夫	○		○			疲労感	○	
子ども	○			食欲不振・体重減少		不安		風邪をひきやすくなった

役割機能

	一次的役割	二次的役割		三次的役割
		獲得したもの	断念せざるを得ないもの	
患者	36歳 女性	妻，母親，保育士	保育士／家事／子どもの世話（学校関係の対応）	入院／乳房切除 心不全／抗がん薬治療
夫	38歳 男性	夫，父親，トラック運転手	夜間の勤務	昼間の搬送業務（一時的な配置転換）妻の面会（週末）／家事 子どもの世話（学校関係の対応）
子ども	14歳 女子	子ども，中学生，テニスクラブのメンバー，愛犬の散歩	ピアノ教室の生徒	母の面会（毎日17〜18時，週末）家事

相互依存様式

	受容的行動			貢献的行動	
	他者からの愛情表現	他者からの感謝	他者からのケアの受け入れ	他者へのケア・触れ合い・身体的サポート	他者への思いやり深い態度・精神的サポート
患者	子どもからの愛情表現 夫からのいたわり	患者の存在意義に気づいた家族らからの感謝	子どもからの腕のマッサージ	子どもの話を聞く，子どもの髪を編うともするが，易疲労性のため，途中で「ちょっと休むね」と言って中断することがある．	夫への感謝，いたわり 子どもへの感謝，いたわり・励まし
夫	患者（妻）からの愛情表現・いたわり・申し訳なさ 子どもからの愛情表現	患者（妻）からの感謝 子どもからの感謝	子どもからの腰部のマッサージ	妻を励ます	妻へのいたわり・励まし 子どもへの感謝，いたわり・励まし
子ども	患者（母）からの愛情表現，申し訳なさ 父からの愛情表現	患者（母）からの感謝 父からの感謝	母に話を聞いてもらう	母の腕のマッサージ 父の腰のマッサージ	母へのいたわり・励まし 父への感謝，いたわり

妻，母親である女性が乳癌に罹患し，治療中に心不全を発症した家族である．患者の母親も乳癌であったことから，遺伝性の要因が懸念される．思春期の娘をもつ患者にとって，自分自身の健康状態だけでなく，子どもの身体も気がかりである．それゆえ，患者は自身の病気体験を通して，娘にも健康管理について伝える責任を感じ，娘と過ごす面会時間を大切なひと時と感じている．

　患者の家族は核家族である．保育士の仕事をしながら家事全般をこなしていた妻が入院し，長距離トラックの運転手をしている夫が職場での勤務体制の調整を願い出て，仕事，家事，子どもの学校の対応をこなしている．中学生の子どもも習い事をやめ，家事を手伝っている．

　夫婦にはきょうだいがいるが，みな他県在住である．患者と家族は，現在の状況を自分たちだけで乗り切ろうとして，血縁者らにも事情を話さずにいる．

a アセスメント①：重要他者はどのタイプの支援者か

　患者の重要他者は夫と子どもであり，タイプ1の人々といえる．各家族員がそれぞれもっていた役割を調整し，患者が担っていた役割の一部を新たに引き受けながら生活している．結束して現状を乗り越えようとしているといえる．

b アセスメント②：その重要他者の抱えている課題は何か

　夫は職場で，一時的に配置転換をしてもらい，家事と仕事，患者や子どもへの対応をしている．長距離トラックの運転という長時間拘束される仕事から昼間の勤務になり，時間的なゆとりが取れたかに見えるが，新たな職場環境への適応には相応のストレスがある．収入面においても夜勤手当の減少による減額となっており，妻の治療に要する経済的負担への不安を感じている．この状況において夫は自身の両親やきょうだい，また妻の親やきょうだいに相談したり支援を求めることをせず，妻が担っていた家庭での役割を引き受けてこなそうとしている．身体的な負荷のみならず，不安や困惑を表出しないことによる心理的負担も増大している状況といえる．

　子どもも**思春期にあり，心身の変調や受験への対応など不安や悩みが多い時期**である．毎日，母親のもとに面会に出向く時間があっても，不安定な母親の身体状況を感じ，自分自身の悩みを相談するのをためらうこともあるだろう．日常においても寡黙に役割をこなす父親の負担を軽減させることに貢献できていない自身を責め，必要以上に自尊心の低下を来している可能性がある．

　このように患者を支える家族員は患者を中心にしてつながってはいるが，互いのつながりが徐々に希薄になり，絆が減退していく危険性をもっている．

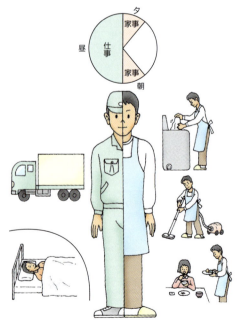

仕事に励み，家事や子どもの世話にも取り組み，すべてを一手に引き受けようとしている夫

その結果，患者の重要他者である家族員が新たな健康危機を体験する可能性がある．そうなった場合に，患者を取り巻くその他の家族との連携の成熟が途絶えているため，現在の重要他者の新たな健康危機を支える因子がなく，結果的に絆が減弱していくことになる．

c アセスメント③：看護者はどのような対応をすればよいか

❶ 重要他者の健康危機の徴候への配慮　面会時の夫や子どもに声をかけながら，健康危機の徴候がないか確かめる．

❷ 重層的な重要他者の体制づくり　子どもの学校生活への支援を担任の教師に依頼したり，患者の兄弟姉妹や夫のきょうだいらに状況を説明し，必要時には支援を求める可能性があることを伝える．また，身近な友人や近所の人に協力を依頼したりして，協力体制を徐々に拡大することを勧める．また，患者にとっての重要他者である夫と子どもが患者を中心としてつながる絆のみでなく，夫と子どもの間のつながりを強化することも必要である．そのために，両者のもっている相手への気遣いの意識の再認識から，徐々に主張と話し合いによる協働の関係に発展するよう支援することも必要である．

引用・参考文献

1) 第16回出生動向基本調査. 2021.
2) 森山美知子ほか. ファミリーナーシングプラクティス－家族看護の理論と実践. 医学書院, 2001, p8.
3) 飯島克巳. プライマリ・ケアにおける高齢者の心身医療. 心身医. 50（3）, 2010, p.201-208.
4) アン・マリナー・トメイほか編著. 看護理論家とその業績. 都留伸子監訳. 第3版. 医学書院, 2004, p276-305.

重要用語

家族	帰属	適応システムとしての人間
重要他者	絆	

◆ 学習参考文献

❶ Margo McCafferyほか．痛みの看護マニュアル．季羽倭文子監訳．メヂカルフレンド社，1995．
　苦痛の中でも「痛み」に焦点を当て，看護の視点で薬物療法やそれ以外の代替的療法に関しても詳しく述べられており，まさに「痛み」に関する援助者にとってはバイブル的な本である．

❷ Mariah Snyderほか編．心とからだの調和を生むケア：看護に使う28の補助的／代替的療法．野島良子ほか監訳．へるす出版，1999．
　筆者が代替・補完療法に関心をもち，目からうろこが落ちるような感覚をもつに至った本の改訂版である．患者をホリスティックにとらえて癒しのケアを探し求め，全人的な関わりを志す看護師や看護学生にとっては必読書である．

❸ 荒川唱子ほか編．看護にいかすリラクセーション技法：ホリスティックアプローチ．医学書院，2001．
　漸進的筋弛緩法，イメージ法について，具体的な方法や理論的根拠が実践的に述べられている．実践でこうしたアプローチを考えている人にとっては非常に役立つ本である．

❹ 宮下光令編．緩和ケア．第3版，メディカ出版，2022，（ナーシング・グラフィカ，成人看護学6）．
　一般病棟や外来，在宅などで，がんの診断時から看護師を含むすべての医療者によって提供される「基本的緩和ケア」を学ぶテキスト．今後，重要になってくる非がん患者への緩和ケアの章も設け，最新のサポーティブケアを解説している．

❺ キャサリン・コルカバ著．コルカバ コンフォート理論：理論の開発過程と実践への適用．太田喜久子監訳．医学書院，2008．
　コンフォートの概念と具体的なコンフォートの介入方法，評価方法などが記されている．苦痛の緩和だけでなく，緩和しきれない苦痛をどのように超越して乗り越えられるようにするか，健康危機状況においては重要な考え方が述べられている．

❻ 鎌倉やよいほか．周術期の臨床判断を磨く：手術侵襲と生体反応から導く看護．医学書院，2008．
　手術侵襲の影響の援助を考えるための知識をていねいにわかりやすく解説している．

❼ 畑啓昭．研修医のための見える・わかる外科手術．羊土社，2019．
　一般外科領域の手術に関して，研修医向けに手術でどのようなことをするかわかりやすく示している．手術によって人体にどのような操作が行われるのかを理解しておくことは，術後の苦痛を理解することにもなるので，こうした医師向けのガイドブックを参照するとよい．

❽ 草柳かほる，山口紀子，峯川美弥子．手術看護：術前術後をつなげる術中看護．第2版，医歯薬出版，2018，（ナーシング・プロフェッション・シリーズ）．
　手術看護認定看護師教育を担っていた著者らが，手術看護認定看護師とともに執筆している手術中の看護のコアとなる書．

❾ 中村美鈴編．わかる！できる！急変時ケア．第3版．学研メディカル秀潤社，2012．
　予測外の急変に出合ったときにどのように対応するとよいかを示したわかりやすいガイドブック．

❿ 道又元裕．ドレーン管理デビュー：はじめてでもすぐできるすぐ動ける．学研メディカル秀潤社，2015．
　ドレーン，チューブ管理に必要な基礎知識を含め，各種ドレーン，チューブ管理に必要な内容が，最新の写真やイラストを豊富に用いてわかりやすく解説されている．

⓫ 西村かおる編．疾患・症状・治療処置別 排便アセスメント＆ケアガイド．学研メディカル秀潤社，2009，（Nursing Mook，52）．
　基本的な知識について，カラフルでわかりやすく解説されている．

⓬ 穴澤貞夫ほか編．排泄リハビリテーション：理論と臨床．中山書店，2009．
　排泄を，生理学的側面からだけではなく，文化的側面や心理学的側面からも広くとらえて解説してある．

⓭ 中島恵美子・山﨑智子・竹内佐智恵編．周術期看護．第4版，メディカ出版，2022，（ナーシング・グラフィカ，成人看護学4）．
　手術を必要とする状況への看護に焦点を当てて，基礎的な内容をわかりやすく解説している．

第1部 健康危機状況

3 健康危機状況にある患者の看護

学習目標

- 健康危機状況にある患者とその患者への看護について，具体的な看護場面を通して理解する．

1 病棟入院患者
左尿管腫瘍手術により健康危機状況にある自営業の男性

学習ポイント
- 病棟入院中に思わぬ病名を告知され，健康危機状況に陥った成人患者への支援について理解する．
- 病棟入院中に健康危機状況に陥った成人患者の家族への支援について理解する．

1 病棟入院患者の健康危機状況

成人期にある人は，ライフステージにおいて最も生きていく力を豊かにもち，自分の健康を自己管理したり，自己対処したり，自己決定したりしながらセルフケアしている．しかし，成人期にある人がなんらかの健康機能障害により病棟入院を強いられた場合は，それまでの日常生活との遮断，社会的役割の喪失・中断，見知らぬ医療従事者に囲まれた慣れない治療環境に置かれるため，さまざまな健康危機状況に陥りやすい．

成人期にある人の看護で重要な観点は，その人の生きてきた過程（**生活史**），生活体験を踏まえた価値・信念を多面的に把握した上で，患者が望んでいる姿に向かって看護師も同じ立場で支援していく姿勢である．そのため看護師は，自分たちの存在を明確に患者・家族に伝えていく必要がある．さらに，個々の患者・家族が病棟での健康危機状況や急変時に心身ともに十分な状況でセルフケアできるよう，創造的な看護を実践していく取り組みが必要となる．その実践のために必要な知識と方法を構築し，専門職として常に自分の看護のあり方を吟味し，問い続けることが求められる．ここでは，健康危機状況に陥った患者および家族と看護師の関わりについて，わかりやすく解説する．

コンテンツが視聴できます（p.2参照）

手術後観察：前半

手術後観察：後半

2 事例で考える病棟入院患者の看護

事例

椿晃一さん．38歳，男性．既婚．椿さんを中心に家族で製菓店を営んでいる．自営業のため，時間に拘束されることなく仕事は自由に行い，比較的気楽に暮らしていた．

既往歴：生後3カ月：先天性の水腎症のため，A病院で全身麻酔にて右腎摘出を施行．
　4歳：左上部尿管狭窄症により，全身麻酔にて尿管拡張術を施行．その後は，定期的に泌尿器科外来でフォローしていた．
　25歳ごろ：胃潰瘍の内服治療後，完治．青年期より貧血傾向（Hb13g/dL，Ht38%）

喫煙歴：ショートホープ40本／日，約20年　**飲酒歴**：ビール3本／日，約20年

家族構成：本人と妻．結婚して8年目であるが子宝に恵まれずにいた（挙児希望）．本人の両親と同居，父方の祖母も一緒に暮らしている．姉と兄がいる．

plus α

ヘモグロビン（Hb）ヘマトクリット（Ht）

Hbは赤血球中の血色素成分で，基準値は成人男性13～17g/dL，成人女性12～16g/dL．Htは全血液中に占める赤血球の割合で，基準値は成人男性39～52%，成人女性34～46%である．

1 入院までの経過

日時：20XX年10月1日午前
場所：330床の総合病院　泌尿器科病棟

　4歳のときに手術を受けてからは、定期的に泌尿器科外来を受診しており、今まで何事もなく平穏無事な生活を送ってきた（図3.1-1）.

　8月中ごろ、肉眼的血尿を認めたが、一過性だったため大丈夫と思い込み、誰にも相談せず放置していた．9月27日ごろから夜間に腰背部痛が出現し、2時間ごとに覚醒していた．9月30日、尋常ではないと思い、近医を受診．左尿管結石、左水腎症・左水尿管症の疑いと言われた．このときクレアチニン*8.9mg/dL、BUN21mg/dLであったため、さらに精査が必要であると医師に告げられ、翌日の10月1日、総合病院に入院となった（図3.1-2）．この日のクレアチニンは8.8mg/dLと高値であった．

　医師からは、「腹部単純レントゲンの結果では、左尿管結石、左水腎症・左水尿管症による腎不全（急性）の疑いと思われます．ただ、尿管結石の場合は、通常、結石のある部位よりも上の尿管が腫れます．椿さんの場合は、結石より上の尿管と下の尿管も腫れており、結石以外にも腫瘍の疑いが考えられますので、精査が必要です．ただ、今のクレアチニン値のままでは、造影剤を用いた検査はできません．そのため、まずクレアチニン値を下げる治療として腎盂にカテーテルを挿入し、尿をいったん体外に排出する処置をして、腎機能の経過を観察します．その後、クレアチニン値の状況によって造影剤を用いたMRIやCT検査を行い、原因を追究する必要があります」と説明された．

図3.1-1　これまで左腎のみで健康に生活してきた椿さん

図3.1-2　左尿管結石、左水腎症、左水尿管症の疑いで緊急入院した椿さん

2 病名の告知

10月1日　A病院に入院
10月2日　左腎盂にカテーテル挿入後、1日に約10Lの血尿が排泄される．造影CTの結果、左下部尿管に4cm大の腫瘍を認める（図3.1-3）．
10月3日　約10Lの血尿が排泄されたため、1日で体重5kgの減少がみられる．
10月6日　クレアチニン4.4mg/dL、BUN18mg/dL
10月7日　クレアチニン2.5mg/dL、BUN19mg/dL

用語解説*
クレアチニン
血液中にみられる最も重要な含窒素老廃物．腎臓以外の影響は受けないため、排泄機能の評価に用いられる．基準値は、男性0.6～1.2mg/dL、女性0.5～0.9mg/dL．椿さんの場合はクレアチニンが高値で造影剤を排泄できないため、現時点では造影剤を使用できない．

BUN
血中尿素窒素（blood urea nitrogen）．タンパク質終末代謝産物で、腎臓の働きが悪くなると高値になる．基準値は8～20mg/dL．

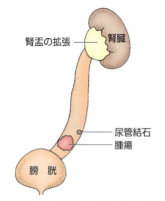
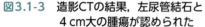

図3.1-3 造影CTの結果，左尿管結石と4cm大の腫瘍が認められた

図3.1-4 家族とともに医師から病名と術式の説明を受ける椿さん

　椿さんは，入院翌日に左腎盂にカテーテルを挿入したため排尿バッグをぶら下げていたが，それ以外は日常生活に特に不自由はなく，シャワーもカテーテル接続部をクランプして毎日可能であった．安静度はフリーで食欲もあり，食事は普通食で全量摂取していた．カテーテル挿入後は当初の腰背部痛も消失し，ほかの自覚症状もなく元気であった．主治医から悪性と疑われている病名を告げられても，本人は悪性ということが「がん」を意味するとは微塵も思っておらず，このときは平然としていた．

10月9日　クレアチニン1.5mg/dL，BUN18mg/dLまで減少する．尿から異型細胞癌クラスⅤを二度認め，左尿管腫瘍と診断される．医師はこの日，妻のみにこの診断名を告げる．主治医は妻に，椿さん本人に告知するかどうかを確認した後，妻の同意を得て椿さんに疑われている病名を告知した．本人には「膀胱の少し上あたりで左尿管の下のほうに，4cm程度の腫瘍があります．良性か悪性かの検査をする必要があります」と回診時に概要を説明した．

10月12日　本人および家族を交えて，主治医から病名告知と治療方法に関する説明がされた（図3.1-4）．

a 突然の予期せぬ病名告知

　医師：10月1日に入院され，当初は身体所見の情報不足のため検査を進め，診断するまでに時間がかかりました．悪性の尿管腫瘍，がんにほぼ間違いありません．クレアチニンが高値だったために行える検査が限られましたが，このCTの結果やこちらのレントゲン検査の結果，また尿検査の結果から判断できます．

　　　　治療としては，手術が第一の選択として優先され，左腎尿管膀胱全摘という根治術が勧められます．この手術で膀胱を取ってしまうと，術後は自然な形での夫婦生活はなくなります．ほかにも何種類かの術式がありま

す．例えば，腸管や膀胱の一部を切除し尿管を再建する方法があります．しかし再建は，あくまでも交通事故や良性の腫瘍のみが適応です．椿さんの場合は，左腎尿管膀胱全摘という根治術が最も適切な術式だと思います．手術の後は，排尿する機能がなくなるので，身体の毒素を体外に出すために透析を必要とします．ただ，今の病気の進行からみて，手術をしてもしなくても予後に期待できるのは，残念ながら50％程度です．そのため，患者さんの中には手術を選ばれない方もいます．手術をしないと腎臓は残りますが，がんが進行する危険性があります．あくまでもご本人の意思決定が大事です．お返事は1カ月後，2カ月後というわけにはいきませんが，しばらく考えてもらって，1週間後ぐらいまでにお返事ください．

|3| 椿さんの心理・精神的混乱

a 場面1：告知後の椿さんの反応とプライマリーナースの対応

今回の入院は尿管結石によるためと思っていた椿さんは，主治医からの説明を聞いて，あまりにも突然の**病名告知**であったために，現実の状況がなかなか受け入れられないでいた．以下は椿さんとプライマリーナースの会話である．

> ● 告知から2日目，プライマリーナースが朝の検温のために椿さんを訪床した．
>
> 看　おはようございます．①
> 椿　おはようございます．
> 　　血圧測定を終えたプライマリーナースは，座ったままの姿勢で椿さんに問いかけた．
> 看　手術について椿さんの考えはまとまりましたか？（共感的態度で）
> 椿　うう〜ん，まだ現実の状況が信じられなくて…．受け入れられません．
> 看　そうですよね．突然のことですから驚かれたでしょう．②
> 椿　……．
> 看　夜は眠れますか？
> 椿　ええ，眠るのは眠れます．
> 看　眠るといい考えも出てくると思います．手術について何か疑問点はありますか？手術は術後の生活にいろいろと影響しますから，じっくり考えられて，気持ちが落ち着いたらお返事くださいますか．③
> 椿　はい…．
> 　　プライマリーナースは椿さんとの会話を終え，ベッドサイドにしゃがんでいた姿勢から立ち上がり，病室を出た．

plus α
疾病受容までの心理プロセス

第1段階：病名告知による衝撃・ショック
第2段階：防衛的退行（否認・逃避）
第3段階：承認（怒り，抑うつ）
第4段階：受容（新しい自己への親しみ）

b 場面1の解説

看護師は，①のように語りかけ，その時々の患者の最新の状況をアセスメントする必要がある．朝の挨拶を交わしつつ，看護師は椿さんの表情や反応を観察した．その結果，いつもは冗談を投げかけてくる椿さんが，この日はどことなく違う表情であるのを察知し，続けて前記のような問いかけをした．

また，椿さんは，同じ目線で語りかけてくれたプライマリーナースになら自分の気持ちをわかってもらえるのではないかと瞬時に思い，本音を打ち明けることができた．

椿さんとのやり取りを通して，プライマリーナースは椿さんの気持ちを「そうですよね」と受け止め，②のように共感した．その後は，言葉にならなかった椿さんの心境を察し，話題を変える巧みなコミュニケーション技術も必要である．プライマリーナースは，この話題を続けるのは，現実を受け入れられていない椿さんを追い詰めることになりかねないと判断し，睡眠状況を確認したのである．その次に，心理・精神の混乱という健康危機状況にある椿さんが，十分に術式に関して自己決定できるように支援し，③のような言葉を返したと考えられる．

　このほかの対応として，椿さんと一緒に真摯（しんし）に取り組む姿勢をもち，どうしたら最も良いのか，具体的な方法を考えていく**共感的態度**＊も重要である．

> **用語解説** ＊
> **共感的態度**
> 患者が体験している内的世界を自分自身のもののように感じ取り，相手の立場，相手の気持ちになって，相手の置かれている状況や感情をくみ取り，相手の世界を共にわかろうとする態度．

4│患者の苦痛，生活行動変更への対応困難

a 場面2：告知から1週間後

　椿さんは30代という若さのため，一日でも早く手術をしたほうが良いことは，本人も周囲の人たちもわかっていた．手術を受けることが決定し，手術日は10月21日となった．必要な情報はすべて提供され，術式の選択は本人および家族の意思決定に委ねられている状況であった．看護師は，**術前オリエンテーション**や**呼吸訓練**を予定通りに進めていた．この日看護師は，明後日の手術に向けて呼吸訓練器具ボルダイン®を用いた呼吸訓練の様子（図3.1-5）と，本人の手術に向かう姿勢を観察するために訪床した．

呼吸訓練器具ボルダイン®

〈効　果〉
①ゆっくり肺を広げて，呼吸面積を増やす．
②深呼吸を促し，肺活量の増加を図る．
③気道内分泌物の喀出を容易にし，術後の肺合併症を予防する．

〈使用目的〉
　最大吸気持続時間を改善でき，訓練回数，吸気量，吸気保持時間など，回復状況に合った練習が行える．ほかに，トリフロー®，インスピレックス®などの呼吸訓練器具もある．

〈使用方法〉（図3.1-5参照）
①患者の肺機能に合わせ，容量の目盛りを設定する（例：成人男性で約3,500mL）．
②ゆっくりと息を吸い，肺胞の隅々までふくらませ，ガス交換を有効に行う．細い筒にある黄色い重りの上がり具合を見て，呼吸訓練がうまく行えているかどうかの目安とする．
③一日に10回を5セット程度行うのが一般的であるが，医師・患者で相談の上，決定する．

図3.1-5　ボルダイン®で呼吸訓練を行う椿さん

看	呼吸訓練の練習はいかがですか．順調に行えていますか？④
椿	はい，気持ちは手術に向かっています．先生から説明を聞いてからずいぶん時間がかかりましたが，手術の方法について自分なりに考え，妻とも相談して決めました．腎臓と膀胱を残します．
看	そうですか．先生は，腎臓と尿管と膀胱を全部取るのが一番いいとおっしゃっていましたよね？
椿	はい．覚えています…．
看	確認させていただきたいのですが，椿さんは何を一番大事に考え，その手術方法を決められたのですか？⑤
椿	「おしっこを自分でしたい」ということです．
看	……．そうですよね．自分でおしっこをしたいですよね．お気持ちはとってもよくわかりますよ．

b 場面2の解説

　プライマリーナースの④のような声掛けで，椿さんは，心身ともに手術に向かっている意思を表明した．術前の呼吸訓練は，術後呼吸器系合併症の予防という大きな目的以外にも，患者が自ら手術に臨むという動機づけの意義もある．この動機づけの良しあしは，術後の回復の経過にも大きく影響する．

　しかし，椿さんが決定した術式を聞いて，プライマリーナースは驚きを隠せない表情で答えた．なぜなら，予想しなかった術式だったからである．看護師は，椿さんは自己決定までに時間はかかっても，主治医が勧めた腎尿管膀胱全摘を選ぶとひそかに思い込んでいた感があった．細胞診でよくない結果が出ているのに，なぜ，椿さんはこの術式を選んだのかを確認する必要があると考え，⑤の問いかけをした．「おしっこを自分でしたい」という椿さんの気持ちは理解できるが，生きるか死ぬかというときに，果たしてその選択でいいのかどうか，プライマリーナースとしてどう支援していけばいいのか，すぐには答えが見つからず，同僚とカンファレンスをもった．

　その中で，椿さんが根治術を選ばなかった理由として，いろいろと意見交換がされた．まずは，「おしっこがしたいということだし，尿管を再建したいと願っているということは，ボディイメージの変化が受け入れられないということではないか」，「椿さんの知り合いに透析を週に3回している人がいることを先日話していたので，透析を導入すると今後はどういう生活になるかを知って，透析のために週3回拘束される生活ではなくて，残された時間を奥さんと一緒に過ごしたいと考えたのではないか」，「主治医から根治術を選んでも予後については50％と言われているので，逆にとれば根治術をしなくても50％ということになる．そのため根治術をしない中で，自分のQOLを考え，腎臓を残したいのではないか」，「椿さんと奥さんは子どもをもつことを強く希望されていたので，膀胱を取ってしまうと術後，自然な形での夫婦生活が成立しなくなるからではないか」などの多くの意見が出された．

plus α

術前呼吸訓練の意義

①術前術後を通して呼吸筋を強化し，ガス交換機能を高める．②術後の肺合併症を予防する．③患者自身の手術に臨む意欲を高める．

このカンファレンスで，本人の意思決定までの心の動きや状態について，十分に検討された．その結果，椿さんとその家族にとって「最善の選択」になるように，心身の苦痛と生活行動の変更に対応しきれていない健康危機状況に対して，看護師はサポートする必要があるという結論に達した．今後は，この結果を踏まえて医師を交えたカンファレンスで再検討し，看護師は治療方針を踏まえ，介入していく必要性がある（図3.1-6）．

図3.1-6　医師と看護師の合同カンファレンスで，治療方針や看護援助について話し合った

5│家族や重要他者の不安と本人の最善の意思決定

妻は主治医からの説明を，本人に話す二日前に椿さんの両親に告げていた．内容は，悪性の尿管腫瘍なので，残された腎尿管膀胱全摘をするのが最も適切な術式であるということである．しかし，椿さんがそれとは違う選択をしたために，両親と姉，兄は不安と動揺を隠せないでいた．

a 場面3：椿さんの両親との面談

> 母　看護師さん，この手術同意書を見ると，この手術をしても手術の後はあまりいい状態であることは期待できないという内容ですよね？
> 看　難しいご質問ですが，お察しのとおりです．手術については，ご家族で相談されて決められたのですよね．
> 母　うう～ん，そうですけど，賛成はしていません．なぜ，危険性が高い方法を選んだのか…（涙ぐむ）．
> 看　そうですよね．椿さんもずいぶん悩まれ，決心されていました．
> 父　なぜ先生の言うとおりにしないのか．先生の言うとおりにすればいいのに…．
> 看　<u>手術前にご家族で気持ちが分かれるのはよくないですので，もう一度皆さんで話し合ったほうがいいですね．それから，私たちからみた椿さんの気持ちをお伝えいたしましょうか</u>．⑥
> 母　ええ，お願いします．

b 場面3の解説

椿さん同様，家族も突然の出来事に動揺し，不安を抱えていた．椿さんの両親は主治医からの説明を聞き，本心は左腎尿管膀胱全摘の根治術を希望していた．プライマリーナースは，危機状況にある両親に，誰しも予想しなかった術式を選択した椿さんの心理を，カンファレンスで意見交換した内容を含め説明したほうがよいと判断し，⑥の発言に至った．おそらく両親は，看護師にも椿さんに対して根治術を勧めてくれるよう期待していたのかもしれない．このことを瞬時に察知したプライマリーナースは，自分たち自身も倫理と葛藤の中で苦しみ，椿さんの意思決定が十分な状況の中でなされていった過程を，家族

plus α
意思決定
何もしないということも含め，どの選択肢を選ぶかを決めるプロセス[2]

plus α
看護実践における倫理
ICNの倫理綱領，日本看護協会の倫理綱領を熟読し，倫理面において看護師としてどのように意思決定していくのがよいか考えてみよう．

が知らないであろうと思われる入院中の出来事を交えて話す必要があると判断した．このことが，家族の心の負担を緩和できる支援であると考えたからである．その後主治医とも連絡を取り，別室で上記の内容をゆっくりと家族に説明し，家族は最終的に椿さんと妻が決定した術式に納得し，当日の手術に臨んだ．

6 手術

10月21日　13時手術室入室

a 手術の概略

予定術式：左尿管腫瘍摘出術，左尿管膀胱吻合（ふんごう）術，膀胱鏡

施行術式：左尿管腫瘍摘出術，膀胱鏡

麻酔方法：全身麻酔＋硬膜外麻酔

手術時間：4時間12分

麻酔時間：4時間45分

出血量：550mL

各種ドレーンおよびライン類（図3.1-7）：末梢点滴ライン左前腕1本，膀胱留置カテーテル1本，左腎盂バルーンカテーテル1本挿入，後腹膜腔ドレーン1本

病棟帰室：18時10分

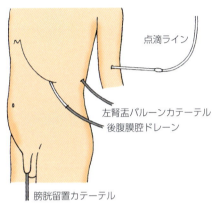

図3.1-7　術後の椿さんの状態

b 術中と術後の経過

　麻酔導入から手術開始まではスムーズに進行．術中は，手術操作時に血圧が下降するときもあったが一過性であり，大きな問題には至らなかった．出血量は550mLになった時点でHb 9.8g/dL，Ht 37％と貧血の増悪，さらにこのことはガス交換にも影響し，血液ガスのデータ値は，PaO_2 92Torr*，$PaCO_2$ 44Torrとやや不良であった．手術は，尿管腫瘍とその周辺の尿管組織の術中の**迅速病理診断**で，断端部に病変がないことを確認できた個所で尿管が切除された．そのため，尿管断端部同士の吻合は，組織の長さが足りず尿管膀胱吻合術は施行できなかった．左尿管腫瘍摘出と膀胱鏡は施行された．手術は予定時間に終了し，術後は病棟の観察室に帰室した．麻酔から少しずつ覚醒状況にあった椿さんは，開口一番「尿管はつなげたのですか？」と主治医に確認していた．主治医からは，「できませんでした．腫瘍だけを摘出しました．麻酔が覚めてから，きちんと説明します」という返事でその場は終わった．このときの椿さんの表情は「だめだったのか……」と目を閉じ，まぶたが小刻みに震えていた．看護師は，椿さんの望みがかなわなかった事実を，ともに受け止めた．

　術後1日目は，大きな循環動態の変動もなく経過した．術後2日目に，右の下肺野から肺雑音が聴取され，痰の喀出困難を軽度認めた．**動脈血ガス分析値***は，酸素2L／分下でPaO_2 98Torr，$PaCO_2$ 45Torrであった．

用語解説*

Torr（トル）

Torricelliの略．圧力を表す単位で，mmHg（水銀柱ミリメートル）と同意である．1気圧は，760Torr（760mmHg）．

plus α

術中の迅速病理診断

組織病理学的な判定は，術中，迅速に病理医によって行われる．その結果によって，切除範囲やリンパ節の郭清度を判断する．

用語解説*

動脈血ガス分析の基準値

PaO_2：80～100Torr
$PaCO_2$：35～45Torr
pH：7.35～7.45

7 | 術後の看護

ここで，術直後から術後1週間までの**身体状況悪化**と関連する椿さんの看護上の問題を，優先度の高い順に取り上げてみる．

a 術直後から術後1週間まで

#1：長期にわたる喫煙歴に伴う肺の**気腫化***，麻酔侵襲による気道内分泌物の増量，手術による組織損傷に伴う痛みによる痰喀出困難に関連した術後呼吸器合併症を引き起こす恐れ：無気肺，肺炎

#2：手術創，腎盂カテーテルのほか数本のドレーン・チューブ類の挿入，麻酔・手術侵襲による恒常性の低下や生体防御機能の低下に関連した感染のリスク

#3：手術による組織損傷に伴う痛み，ドレーン・チューブ類による拘束感，早期離床遅延に関連した術後イレウスの恐れ

b 問題を見いだしたプロセス

#1：38歳という年齢から呼吸器系の予備力は備えていると考えられる．また，術前の呼吸訓練は，今回の手術においては望ましい．しかし，長年にわたるニコチン度の高いたばこ喫煙習慣は，肺組織の気腫化を招き，術後のガス交換に与える影響は大きく，気道内分泌物（痰）を増加させる．また，全身麻酔の際の気管挿管は，気道粘膜の線毛運動を抑制し，さらに気道内分泌物を増加させる．術中のガス交換もやや不良傾向であった．硬膜外麻酔を行ってはいるが，術後の疼痛に伴い呼吸が抑制されることで咳嗽反射が抑制されることが考えられ，術後呼吸器合併症を引き起こす危険性は高い．そのため，術後において最も優先度の高い看護上の問題とした．

#2：術後は，麻酔・手術侵襲による生体のストレスに伴い，恒常性・免疫力の低下が起こっている．腹腔内にドレーンが留置され，体外と交通している状態にあり，感染の経路となりうることを前提に，ドレーン周囲および全身状態の観察を行う必要がある．手術創においても十分に創が癒合するまでは綿密な観察が必要となる．さらに，尿路は腎盂にカテーテルが挿入されている状態が続くので，感染症を起こす危険性が高い．そのため術後において，二番目に優先度の高い看護上の問題とした．

#3：術後は，麻酔や手術操作に起因する一過性の腸管麻痺が起こりやすい．一般的に腸管の回復は術後24～48時間で腸蠕動が始まり，48～72時間で排ガスが確認される．椿さんの場合，術後2日目にもかかわらず腸蠕動音が聴診されないため，注意が必要である．さらにドレーン・チューブ類による拘束感，ドレーンや創痛に伴う早期離床遅延により体動が妨げられ臥床傾向にあることは，術後の麻痺性イレウスを起こす危険性を高くする．そのため，術後において，三番目に優先度の高い看護上の問題として取り上げた．

---

plus α

喫煙係数

1日喫煙本数に喫煙していた年数を掛けることで算出できる．一般に，喫煙係数が600を超える人を重喫煙者といい，肺癌の高危険群とされる．

用語解説 *

肺の気腫化

たばこの煙は肺胞壁を破壊して，肺組織の気腫化を招く．病態的には，肺を構成しているぶどうの房状の肺胞が壊れ，過度にふくらんで元に戻らなくなる状態である．そのため肺機能が低下する．

c 看護の実際

看護計画に沿って，手術直後は全身のフィジカルアセスメントを実施し，異常の早期発見に努めた．その結果，術後1日目の20時ごろより右下肺野に肺雑音が聴取された．気道内分泌物の貯留が考えられ，呼吸理学療法である**スクイージング**[*]やネブライザーを実施した．その後は麻酔から十分に覚醒し，全身状態が安定したころに深呼吸（5～6回4セット／日）を行う必要性を再度説明した．そして，術前の呼吸訓練を想起しながら，ボルダイン®を用いて呼吸筋を強化する重要性を説明した．椿さんは理解力が高く，早く良くなるためには何にでも積極的に取り組み，看護計画の内容にも自ら実施に臨んだ．その結果，術後3日目には呼吸音も清明になった．

> **用語解説**[*]
> **スクイージング**
> 呼吸理学療法の一つで，息を吐くときに，胸郭の動きに合わせて，介助者が痰貯留部位に手を当てて圧迫する方法．

d 評価

術前から貧血傾向にあり，手術によりさらに増悪したことは呼吸状態におけるガス交換にも影響を与えたと考えられる．ネブライザーの3回／日の実施により，気道内の加湿を十分に行ったことや，呼吸理学療法，体位変換，深呼吸，ボルダイン®を用いた訓練を定期的に行ったことは，痰の喀出の促進につながり，無気肺・肺炎などの呼吸器合併症を引き起こすことなく呼吸機能を回復できたと考える．

その後，椿さんは順調に回復し，入院から30日後の10月30日に退院が決まった．退院時は，「これから，たばこもお酒もやめて，療養生活を送りながら自分らしく生きたいと思います．今回の入院は，これからの自分の生き方を考えるよい機会となりましたよ」と話し，気持ちの上で健康危機状況を自ら乗り越えたと判断された．心理的にも身体的にも健康危機にあった椿さんは，周りのサポートを受けながら自分自身の気持ちを発掘し回生し，健康危機状況から脱出したのである．退院から1カ月後，椿さんは感慨深く菓子作りを始めているとのことであった．

考えてみよう

- 成人患者の意思決定を支える看護として重要なかかわりを考えてみよう．

引用・参考文献

1) 中村美鈴編．すぐに実践で活かせる周手術期看護の知識とケーススタディ．日総研出版，2004，p.69，p.72-73．
2) Occonnor, A.M., Jacoben. MJ.：Decision Conflict：Supporting Peiople Experiencing Uncertainty about Options Affeting their Health，3．Ottawa health Reserch Institute，2007．

| 病名告知 | 患者の意思決定 | 家族，重要他者 |
| 患者の心理・精神的混乱 | 生活行動変更への対応困難 | |

2 緊急入院患者
化膿性脊椎炎で緊急入院を余儀なくされた会社員の男性

学習ポイント
- 緊急入院患者の特徴を理解する．
- 緊急入院患者の状況を考慮した看護の視点を理解する．

1 緊急入院患者の健康危機状況

緊急入院が必要となる患者の身体的特徴には，突然の疾患の発症，事故による外傷，または慢性疾患の急性増悪などがある．そのため，入院当日の検査や治療が必要とされる場合が多い．しかし，入院から治療開始までの期間が短く，医療者が把握できる身体的情報は不足しやすいため，入院後も潜在している身体状況の把握に努めながら安全な治療を継続する必要がある．

また，このような身体的特徴を背景にした予期せぬ入院は，患者の精神的・社会的側面にも大きく影響する．予定されている入院であっても，社会生活が一時的に中断されることに変わりはなく，患者はさまざまな不安を抱えるだろう．ただし，予定入院の場合は，入院による自分自身や周囲への影響をできるだけ少なくするために，あらかじめ準備することができる．緊急入院の場合には，そのような精神的・社会的な準備をする時間もない．したがって，入院してから自分の身体状況を受け入れ，中断してしまった社会生活の調整をしなければならない．看護師は，このような緊急入院患者の身体的・精神的・社会的側面を考慮しながら，患者が安心して入院できるような環境を提供する必要がある．

2 事例で考える緊急入院患者の看護

事例

川崎浩二さん．39歳，男性．身長，体重：178cm，98kg．
家族構成：両親と姉．　**職業**：新聞記者．　**住居**：都市近郊のマンションで一人暮らし．
病名：化膿性脊椎炎（第3腰椎）．　**既往歴**：高血圧（未治療）．

|1| 入院までの経過

7月から軽度の腰痛が続いていたが，日常生活への支障がないため放置していた．8月下旬になって歩行時の痛みが強くなり，微熱が2週間ほど持続したためタクシーに乗って整形外科外来を受診した．単純X線撮影検査と採血の結果から，**化膿性脊椎炎**（表3.2-1）の疑いで緊急入院となった．川崎さんは，外来で診察した医師から「おそらく脊椎炎です．これから炎症を抑え，脊椎の安静を保つための治療をし

表3.2-1 化膿性脊椎炎

病因	一般細菌の血行，もしくは医原性の感染により発症する．起因菌として代表的なものは，黄色ブドウ球菌である．
症状	発熱，腰背部の痛み，体動時痛，安静にしても軽快しない痛み．麻痺の合併頻度は低いが，初期治療の遅れや糖尿病，肝硬変などの易感染性疾患の既往により，重症化し麻痺を来しやすい．好発部位は腰椎で，頸椎には少ない．
診断	臨床症状，画像情報（単純X線，MRI），血液検査（白血球増多，CRP高値，赤血球沈降速度亢進）．
治療	抗菌薬の投与，局所の安静目的の床上安静や，コルセット装着などの保存療法が原則である．進行性の麻痺がある場合や，保存療法が無効の場合は手術（病巣掻爬と骨移植）適応となる．

参考資料：松野丈夫ほか編．標準整形外科学．第12版，医学書院，2014．p.246-248.
　　　　　医療情報科学研究所編．運動器・整形外科．第1版，p.421．（病気がみえるvol.11）．

ます．そのため，ベッドの上で安静にして，動くときはコルセットをつけることになります．また，炎症を抑えるために抗菌薬を点滴して，経過を見守ることになります」と説明された．

2 入院直後の川崎さんの状況

a 場面1

午前11時に川崎さんは，外来からストレッチャーで5階の病室に移動してきた．その際，外来の看護師から病棟の看護師に入院までの経緯と，1時間前に坐薬を使用したこと，既往歴はないことが伝えられた．また，家族は遠方に住んでおり，川崎さん自身から連絡したいという希望があるため，腰痛が軽減してから時間をつくってほしいという希望が伝えられた．

川崎さんは，ストレッチャーからベッドに移る際には一時的に顔をしかめたものの（図3.2-1），しばらくすると**表情は落ち着き，一見したところでは強い腰痛が持続しているようには見えなかった**．①

このときのバイタルサインは，体温37.4℃，**血圧164/88mmHg**③，脈拍80/minであった．看護師は，発熱は化膿性脊椎炎によるものだと判断した．血圧の上昇は，痛みも一因であると考えられたが，既往歴について再確認する必要があると判断した．

plus α
赤血球沈降速度
「赤沈」「血沈」という略称で呼ばれることがある．

図3.2-1 ストレッチャーから病室のベッドへ移動させる介助

看	<u>ストレッチャーで揺られたので痛みが強くなりましたね.</u> ②
川	ええ．動くとちょっとね….でも，大丈夫です．
看	そうですか．先ほど外来で使った坐薬は効いていますか？
川	横になっているから落ち着いているような気もするし….でも，坐薬を使うとトイレに行きたくなるんですよね．だから，今は…．
看	(坐薬を使いたくないから，痛みをがまんしているのかもしれない) お昼から内服の痛み止めも出ると思いますが，坐薬が効いていなくて，今も痛みがあるようでしたら，注射もありますよ．
川	そうなんですか？ 注射したら，楽になるかな．お願いしようかな．
看	すぐに準備してきます．それから，今，血圧が高いようですが，高血圧だと言われたことはありませんか？
川	職場の健康診断で高血圧気味だって言われるだけで，特に気にしてなかったな．
看	そうですか．<u>また，後で測らせていただきますね.</u> ③

b 場面1の解説

❶ 対応した危機状況

∴ 身体的危機

- 化膿性脊椎炎による症状（発熱・腰背部痛・両下肢の麻痺・膀胱直腸障害*）
- 生活行動困難
- 潜在している既往症
- 今後予測される床上安静に伴う身体的問題（睡眠障害，褥瘡・便秘・筋力低下などの不使用性症候群*）

∴ 心理的危機

- 突然の入院と身体状況の悪化による不安
- 今後予測される初めての入院生活への不安

❷ 対応の解説

∴ ①②について

　入院初期の患者は，緊張や不安から医療者の言動をそのまま受け入れるような受け身の対応をする場合がある．具体的には無口になったり，表情が乏しくなるため，おとなしい人だという印象を受けることが多いように感じる．また，痛みがあるものの緊張から表情が硬くなり，痛みを表していることがわかりにくい場合もある．川崎さんも痛みが落ち着いていたわけではなく，自分の希望を伝えてよいのかどうかわからず，痛みがあるのに「大丈夫です」とあいまいな返事をすることになった．

　痛みの観察項目に「表情」がある．しかし，経験の少ない学生や看護師にとって，普段の様子を知らない入院直後の患者の表情から痛みを観察するのは，案外難しいことである．そのため，患者の言葉から痛みの有無を判断することが多くなる．この場面でも看護師は，患者自身に痛みの有無を確認している．しかし，「痛いですか？」とただ質問するだけではなく，痛みが原因で緊

用語解説*

膀胱直腸障害

脊椎損傷などにより，膀胱，直腸の機能をつかさどる神経系が障害され，神経因性膀胱や排便障害を生じること．

用語解説*

不使用性症候群

廃用症候群ともいう．ベッド上での臥床など過度の安静を続けることで筋力の低下や関節が拘縮するなど，使わないこと（不使用）によって生じるさまざまな身体的，精神的な機能の低下をいう．高齢者に起こりやすく，回復にも時間がかかるため，予防が重要である．

急入院した川崎さんの状況を考慮して，多少の痛みがあることを前提に「ストレッチャーで揺られたので痛みが強くなりましたね」と話しかけた．このような話し方は，痛みを伴っている患者への共感的な態度であり，入院直後の川崎さんの緊張を和らげることにつながる．

③について

疼痛や緊張により一時的に血圧が上昇することもあるが，看護師は164/88mmHgという数値と，川崎さんの肥満体型から高血圧症の既往を推測した．しかし，緊急入院に重ねて他の疾患が明らかになると，川崎さんの精神的負担が増すことも心配した．だからといって身体的な安全が守られなければ，結局は精神的な負担も増すことになる．このように考え，川崎さんに血圧が高いことを伝え，身体状況を把握し身体の安全を守るため，今後も血圧測定をすることを伝えた．

3 入院生活の始まり

a 場面2

看護師は，川崎さんの腰痛が軽減したことを確認してから入院までの経過や生活状況，社会的背景に関する情報を収集した．情報収集が終わった後も，川崎さんの表情から痛みが増強した様子はなかったので，続けて**入院生活に関する説明**④として，食事や回診の時間など一日のスケジュールに加えて，臥床したままでの食事の摂取や排泄の方法を伝えた（**図3.2-2**）．また，**入院生活に必要な物品**⑤については，次のように対応した．

> 看 ベッドで横になっていても毎日体を拭いて，パジャマを交換したいと思うんですが，着替えなどの準備はできそうですか？
> 川 後で会社の友人が来るので，そのときにまた説明してもらえますか？
> 看 はい，いいですよ．それから，ご家族への連絡⑥は，今なさいますか？
> 川 うん，自分で知らせたいんだけど，どうしたらいいのかな？ ここでは他にも患者さんがいるから携帯電話は使えないでしょ？
> 看 普段の通話はご遠慮していただいているんですが，今は特別な状況ですし，お部屋の患者さんもお休みになっていないので，よろしいですよ．

図3.2-2 川崎さんに入院生活について説明する看護師

b 場面2の解説

❶対応した危機状況

身体的危機

- 化膿性脊椎炎による症状（発熱・腰背部痛・両下肢の麻痺・膀胱直腸障害）
- 生活行動困難
- 今後予測される床上安静に伴う身体的問題（睡眠障害，褥瘡・便秘・筋力低下などの不使用性症候群）

- **心理的危機**
  - 突然の入院と身体状況の悪化による不安
  - 今後予測される初めての入院生活への不安
- **社会的危機**
  - 家族の不安

❷ 対応の解説

- ④ について

　予定入院の場合は，入院後すぐに入院生活の説明や病棟案内などのオリエンテーションが実施される．しかし，夜間の緊急入院や床上安静が必要な患者には，入院直後の病棟案内は実施できない．また，緊急入院の患者は，身体的な危機状況にあるだけでなく，精神的な危機状況にもあり緊張や不安が強い．そのため，多くのことを一度に説明しても理解するのが困難である．このようなことからこの場面では，今の川崎さんにとって必要な情報を選択して説明した．

　しかし，このようなオリエンテーションを受けた緊急入院患者は，周囲の状況に関する情報が少ないことになる．症状が落ち着いたときや患者から質問があったとき，安静度の拡大に応じてオリエンテーションを進めていくことが必要である．また，本人にオリエンテーションが行えなくても，家族が同伴している場合には，家族へのオリエンテーションが必要である．

- ⑤ について

　通常なら家族が入院生活の準備をするが，川崎さんの家族は遠方に住んでいるという情報があったため，看護師はこのように配慮した．患者の準備状況や家族等の支援状況に応じて，安心して入院生活が送れるような準備ができるようにすることも看護師の役割である．

- ⑥ について

　川崎さんが緊急入院するという状況は，家族にとっての危機状況でもある．この時点では川崎さんの腰痛は軽減していたので，看護師は，川崎さん自身が家族と直接会話することがお互いの安心につながると考え，携帯電話での会話を勧めた．

|4| 消灯後の病室

ⓐ 場面3

　23時，病棟の巡回の時間である．同室の患者は寝息をたてていたが，川崎さんは，まだ目を開けている（図3.2-3）．吸い飲みの水は半分残っており，**最後に排尿したのは20時だった**．⑦

看 お手洗いは大丈夫ですか？ ⑦
川 はい，大丈夫です．
看 まだ，痛みますか？
川 いや，痛みは落ち着いています．
看 （川崎さんの表情があまりよくないように感じる）寝付けないようですか？ ⑧
川 いろいろ考えちゃって…．今朝，いつもより腰が痛いなと思って目覚めたら，起き上がるのも大変で…．これはまずいなと思って病院に来たら，そのまま入院で…
看 そうですね．今日一日は本当に大変でしたね．
川 家のことも気になって．そういえば，家の中に腐りそうなものはなかったかな？毎日，暑いからな．先生（医師）はいつ退院できるかわからないって言っていたけど，10月はちょうど異動の時期だから，それまでには戻りたいな．
看 お仕事のこと，気になりますよね．治療の経過をみながら説明をするように医師に伝えますので，気になることがあったら聞いてください．
川 はい，そうしますね

図3.2-3 消灯後の病室で川崎さんの話を聴く看護師

b 場面3の解説

❶対応した危機状況

身体的危機
- 化膿性脊椎炎による症状（発熱・腰背部痛・両下肢の麻痺・膀胱直腸障害）
- 生活行動困難
- 今後予測される床上安静に伴う身体的問題（睡眠障害，褥瘡・便秘・筋力低下などの不使用性症候群）

心理的危機
- 突然の入院と身体状況の悪化による不安
- 今後予測される初めての入院生活への不安

社会的危機
- 突然，新聞記者という社会的役割が果たせなくなったことへの心配
- 今後予測される病欠中の引き継ぎや，調整不足による職場への危惧と職場復帰への不安

❷対応の解説

⑦について

排泄の依頼は患者からはしにくいものなので，看護師から確認した．排泄に対する患者の遠慮，前回の排尿時刻，飲水量等を考慮した上で，「大丈夫そうでも，尿器を当ててみてください」と促す場合もある．特に，消灯後の多床室には同室の患者が全員そろっているので，床上排泄への抵抗は大きくなる．このことから，排泄しづらい時間である食事や就寝の前に，看護師から尿意・便意の確認をし，排泄のきっかけをつくることが必要である．

⑧について

　看護師は，川崎さんの「いや，痛みは落ち着いています」という返事を聞いて，本当に痛みは軽減したのだろうか，「痛みは」ということは，ほかに何か気になることがあり，そのせいで表情が曇っているのではないだろうかと考えた．そこで，「寝付けないようですか？」と尋ねた．精神的な要因により入眠困難な患者は，看護師が話を聴くことで気持ちが落ち着き，入眠しやすくなる場合がある．しかし，夜間の多床室での会話は，他の患者の睡眠を妨げる恐れもあることに十分配慮する必要がある．

　入院当日は，患者が特に不慣れな環境にいることや床上安静，腰痛により入眠が困難であることを考慮し，睡眠薬を投与する場合もある．

重要用語

緊急入院　　　　　　　　心理的危機　　　　　　　　入院時の情報収集
身体的危機　　　　　　　社会的危機　　　　　　　　家族への連絡

3 集中治療室入室患者
慢性閉塞性肺疾患の急性増悪により集中治療室に入室した男性

学習ポイント
- 集中治療室に入室した患者・家族が直面する健康危機状況について理解する．
- 集中治療室に入室した患者・家族に生じるセルフケア不足とセルフケア支援について理解する．
- 健康危機状況におけるライフサポートテクノロジーの可能性を理解する．

1 集中治療室に入室した患者・家族が直面する健康危機状況

　集中治療室は，集中的な観察や治療，ケアを通し，さまざまな経緯から生命の危機に瀕した患者・家族の生命，生活，人生をつなぐ診療空間である．集中治療室に入室する患者は，急性疾患の発症や慢性疾患の急性増悪，侵襲の大きい手術による身体的負荷，多臓器不全，事故等による多発外傷など，さまざまな理由により生命の危機的状況に直面している．集中治療室入室後の集中的な観察や治療，ケアによって，生命の危機的状況を脱した，あるいは生命の危機的状況を回避している患者が多い一方，急激な病状の変化により救命できない患者もいる．

　例えば，重症の心筋梗塞により心臓がかろうじて動いている状態の患者の場合，気管内挿管や人工呼吸器装着に加えて，経皮的心肺補助装置

(percutaneous cardiopulmonary support：PCPS）と，大動脈内バルーンパンピング（intra-aortic balloon pumping：IABP）を併用して心機能をサポートすることがある．患者の心臓が徐々に回復した場合，生命の危機的状況は回避できた可能性が高いが，一度ダメージを受けた心臓は心不全を来す可能性があり，医療機器から離脱した前後は，身体機能悪化の徴候を注意深く観察することが重要となる．

一方，同じ心筋梗塞で，カテーテル治療後に輸液による薬物療法と酸素療法を行い，集中治療室の看護師と会話するまでに回復していた患者が，突然の心破裂によって救命できずに亡くなることもある．集中治療室に入室する患者の生命は非常に微妙なバランスの中で保たれており，重篤であればあるほど看護師による日常生活援助などにも敏感に反応する．そのため，身体機能のバランスが少しでも崩れると，一瞬で生命の危機的状況に陥るという特徴をもつ．

ここまで集中治療室に入室した患者の生命の危機的状況について説明してきたが，健康危機状況とは生命の危機的状況だけを示す言葉であっただろうか．「健康」にはさまざまな考え方があり，生命をはじめとする身体的危機に加え，心理的危機や社会的危機などによっても「健康」は脅かされる．集中治療室に入室した患者は，そのすべてにおいて危機的状況にあり，家族や重要他者も同様の危機にさらされる．特に，複数の医療機器やカテーテル類，輸液類に囲まれた患者を目の当たりにしたとき，家族や重要他者はどのような思いを抱くだろうか．「自分がもっと早く気付いていれば」と自分を責めたり，「もう助からないんじゃないか」「もう言葉を交わせないんじゃないか」「助かったとしても今まで通りの生活は送れないだろうな」と患者の今後に強い不安を感じたり，「子どもの世話を1人でできるだろうか」「自分1人で家族を養っていけるのか」「これからは誰を頼りに生活していったらいいのか」など，今後の自分の生活に思いを巡らせることもあるだろう．時には患者を心配しすぎるあまり，食事が喉を通らなくなったり，夜間に熟睡できない，眠れないことなどをきっかけに心身の不調を招くこともある．家族や重要他者にとって患者がどのような存在であったかによって，周囲に生じる危機は異なるのである．

集中治療室では，患者・家族がさまざまな危機に直面するため，すべてのセルフケアを代行するものと考えられがちだが，近年，集中治療において鎮静以上に鎮痛が重要と考えられるようになり，数種類もの医療機器を装着しながら覚醒した状態で過ごす患者が増えてきている[1]．また，集中治療室での早期離床も重要視されるようになり，リハビリテーションが積極的に行われている．ゆえに，集中治療室においてもセルフケアの代行よりも，補完というセルフケア支援が重要である．

ここでは，**慢性閉塞性肺疾患**（chronic obstructive pulmonary disease：COPD*）の急性増悪により集中治療室に入室した患者・家族の事例を通して，集中治療室への入室に関連して生じるセルフケア不足や，集中治療室での

用語解説*
COPD
たばこの煙など，有害物質への長期的な暴露によって引き起こされる呼吸器疾患．細菌やウイルスなどへの感染を契機とした急性増悪を繰り返すことで呼吸機能や身体活動性，QOLの低下，生命予後の悪化を招く[2]．感染による急性増悪は重症化しやすいため，インフルエンザワクチンと肺炎球菌ワクチンの2種類のワクチン摂取が推奨されている[3]．

セルフケア支援について考えていく．なお，病院によりさまざまな名称の集中治療室が存在する近年では，集中治療室の機能も多様化している．ここでは，集中治療室（intensive care unit：ICU）として標榜されている病院を訪れた患者の事例で考えていく．

2 事例で考えるICU入室患者へのセルフケア支援

> **事例**
>
> 星野玄三さん，72歳，男性．2年前に退職し，盆栽を趣味として生活している．
> **既往歴**：COPD，高血圧（hypertension：HT）　**ADL**：自立，介護認定なし
> **家族構成**：妻（キーパーソン・健康状態良好），姉（近隣に在住）

1 星野さんの身体機能悪化の恐れ

星野さんは5年前からCOPDのため，呼吸器内科の外来に通院しているが，セルフケアは良好であった．肺炎球菌ワクチンは2年前に接種したが，今年はインフルエンザワクチンが未接種であり，感染には注意しながら生活していた．12月30日より感冒症状があり，12月31日に38℃台の発熱と喀痰困難，呼吸苦の増悪を認め，1月1日に救急外来を受診したところ，インフルエンザ肺炎に起因したCOPDの急性増悪のため内科病棟に入院となった．

救急外来で抗ウイルス薬を投与後，人工呼吸器（**非侵襲的陽圧換気**；non invasive positive pressure ventilation：**NPPV**）を装着（図3.3-1）したところ，直後は呼吸苦がやや軽減した様子だったが，徐々に装着しているマスクの違和感を訴えるようになった．

以下は，NPPVを装着してから1時間後，人工呼吸器のアラーム音とともに苦しそうに話す星野さんと病棟看護師のやり取りである．

人工呼吸器

人工呼吸器と聞くと，気管チューブ等を通して機械にサポートされている姿をイメージしがちだが，人工呼吸器には，①口や鼻から挿入した気管用チューブで気道を確保して呼吸をサポートする**侵襲的陽圧換気**（invasive positive pressure ventilation：**IPPV**），②専用マスクを使用して呼吸をサポートする**非侵襲的陽圧換気**（non invasive positive pressure ventilation：**NPPV**）[4]の2種類がある．NPPVはマスクを一時的に外せば会話や食事も可能なため，医療機関でも積極的に用いられている．

---

plus α

COPDとNPPV

COPD患者は換気障害による慢性的な高二酸化炭素血症であるため，急性増悪時には肺胞がうまく換気できず，著明な低酸素血症と高二酸化炭素血症が生じる[5]．COPD患者の場合，高濃度の酸素投与はCO_2ナルコーシスの，気管挿管による人工呼吸療法は人工呼吸器装着期間の長期化や抜管後の呼吸状態増悪による再挿管のリスクが高い[6]．そのため，NPPVはCOPD増悪時の第一選択として推奨される．

2｜星野さんの苦痛と心理的・精神的混乱，身体機能悪化の恐れ

- 星　ぜぜぇ…放せ！　放せって言ってるだろ！　ぜぜぇ…．
- 看　星野さん，マスクを取ると苦しくなってしまうので，今はマスクをしておきましょう．
- 星　ぜぜぇ…やめろ！　こんなもの苦しくてつけてられない…ぜぜぇ…
- 看　そうですね…（モニターに表示される呼吸回数35という表示を見ながら）苦しいですよね…ゆっくり呼吸しましょうか…
- 星　ぜぜぜぇ…こんなものつけてたら頭がおかしくなりそうだ…ぜぜぇ…とても正気でいられない…ぜぜぇ
- 看　そうですね…つらいですよね…
- 星　ぜぜぜぇ…頼むから…ぜぜぇ…これだけはやめてくれ…ぜぜぇ
- 看　（モニターに表示されるSpO_2 88％という表示を見ながら）そうですね…でも，このままでは息が苦しくてとてもつらいと思うので，すぐに医師に相談してみますね
- 星　（うなずきながら，肩を上下させて頻回に呼吸している）
- 看　（星野さんのそばに付き添いながら，医療用電話で担当医に電話する）．もしもし，内科病棟看護師の…

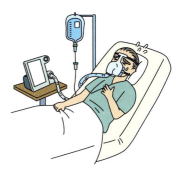

図3.3-1　NPPVを装着していても苦しむ星野さん

　COPDを患う星野さんの場合，身体へのさまざまな影響を考慮した結果，NPPVを装着することが最善とされ，本人・家族も納得の上でNPPVを装着した．NPPVは自発呼吸に応じて換気を補助するため，十分に鎮静することはできず，患者の理解と協力が不可欠である．ゆえに，NPPVがどれだけ優れたライフサポートテクノロジーであったとしても，星野さんのように苦痛が強い場合には使用が困難になってしまう．

　星野さんは急性増悪により，呼吸苦，喀痰困難などの身体的苦痛，呼吸苦から生じる「死んでしまうのではないか」という心理的苦痛，「こんなに苦しいなんて…もう退院できないのではないか」という社会的苦痛，「このまま，ずっと機械をつけて生きていくのか」という実存的苦痛に遭遇したことが推察される．病棟看護師は，星野さんの「苦痛」を感じ取り，全人的苦痛が心理的・精神的混乱を引き起こしていると考えた．そのため，NPPVを装着しないことによる身体機能悪化の恐れを懸念しながら，せめて心理的・精神的混乱によって生じる呼吸負荷を軽減しようとマスクの装着は勧めず，星野さんの呼吸状態を観察しながら星野さんの気持ちが静まるのを待った．そして，健康危機状況において効果的な治療ができていない星野さんのそばを離れる危険性を察知し，星野さんが不快にならないよう言葉を選びながら，担当医に状況を報告した．報告を受けた内科医はIPPVへの変更を決め，**集中治療医**＊に連絡した．

集中治療医

急性発症の疾患や外傷，慢性疾患の急性増悪などにより臓器不全に陥った重症患者に対して，治療やケアなどの全身管理を行い，命をつなぐ専門医師．日本においてはなんらかの専門医師としての経験を経て取得可能な認定であるため，麻酔科医や救急医などの経験を積んでから取得する医師が多い[7]．

3 星野さんとの出会い

内科医より連絡を受けた集中治療医は，NPPV装着後に呼吸状態が増悪していることから，ICUでの人工呼吸器管理となる可能性が高いと判断し，ICU入室の準備を促すために一報を入れた（図3.3-2）．ある程度，準備ができた状態でICUに移動することで，治療をスムーズに進めるためである．集中治療医からの電話を受けたICU看護師は，電子カルテで星野さんの全身状態を確認しながら電話を切った．そして，夜勤メンバーである別の看護師に星野さんの受け持ちを依頼し，入室の準備を始めた．

●午後5時過ぎ，ICU看護師が夜勤リーダーとして働いていると，電話が鳴った．RRR…RRR….

看　はい．ICU看護師の櫻井です．

医　集中治療科の大竹です．これから内科病棟に挿管に行きます．内科医の話では，COPDの急性増悪で呼吸状態が悪化しているようなので，ICUで人工呼吸器管理することになると思います．名前はホシノゲンゾウさん．72歳です．

看　（復唱し，メモを取りながら）COPDの急性増悪…挿管後ICU入室…ホシノゲンゾウさん…72歳…

医　これから内科病棟に行って状態を見てくるので，詳細はまた連絡します．

看　20分あれば受け入れできると思いますが，急ぐようなら連絡してください．

医　わかりました．

図3.3-2　集中治療医から連絡を受けるICU看護師

---

4 星野さんの身体機能悪化の恐れ

集中治療医が病室に到着すると，星野さんは低酸素血症・高二酸化炭素血症による錯乱で頻呼吸となり，呼吸状態がひっ迫していた．循環動態の増悪はないため鎮静薬を使用して気管内挿管され，眠った状態でICUに入室した（図3.3-3）．そして，受け持ち看護師とリーダー看護師は星野さんを迎えた．

医　星野さん，集中治療室に着きましたよ．人工呼吸器を着けますね．

看　（前胸部に心電図モニターを貼りながら，閉眼していることを確認して）…星野さん，お部屋を移動しましたよ．わかりますか？

星　（穏やかな表情で閉眼している）……（声かけには無反応で開眼せず）

医　挿管前，興奮していたので少し深めに鎮静しました．結構眠りが深そうですね．

看　そうですね．（聴診器で呼吸音を聞くと両肺野の呼吸音は弱く，ヒューヒューという音とゴロゴロという音がする）．

図3.3-3　眠った状態でICUに入室した星野さん

看 呼吸音が減弱していますね…それに笛音と，水泡音が特にすごい…これは吸引したほうがいいな．星野さん，チューブで痰を取りますね．少し苦しくなりますよ．（気管内吸引をすると，ズズズズズーという音とともに黄色痰が多量に吸引されるが，無反応である）．循環動態も落ち着いているので，必要時，体位ドレナージしてもいいですか？

医 大丈夫です．今夜は眠ってもらって，呼吸状態が上向いてきたら鎮静薬を減量していこうと思います．鎮静薬が効きすぎているようなら，教えてください．

看 わかりました．ベッドサイドを整えたら，ご家族を面会に通しますね．

ICU入室後，看護師と医師は，心電図モニターや人工呼吸器を装着しながら鎮静下の星野さんに声をかけ，過ごす部屋が変わったこと，これから集中治療を開始することなどをわかりやすい言葉で伝えた．そして，映し出されるモニタリングデータやフィジカルアセスメントから全身状態を把握することに加え，呼吸音や痰の性状や量，モニターに表示される数値から「苦しいだろうな」など星野さんの声にならない思いを理解しようと努めている．そして，星野さんが自身で意思決定をできない状況だからこそ，星野さんや家族にとって，どのような治療やケアを行うことが最も良いのかを各々が考えながら，治療方針の共有を行っている．加えて，重篤な状態であっても，星野さんの姿を見た妻が少しでも安心できるよう速やかにベッドサイドを整え，妻を案内するために家族控室に向かった（図3.3-4）．

> **plus α**
> **体位ドレナージ**
> 重力を利用した体位は，痰などの分泌物を気道に移動させて排痰を促進し，分泌物により閉塞している気道を開放することで，換気の改善が期待できる．また，臥床は重力により背部の肺胞虚脱を引き起こすため，左右側臥位よりも背部を開放した体位にすると無気肺の改善につながる．

5 星野さんの家族および重要他者の不安や負担

看 （下を向きながら待つ妻に対して）星野玄三さんのご家族様ですか？
妻 （顔を挙げて）はい，星野の妻です．
看 ICU看護師の櫻井です．ご面会できますのでこちらへどうぞ．
妻 ありがとうございます．
看 （歩きながら）今日は入院になったり，ICUに移ることになったりと，たいへんな1日でしたね．
妻 入院して人工呼吸器を着けて良くなると思ったら，今度はICUだなんて…．まさか，こんなことになっちゃうなんて…．
看 …急なことでびっくりされましたよね…．
妻 …もっと早く病院に連れて来ればよかったんですかね…．夫は今どんな状態なんでしょうか？
看 口に管を入れて人工呼吸器でサポートされていますが，苦しくないように薬で眠っています．
妻 …そうですか…．苦しくないなら安心しました…．ここに来るまでもとても苦しそうで…（ぐすっ）とても見ていられなかったので…
看 そうですよね…．眠っていらっしゃいますが，ぜひ触れながら声をかけてあげてください．眠っていても奥さんの声は届くと思いますので．

図3.3-4 星野さんの状態を妻に伝える看護師

> ## 鎮静薬と鎮痛薬
>
> 疾患や治療に伴う苦痛に加え，気管内挿管中は気管チューブによる違和感や咽頭痛，精神的ストレスが生じる．そのため，鎮静薬や鎮痛薬を使用して苦痛の軽減を図り，見当識が保たれ，意思疎通が図れる状態になるよう投与量が調整される．深鎮静が必要な重症患者の場合には鎮静薬が効きすぎてしまい，血圧・心拍数の低下や咳嗽反射の消失，呼吸抑制などを引き起こすことがあるため，患者の状態を逐一観察しながら医師と共有していく必要がある．

リーダー看護師は，星野さんのケアを受け持ち看護師に任せて，妻の元に向かった．当日は複数の出来事があったため，妻もその都度，健康危機を迎えていたのではないかと考えたリーダー看護師は，これまでの不安や負担などをねぎらいながら妻の思いを傾聴した．そして，星野さんの状態をわかりやすい言葉で説明し，妻がベッドサイドで星野さんを見たときに無言で立ちすくんでしまわないように，事前に妻の声かけやタッチが星野さんの生きる力になることを伝えた（図3.3-5）．そして，ベッドサイドに妻を案内した．

妻　あなた，わかりますか？　まり子ですよ．
星　…（声かけに反応はなく，モニター数値の大きな変動もない）
看　お薬で眠っているので反応はありませんが，奥さんの声は届いていると思いますよ．
妻　…（心配そうに見つめながら）だといいんですが….
看　星野さん，奥さんが来てくれましたよ．早くお家に帰れるように頑張りましょうね．
妻　…（鼻をすすりながら）ぐすっ…頑張ってもらわないと困ります…ぐすっ…あなた，加代子姉さんも心配してましたよ．頑張ってくださいね…
星　…（声かけに反応なく，モニター数値の大きな変動もない）
看　私たちもできる限りお手伝いさせてもらいますね．
　　体調が落ち着いてきたら目を覚まされると思いますので，その時のためにご自宅で使用していた日用品や本，お好きな音楽などがあれば，持って来てください．
妻　…目を醒ましたら，そういうものが使えるんですか？
看　はい．目を醒ました後「退屈だ」と話す方も多いので，ぜひお願いします．
妻　わかりました．

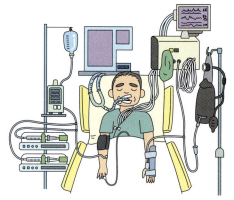

図3.3-5　ICUでは数多くの医療機器が患者の生命維持活動を支える

リーダー看護師は妻の声かけを聞き，夫婦二人で生きてきたこと，お互いが支えになっていることを察し，妻は元通りの生活に戻ることを強く望んでいると感じた．そのため「できる限りお手伝いさせてもらいますね」という言葉で

星野さんに対する最善のケアを保証し、妻の不安軽減に努めた．加えて、今晩を乗り越えれば星野さんの呼吸状態は徐々に快方に向かうと推論し、星野さんにとって見慣れたもの、刺激となるものの持参を妻に依頼することで、窮地を脱した後の生活を想像して看護していくことを伝え、妻が希望をもち続けられるよう配慮した．

星野さんのように本人による意思決定が難しい状況においては、代理意思決定者は家族または重要他者である．そのため、夫の健康危機により妻自身も危機に直面する中で、代理意思決定を行うこととなる．ゆえに、ケアを保証すること、そして希望をもち続けられるような配慮は不安の軽減にとどまらず、妻に対するセルフケア支援にもなる．

妻の帰宅後、星野さんの呼吸状態は緩徐に回復し、鎮静薬・鎮痛薬を漸減したことで、翌朝、星野さんは少しずつ体が動かせるようになった．

|6| 星野さんの苦痛

受け持ち看護師は、夜間、鎮静薬・鎮痛薬を減量した後から、血圧や心拍数の上昇、換気量増加や自発呼吸の出現など、覚醒の徴候に留意して観察を続け、覚醒のタイミングを推論しながら星野さんのケアを続けた．そして、覚醒直後に星野さんが苦痛を訴えることを想定し、文字盤や筆談に必要な紙とペンを用意して星野さんが覚醒するのを待った（図3.3-6）．

星	（うっすら開眼し、伸ばしていた両上肢をお腹のほうに動かそうとしている）
看	星野さん！　わかりますか？　今、集中治療室にいますよ．
星	（表情が変わらず、ピンと来ていない様子）
看	昨日、入院した後に呼吸が苦しくなってしまって、とてもつらい状態だったので、今は人工呼吸器を着けて治療していますよ．
星	（しっかりと開眼するが苦しそうな表情で気管チューブに手を近づける）
看	のどがつらいですか？
星	（うなずく）
看	のどに呼吸を助けるための管が入っているので、そのせいでのどに違和感があると思います．薬で楽になるので、医師と相談しますね．
星	（うなずく）
看	のどのほかにつらいところや痛いところはありませんか？あれば、この紙に書いてもらってもいいですか？（紙とペンを渡す）
星	（首を横にふる）
看	ほかにはない？
星	（うなずく）

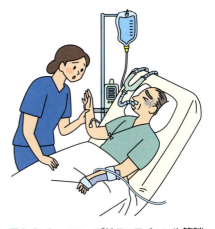

図3.3-6　クローズドクエスチョンや筆談でコミュニケーションを図る

挿管前の星野さんは高二酸化炭素血症による意識障害で錯乱していたため，気管チューブや人工呼吸器，ICU入室について説明したものの記憶には残っていないと考えた看護師は，覚醒した星野さんに経緯と現状を簡単に伝えた．そして，話そうとして口を動かすことで咽頭違和感が増強したり，気管チューブの刺激で咳嗽反射が誘発されて呼吸状態が増悪することを懸念し，星野さんの様子を見ながら**クローズドクエスチョン**で苦痛の有無を確認した．コミュニケーションが取れないことによるストレス軽減や，高揚による呼吸状態増悪予防のため，筆談でコミュニケーションをとることとした．

ICU入室2日目から理学療法を開始した星野さんは，体位ドレナージなどの呼吸リハビリテーションなどにより，呼吸状態は改善していった．

7 星野さんの生活行動変更への対応困難と身体機能悪化の恐れ

ICU入室4日目，星野さんの呼吸状態は改善傾向にあるものの，自発呼吸が十分でなく抜管できない状態であり，ベッド上での生活が続いている．そのため，星野さんのセルフケア能力を低下させないため，ICU看護師は人工呼吸器を装着していても，テレビを見る，髪を整える，新聞を読む（図3.3-7），自分で歯を磨くなど，可能な限り，日常生活に近い状態で過ごせるようにセルフケア支援を行った．また，妻との面会時にはジェスチャーや筆談でコミュニケーションをとっており，「庭の盆栽は大丈夫？」など夫婦の会話を楽しむ様子も見られた．

ベッド上での生活があと数日続くと考えた医師と看護師は，理学療法士や臨床工学士，薬剤師とカンファレンスを行い，星野さんの人工呼吸器装着下での離床計画を立てた．

図3.3-7 できる限り日常生活に近い状態で過ごせるよう支援する

> **plus α**
>
> **挿管中の苦痛**
>
> IPPVでは，気管チューブが口腔から咽頭・喉頭を経て気管まで挿入されているため，覚醒中の患者には気管チューブによる口腔内の異物感や咽頭違和感，唾液嚥下時の咽頭痛など苦痛が生じる．これらの身体的苦痛に加え，挿管期間が長期化することで，コミュニケーションの不自由さ，嚥下反射の低下，長期臥床による筋力低下など，ADLにも支障を来すため，患者のセルフケアを支援するための看護が必要となる．

3 健康危機状況における ライフサポートテクノロジーの可能性

生死の境をさまよう重症患者が多く入室している集中治療室では，患者の命を救うためにさまざまな医療機器，**ライフサポートテクノロジー**を使用する．複数の医療機器を装着された状態の重症患者を見て，「このような状態で人として生きていると言えるのだろうか」「自分はこんな状態になりたくない」と感じる人もいるだろう．しかし，集中治療に携わる者にとって，患者に装着されている複数の機械は単なる医療機器ではない．これらはすべて，患者の身体の一部として身体機能を代行するものであり，患者の命や生活，今後の人生を支えるライフサポートテクノロジーなのである．それゆえ，懸命に生きようとする重症患者のライフサポートテクノロジーを管理することもまた，セルフケア支援といえる．

COVID-19の治療において，一般的にも知られるようになったV-V

ECMO（extracorporeal membrane oxygenation；体外式膜型人工肺）は，自分の肺で呼吸をすることが生命の危機的状況を引き起こす場合に，肺の代わりとして働くライフサポートテクノロジーである．現在，V-V ECMO装着中でもベッド上での日常生活を送ることが可能となっており，重症呼吸不全の患者の場合には人工呼吸器よりも，むしろECMOを装着することで穏やかに過ごすことができたり，日常生活が守られることがある．ライフサポートテクノロジーの装着に関して，さまざまな意見があるだろうが，機械を装着することは決して悪いことではないということをぜひ心にとめておきたい．

引用・参考文献

1) 道又元裕監修．見てできる臨床ケア図鑑ICUビジュアルナーシング．学研メディカル秀潤社，2014．
2) 鈴木久美ほか編．看護学テキストNiCE，成人看護学慢性期疾患看護．改定第3版，南江堂，2019．
3) 日本呼吸器学会COPDガイドライン第4作成委員会．COPD（慢性閉塞性肺疾患）診断と治療のためのガイドライン．第4版，メディカルレビュー社，2013．
4) 道又元裕監修．すごく役立つ急性期の呼吸管理．学研メディカル秀潤社，2020．
5) 日本集中治療医学会看護テキスト作成ワーキンググループ編．集中治療看護師のための臨床実践テキスト：疾患・病態編．真興交易，2018．
6) 早川弘一，高野照夫，高島尚美編．ICU・CCU看護．第1版，医学書院，2013．
7) 日本集中治療医学会ホームページ．https://www.jsicm.org/public/intensivist.html,（参照2024-11-11）．

重要用語

慢性閉塞性肺疾患の急性増悪　　全人的苦痛　　ライフサポートテクノロジー
非侵襲的陽圧換気　　　　　　　セルフケア支援

4 訪問看護を利用している患者
肝癌末期でほぼ寝たきりの独居の男性，肺癌で在宅酸素療法を続ける子育て中の女性

学習ポイント
- 訪問看護場面で遭遇する健康危機状況での対応を理解する．
- 健康危機状況の予測を，家庭で療養生活を営んでいる人々の生活全体をとらえて行うことを知る．
- 健康危機の回避を目標にした訪問看護師の対応の根拠を知る．

1 訪問看護での健康危機状況

この節では，**訪問看護**を受けながら在宅療養生活をしている，肝癌と肺癌の成人患者の健康危機状況に関する対応場面を紹介する．訪問看護を利用している場合にも，入院患者と同様に食道静脈瘤破裂によるショック，感染症増悪による敗血症といった健康危機のほか，家族と食事中の誤嚥による窒息，家の中での歩行中の転倒，たばこの不始末に伴う火傷，家事負担による痛みの悪化など，さまざまな健康危機が予測される．また，健康危機は身体面のみを指す

plus α

訪問看護

看護師等が自宅等で生活する療養者を訪問して提供する看護．

のではなく，心理的，社会的なものも含まれる．在宅療養生活は入院中とは異なり，看護師などの医療従事者が常時そばにいるわけではない．したがって，こうした健康危機状況にも，本人や家族が自分たちで対応することになる．

訪問看護は，生活を営む場である家庭の中で行われる．一人ひとりがそれぞれの生活習慣，生活スケジュール，価値観をもつ家庭に，一時的に入り込んで看護をしていくのである．対象者の疾病状況がどのように変化していくかはもちろんのこと，生活状況，対象者を取り巻く家族の生活や健康状態を予測することが必要になってくる．訪問看護師は，個々のケースに起こりうる健康危機を予測して，危機状況における対応方法を考えておくこと，本人や家族の力量に合わせた対応を助言すること，主治医，ヘルパー，行政の保健師，近所の人々などの，本人や家族を取り巻く人々との連携を図ることが重要である．

訪問看護は，行政の保健師による訪問指導，健康増進事業の訪問指導，訪問看護制度または介護保険制度による訪問看護ステーションや，病院・診療所からの訪問などが考えられる．次に挙げる事例は，年齢や疾病は異なっても，いずれの訪問の場合でも出合う可能性があると思われる．

> **plus α**
> **訪問看護ステーション**
> 訪問看護を提供する事業所は，一般に訪問看護ステーションと呼ばれる．

2 事例で考える訪問看護

1 独居でも自宅で過ごすことを希望した事例

事例 ❶

山川勇治さん，54歳，男性，独居．家族は嫁いだ娘が一人．
既往歴：C型肝炎，肝硬変
現病歴：肝癌．末期の状態で腹水貯留が著明．眼瞼結膜黄染，皮膚黄染，皮膚瘙痒感がある．倦怠感が著しく，ほとんど寝たきりの状態．

a 生活状況

介助があればトイレ移動は可能であるが，排尿，食事は臥床したままで行っている．訪問入浴介護を週に1回利用．入院を勧められるが拒否．病状についての本人の認識は不明．病院の中で生活を制限されたくない，との理由で自宅での療養を希望．

利用しているサービス
　訪問看護：週3回，訪問介護：週3回，訪問入浴介護：週1回

b 訪問場面

いつもの部屋の中の様子　寝たまま物が取れるように，布団の周りにさまざまなものが置いてある（図3.4-1）．

訪問当日の部屋の様子　本人は布団の中，手は畳の上で煙が出ているたばこを持っている（図3.4-2）．手元には灰皿．看護師が寝室に入るが，本人は眠っている様子である．

> **plus α**
> **訪問看護制度**
> 健康保険法等の改正により，1994（平成6）年から全年齢を対象とした訪問看護制度が開始された．2000（平成12）年に介護保険制度が施行され，法令に基づく訪問看護には医療保険制度によるものと介護保険制度によるものがある．

看 こんにちは．山川さん，眠っていました？　たばこ危ないから消しますね．
山 ……．（無言）
看 山川さんのお宅は，いつも暖かくしていていいですね．今日，外はとても寒いですよ．ストーブはずっとつけっ放しなんですか？
山 （うなずく）
看 （バイタルサインの測定，状態の観察などをする）．山川さん，たばこ，前はどのくらい吸っていたんでしたっけ？　1日何本くらい？
山 ……．（無言）
看 今は？
山 ……．（無言）
看 たばこ，やめようと思ったことはないですか？
山 ……．（無言）
看 病院にいると吸えないですよね．家だと吸いたいときに吸える．やりたいときにやりたいことができる．それが自宅のよさですよね．
山 ……．（無言．表情変化なし）

図3.4-1　いつもの山川さんの部屋の様子

看 さっきみたいに，ちゃんと火を消さないままにしておくのは危ないと思うんです．何かの拍子に，布団やほかのものに火が移ってしまったらたいへん．
山 ……．（表情変化なし）
看 （気を悪くしてしまったかもしれない…．明るく話しかけてみよう）．たばこくらい自由に吸わせてくれって思っているでしょ．でも危なくないように考えなくちゃ．協力してもらえませんか．
山 ……．（表情変化なし）
看 娘さん，ほとんど毎晩いらしてますよね．訪問看護もヘルパーさんも訪問入浴も入れると，お昼の間も，ほとんど毎日誰かが来てますよね．その誰かが来ている時間にたばこを吸うようにしたらどうでしょう．しばらくやってみましょうよ．
山 ……．（表情変化なし）

図3.4-2　訪問当日の様子

看 （同意したくはないが，拒否するわけにはいかないと思ってくれているのではないか．このまま押してみよう）．私がいるうちに，吸いたくなったら声を掛けてくださいね．

C 訪問看護師の言動の解説

訪問看護に際して予測していたこと

- **疾病**
  - 腹水貯留による苦痛の増強
  - 皮膚瘙痒感の持続
  - 食道静脈瘤破裂
  - 突然死

- **身体機能悪化，生活行動困難**
  - 腹水貯留，倦怠感による行動の困難
  - 飲酒，喫煙に関わる問題発生の可能性：たばこの不始末による火

　　　　傷，火災，飲酒行動による転倒の危険，体調の悪化
- 暖房器具等による火災発生の可能性
❖ **心理的・精神的混乱**　・他者との接触が少ない孤独感
　　　　　　　　　　　　・先の見通しがないことへの不安，死への不安
❖ **家族**　・別居しているが介護に通ってくる娘の精神心理的・物理的・身体的負担
- 娘の家族が，娘が不在になることにより感じる生活の不便さ

❖ 予測していた危機状況における対応方法

❖ **生活行動困難**　独居で自力移動がほとんど不可能なため，家の鍵は，本人，家族（別居の娘）の同意を得て，定期的に訪問サービスで入る事業所が預かる．多職種，多くの人々が出入りするため，各事業所が合鍵を持つという防犯上の危険性があり，各事業所は鍵を管理するという重大な責任を負っている．

❖ **身体機能悪化**

❶ **緊急時の対応**　主治医は公立病院の勤務医であり，訪問診療，往診の対応はしてくれない．長く受診していないという状況では，亡くなったときに主治医が診断書を書くことができない場合があること，静かな最期を望んでいたのに，主治医の訪問診療，往診が受けられないために，警察への届け出が必要になる場合もあることを家族に伝え，緊急時の対応方法について家族の意向を確認する．主治医とも話し合い，主治医から往診可能な開業医へ緊急時，あるいは死亡時の診断のための往診をしてもらえるように連絡をとってもらう．往診医の選択にあたっては，本人や家族の意向を尊重できるよう支援する．また，**緊急連絡先**を書いた紙を電話の近くに張っておき，在宅療養生活に関わる人々全員が共有できるようにする（図3.4-3）．

❷ **食道静脈瘤破裂**
- 本人一人でいるときの突然の大出血，その場にサービス提供者が訪問した場合：心臓が動いているかどうかを確認し，動いているようなら救急車を呼ぶ．動いていないようなら往診医へ電話する．
- 訪問中に突然の大出血が起こった場合：救急車を呼ぶ．

❸ **突然死**
- 訪問時に声を掛けても返事がなく，呼吸が止まっている様子であった場合：心臓が動いているかどうかを確認し，動いているようなら救急車を呼ぶ．動いていないようなら往診医へ電話する．

❹ **皮膚瘙痒感**　清拭等の皮膚ケアを行う．処方された軟膏を塗布する．

d 訪問場面の解説

山川さんがたばこ好きで，布団から手の届く範囲に灰皿，たばこ，ライターを置いているのは知っていたが，初めてたばこに火がついている状態に遭遇した．しかも本人は眠っ

> **plus α**
> **訪問看護の内容**
> 健康保険法等の利用者数に多い看護内容の上位3項目は，病状観察，本人の療養指導，リハビリテーションであった．また，訪問看護で行われている医療処置にかかる看護内容では，服薬管理・点眼等の実施，浣腸・摘便，褥瘡の予防であった（厚生労働省．平成28年介護サービス施設・事業所調査より）．

```
救急車　119
医院（□□先生）　〇〇〇－△△△△
訪問看護ステーション　〇〇〇－△△△△
娘の職場　〇〇〇－△△△△
娘の自宅　〇〇〇－△△△△
```

図3.4-3　緊急連絡先を書いた紙

ていた様子であり，たばこの火の不始末により火災を引き起こしてしまう危険性を感じ，何とかしなければと思う．

しかし，山川さんの現在の状態は，好きだったお酒を飲めるわけでもなく，自由に動くことさえままならない．たばこを吸うという楽しみを奪うようなことはしたくない，と考えた．「たばこ危ないから消しますね」と言ったときに山川さんが何も言わなかったため，山川さんはたばこを吸っていたこと，火を完全に消さないで眠ってしまったことについて，非難するようなことは言われたくないのだと感じた．そこで，すぐにはたばこの話はせず，ワンクッションおいてから，山川さんのたばこに対する思いや，火災の危険性についての考えなどを聞き出そうとした．

山川さんは口数が少なく話にもなかなか乗ってきてくれないため，十分に山川さんの気持ちを知ることはできなかった．そこで，考えられる危険防止対策である「誰か人の目があるときにだけたばこを吸うようにする」ことを提案した．そして，山川さんの家に訪問する各サービス事業者や介護者である娘にも連絡をとり，たばこによる危険防止についての協力を求めることにした．

2 家庭内役割を全うしようとしている事例

事例 ❷

川口京子さん，34歳，女性．家族は夫と3歳，5歳の子ども二人
現病歴：肺癌．限局型ではあるが，小細胞癌のため手術適応ではなく，化学療法を行っている．在宅酸素療法*中．

a 生活状況

発病前は，子ども二人を保育所に預けて仕事をしていた．少しでも長く子どもと一緒に過ごしたい，そのためには，できる限りの治療も受けたいとの本人の希望で退職した．下の子は，積極的に外に行くよりは家で遊ぶことが多いおとなしい子である．上の子は幼稚園に通い始めたばかりで，送迎が必要である．

家の中はいつもきちんと片付いており，療養中ではあるが日中は洋服で過ごしている．脱毛のため，自宅にいるときもかつらをかぶっている．状態が悪くなると入院治療を行うが，化学療法は主に外来で行っている．

夫は，通勤に片道1時間半かかるが，これまで多かった残業を減らして，早く帰ってくるようになっている．

利用しているサービス 訪問看護：週1回（主な看護内容は状態観察，酸素飽和度測定，療養生活指導）

b 訪問場面

玄関で声を掛けると，「どうぞ」との返事．いつもと違って鍵が開いており，リビングに入っていくと，川口さんはソファーにもたれかかっている．子ども（久美ちゃん）がそばに座って絵を描いている（図3.4-4）．

用語解説 *

在宅酸素療法

HOT（home oxygen therapy）ともいう．慢性呼吸不全等で低酸素血症の患者が，自宅で日常生活を過ごせるように，酸素供給装置と酸素吸入器具を用いて，酸素吸入を行う方法である．在宅酸素療法を受けている患者の居宅で発生した火災による重篤な健康被害の事例では，喫煙が原因であるものが多いとの報告がある．

看 こんにちは.
川 ごめんなさいね. お迎えもしないで.
看 とんでもない. 大丈夫ですよ. だいぶお疲れのようですね.
川 体が重くてだるくて, 動くと息切れはするし, 玄関に行くのもおっくうで….
看 お昼ご飯は食べられました？
川 ええ. この子に食べさせなきゃならないから.
看 久美ちゃん, お昼何食べた？
久 スパゲティ.
看 おいしかった？
久 うん.

図3.4-4 訪問時の川口さんの様子

看 そう. よかったね.（川口さんに向かって）ご自分で作られたんですか？
川 ゆでただけ. あとは缶詰を開けて.
看 酸素をはずしてやられるんでしょう？ 大変だったでしょう.
川 それしかしていないのに, 何度も座って休んで….
看 そうですよね. 利用できるものは利用して, なるべく負担がかからないようにしていくといいですよ. 買い物はどうされてますか.
川 もう少し調子が戻れば出かけられると思うんだけど.
看 そうですね. 淳ちゃんが帰ってくるのは2時半ぐらいでしたっけ. お迎えは大丈夫ですか？
川 淳と仲良しの子のおかあさんが連れて来てくれるって…. もう何もできなくて….（と話しながら, 涙が落ちてくる）
看 …そんなことないですよ. ちゃんと久美ちゃんにご飯作ってあげているし, そばにいてあげるっていうことも, とても大事なことだと思いますよ.
川 （泣きながら首を振る）
看 今は, 薬が効いていて体が病気と闘っているから, とてもつらい時期なんだと思います. もう少ししたら落ち着きますよ. 今までもそうだったじゃないですか.
川 （泣き続ける）
久 おかあさん.（心配そうに寄ってくる）
看 久美ちゃん, おかあさん, そばにいるとうれしいよね.
久 うん.
看 ねえ, だからおかあさん, 頑張ってください.
川 頑張れって, いつまで頑張ればいいの. ずっと, 頑張ってきたのに. ずっと, ずっと, 頑張ってきたのに. これ以上何をしろっていうの.
看 そうですよね…. 川口さん, ずっと頑張ってこられたんですよね.
川 ….（まだ泣いている）
看 今大事なのは, できるだけお子さんやご主人と一緒に過ごして, 久美ちゃんや淳ちゃんと一緒にいる時間を大切にすることですよね. そばにいるって, とても大事なことだと思いますよ.
川 （徐々に落ち着いてくる）そうよね. 久美, ごめんね. びっくりしちゃったよね.

c 訪問看護師の言動の解説

訪問看護に際して予測していたこと

苦痛, 身体機能変化 治療終了後間もないため, 食欲不振, 疲労感など, 抗がん薬の副作用が現れている. 2～3週間で自然に回復するはずだが, 脱毛,

手足のしびれは続く．脱毛や在宅酸素療法により容姿の変化があり，自己イメージの変化への適応が必要である．

:・**生活行動の困難，心理・精神的混乱** 体調が悪いため思うように身体を動かすことができず，気持ちが沈みがちである．発病前にはできていた母親，妻としての役割が十分に果たせなくなる．

:・**家族** 夫は，仕事を減らして妻の療養生活を支えようとしてくれている．自分が病気になり夫の生活を変えることになってしまったことに，本人は罪悪感を感じている．下の子は，元気に遊びまわったり，他児との関わりも大事にしたい時期であるが，遊びは母親の体調に左右されてしまう．

:・予測していた危機状況における対応方法

:・**苦痛** 治療終了直後は抗がん薬の副作用があるので，対処可能な部分は主治医に内服薬の処方を相談する．精神的なものも影響するため，家族や近親者からの支えも必要である．

:・**生活行動の困難** 体調がすぐれない間は無理に動こうとせず，頑張りすぎずに，できる範囲で動くことが大切であることを伝えていく．

:・**心理・精神的混乱** 本人の気持ちの変化を見逃さず，気持ちを表出したときには十分に話を聴き，受け止める．

:・**家族** 子どもの養育に関しては，時には友人や近所の人の力を借りながら，夫の負担が増大しないように，対応策を一緒に考えていくようにする．

d 訪問場面の解説

　普段は施錠してあり，本人が鍵を開けに出てきてくれるので，体調が悪いのだろうと予測しながらリビングに入った．本人の様子を見て，体調が悪くて動けない状態であると判断し，家事が何もできないのではないかと思い問いかけるが，できる範囲で行っていることが確認できた．子どもが母親のそばにいるのを見て，幼いながらも子どもは母親のことを気にかけ，母親のそばにいることで安心感を得ているのではないかと感じた．

　本人は，体調が悪いこと，仕事を辞めて家にいるのに十分に母親の役割を果たせないことに気持ちが乱れて涙をこぼしてしまう．看護師は，病気のことを知っても前向きに治療に取り組み，明るい様子の川口さんとしか話したことがなかったため，突然涙をこぼした川口さんを見て驚くが，現在，母親としてできていることを認め，治療経過から現在の身体の状況を理解できるように説明し，励まそうとした．しかし，「がんばれ」という一言で，さらに川口さんの気持ちを乱してしまった．

　川口さんの「がんばってきた」気持ちと，「これ以上はがんばれない」気持ちに共感し，母親，妻として**現在できていることを認め，支持する働きかけ**を行った．

重要用語

訪問看護　　　　　　　　　訪問看護ステーション

5 終末期患者
心不全で終末期にある男性とその家族

学習ポイント
- 終末期患者と家族が抱く全人的苦痛（身体的・心理的・実存的な苦痛）を理解する．
- 終末期心不全患者が体験しやすい症状とアプローチ方法を理解する．
- 終末期心不全患者の特徴を理解する．
- 患者・家族の意思決定プロセスを支える方略を考えることができる．

1 終末期患者の健康危機状況の特徴

　終末期とは，患者の疾病が治療に反応しなくなり，治癒が望めなくなった状態をいう（➡p.52～54参照）．終末期にある患者は身体的苦痛だけでなく，精神的・社会的，そして実存的な苦悩までも体感している．同時に，家庭や職場，地域などで多くの社会的役割を担う成人が終末期に至ると，家族や友人など周囲の人々に対しても大きな影響を及ぼす．

　終末期においては，患者と家族のQOLをできる限り良くすることを看護の目標とする．この節では，超高齢化に伴い心疾患や呼吸器疾患など，非がんの終末期患者が増加している現状を踏まえ，終末期を迎えた心不全患者と家族の事例を通して，健康危機状況と看護の実際を解説する．

2 事例で考える終末期患者の看護

事例

山田勇さん，58歳，男性　**診断名**：拡張型心筋症，慢性心不全
家族構成：独身．母（82歳，姉60歳）と三人暮らし．
職業：会社の事務職として勤めていたが療養のため休職中．

|1| 入院までの経過

　10年前に拡張型心筋症＊と診断され，以来，市内総合病院の循環器内科に通院．**心臓再同期療法（CRT-D＊）**植込み術を施行している．ここ2年は入退院を繰り返し，入院間隔も短くなっていた．前回の入院は20XX年1月で，3週間の入院加療を経て退院後，循環器内科外来で定期受診に通っていた．3月に入り自宅の階段の昇り降りでも息切れがあり，途中で休憩するようになった（図3.5-1）．2～3日前からは就寝もままならなくなり，入院となった．

用語解説＊
拡張型心筋症（DCM）

左心室が拡大し，心筋の収縮力が低下する心筋疾患．主な原因として，ウイルス感染と一部の内分泌疾患があり，心筋細胞の性質が変化することで細胞が脱落したり，細胞を取り囲む間質が細胞の隙間を埋めるようにスジ状になる（線維化）などして壁が薄くなるために引き起こされる．最初の自覚症状は息切れと疲労が多い．進行性の病気で，ほとんどでうっ血性心不全を発症する．

用語解説＊
CRT-D

両室ペーシング機能付き植込み型除細動器．微弱な電気刺激を心臓の左右両方の心室に送り，心室全体を同期させることで収縮を促すペースメーカー機能に，除細動機能がついた小型機器．日本では2006年から保険適用になった．

｜2｜入院時の状態と治療

NYHA Ⅳ度，**心不全ステージ分類***のステージDの末期心不全．左室機能を反映する**左室駆出率***（ejection fraction：**EF**）は18％であった．中心静脈カテーテルと膀胱留置カテーテルが留置され，強心薬と利尿薬の静脈点滴が投与された．また，酸素吸入，ベッド上安静の指示が出された．

入院時の医師からの説明：山田さん，母，姉

「退院してから再入院までの期間が短くなってきています．心臓の機能がだんだんと落ちてきて，動きが弱くなっている状態です．お小水を出す点滴と心臓の力を助ける点滴を使っていますが，これまでの入院のときと比べてもあまり効果は出ていません．ペースメーカーが入っているのでリズムを取ってくれていますが，血圧も低くなっていて，ギリギリの状態です」と説明された．山田さんは硬い表情で無言のまま聞いていた（図3.5-2）．

病状説明後，看護師は山田さんと家族に，何かわかりづらかった点や疑問点などがあるか尋ねたが，「頭がまっ白で，整理がついていません」と返答があったのみであった．

→ ナーシング・グラフィカ『緩和ケア』10章参照．

用語解説*
心不全ステージ分類
米国心臓病学会／米国心臓協会（ACCF/AHA）による心不全のステージ分類．ステージDの定義はおおむね年間2回以上の心不全入院を繰り返し，有効性が確立しているすべての薬物治療・非薬物治療を考慮し，実施したにも関わらずNYHA心機能分類Ⅲ度より改善しない患者．

用語解説*
左室駆出率（EF）
収縮期の左室機能に関係する指標の一つで，EFが50～55％未満のときに左室収縮機能不全状態と推定されることが多い．

図3.5-1　自宅でも息切れのある山田さん

図3.5-2　入院時，医師の説明を聞く山田さん

｜3｜入院後の状態と医療者の対応

a 場面1：身体的苦痛へのケア　死をも連想させる呼吸困難

看護師は，山田さんのEFが18％まで低下しており，拡張型心筋症による左室拡大，心筋収縮力低下から呼吸困難を生じていると考えた．山田さんが「水の中で溺れている感じ」と表現した一番つらい症状である呼吸困難にアプローチすることで苦痛緩和ができるよう，カンファレンスで山田さんの情報を共有した．また，**緩和ケアチーム**に介入を依頼し，山田さんと家族の支援の方向性を検討することになった．

看護ケアとしては，①全身状態の変化による日常生活への影響と，それに対する山田さんの心の動きや表情などを注意深く観察する，②山田さんが安

楽に過ごせるよう療養環境に配慮し，日常生活を支援する，③山田さんの訴えを傾聴し，ありのままを受け止める，などの対策を話し合い共有した．

> ● 数日後，看護師は検温のため病室に訪れた際に，山田さんに次のように話しかけた．
> 看　山田さん，息苦しさはいかがですか？
> 山　良くなってきたけど，まだ少し苦しいね．
> 看　良くなってきていてよかったです．でもまだ苦しさが続いているのですね．おつらいですね．
> 山　入院は何回もしているけど，今回は今までで一番苦しかったよ．
> 看　今までで一番苦しいと感じられたのですね．これまでと少し違うなと感じられたのですか？
> 山　そうだね，できていたことがこれまで以上に苦しくてできなくて，水の中で溺れている感じだったよ．

b 場面1の解説

　入院後，数日が経過し，息苦しさが少し軽減した山田さんの苦痛症状について看護師が尋ねる場面である．末期の心不全患者が抱えている苦痛には，呼吸困難・倦怠感・疼痛等の身体的苦痛，不安・うつ・混乱等の精神・心理的苦痛や社会的苦痛，すなわち全人的苦痛がある．山田さんの訴えている呼吸困難は，終末期心不全患者の訴えで最も頻度の高い症状である．拡張型心筋症による呼吸困難は，左室拡張末期圧が上昇し，左心不全によるうっ血・肺水腫，右心不全による胸水を生じることで起こる．肺うっ血から生じるため，利尿薬や血管拡張薬，強心薬の心不全治療が症状緩和につながることがある．現在，利尿薬と強心薬が治療に用いられ，呼吸困難軽減につながったと考えられる．しかし，心機能の状態を考慮すると，今後，回復を望めるかどうかは断定できない．また，呼吸困難は息ができない体験であることから死を連想しやすく，患者にとってはつらい体験となるため，積極的に緩和する必要がある．

症状へのアプローチ

　呼吸困難を訴える患者の場合，症状をどのようにとらえているのかをよく聴き，症状体験を理解することが大切である．苦痛を改善できるように支援したいという思いを伝え，患者に安心してもらうことも必要である．

　また，心不全の患者は臥位を取ると右心系の静脈灌流が増加し，その結果，左房圧が上昇することで肺うっ血が生じ，呼吸困難を来しやすい．呼吸困難軽減のためファウラー位で過ごすことが多いが，いつの間にか体がずり落ちて体に負担のかかる姿勢となっていることもある．できるだけ心臓に負担がかからないよう，看護師2人以上で安楽な姿勢にポジショニングすることも必要である．このような症状一つひとつの原因をアセスメントし，アプローチすることが患者の苦痛緩和につながっていく．看護師は患者の主観的な訴えのほか，全身状態の観察を行い，小さな変化もキャッチする必要がある．

---

plus α

悪液質（カヘキシー）

栄養状態不良により衰弱した状態をいう．悪液質はがんに限らず慢性疾患の栄養不良の終末像であり，心不全でも同様に起こる．浮腫の増強，食欲不振，悪心，疼痛など多彩な症状が出現する．

- 夜間の巡回時に，山田さんが目をぱっちりと開けていたため，看護師は静かに声を掛けた（図3.5-3）．

看 山田さん，眠れないですか？

山 うん．いろいろと考えちゃって，身体は疲れてて眠りたいって思ってるのに眠れないんだ．

看 どんなことを考えてしまうのですか？

山 前の入院の時に，先生からも，もしかしたら退院が難しいかもって言われてたんだ．それってつまり最期はここ（病院）でってことだよね…でも何とか退院できて，また命が助かったんだって思ったんだよ．この病気との付き合いも長いから，何となく最期のことを考えることはあっても，考えるとどんどん不安になっていくから，深くは考えないようにしてきたんだ．本当なら僕がたくさん働いて親孝行したかったのに，こんなふうになっちゃって……迷惑かけてばかりで申し訳ないよ……

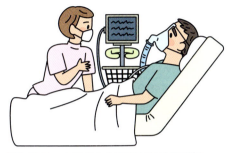

図3.5-3　山田さんに声をかける看護師

c 場面2：実存的な苦悩

不確実な病状や家族への思いなど，さまざまな感情を抱き思いを吐露する山田さんのそばで，看護師はうなずきながら話を聴いた．

d 場面2の解説

場面2では，山田さんの心理的・**実存的**な苦悩が表出されている．実存的な痛みには，宗教儀式に参加できないことから起こるストレスなど信仰に関わる葛藤をはじめ，より精神的・心理的な葛藤がある．これには価値観への問いかけ，絶望感，人生の意味の喪失，孤独感，病気や死に対する恐れなどがある．

山田さんは前回の入院時に医師から受けた病状説明で死を意識し，不安な思いを抱えながら療養生活を送ってきた．それに加え，高齢の母親への負担から申し訳ない気持ちを抱いており，不眠が出現している．看護師は，山田さんが安心して話せるように腰を下ろして聴く姿勢を取り，時折，相づちを打ちながら傾聴した．この際，会話や気持ちの高ぶりが心臓への負担となり，呼吸循環動態に影響を与える可能性があることを考慮する必要がある．看護師は，モニタリングしている心電図波形や，呼吸状態に目を配りながら，山田さんの苦悩をありのまま受け止めるよう心掛けることが大切である．

心不全患者の病みの軌跡の特徴

終末期患者に対しては，**緩和ケア***としてさまざまな取り組みが行われているが，中でも心不全患者へのケアは増加の一途をたどっている．心不全の病みの軌跡には，急性増悪と寛解を繰り返しながら徐々に全身状態が悪化していき，終末期には急激に状態が悪化するという特徴がある．一方で，補助人工心臓や強心薬などによる積極的な治療で劇的に回復する場合もある．そのため，心不全患者へのケアはがん患者へのケアとは異なり，生命に関わる積極的治療が最後まで継続されることがある．そのため，病状が回復していくのか，それ

用語解説＊
緩和ケア
WHO（世界保健機関）では，緩和ケアを「生命を脅かす病に関連する問題に直面している患者とその家族のQOLを，痛みやその他の身体的・心理社会的・スピリチュアルな問題を早期に見出し的確に評価を行い対応することで，苦痛を予防し和らげることを通して向上させるアプローチである」と定義している．緩和ケアはがんや終末期の患者に限らず，全人的な苦痛緩和のために行われる多職種チームによるアプローチととらえられている．

plus α
緩和ケア診療加算
緩和ケア診療加算は，これまで悪性腫瘍または後天性免疫不全症候群の患者が対象であったが，平成30年度診療報酬改定で末期心不全が追加された．このような背景もあり末期心不全の緩和ケアが広まってきている．

→ ナーシング・グラフィカ『成人看護学概論』11章，『緩和ケア』10章参照．

とも回復せずに終末期となるかの予想が難しい．

「今回こそはダメかもしれない」と絶望感を抱く一方，入退院を繰り返し心不全が改善するという経験をしてきた患者や家族は，「治療で心不全がまた良くなるのではないか」という希望も抱きやすい．事例の山田さんは，前回の入院時に退院できないと言われながらも退院できたという経験があり，自分の病状が予測しづらい状況に置かれている．さらに，そのような希望をもつ患者や家族に対して，医療者も緩和ケアの話し合いの場をもつことに戸惑いを感じることもある．しかし，死を意識しながらも，その時がいつやってくるのかわからない不安を抱える患者の思いを受け止め，心情に配慮しながら病状の理解の程度や価値観を明らかにしていくことは，限りある時間を患者と家族が有意義に過ごすための一助になる．

e 場面3：最期までその人らしく生きることを支える看護

入院から1週間が経過した．尿量は日に日に少なくなり，全身の浮腫が増強していった．山田さんは「苦しい」と言いながら顔をゆがめたり，そわそわして身の置き所がなく，手足や体を動かすような姿が見られるようになった．

家族を含めた緩和ケアチームによる話し合いの結果，苦痛緩和のため鎮痛・鎮静目的で**オピオイド**（モルヒネ）とデクスメデトミジンの持続点滴が開始されることとなった．山田さん本人へはベッドサイドで説明を行った．

医師からの説明：山田さん

「お薬の治療は続けていますが，残念ながらあまり効果は出ていません．うっ血も増強していて，息苦しさが続いていておつらいと思います．モルヒネという麻薬を微量点滴投与することで，症状がいくぶん和らぐと思います．モルヒネの効果を見ながら，ウトウトと眠れるような薬も点滴しようと思いますが，いかがでしょうか」

山田さんは，かすかな声で「苦しい……楽になりたい……」と返答した．

病状進行による心不全悪液質や低酸素血症のみでなく，新たに投与する鎮静薬による意識低下，オピオイドの副作用であるせん妄の出現が予想された．そこで看護師は，山田さんと家族が意思疎通を図れる時間を設けることにした．

母親は涙を浮かべながら看護師と話していたが，山田さんの前になると優しい笑顔を浮かべて話しかけていた（図3.5-4）．

その夜，オピオイドとデクスメデトミジンが投与され，山田さんの苦痛様表情は見られなくなった．母親からは「本当に眠っているみたいですね．むくんでいるけど，穏やかな顔をしていますね」という言葉が聞かれた．また，「勇，薬が効いてるよ．楽になって良かったね」と話しかけている姿が見られた．

看	先ほど医師から説明があったように，新たに点滴が始まります．苦しい症状を和らげるために行いますが，意識がはっきりしなくなることも予想されます．何か山田さんとお話ししておきたいことがあれば，今のうちにお話しすることをお勧めします．
母	苦しそうな症状を見てるのがつらくて…苦しいのは嫌だと言っていましたから…勇と話せなくなるのはつらいけど，お薬を使ってもらうのがいい方法だと思います．
看	つらいご決断をされましたね．苦しさをとってあげたいという優しいお気持ちが，息子さんに届くと思います．お母さまとお姉さまの気持ちが落ち着いてから点滴を始めますので，ゆっくりお話しなさってください．
母	これまで伝えられないでいたことを伝えてみます．
看	点滴や心電図モニターのような管がいろいろと体につながっているのでためらわれるかもしれませんが，山田さんの手を握ったり，お体に触れて大丈夫ですよ．
母	そうなんですか．なんだか触ると機械が作動してしまうんじゃないかと思ってたんです．
看	大丈夫ですよ．心電図のアラーム音は，ナースステーションでも見ていますので何かあればうかがいますし，ご心配なことがあればいつでもナースコールで呼んでください．お薬で眠られていますが，聴覚は残ると言われています．お母さまがお話になったことも聴いておられると思います．

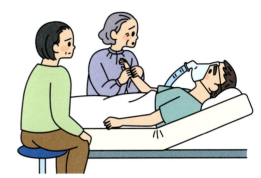

図3.5-4　山田さんと家族との時間を設ける

f 場面 3 の解説：心不全患者における意思決定支援

場面3では，緩和ケアチームと家族による苦痛緩和に向けた話し合いが行われた．入院前から，近くで山田さんの苦しそうな様子を見てきた家族は，なんとか山田さんを楽にしてあげたいという気持ちがある一方，もしかしたらこれが最後の会話になってしまうのではないかという不安も抱き，葛藤が生じている（➡p.59，1章4節1項6「倫理的ジレンマ」参照）．

人生の最終段階においては，医療従事者から適切な情報提供と説明がなされ，患者が多職種チームと十分に話し合いをもった上で，本人による意思決定を基本として，医療・ケアを進めることが原則である．しかし，循環器疾患は病状の予想が難しく，患者の意思が不明瞭なまま終末期を迎えるケースも多い．そのような中で，患者による早期からの意思表示として**アドバンス・ケア・プランニング**（advance care planning：**ACP**）が推奨されている．ACPとは，今後の治療・療養について，患者・家族と医療従事者があらかじめ話し合う自発的なプロセスと定義されている．意思決定においては，人工呼吸器や心肺蘇生を希望していなかった患者でも，心不全症状悪化による耐えがたい苦しみから人工呼吸器装着を希望するなど，気持ちが変わることがある．看護師は，患者の揺れ動く気持ちを受け止めながら，繰り返し話し合い，患者が望む生き方や将来的な予測などをその都度，丁寧に伝え，患者の意思決定を

➡ ACPの詳細は，ナーシング・グラフィカ『緩和ケア』11章参照．

支えることが重要である．

　今回の事例は，患者である山田さんの意思がくみ取れるものの，意識がもうろうとした中での発言であった．このように心不全患者においては，病状により本人が意思表示できないことも生じる．その場合は，主に家族による**代理意思決定**が求められる．重要な決断をしなければならない家族のつらい心情を理解し，患者の生き方を理解する家族だからこそ出せる決断を尊重できるように，代理意思決定を支援することが必要である．

➡ 代理意思決定の詳細は，ナーシング・グラフィカ『緩和ケア』11章参照．

> **オピオイド鎮痛薬**
> 山田さんのような治療抵抗性の呼吸困難に対して，オピオイド鎮痛薬である**モルヒネ**の有効性と安全性が報告されている．看護師はモルヒネの副作用である便秘，傾眠，せん妄および呼吸抑制が起きていないかを十分に観察する．特に腎機能低下を来している場合は，モルヒネの活性代謝物蓄積による過鎮静，せん妄，呼吸抑制等に注意が必要である．

　この日から家族は病室内に宿泊するようになった．鎮静効果が得られており，ベッドからの転落の危険性が低くなったことから，看護師はベッドの高さを下げてベッド柵を外し，家族が山田さんのそばで過ごしやすいよう環境を整えた．

　心不全の終末期は緩和ケアだけでなく，効果があると思われれば積極的な治療も併用して行われるため，身体につながっているライン類が多くなる傾向にある．家族はそのような患者の姿を見ることで，生命の危機にあることを認識しショックを受けたり，近寄らないほうが良いのではという思いを抱くこともある．看護師はライン類や輸液ポンプなどの医療機器の整理を行い，足元のコードなどに引っ掛からないよう安全性を確保するなど，患者のすぐそばで家族が過ごせるような環境を整えることが大切である．

　また，たとえ意識がなくても，聴覚は最期まで残るとされている．患者の療養生活をそばで見てきた家族は，自分には何もできなかったという後悔の念を抱くこともある．患者と有意義な時間を過ごせるよう，家族が患者に話しかけやすいような環境づくりや働きかけを行う．

　ここまで，山田さんとその家族の事例をもとに看護を考えてきたが，家族のかたちは多様化しており，家族背景や関係性は個々で異なる．友人など家族以外との結びつきが強い人もいるため，その人がどのように過ごしたいのか，その人らしい時間を過ごすために看護職としてできる最良なことは何かを考え支援することが重要である．

　また，終末期にある患者は，「息ができずに苦しい」「迷惑をかけて申し訳ない」と全人的苦痛を体感する．これら苦痛の緩和を図りながらも，良くなるか

もしれない部分にも目を向けてケアを行うことも忘れずにいたい．この先，患者自身が腕を動かすことはないかもしれないが，浮腫で脆弱になった肌が傷つかないように触れる，食べられないとわかっていても口腔ケアを行い，痰などで不快にならないようにする．これらの積み重ねがその人らしさを支えることにつながる（➡p.52 1章3節5項参照）．

引用・参考文献

1) Nordgren L,Sörensen S.Symptoms experienced in the last six months of life in patients with end-stage heart failure. Eur J Cardiovasc Nurs.2003．(2) p.213-217．
2) 厚生労働省．人生の最終段階における医療・ケアの決定プロセスに関するガイドライン．2018．p.1．https://www.mhlw.go.jp/file/04-Houdouhappyou-10802000-Iseikyoku-Shidouka/0000197701.pdf，（参照2024-11-11）．
3) 日本循環器学会．循環器疾患における末期医療に関する提言．2010,p28.https://www.j-circ.or.jp/old/guideline/pdf/JCS2010_nonogi_h.pdf,（参照2021-08-04）．
4) 厚生労働省．平成29年第1回人生の最終段階における医療の普及・啓発の在り方に関する検討会．https://www.mhlw.go.jp/file/05-Shingikai-10801000-Iseikyoku-Soumuka/0000173561.pdf，（参照2024-11-11）．
5) 眞茅みゆき，進展ステージ別に理解する心不全看護．医学書院，2020,p223．
6) Blundon EG,Gallagher RE,Ward LM.Electrophysiological evidence of preserved hearing at the end of life.Scientific Reports.2020.10（1），p.10336．
7) 日本緩和医療学会．WHO（世界保健機関）による緩和ケアの定義．2002．定訳．https://www.jspm.ne.jp/information/WHO/index.html，（参照2024-11-11）．
8) 籏持千恵子編集協力．看護技術．メヂカルフレンド社，2017．(65) 10．

重要用語

全人的苦痛（total pain）　　緩和ケアチーム　　アドバンス・ケア・プランニング（ACP）
病みの軌跡　　　　　　　　鎮痛
緩和ケア　　　　　　　　　鎮静

6 電話相談者
乳房切除術を受けた女性からの夜間の電話相談

学習ポイント
- 電話相談をする患者の苦痛と，必要としている支援を理解する．
- 電話相談時のセルフケア支援の方法を理解する．
- 電話相談によるトラブルの回避方法や支援の限界を知る．

1 健康危機状況にある患者の電話相談

　人は自らの健康問題に直面したとき，「命にかかわることなのか」，「しばらく放っておいても大丈夫なのか」，自らの健康危機に対する判断に否が応でも直面する．特に，急性発症の疾患や突然のけが，治療中の疾患の悪化が予想される場合には，身体的苦痛に加え「今すぐ病院に行くべきなのか」あるいは「翌朝（もしくは次回の外来受診日）まで待つべきなのか」など受診のタイミングに戸惑い，「なぜこのようなことになってしまったのか」「放っておいたらどうなってしまうのか」など，さまざまな精神的苦痛も同時に抱えることになる．

plus α
医療電話相談窓口
休日や夜間に生じた子どもの急な症状やけがなど，家族だけでは判断に困る場合，小児科医師や看護師に相談できる「子ども医療電話相談事業」，医師や看護師が傷病者の状況から緊急性を判断し，救急要請や受診可能な医療機関の紹介，受診時期の助言を行う「救急安心センター事業」などがある．どちらも短縮番号をプッシュすることにより，電話相談を受けることができる．

このような健康危機状況にある人が症状の増悪を予防し，健康危機を回避するための手段の一つに**相談**というセルフケアが存在する．健康危機状況における相談は，他者に意見を求める行為であると同時に，専門知識をもつ信頼できる人から，症状の軽減に役立つ情報や精神的援助を受けることでセルフケア能力を再獲得し，自身の行動に対して意思決定する過程でもある．

　この節で取り上げる健康危機状況における電話相談者は，まずなによりも健康危機に対処するための支援を必要としている．例えば，「薬がなくなってしまい，袋をよく見たら朝1回内服する薬を間違って朝夕2回飲んでいた．どうすればよいか」といった服薬に関する相談や，「人工肛門の周囲の皮膚が赤くただれてきた．痛みはないが人工肛門用パウチを装着してよいか」といった外泊中の医療処置に関する相談，「慣れ親しんだわが家で死にたい」といった在宅療養に関する相談など，内容はさまざまである．

　相談者の状況に応じて相談先や相談に応じる看護師も異なる．入院中の患者が外泊や外出時に健康危機に遭遇した場合には病棟看護師，退院後に自宅療養している人が健康危機を感じて相談する場合には病院の外来看護師や病棟看護師，通所施設の看護師や訪問看護師など，相談者やその家族が直面している健康危機状況に対応することが望ましい看護師が支援を行う．

　電話相談は，いつでも，どこからでも相談できる，患者にとってはとても身近な方法である．その一方，相談を受ける者は相談者の話す内容や話し声，息遣い，間合いなどから心身状態を理解しなければならないため，相談者の健康危機状況に対応するためには**傾聴**が重要な看護となる．

　次に挙げる事例を通して，電話相談をする患者の苦痛，電話相談時のセルフケア支援について考えていく．

日本電話相談学会

1997年，電話によるコミュニケーション，電話カウンセリング，電話相談という心理的援助活動に関する研究の発展，相談技術の向上を目的に発足した．ストレス社会といわれる現代において，電話相談の意義や心理的援助が果たす役割の重要性が認識されている．

> **電話トリアージ**
>
> トリアージはフランス語で，「選り分ける」を意味する言葉で，緊急度や重症度に応じて，治療の優先順位を判定することをいう．救急部門や診療所には多様な患者からさまざまな電話相談が寄せられるため，電話によるトリアージは，いまや医療に不可欠なものになりつつある．ただし，電話では相手の状態が見えないため，医療者の知識や経験が問われる．電話トリアージを安全かつ効果的に行うには，系統的に実施可能なシステムの必要性が報告されている．

2 事例で考える電話相談

> **事例**
>
> 佐野由紀子さん，55歳，女性，会社員，1人暮らし．
> 既往歴：乳がん（右乳房切除術後，右腋窩リンパ節郭清後）

1 佐野さんとの出会い

- 午後10時ごろ，救急外来の電話が鳴った．
  RRR…
- 看　はい，救急外来看護師の田中です．
- 佐　すみません，そちらの病院の乳腺外科で診てもらっている佐野由紀子と申しますが…
- 看　（メモを取りながら）佐野由紀子さんですね．こんばんは．どうされましたか？

図3.6-1　電話相談への対応

　医療機関へ電話相談する人は心身の不調に加え，なんらかのセルフケア不足が生じている可能性が高い．電話相談では，声音などから相談者の心身の状態を適切に把握し，相談者のセルフケアを支援することが主要な看護実践となるため，相談者が自身の状況を落ち着いて話せる状況をつくることがセルフケア支援の第一歩となる（図3.6-1）．

　佐野さんとの出会いの場面で看護師は，電話応対時に自分は何者なのかを伝えるとともに，佐野さんの言葉から生じた事態を推察しながら温かみのある声色で話しかけることで，佐野さんの精神的安寧を図っている．同時に，電話という対面できない状況であっても，相談を受け止める意思を「どうされましたか」という言葉で示し，佐野さんに生じたことを安心して伝えられるように配慮している．そして，佐野さんが話す内容を聞きながら，佐野さんが本当に伝えたいメッセージに耳を傾けようとしている（図3.6-2）．

図3.6-2　相談者の状況を知るために何を聞けばいいのだろう

2 佐野さんの心理的・精神的混乱と苦痛

佐　今朝から右腕が腫れていて…1年前に乳癌で右胸とリンパ節の手術をしました．手術の後もずっと調子が良かったのに，今ごろ腫れてくるなんて…．再発かもしれないと不安になってしまって…

看　まあ，そうでしたか…．今朝から急に右腕が腫れてしまったんですね．それはとても不安でしたね．

佐　(鼻をすすりながら) はい．順調に良くなっていたのに，急に…(泣きながら) こんなことになるなんて……．再発かもしれないと思ったら不安で眠れそうにありません．

看　そうでしたか．不安なままでは眠れませんよね．

佐　(電話口で泣き続けている)

看　今まで順調だったので急なことで驚きましたよね．不安になりますよね．

佐　(鼻をすすりながら) はい…．

看　(しばらく泣き声がおさまるのを待つ)．

図3.6-3　佐野さんの心理的混乱

身体機能の悪化など，自分の力だけではどうにもならない状況に遭遇したとき，人は不安に駆られ，ときに心理的・精神的混乱に陥る（図3.6-3）．電話相談では，身体機能の悪化と精神的苦痛がほぼ同時に吐露されるため，双方を受け止めながら生命への影響を判断する冷静さが求められる．

看護師は，佐野さんの話を遮らずにじっくりと聞き，現在直面している健康危機の概要を理解した．そして，佐野さんの直面している危機に対して不安や葛藤を自分のことのように受け止め，佐野さんの思いが自分に届いたことを伝えるために共感を示した．さらに，会話の内容から「どうしたらよいのかわからない．助けてほしい」というメッセージを受け取り，佐野さんが行えるセルフケアを検討するために身体の状態を確認する必要があると考えた．

相談者の心理的・精神的な混乱が続いている状況での質問は，「つらい」「しんどい」などの感情的な表現が中心となり，心身の状態を把握することが難しくなる．そのため看護師は，佐野さんの泣き声がやむのを待ち，右腕に生じている腫れの生命への影響と受診のタイミングを判断するため，身体機能に関する質問を始める．

plus α 乳がん術後のリンパ浮腫

乳がん術後の患側上肢はリンパ管の流れが低下している．肥満や運動不足，患側上肢の使い過ぎ，衣類による締め付け，患側上肢のけがや感染，糖尿病などが生じるとリンパ管が途絶し，皮下に組織間液が貯留することで患側上肢に浮腫のような腫脹がみられる．これまで乳がん術後のリンパ浮腫を予防するため，患側上肢での採血や血圧測定は禁止されていたが，2018年に公開されたリンパ浮腫診療ガイドラインにおいて，患側上肢での採血や血圧測定はリンパ浮腫と大きな関連がないことが明らかとなった．2024年には第4版が刊行されている．

3 佐野さんの身体機能悪化の恐れ

> 看 現在の症状について，もう少し詳しくうかがってもよろしいですか？
> 佐 はい．
> 看 右腕が腫れているということですが，どのくらい腫れていますか？痛みや動かしにくさはありますか？
> 佐 右腕が全体的にむくんだように腫れていて，痛みはありませんが，いつもと比べると手は少し握りにくいような気がします．
> 看 （メモを取りながら）右腕全体がむくんだように腫れていて，痛みはないけど手は少し握りにくいのですね．
> 佐 ええ，そうです．
> 看 右腕に赤い点々や赤味が出ていたり，熱をもっている部分はありますか？
> 佐 いいえ，そういう症状はありません．

図3.6-4　佐野さんの症状を正確に確認する

電話相談では，相談者の発言から心身機能をアセスメントする必要があるため，相談者に生じている症状と自分のイメージが合っているかを確認しながら，**相談者が答えやすいように具体的な質問**をしていく（図3.6-4）．

これまでの会話から，佐野さんには右乳房切除術と右腋窩リンパ節郭清の手術歴があると推測した看護師は，右腕の腫脹はリンパ浮腫の可能性が高いと考えた．リンパ浮腫が生じた場合に最も注意しなければならないのは，蜂窩織炎（ほうかしきえん）などの感染症である．そのため，右腕の腫脹の程度や疼痛の有無，可動域に加え，感染の徴候となる紅斑や発赤，熱感の有無を確認した．佐野さんの返答から感染の可能性は低いと解釈した看護師は，身体機能の悪化は見られるものの緊急性はないと考え，症状に対する自分なりの判断を説明する（図3.6-5）．

4 佐野さんの生活行動変更への対応困難

> 看 そうですか…．医師に診てもらわないとはっきりしたことは言えませんが，おそらく右腕のリンパの流れが悪くなったことで，右腕が腫れてしまったのだと思います．たとえば，右手で重い物を持ったり，いつもより右腕を使う機会が多かったりしても腫れてしまうことがあります．何か思い当たる出来事はありますか？
> 佐 いいえ，特にありません．
> 看 そうですか．痛みがなければ手首から肩にかけて優しくマッサージするとリンパ液の流れがよくなって，右腕の腫れが少し和らぐと思います．そのほかに，腫れているほうの腕を枕などの上に乗せると楽になる方もいますので，試してみてつらくなければ，そのまま休んでいただいても大丈夫ですよ．

図3.6-5　適切なセルフケアの提案

看護師は，電話相談者の思いに共感しながら会話の内容を客観的に判断し，「どうしたらよいのかわからない」という佐野さんからのメッセージに対して適切なセルフケア支援を行う必要がある．

　看護師は確定診断ではないことを前置きした上で，佐野さんの右腕に生じている腫れについてわかりやすい言葉で説明した．そして，リンパ浮腫と思われる症状が現れた原因を踏まえたセルフケア支援が必要だと解釈し，質問した．乳がん術後の患者にとって，リンパ浮腫予防のためのセルフケア方法の理解は必須であり，退院時にすべての患者が説明を受ける．しかし，原因が思い当たらないという佐野さんの返答に，現在の症状によるセルフケア不足だけでなく，佐野さんにはこれまでの生活の中で，リンパ浮腫予防のセルフケアの不足が生じているのではないかと考え，乳腺外科外来の看護師に申し送る必要性を感じた．その一方で，早急に受診する必要はないが，今夜，自分がどう行動すべきかを知ることが佐野さんの安心につながると考え，今晩を乗り越えるためのセルフケア方法を提案し，佐野さんの反応を待った（➡p.26 図1.2-1参照）．

> **plus α**
> **蜂窩織炎**
> 皮膚の真皮から皮下脂肪組織に生じる細菌感染で，四肢や下腿に発赤や腫脹，紅斑，熱感などを認め，増悪すると疼痛や発熱が引き起こされ，まれに敗血症に移行する．乳がん治療で腋窩リンパ節郭清や放射線療法を行った側の腕はリンパ液の流れが悪く，虫刺されや擦過傷から入った細菌を排除できずに菌が増殖し，蜂窩織炎を発症しやすくなる．蜂窩織炎を契機にリンパ浮腫を発症したり，浮腫が増悪することもあるほか，体力低下時には蜂窩織炎を発症しやすくなるため，リンパ浮腫予防の観点からも重要なセルフケアとなる．

5 佐野さんのセルフケア再獲得

佐　マッサージしたり，腕を上げるといいんですね．やってみます．
看　腫れがひどくなったりご心配であれば，当直医がおりますので病院へいらしてください．
佐　わかりました．まずは，教えていただいた方法を試してみます．
看　そうですね．よいと思います．ちなみに，次回の外来受診はいつごろの予定ですか？
佐　3カ月後の予定です．
看　3カ月後ですね．念のため，明日の朝にでも乳腺外科外来に電話で今後の診察の日程を相談されるのもよいかと思います．
佐　そうですね，仕事も急には休めないので，明日の朝一番で電話してみます．
看　そのほかに何か気になることはありますか？
佐　いいえ，特にありません．これで，安心して眠れます．
看　心配なことがあれば，いつでもお電話ください．
佐　ありがとうございました．
看　それでは失礼いたします．

図3.6-6　ケアを保証し安心感を与える

　電話相談は傾聴や情報提供，助言は行えても，直接的に相談者の行動変容に関わることは難しい．そのため，コミュニケーションを通じて相手のセルフケア意欲を引き出し，患者が主体的にセルフケア行動がとれる，すなわちセルフケアを再獲得できるような支持的な関わりが重要となる．

　看護師は，右腕の腫れへの対処方法や受診相談などの情報を伝え，佐野さんの意思決定を「よいと思います」などの言葉で支持している．そして，いつでも病院に来てよいこと，いつでも電話をかけてよいことを伝えることで，佐野さんへのケアを保証した（図3.6-6）．

6 乳腺外科外来への申し送り

看護師は電話を終えてから，明朝，佐野さんが乳腺外科外来に電話相談した際に，外来看護師から継続的なセルフケア支援を受けられるようにするため，電話相談での佐野さんとの関わりを電子カルテに記載した（図3.6-7）．看護師が夜勤を終えた朝9時までの間に，佐野さんからの電話はなかった．

佐野さんは，後日，乳腺外科外来を受診し，リンパ浮腫は再発によるものではなく，前日に遊びに来た孫の世話で右手を多用したことが原因だとわかった．看護師は「あのとき，電話に出てくれたのが田中さんでよかった」と佐野さんからお礼の手紙をいただいた．

図3.6-7 佐野さんとの関わりを電子カルテに記載する

相談者が健康危機状況を回避できること，そして，**電話応対者との関わりに信頼や満足が得られたとき，電話相談は援助として成立する**．音声を中心とした関わりゆえに，傾聴をはじめとするコミュニケーション技術が対面の場合以上に求められ，容易にできる看護ではない．しかし，電話相談があることで受診時期を逸せず，命を救われることも多々あり，地域社会で暮らす多くの人々の命や生活，人生を支える重要な看護であることを忘れてはならない．

3 電話相談によるトラブル回避と支援の限界

1 電話相談によるトラブルの回避

電話対応時の助言内容や説明方法，態度，言葉遣い，声のトーンなど，些細なことでも，危機的状況にある相談者にとっては不快や嫌悪につながり，相談者の苦痛となる．お互いの表情や様子を音声でしか推し量れない電話だからこそ，電話を受ける態度や声のトーンにも気を配り，誤解を生む言動や言葉遣いを避けなければならない．一方的な指示とならないように相談者の意思を尊重し，自身で意思決定できるように支援していくことが重要である．

また，自分だけでは対応できない相談内容だと判断したときは，相手にそのことを説明し，適切に対応できる医療者に電話を引き継ぐ．夜間などで引き継ぎができない場合は，適切な人から必要な支援を受けられることを保証し，相手に安心感を与えると同時に，改めて電話をかけ直してもらうようお願いする．

電話相談に看護師が関わると患者の病態がいち早く把握でき，的確な**院内トリアージ**につなげることができるケースも増えている．電話に応対する看護師の研鑽は，多くの相談者を救うことにつながっている．

2 電話相談による支援の限界

電話相談は電話を介したコミュニケーションとなるため，発声が可能であり，電話応対者と会話する共通の言語が必要となる．ゆえに，ろうや喉頭がんなどにより言語的コミュニケーションが難しい人，母国語以外でのコミュニケーションが難しい渡航者，在留外国人などの場合には，電話での相談が困難

---

plus α

病院の患者相談窓口

2012年の診療報酬改定において，医療従事者と患者・家族等の対話を促進するため「患者サポート体勢充実加算」が新設された．この加算を取得した施設には，専任の医師や看護師，薬剤師，社会福祉士などが患者・家族等の相談内容に応じて対応できる相談窓口が設置されている．疾病に関する医学的内容や入院上の不安，退院後の療養，薬剤，医療費，福祉制度など，さまざまな内容に関して対面または電話で相談できる．

である．また，医療機関での電話相談という相談方法があることを知らなければ，心身の不調が生じたときに医療者に相談することはできない．入院や外来通院などかかりつけ医をもつ人でも，病院に電話していいことを知らなかったために重症化するまで，あるいは次回の外来まで我慢してしまう人もいる．医療機関は受診歴の有無にかかわらず，電話すればいつでも支援が受けられることを周知し，ケアを保証する必要がある．

3 さまざまな相談方法

健康危機状況における相談窓口は，病院や行政機関に限らず，さまざまな窓口が設置され，相談方法も多様化している．直接対面する面接相談，対面しない電話相談に加え，テレビ電話やオンライン面談，インターネット上の投稿サイト，SNSなど電話以外の相談方法も普及している．インターネットやSNSは自由な時間にやりとりできる利便性や複数名でのやりとりも可能なこと，匿名可能という特性により相談者が増加している．また，相談相手が医療従事者でなくても，同じ悩みや経験がある人であれば，より具体的な支援や励ましを受けることができ，相談者のセルフケアを促進することがある．

> **plus α**
> **さまざまな電話相談窓口**
> 主要先進7カ国の中で最も自殺死亡率が高い日本では，自殺対策の一環として次の電話相談窓口が掲載されている．「こころの健康相談統一ダイヤル」「＃いのちSOS」「よりそいホットライン」「いのちの電話」「チャイルドライン」「子供（こども）のSOSの相談窓口」「子どもの人権110番」．

引用・参考文献
1) 数間恵子編著．The外来看護：時代を超えて求められる患者支援．日本看護協会出版会，2017．
2) 阿部恭子・矢形寛編．乳がん患者ケアパーフェクトブック．学研メディカル秀潤社，2019．
3) 日本リンパ浮腫学会編．リンパ浮腫診療ガイドライン2018年版第3版．金原出版，2018．
4) 桐本ますみほか．二次救急外来の成人患者の電話トリアージで看護師が感じる困難と対処および影響要因．日本救急看護学会雑誌，19（2），p.1-8，2017．
5) 白川洋一監修，山崎誠士ほか編．救急看護電話でトリアージすぐに使える問診票31，第2版，金芳堂，2019．
6) 落合慈之監修，向井直人編．新版皮膚科疾患ビジュアルブック新版．学研メディカル秀潤社，2016．

重要用語

電話相談	危機状況回避	継続看護
傾聴	セルフケア支援	電話トリアージ

7 救急搬送患者
急性薬物中毒で救命救急センターに搬送された男性

学習ポイト
- 救急搬送患者とその家族の特徴を理解する．
- 救急搬送患者とその家族の状況を考慮した看護の視点を理解する．
- 救急搬送における看護場面でのチーム医療の必要性を知る．

1 救急搬送患者の健康危機状況

救急搬送されてくる患者の特徴は，性別・年齢にかかわらず，時間・場所を

問わない突然の発症で，外傷，原因不明の疼痛，急激な意識消失や意識低下など，発症原因も多種多様である．中でも，三次救急医療の場である救命救急センターに搬送される患者は，心肺機能停止（cardiopulmonary arrest：CPA）状態を含む重篤，かつ緊急性が高い**身体的な危機状態**にあるため，専門的な高度医療の対象となる．さらに，搬送されてくる患者は身体的な危機状態だけでなく，意識があったとしても，心理的な不安や恐怖心などをもちやすく，**精神的な危機状況**にも陥りやすい．家族も突然の出来事に動揺し，困惑し，不安を抱き，精神的な危機状況に陥りやすい．搬送直後に死亡する患者も多く，突然の死を受容できずにパニックに陥ったり，強烈な怒りやいら立ちを表出したり，強い悲嘆を経験する家族もいる．また，患者の状態によっては，これまでの家族システムを変えざるをえない状況も生じる．

このように身体的・精神的な危機に陥りやすい患者とその家族の特徴を踏まえ，高度医療を適切に行うためには，さまざまな職種と連携を図り，時間と情報が限られた中で人権を尊重し，高い倫理観をもって適切な看護援助を提供する必要がある．

2 事例で考える急性薬物中毒患者の看護

> **事例**
>
> 鷹野樹さん．37歳，男性．
> 家族構成：妻（38歳），子ども（6歳）父親（70歳），母親（67歳），の5人家族．
> 職業：営業職．ただし，休日は農業を営む両親の農作業を手伝う．
> 既往歴：慢性副鼻腔炎のため治療中．

1 救急搬送されるまでの経緯

前日，母親が残りの少なくなったボウフラ退治用のスミチオン（農薬）を遮光の健康飲料の瓶に移し替え，冷蔵庫に保存した．母親から妻と子どもには説明されていたが，鷹野さんには知らされていなかった．

その日，鷹野さんは23時ごろ帰宅．家族は全員就寝していた．翌朝，早くから出勤する必要があったため，帰宅後すぐにシャワーを浴び，健康飲料を一気に飲んだ．味がおかしいことに気がつき，うがいをしようと洗面台に行く途中で激しく嘔吐し，脱力して倒れた．倒れた際の物音で妻が起き，夫の様子を見て叫び声を上げる．叫び声に驚いて母親も起き，慌てて救急車を要請した．

2 診療応需の状況

a 場面1

救急隊からの**診療応需**の電話を看護師が受け，状況を確認しながら，別の患者の処置をしている救急医に，受け入れについて確認をとる場面である（図3.7-1）．

- 救急隊への対応

救 弓場市救急です．鷹野樹さん，37歳，男性，帰宅後，家で倒れていたのを 0 時ごろ家族が発見しています．救急到着時にはJCS20でしたが，徐々に鈍くなっています．乳白色の嘔吐を繰り返し，有機溶剤のにおいが確認されました．現在，搬送中です．血圧102/52 (mmHg)，脈52（回／分），SpO₂95（％）．そちらに搬送してもよいでしょうか？

看A 先生が処置中なので，話を伺います．意識はまだあるのですね？（救 はい）嘔吐物は乳白色で，有機溶剤のにおいがする．呼吸はどうですか？ 気道は確保されていますか？ ①

救 呼吸は弱く嘔吐も頻回ですし，気道確保のためエアウェイを入れ，補助換気を始めました．

看A けいれんはありませんか？ どのくらいで到着しますか？ ①

救 瞳孔は左右とも縮瞳，けいれんは現時点ではありません．あと 8 分くらいで到着します．

看A わかりました，医師に確認します．お待ちください．

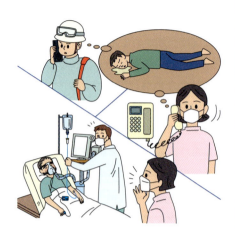

図3.7-1　電話で救急隊とやり取りをする看護師

- 医師とのやり取り

看A 先生，37歳の男性です．激しい乳白色の嘔吐と有機溶剤臭を確認しています．現在，瞳孔縮瞳，意識混濁し始めているそうです．けいれんなし．血圧102/52，脈52，SpO₂が95でエアウェイを入れて補助換気中です．到着8分後です． ②

医A 了解．すぐ連れてくるように言って．

- 救急隊への対応

看A 受け入れOKです．ご家族の方は一緒ですか？ ③

救 了解．奥様が同乗しています．

b 場面 1 の解説

看護師は，①のように救急隊に医師が直接電話での対応ができないことを伝えた上で，患者の基本情報に加え，**緊急性**と**重症度**を把握するために患者の病状を要領よく，かつ正確に救急隊から聴取している．要領のよい迅速な対応は必須であるが，正確に情報を収集し医師に報告することが重要な場面のため，看護師は救急隊の報告から診断，治療につながる情報を，優先順位を考慮しながら質問し，かつ返答をオウム返しで確認している．さらに，患者が救命救急センターに到着するまでの時間を確認し，有効な治療を可能にするための環境の準備をイメージしながら，短時間で意図的に情報を収集する必要がある．

救急隊からの診療応需に対して得た情報を，素早く医師に報告する際には，②のように要点を絞り，かつ診察・治療につながるポイントを押さえて報告の順序を考慮しながら行うことが大切である．救命救急センターまでの到着時間は，医師にとって他の患者の処置との兼ね合いで応援者を求めるのか，他施設に搬送してもらったほうが患者にとって良いのかを判断する重要な情報とな

るため，看護師は具体的な数字を報告している．これは1分，1秒でも対応が遅れると健康危機状況を悪化させてしまい，最悪の場合は死に至らしめてしまう危険をはらんでいる状況ならではの配慮である．

看護師Aは，③のように診療応需の返事をするだけでなく，限られた時間の中でも家族の情報を得ようとしている．救命救急センターに搬送される患者の場合，患者の身体的な危機状態の回避が最優先課題ではあるが，そのためにも患者の情報をもっているキーパーソンが誰であるかを早期から把握することは，大変重要である．また，突然の出来事に直面し，精神的な危機状況に陥りやすい家族のことを常に念頭に置いて，看護援助を行う必要がある．

3 搬送後の初療室での状況（初期治療）

a 場面2

救急車が到着し，鷹野さんは初療室のベッドに移された．鷹野さんの周囲を医師，看護師，救急救命士，検査技師など多数の医療者が取り囲んでいる．末梢点滴，胃管カテーテル，膀胱留置カテーテルの挿入，モニター類が装着された後の場面である（図3.7-2）．

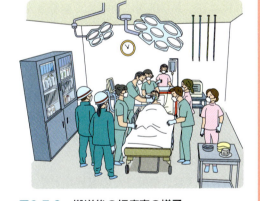

図3.7-2 搬送後の初療室の様子

看A 先生，胃洗浄の用意ができました．④
医A グリセリン浣腸と腸洗浄の用意も．
看B はい．浣腸と腸洗浄を用意します．挿管はどうしますか？ ④
医A 定性結果はまだ？
看C （検査技師に対して）結果出ましたか？ ④
検 はい，定性結果出ました．有機リン剤確定です．
医B 硫アト（硫酸アトロピン）2mg静注，急いで．
（看護師Aが注射を準備し，医師Bに渡す）．
救命士さん，いつ飲んだか家族から情報ありますか？
救 不明ですが，帰宅が23時過ぎで，発見が0時です．
看C まだ2，3時間の経過の可能性が高いですかね（記録を取りながら答える）④
医A 挿管して，胃洗浄を．（医B はい）肺音は？ SpO_2は？（看護師Cに尋ねる）
看C 93です．（看護師Bに対して）挿管準備お願いします．露出が多いのでタオルをかけてください．⑤
看B はい．鷹野さん，タオルかけますね．
医A 分泌物がまだ多いね．硫アト（硫酸アトロピン）2mg静注追加，2gPAM（プラリドキシムヨウ化メチル）を静注後持続でつくって．
看C 先生，ご家族に挿管のことと，原因がわかったので説明をお願いします．⑥
医B どこ？
看C 廊下の椅子で待っていらっしゃいますので，説明室にご案内します．
（看護師Aに）ご家族を案内して，そのまま説明に入ってください．

表3.7-1　有機リン剤中毒の症状と治療

症　状	軽　症	中程度	重　症	治　療
ムスカリン様作用	悪心・嘔吐, 食欲不振 腹痛, 下痢	視力減退 縮瞳, 徐脈	肺水腫 気道分泌物亢進	胃洗浄 緩下剤投与 酸素吸入 人工呼吸 硫酸アトロピン PAM投与 輸液 強制利尿 血液透析
ニコチン様作用		筋線維性攣縮 頻脈, 高血糖	全身けいれん 呼吸麻痺	
交感神経作用		頻脈, 高血糖 血圧上昇		
中枢神経作用	倦怠感, 頭痛 めまい, 不安	言語障害 興奮	昏睡, 体温上昇 呼吸抑制	

b 場面2の解説

　患者が救急搬送された**初療室**では，患者の危機状況を回避するため，多種多様な医療者がチームとなって，それぞれの役割のもとに動く**チーム医療**が重要となる．場面2では，同じ職種でもそれぞれに役割を分担して治療・看護を行っている．また，このような状況において，看護師はそれぞれのチームメンバーがそれぞれの役割において円滑に働けるように，調整を図ることが重要な役割となる．

　④では，医師のサポートとして，治療の進行や処置の準備を確認している．これにより，より迅速に効率よく鷹野さんの治療（表3.7-1）が進行している．また，鷹野さんの状態を確認しながら，優先順位に従った処置，検査を介助している．ほかにも，⑤のように看護師同士でも声をかけ合い，鷹野さんの羞恥心と低体温に配慮し，処置に支障のない範囲で最小限の露出ですむように対応していた．また，処置等の介助，鷹野さんの状態変化をモニターで把握しながら，医師に情報を提供しつつ記録を取っている．記録では行った処置，投与した薬剤などを経時的に見やすく記載し，適宜，医師に報告することは看護師の重要な役割である．

　さらに⑥では，鷹野さんの家族がどこで，どのような思いで待っているのかを看護師は認識していて，医師からの説明の橋渡しをしている．救急搬送されてくる家族は初療室で起きていることを想像できず，突然の出来事に不安と恐怖心を抱え，精神的な危機状況にあることを看護師は十分に認識して行動し，処置の合間には必ず家族に状況を説明し，不安の軽減に努める．看護師Cは処置の介助の手が空いている看護師Aを確認し，家族の対応を指示していることがわかる．

4 急性薬物中毒による入院決定時の家族の不安

a 場面3

　医師から家族に，**有機リン剤**による**急性薬物中毒**で，呼吸を保つために挿管し入院となる旨の説明が済んだ．そのあと，ぼうぜんと廊下の椅子に座って震えている妻に看護師が声をかける場面である（図3.7-3）．

看A	（やさしく，少し低めの声でゆっくりと声をかける）寒いですか？ 震えが止まらないようですが． ⑦
妻	え？ いいえ，はい．寒くはないのですが，止まらなくて…．（泣き出す）．
看A	（組んでいる妻の手にそっと触れながら）突然のことで，驚いていらっしゃるんですよね．心配ですね． ⑦
妻	あの，うちの人はどうして…．どうなるんでしょうか？
看A	（1，2秒後）何か，倒れられたときに周囲に落ちていたものはないですか？ ⑧
妻	わかりません．音がして降りて行ったら，あの人が倒れていて…．白いものを大量に吐いていて…．先生には，「有機リン剤」を飲んだか食べたと言われたのですが，それはどういうものですか？ 薬はいつも鼻炎の薬を飲んでいますけど，こんなこと今まで一度もなかったです．どうしてこんな…．
看A	そうですか．それは本当にびっくりしましたね．詳しく調べてみないとはっきり言えませんが，鼻炎のお薬とは関係ないかと思います．先ほど先生もそのようにお話ししていましたので．有機リン剤というのは，農薬や殺虫剤です．おうちにありますか？ ⑧
妻	夫の両親は農家ですから，農薬や殺虫剤は外の小屋にあると思います．でも，なぜそれを主人が…．自殺なんて…，ありえないです．うちの人に限って，忙しいとは言ってたけど…（言葉を失ったかのように沈黙する）．
看A	（ゆっくりと）そうですか．外の小屋に……．お忙しかったんですね． ⑧
妻	あっ！ お義母さんがきのう何か冷蔵庫に薬を入れたから，間違って飲むなって…（急に立ち上がる）．
看A	おうちにどなたかいらっしゃいますか？（椅子に座るように肩に手を当て誘導する）
妻	（椅子に座りなおして）はい，娘と主人の両親がいます．
看A	連絡がつきますか？（妻　はい．）周囲に飲んだ瓶が残っていないか確認できますか？ ⑧
妻	さっき電話したら，お義父さんが起きていると言っていたので電話してみます．
看A	では，瓶が見つかったら持ってきてもらえますでしょうか？ ⑧
妻	はい．探して持ってきてもらいます．
看A	今夜は家族待機室を用意しますので，ご家族の方はそちらでお休みください．もし，ご主人にお会いになりたいときは，インターホンでお名前を言っていただければ面会できるよう手配します．ただし，先ほど先生のお話にもありましたが，体が震えるけいれんが起きていて，人工呼吸器が付いています．ご本人にとっても苦痛が大きいため，薬で寝てもらっている状況です．お声掛けしても大丈夫ですが，ご主人からのお返事は難しいと思います．一度面会されますか？ 一緒に行きますよ． ⑨
妻	ありがとうございます．一目会ってから家に電話します．一緒に連れて行ってください（看護師の手を握る）．

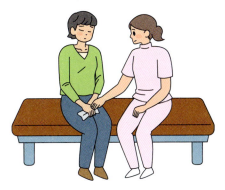

図3.7-3 精神的な危機状況にある妻の話を聴く看護師

b 場面3の解説

　有機リン剤による急性中毒という思いもよらない原因と，挿管され入院になるという展開に想像を絶する**恐怖**と**不安**を感じている鷹野さんの妻に，思いの表出を促すため，看護師Aは妻の思いや様子を⑦のように言語化してゆっくりやさしく伝えている．その上で，妻の思いに**共感**し，寄り添うために「そばにいます」というメッセージを込め，**タッチング**も行いながら，さらに話しかけている．また，同時に急性中毒の原因，発生要因等を明確に情報収集する必要もあり，妻自身の今回の出来事に対する疑問の発言に対して⑧のような質問

を投げかることで，妻の思考の整理と情報収集に努めている．その際には，精神的な危機状況にあることを十分に踏まえ，追い詰めないよう，ゆっくり間をあけながら，妻の返事に耳を傾けている．

さらに，妻の気持ちが少し整理され，冷静になってきたところで，⑨のように，現実的に家族が今後どうしていけばよいのか，医師からの説明をどの程度覚えていて理解しているのか，夫が置かれている状況を受け入れられるかなどの確認をしている．そのときも，看護師Aは「私はあなたのそばにいる」というメッセージを心がけて伝えている．不安で，混乱した心理状態になる家族は少なくない．まして，鷹野さんの妻は一人で今の状況を見聞きし，受け入れなければならなかった．このような状況にある家族にとって，看護師Aのメッセージは心強いものであり，重要な看護師の役割である．

引用・参考文献

1) 條城吉人．特集：知っておきたい急性中毒の知識．Modern Physician, 2014, 34（2），p.119-216.
2) 山勢博彰ほか．系統看護学講座・別巻 救急看護学 第6版．医学書院, 2018.
3) 小池伸亨ほか．救急看護ポイントブック．照林社, 2019.
4) 阿南英明ほか．疾患イメージをつかむ救急ケース68:リアルで多様な症例で診断・治療・ケアを制覇！（Emer-Log2020年夏季増刊）．メディカ出版, 2020.
5) 佐藤憲明．はじめての救急看護：カラービジュアルで見てわかる！ メディカ出版, 2018.

重要用語

救急搬送　　　　　　　　　精神的な危機状況
身体的な危機状態　　　　　チーム医療

◆ 学習参考文献

❶ 中村美鈴編．すぐに実践で活かせる周手術期看護の知識とケーススタディ．日総研出版, 2004.
手術を必要とする人への看護では，まず，その人の身体にどのような手術操作が加えられるのかを具体的にイメージし，術後の経過を予測できるようにする．本書は周手術期看護の知識について，図や絵を用いて事例で紹介している．

❷ 大川淳．いま最新を知りたい人のための「超」まるごと脊椎．整形外科看護．メディカ出版, 2021.
緊急入院した化膿性脊椎炎患者への対応を理解するには，化膿性脊椎炎の病態や治療を調べることが必要だが，その前に，脊椎のしくみとはたらきをしっかりイメージして看護を考えることが重要である．本書はそんな整形外科領域看護の参考書である．

❸ 道又元裕監修．見てできる臨床ケア図鑑．ICUビジュアルナーシング．学研メディカル秀潤社, 2014.
集中治療を必要とする人への看護を実践するには，治療に使用されている医療機器類を見て考え，ケアできる力が不可欠である．

❹ 眞茅みゆき．進展ステージ別に理解する心不全看護．医学書院, 2020.
心不全の急性増悪は，急性期と終末期が表裏一体の関係にある健康危機状況である．本書は，そのような心不全の病態の進行に合わせて，急性期から終末期に至る経過と看護を解説している．

❺ 阿部恭子・矢形寛編．乳がん患者ケアパーフェクトブック．学研メディカル秀潤社, 2019.
電話相談で適切な相談と助言を行えるようにするには，まず，相談者の疾患と治療の経過の中で，どのような看護を必要としているかについての基礎知識が求められる．本書では，乳癌患者にどのような治療が行われるのか，日常生活を取り戻すにはどのようなケアが必要かなどを解説している．

第2部 セルフケアの再獲得

4 セルフケアの低下状態にある成人の理解

学習目標
- セルフケアが低下した成人とその看護の特徴を理解する視座を知る．
- 低下した成人のセルフケアの各レベルの特徴と看護の特徴を理解する．
- セルフケアを再獲得する成人が目指すべき自立について理解する．

1 成人にとってのセルフケア再獲得
セルフケアの低下した大人の理解と看護の視座

学習ポイント
- セルフケアの多義性を理解する.
- 中途障害者のセルフケア再獲得の体験と看護について理解する.
- セルフケア再獲得モデルを理解する.

1 成人とセルフケア

セルフケアは,「セルフ (self)」と「ケア (care)」からなる複合語である.「セルフ」は自分を意味するが,「ケア」には,「気掛かり, 関心, 気づかい, 心配, 注意, 世話, 保護, 監督」[1] 等の意味がある. また, ランダムハウス英和大辞典では, セルフケアを「自分で自分の面倒を見ること」と定義している. これらよりセルフケアは, 自分のために, 自分による, 自分に対してケアを行うことであり, ケアの目的, 提供者, 受け手ともに自分自身であり,「自分」を中心に据えた概念である.

セルフケアという概念は古くから存在していたが[2], 保健医療福祉の分野で着眼されるようになったのは1970年代に入ってからであり, その定義は多様である. 本項では, セルフケアの定義を**オレムの看護理論**[3]に則り, 自分自身がよりよく生きるために, ケアの提供者としての自分自身が, ケアの受け手である自分自身を世話し, 面倒をみることとして広くとらえる. 具体的には, ①十分な空気摂取の維持, ②十分な水分摂取の維持, ③十分な食事摂取の維持, ④排泄過程と排泄物に関連するケアの提供, ⑤活動と休息のバランスの維持, ⑥孤独と社会的相互作用のバランスの維持, ⑦生命, 機能, 安寧に対する危険の予防, ⑧正常性の促進, の8つのことが含まれる. このように, オレムのセルフケアは, 生命の維持から自己実現に至るまで, 極めて広い概念である.

→ ナーシング・グラフィカ『成人看護学概論』12章参照.

ところで, 特に成人の場合, **発達段階**の特徴からみたとき, 自分の面倒だけでなく, 他者の面倒をみることができるのに, なぜこのような当たり前のことが医療や看護の領域でことさら重要な概念として取り上げられるようになったのであろうか.

身体・心理・社会的側面から成人の発達段階の特徴をみると, 身体面では, 青年期には諸機能がピークに達し, その後緩やかに下降するが, 向老期まで社会で働くことが可能である. 心理・社会面では, 青年期には学業を終え, 就職し, 家庭を築く. 壮年期には家庭でも職場でも実戦力を高め, 成熟して頼られる存在となっていく. 向老期には, 職業生活に終止符を打ち, 第2の生活設計にとりかかる. この間, 子どもが自立・自律し, 家庭を離れることで育児か

→ ナーシング・グラフィカ『成人看護学概論』1章参照.

ら解放されるが，高齢の両親の介護を新たに担うようになる．

　このように，成人は発達段階に沿って発達課題を遂げていく中で自立し，また，自らをコントロールしうる自律した人として存在し，自分ばかりでなく他者のケアをも行える高いセルフケア能力をもっているという特徴があるため，セルフケアができて当たり前とみなされている．

→ ナーシング・グラフィカ『成人看護学概論』3章参照．

2 成人とセルフケアの再獲得

　自律し，他者のケアをも引き受けられる成人が，ひとたびセルフケアが低下した状態に陥ると，それまでのセルフケアを見直し再獲得する必要に迫られる．

　成人期は，有訴者率，通院者率，死亡率のいずれも，加齢に伴い上昇傾向にあるものの，他の発達段階に比べると低い．このことからも，成人期の中でもとりわけ青年期，壮年期は，人生で最も健康的で活動的な時期といえる．しかし，青年期には統合失調症，壮年期女性には関節リウマチ，壮年期から向老期にかけては悪性腫瘍や心疾患，脳血管疾患などのように，成人期に多発する疾病がある．このほか，青年期には交通事故やスポーツ事故，壮年期には就業中の事故などによる受傷も多くみられる．

　このような疾病や受傷によって，成人のセルフケアが徐々に低下することもあれば，突然，身動き一つとるにも人手を借りなければならないほど低下することもある．また，セルフケアの低下が一時的なこともあれば，生涯にわたることもある．このように，セルフケア低下の起こり方や程度，持続期間もさまざまである．いずれにしても，自律した大人として生活を送っていた人にとって，それまでできていたセルフケアができなくなることは心身ともに極めて苦痛であるに違いない．それまで自分の意思で生活してきた人が，セルフケア能力の低下によって生活様式の変更が余儀なくされたり，通院や入院することになれば医療の専門家の助言により，それまでと違ったセルフケアを再獲得しなければならないこともある．

　セルフケアが低下したことにより，本人が大きな打撃を受けることはいうまでもないが，周りも大きな影響を受ける．成人は，それまでに身体的・心理的・社会的・経済的に大黒柱的な存在であるときに，その役割を担えなくなると，家族の生活が影響を受け，職場においても，実戦力であるだけにすぐにも家庭や職場に支障が生じるであろう．成人のセルフケアの低下は，本人にとってはもちろんのこと，その人を取り巻く周りの人にもさまざまな影響を及ぼす．本人も周りも，少しでも早く元の生活に戻れるようにしたいと望むのは当然のことである．そのため，回復過程における機能訓練などで焦るがあまりに無理をして，かえって転倒などの事故等によって状態が悪化することがある．

3 成人の中途障害者とセルフケアの再獲得

　セルフケアの低下状態が起きるケースの中で，骨折などのように，ある期間

だけセルフケアの低下を来すものの，やがてほぼ元どおりの状態に回復する場合もあれば，神経難病のように病気の進行に伴い，回復しないばかりか低下の一途をたどることもある．また，脊髄損傷のように外傷は治ったものの，障害としてセルフケアの低下状態が元に戻らないことがある．つまり，健康障害は解決・改善されたものの，障害が残るために，一生障害とともに生きていかなければならないことがある．このように，人生の途中で障害を負ったために，なんらかのセルフケアが低下した状態のまま残りの人生を過ごさなければならない人を，**中途障害者**と呼ぶ（図4.1-1）．

中途障害者は，幼少時から障害をもつ人と違って，健常時と同じようにセルフケアを行うことができず，部分的もしくは全面的にセルフケアの様式を新たに確立しなければならない．それゆえ，中途障害者が新たなセルフケアを獲得するまでには，本人も支援者も多大な努力が必要である．

健康障害と障害

WHOは，「健康」を「単に身体に病気がないとか虚弱でないというだけでなく，身体的にも精神的にも社会的にも完全に調和の取れた良い状態のことである」と定義している．

具体例で考えてみよう．例えば，脊髄損傷者が受傷後，しかるべき治療を受け外傷自体は治癒しても，損傷した脊髄は回復しないため，四肢麻痺もしくは対麻痺という障害が伴う．しかし，その後新たなセルフケアを獲得し，車椅子等で社会復帰し，心身・社会ともに充実している場合には，この人はもはや健康上の問題は存在しないため，障害者であっても，健康障害はないので健康である．しかし，関節リウマチの病者の場合，病気の進行に伴い不可逆的な関節の変形が起こったとき，関節リウマチは治癒していないので健康障害であり，また，障害として関節の変形があるので，障害者でもある．疾病状態にある障害者は，疾病の管理が必要であるため，健康障害と障害を区別して，各々に必要な支援を考える必要がある．

「障害」から「障がい」へ

もともと「障碍」とされていたが，1949（昭和24）年の身体障害者福祉法の制定の際に，常用漢字で表記するため「害」とされた．碍は礙の俗字で「さまたげる，さえぎる」にはマイナスイメージの意味あいは含まれていないが，「害」という字には好ましくないイメージが伴うようになった．このことから「障碍者」または「障がい者」とも表記するようになった．また，障害を個性ととらえ「挑戦することを運命づけられた人」という意味から，「チャレンジド」という言い方をする人たちもいる．

本誌では，表記に一貫性をもたせるために，「障害」としている．

4 中途障害者のセルフケアの再獲得体験と看護

中途障害者のセルフケアの再獲得を支援する際には，①中途障害者と**喪失体験**，②スピリチュアルケアを含めた**全人的看護**，③中途障害者への支援と

図4.1-1　成人が中途障害者となるさまざまな起因

して並行する二つの課題，④**学習の困難さとその看護**，⑤**人的・物的・システム・法的環境の整備**の五つについて考慮する必要がある．

1 中途障害者と喪失体験

|1| 喪失体験とは

　喪失（loss）とは，なくすこと，失うことという意味であるが[4]，特に喪失した対象が依存や愛情の対象である場合を**対象喪失**という[5]．喪失の対象には家族，親族，友人・知人，ペット，財産，職業，地位，名誉，身体の一部分や機能の一部などさまざまある．

　対象喪失後には，特有の心理過程が生じる[5]．この心理過程でよく知られているのがキューブラー・ロスの「否認」「怒り」「取引」「抑うつ」「受容」の**段階理論**である[6]．キューブラー・ロスの理論は，終末期の人を対象としたものだが，命を支える身体の一部分や機能を失い，中途障害者としてその後も生き続けなければならない，きわめて受け入れがたい体験をした人に共通する心理過程といえるであろう．対象喪失後に生じる5段階の心理過程とは，次のような体験である．

　第1段階では，まさか，ありえない，といった**事実を否認**する．第2段階では，事実であることが否定しがたくなってくると，なぜ自分だけがこのような不条理な目にあわなければならないのか，といった**怒りの感情**が生じる．第3段階では，せめて障害がもう少し軽くなれば心を改めてリハビリを頑張り，よりよく生きるから…，と超自然的な力をもつ存在（神や仏など）と**取り引き**をする．第4段階では，何をしても事態が変わらないことを悟り，**あきらめ**，無力を感じ，抑うつ状態に陥る．第5段階では，徐々に現実に目を向け，どうすれば喪失した対象がなくても新たな生き方ができるかを模索し始め，**適応**に向けて気持ちを立て直し，行動し始める．しかし，実際の心理過程はこの五

つの段階を一直線に進むのではなく，各段階の間を行きつ戻りつしながら，さまざまな悲しみや葛藤を体験し，困難を越えていく．その後もすっかり適応しているように見えても，何かのきっかけで思い出し，悲しむことがある．この心理過程で体験する悲しみ，怒り，抑うつ，不安，無気力，罪悪感などの感情や情動反応を**悲嘆（グリーフ；grief）**といい，この心理過程を**悲哀**または**喪**という．そして，この心理過程で体験する一連の感情や情動的反応は「**悲嘆の仕事**」という．悲嘆の仕事は喪失の事実を認め，さまざまな感情から解放され，喪失した対象が存在してなくても生きていける「適応」までの重要な体験で，通常，半年から一年半ほど続く．悲嘆の仕事は自然な感情であり，心理的な立て直しには不可欠な作業である．この悲嘆の仕事を中途半端にした場合，悲哀の期間が遷延し，適応が困難になる[5]．

悲嘆は反応の違いにより四つに分類される．それらは，①身体症状として睡眠障害や食欲減退，疲労感など，②情動的反応として悲しみ，怒り，抑うつ，不安，無気力，罪悪感など，③知覚的反応として非現実感，幻覚など，④行動的反応として混乱，動悸，集中力低下などのマイナスの感情や情動的反応である[7]．

2｜中途障害者と喪失体験

中途障害者とは，健常者が身体の一部分，あるいはその機能を喪失し，障害者となった者である．そのため，中途障害者と生まれつき障害のある人との大きな違いは，対象喪失の体験をしているか否かである．健常者は，全面的に身体に依存して生活しているため，その一部や機能を喪失することは，それまでの生活が崩れてしまうことに他ならない．障害の程度が大きければ大きいほど，受ける衝撃は大きく，立ち直りに時間がかかる．前述のように中途障害者は対象喪失を体験すると，新たな適応の可能性を見いだすまでに悲嘆というさまざまな情動反応を示す．これらの不安定な気持ちは自然であり，回復までには時間がかかることを理解し，受け入れることが重要である．

a 喪失体験は個別的主観的

喪失とは，その人にとって大切と思う対象を失うことであるので，本人にとってその喪失が重大であるかどうかが重要であり，きわめて**個別的**で**主観的**である．例えば，小指が麻痺したピアニストの場合，その人は失業するだけでなく，生きがいまでも失うかもしれない．このように**喪失体験**は，周りの人が想像する以上に深刻で苦痛であろう．喪失体験は，喪失したものやことの客観的な程度などで評価されるものではなく，その人にとっての意味がより重要な意味をもつ[8]．

b 喪失体験の波及的影響

人間は心身の統合体であるため，身体の一部分やその機能を喪失すると，精神面にも大きな影響を及ぼす．例えば，乳房の摘出術で一部の乳房を失った場合，その容姿の変化が本人にとって好ましくないと思ったとき，その人自身の

ボディイメージは著しく低下する．さらに，その人のボディイメージが自分自身の価値として大きなウエイトを占めるとき，自分の価値までも低下したととらえ，自尊感情まで低下する．自尊感情の低下，すなわち自身の存在価値が下がったとして本人がとらえてしまうと，生きている意味を見失うかもしれない．また，同じ乳房の喪失でも，それを女性らしさを失うことになると感じる場合は，その人の女性としてのアイデンティティーが大きく揺らぐ．乳房の一部の喪失が人間としての価値づけや，性へのアイディンティティーにも影響し，精神面において「人に会いたくない」など，社会参加にも消極的になることがある．近年，乳房再建術が積極的に行われているが，新たな適応に向けて大切なサポートである[8]．同時に看護において，喪失した身体だけにとらわれないで，本人が直面している波及的精神面への対応にも配慮することが重要である．

2 スピリチュアルケアを含めた全人的看護

スピリチュアルケアといえば，**終末期ケア**を連想する人が多いかもしれない．それは終末期ケアの領域で先駆的な取り組みがなされ，近年，最もよく取り上げられているからであろう．しかし，スピリチュアルケアは**スピリチュアルペイン**をもっている患者がいるところであれば，どの領域にも必要なケアである．

➡ ナーシング・グラフィカ『緩和ケア』5章スピリチュアルケア　スピリチュアルペインのアセスメントの項参照．

中途障害者は，障害を負ったことで健常時に一人でできていたことができなくなり，人の手を借りなければ生きていけなくなったり，容姿が変わってしまったりする場合がある．そんな中途障害者は，「なぜこんなふうになっちゃったの」「周りに迷惑ばかりかけて」「こんな自分じゃ情けない」「この苦しみには何か意味があるのか」「生きていても意味がない」などの言葉を口にし，中には自死念慮を抱く人も珍しくない．これは，人生を支えていた意味や目的などが根底から覆される体験をしたことで生じる感情であり，これがスピリチュアルペインとして定義されている[9)10]．このスピリチュアルペインは，普段はあまり意識されていないため，気づかれにくい．看護においても，人を理解する方法として身体的，心理的，社会的の三側面でとらえることが多いが，スピリチュアリティーの側面も含めて看護する，いわゆる**全人的看護**を含めた四側面からケアを行うことが重要である．

そして，スピリチュアルペインは，**スピリチュアルケア**で対応することが必要である．スピリチュアルペインを抱えた中途障害者自らが，現状の自分を容認し適応できる，すなわち，さまざまな負の感情から解放され，新しい意味や目的・生き方・役割・価値を見いだすための契機となる看護的アプローチをすることが望ましい[11]．これは，対象喪失後の悲嘆の仕事のプロセスの中で，喪失した対象がなくても生きていけるようになることと共通するものがある．この支援では，**傾聴**，**共感**，**受容**といったスピリチュアルケアが中心となる[12]．

➡ 四側面からのケアについては，ナーシング・グラフィカ『成人看護学概論』5章，主要な健康観：WHO健康の四つの側面の項参照．

3 中途障害者への支援として並行する二つの課題

中途障害者が喪失した重大な対象に対する支援として，マーガレット・S・シュトレーベらは並行する二つの課題を提唱している．一つは，喪失の現実を自分なりにどのように受け入れるのかという喪失志向コーピング，もう一つは，喪失の結果として生じる生活上の問題やこれからの人生とどう向き合っていくのかという回復志向コーピングである．

喪失志向コーピングでは，喪失自体への対処のため，対象喪失後に生じる心理過程の特徴を参考に，人によってたどる過程や悲嘆が異なること，また，喪失した対象の深刻さは個別的主観的であること，身体面の喪失は精神面にさまざまな影響が波及すること，このように，さまざまな感情や思いが錯綜し複雑に絡み合っていることなどをアセスメントし，傾聴や共感により悲嘆を表出できるように支援することが重要である．

回復志向コーピングでは，悲嘆にくれている一方で，生活も続けていかなければならない．看護においては食，排泄，清潔などの身の回りのケアとともに，リハビリテーションプログラムにも励むように支援することが重要である．

提唱されたこの二重過程のモデルは，並行する動的過程である．つまり，あるときは喪失の現実に向き合い，一方では生活上の問題に取り組むという，行ったり来たりする対処の過程であると考えられる．どちらか一方の課題だけでなく，双方の課題に同時に向き合っていかなければならない．時間の経過に伴い，通常，喪失志向コーピングから回復志向コーピングへと軸足が移っていく．失ったもののことばかり考えていたのが，少しずつ目の前の生活やこれからの人生を考えるようになっていく[13]．

4 学習の困難さとその看護

成人の精神的機能について，壮年期から向老期に向かって，加齢につれ記憶力など新しい事柄の習得や適応といった流動性知能が低下することが知られている（図4.1-2）．そのため，青年期に中途障害者になるよりも，壮年後期以降に脳卒中などで中途障害者となった場合のほうが，学習能力が低下するのでセルフケアの再獲得はより困難になる．脳卒中患者の場合には，さらに記銘力の低下，理解力の低下，意欲の低下，言語障害などの高次脳機能障害が伴うことがある．そのため，一つのことが身につくまで繰り返し練習や訓練を重ねなければならず，時間と根気が必要である．言語障害の場合には，通常のコミュニケーションでは意思の疎通が図れないため，多くの工夫を要する．患者も支援者も忍耐強く取り組むことが重要である．

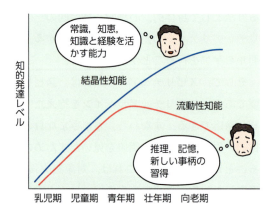

図4.1-2 流動性知能と結晶性知能の生涯にわたる発達

5 中途障害者の社会参加における人的・物的・システム・法的環境の整備

　障害者の社会参加は，そのQOLを高める上で不可欠である．そのために多角的なアプローチが必要だが，中でも**パラリンピック**の果たす役割は大きい．ここではパラリンピックを例に，障害者の社会参加における人的・物的・システム・法的環境整備の重要性について述べる．

　2021年7月，57年ぶりに東京で二度目となるオリンピック・パラリンピックが開催された．「オリンピック・パラリンピック東京2020」において，パラリンピックはオリンピック閉会から約2週間後の8月に開催を迎えたが，自国開催ということも手伝って連日大きく報道され，認知度も高くなった．

　近代オリンピックは1894年，ギリシャのアテネで開催され，約130年の歴史があるのに対して，パラリンピックは，約70年前の1948年にイギリス郊外にある小さな病院の構内で脊髄損傷者のためのリハビリテーションの一環として，スポーツ競技会の開催に始まった．初回の競技者は37人で，観客も30人ほどであった．オリンピックとパラリンピックの発祥はかなり異なり，趣旨も前者は心身の調和と世界の平和を図るのに対し，後者は障害のある人にとって，よりよい共生社会の実現である．しかし，2016年のリオネジャネイロ大会では，159ヵ国と地域から4,333人の選手が参加し，テレビ視聴者も41億人以上で，いまやパラリンピックは障害者による世界最大のスポーツ大会にまで発展し，オリンピック，サッカーワールドカップに次ぐ世界で3番目の規模を誇る大会にまで成長した．

　参加者についても，脊損者だけが対象であったが，現在は多様な障害者も参加することができ，競技数も22種目に増えた．競技は，義手や義足，車いすなどの装具使用の有無に分けて行われている．また，障害の違いによる不公平が生じないよう，障害の種類と程度によりクラス分けされている．例えば100m走では，29種目にも分けられている（視覚，知的，脳性麻痺，切断で用具使用の有無など）．いまやパラリンピックは，福祉からスポーツへと変わったのである[14,15]．

　パラリンピックがこれほどまでに成長してきた道のりは，決して平坦なものではなかった．パラリンピックの父であるルートヴィヒ・グットマンは，1948年に病院構内で脊損傷病兵のリハビリテーションの一環として競技会を開催し，外国選手の招待により国際化につなげた．1960年のローマオリンピックから第1回パラリンピックとして位置づけられ，1988年からは夏季，冬季ともにオリンピックの開催地で行われるようになった．

　日本では，日本のパラリンピックの父とされている中村裕医師が1960年にルートヴィヒ・グットマンのいるストーク・マンデヴィル病院での研修がきっかけとなり，スポーツが脊損者の社会参加に有効であることに着目し，日本の障害者スポーツを強力に推進した．当初は施設内の障害者さえもスポーツに関

心を示さなかったが，1964年の東京パラリンピックの開催がきっかけとなり，この国際大会に初めて日本の障害者が参加するようになった．選手は医師が患者の中から選び，急ごしらえの練習を経て出場した．日本の選手はパジャマからスポーツウェアに着替えての参加に過ぎなかったので，体力的に外国選手とは顕著な差がみられた．また，外国選手たちはよくショッピングなどを楽しみ，表情も明るかった．さらには，日本選手には看護師の付き添いが必要であったが，外国選手は職業をもち，医療処置的なケアはすべて自立していた．

　スポーツは単なる体力の向上だけでなく，ゲーム性があるため面白さがある．選手は競技で勝つために協調性，忍耐力，工夫などを身に付けるのだが，これらは医療の力では果しえない．1964年の東京大会がきっかけとなって，このことが徐々に社会に認知されるようになり，**障害者スポーツ**が推進されてきた．しかし，さらなる推進のためには，次に述べるような環境の整備が必要である[16]．

1 人的環境の整備

　障害者のスポーツは，まずはパラリンピックの祖であるルードヴィッヒ・グッドマン，そして日本の中村裕医師という先駆者の活躍があったからである[12]．当然のことながらそれに賛同した協力者たちがいたことも忘れてはならない．パラリンピックにおいても同様であり，障害者だけでは大会の開催は困難なため，健常者の協力が必要である．障害者に対する人々の理解が社会参加に大きな推進力となる．

2 物的環境の整備

　障害者のスポーツ大会には，体育館やグランド以外にも義肢，装具，車いすなどを競技に合わせて製作する必要がある．障害者の能力をより一層引き出す装具類の精度の向上が求められ，その技術開発にも拍車がかかっており，障害者スポーツのレベルアップにつながっている．これらの物的環境の整備は障害者の社会参加を促進するために不可欠である．

3 システムの整備

　システムとは，多数の要素が集まってまとまりをもった組織や体系のことである．パラリンピックを主催する**国際パラリンピック委員会**は，障害者スポーツの国際的な統括組織で，世界各国の障害者スポーツの振興に力を注いでいる．日本では，日本障がい者スポーツ協会の内部組織として1999年に発足し，長野パラリンピック冬季競技大会から活動を開始した．その事業は，①障害者のスポーツ大会の開催及び奨励，②国際パラリンピック委員会及び国際的な障害別競技団体の事業の参画，③国際障害者スポーツ大会への選手，役員の派遣及成績優秀者の表彰，④障害者スポーツ選手の競技力の強化，である．パラリンピアンが大きな舞台で生き生きと活躍できるのは，こうした委員会がシステムとして系統的に機能していることに負うところが大きい．

4 法的整備

1981年に国際障害者年が採択された．1982年には「完全参加と平等」をテーマに1983-1992年を「国連・障害者の十年」とすることが宣言され，各国が計画的な課題解決に取り組むことになった．日本でも法の整備が徐々に進み，2018年に「**バリアフリー新法**」が制定された．これは，障害者の移動の利便性を図るため，建築物，公共施設のバリアフリー化を推進するもので，駅などのスロープ化，エレベーターやエスカレーター化などが急速に普及した．障害者の円滑な移動に必要な整備としてかねてから指摘されていたが，パラリンピックの開催を契機に法が制定され，整備が一気に進められたのである．法は社会全体の変革に大きな影響力をもつため，今後も障害者の社会参加に必要な法制定に積極的に働きかけていくことは重要である．

このようにスポーツ一つをとってみても，セルフケアの再獲得には個人の努力と同時に，障害者を取り巻く人的・物的環境等の整備は不可欠である．これらの地道な努力の積み重ねが社会の変革につながったといえよう．しかし，障害者に対する偏見や差別の歴史が長く続いたため，時間をかけて取り除いていくことが必要である．

5 セルフケア再獲得モデル

中途障害者の多くを占める脳卒中患者などの臨床での経験およびヒル（Hill, L.）らが提唱したモデル[2]をもとに，発病（発作）から社会復帰までの一連の経過を，患者がセルフケアを再獲得していく視座から，そのプロセスについて整理した．これによって，**セルフケア再獲得モデル**（図4.1-3）が，臨床から帰納的に導き出されたのである．

このモデルは，「**生命維持レベルのセルフケア**」，「**生活基本行動レベルのセルフケア**」，「**社会生活レベルのセルフケア**」という三つの異なる次元のセルフケアの存在を基に分類し，これらを異なる大きさの三つの同心円で表したものである．内側の円は，生命の危機的状態にあって，ヒトが生物として生きていくのに必要不可欠なセルフケアが低下した状態を表している．中間の円はヒトとしての生命の危機的状態を脱し，人として生活できる状態にシフトしたときに必要なセルフケアを表している．外側の円は，ヒトが人間としてよりよく生きていくために，よりレベルの高いQOLに関連する社会生活に必要なセルフケアを表している．

三つの各々のレベルには，日常の生活で必要度の高いセルフケア（**食，排泄，清潔・整容・更衣，起居・移動，セクシュアリティ，コミュニケーション**）を放射状に配列した．このように，生活に軸を据え，セルフケアに視点を置いた援助を行うときに，その人のセルフケアが，今，どのレベルにあって，また，どの種類のセルフケアの低下が生じているかをよく観察・判断し，次に，そのセルフケアの低下を来している原因をアセスメントし，低下している

セルフケア再獲得モデルでは，「生命維持レベルのセルフケア」「生活基本行動レベルのセルフケア」「社会生活レベルのセルフケア」の三つの次元と，食，排泄，清潔・整容・更衣，起居・移動，セクシュアリティ，コミュニケーションの六つの種類のセルフケアを視座とする．
社会生活はさらに「家庭生活」「地域生活」「職業生活」「余暇生活」の四つの側面からみていく．
六つの種類のセルフケアは，人の「生命維持レベル」「生活基本行動レベル」「社会生活レベル」のすべての次元において存在するセルフケアといえる．

図4.1-3　セルフケア再獲得モデルの概念図

　セルフケアを再獲得するにはどのように援助したらよいのかを考えれば，生活に視座をおいた援助が可能になる．

　内側の円は，生命を維持するために必要なセルフケアが低下した状態にあるので，その再獲得には，医学的支援としてライフサポートを受ける必要がある．例えば，食事は経口摂取に替わって輸液が行われ，排尿はトイレでの排泄に替わって尿道留置カテーテルによって行われるなどである．中間の円は，生命の危機的状態から回復し，人として生活を始められるようになったときに必要なセルフケアであり，自分の身の回りのセルフケア（日常生活動作；ADL）に関連する．このときのセルフケアの低下状態が体力の低下に起因するものであれば，時間をかけて体力の回復を待てばセルフケアは次第に元どおり行えるようになる．しかし，セルフケアの低下状態が，麻痺といった運動機能障害などのようになんらかの不可逆的な障害に起因し，障害の改善が望めないときには，新たな様式のセルフケアを再獲得しなければならなくなる．例えば運動機能障害の場合には，医学的リハビリテーションのサポートを受け，理学療法士や作業療法士によって歩行訓練などの機能訓練を受けることで，車椅子や杖による歩行ができるようになる．同様に，そのほかの生活基本行動として，食，排泄，清潔などについても，本人ができる部分を拡大していくことが，この時期に獲得すべきセルフケアである．そして，このように生活基本行動レベルの

セルフケアをベースに，家庭，地域，職業，余暇といった社会生活に関連するセルフケアの低下があるかどうかを見極め，各々の社会生活の特徴に合わせて，セルフケアをTPO（時間，場所，状況）に合った様式にアレンジしていく必要がある．

> **事例**
>
> 　早野さんは27歳の男性，交通事故で頸髄を損傷したが，リハビリテーションセンターでの機能訓練等により，病棟で手動車椅子による生活がほぼ自立する状態まで回復した．生活基本行動レベルのセルフケアが確立するにつれ，元のファッションデザイナーのアシスタントとしての職場復帰も会社の理解により実現可能となった．通勤に必要な特別仕様車の運転，電動車椅子の駆動もできるようになった．この段階で自宅に退院することになった．
> 　早野さんは一人暮らしであり，仕事の関係で生活リズムが不規則になりがちであるため，ホームヘルパーに全面的に頼るのは無理がある（例えば，夜遅い時間に入浴介助を依頼するなど）．そのため家庭生活では，一人でも生活と仕事ができるように，家屋の改修を行った．道路から自宅（二階建て一軒家）の玄関までの段差をなくしてスロープにし，一階と二階間の移動は階段の手すりに電動椅子を取り付け，家の中はどこでも手動車椅子で移動できるように廊下や出入り口を広げた．また，入浴時に身体をつり上げるリフトの機器を取り付け，トイレのスペースを広げ，非常時24時間対応可能な介護会社と契約した．このほか，掃除，洗濯，買い物，食事（作って冷蔵庫に保存しておいてもらい，温めて食べる）は，週3回ホームヘルパーに依頼した．
> 　地域生活においては，近所の人とは挨拶程度の付き合いであったが，受傷したことは聞かれれば話しており，本人は特に負担に感じていなかった．ただ自治会の当番は免除してもらうよう要望し，受け入れられた．買い物は電動車椅子を使い，背もたれの後ろに買い物袋を引っかけて行く．何度か行くうちに，店員が直接，買い物袋に商品を入れてくれるようになった．
> 　職場では，車椅子の高さに合わせた事務机が準備され，駐車場は新たに確保してもらった．職場は高層ビル内にあったが，エレベーターが設置されており，廊下や職場内は車椅子移動には十分なスペースがあるため，従来のままで使用可能であった．出張や余暇活動で遠出するときは，ユニバーサルデザインタクシーを利用し，JRや航空会社等にあらかじめ連絡し，しかるべき手続きをとって，駅員や乗務員の手助けで移動していた．

　このように，移動に関わるセルフケアの様式を一つとってみても，生命維持レベルの時期は，ベッド上でほとんど動くことができない場合，看護師など他者に全面的に依存しなければならない．回復するにつれ，ベッドから離れることができるようになったら，ベッドから車椅子への移乗，あるいは車椅子を駆動するといったセルフケアの方法を再獲得する必要がある．そして，家庭生活では家屋の改修とホームヘルパーの導入，地域生活では近隣もしくは店の人の協力，職場では会社や同僚の協力，そして，遠出のときは，交通機関などへの協力要請が必要である．また実際，手伝ってくれる人に，車椅子を持ち上げるにはどのようにすればよいのか，といった介助方法を適切に指示できることは重要である．そして何よりも，これらのことを可能にする法的システムの基盤整備を忘れてはならない．社会全体でその必要性を擁護（アドボカシー）することで，それを推進することができる．

　社会生活では，時と場所と状況によって必要とするセルフケアの様式が異なるので，本人がまず自分にどのようなセルフケアが必要かを予測し，それに合

わせたアレンジの方法を工夫することが必要となる．このとき，自分でできることとできないことを把握し，できないことは周囲の人の協力を求める勇気と，協力してもらう方法を伝達できることが重要である．

セルフケア再獲得モデルは，脳卒中や脊髄損傷のような運動機能障害をもつ中途障害者のセルフケア再獲得の支援だけでなく，例えば，手術を受け危機的状態にある人の看護においては，生命維持レベルのセルフケアに着目して行えば，よりその状態に合った生活を反映したセルフケア再獲得の支援になるであろう．また，慢性病で，保健行動を維持する必要がある人の看護においては，生涯病気と共に生きていくために，どの側面の社会生活（家庭，地域，職場，余暇）のどの種類のセルフケア（食，排泄，清潔など）に新たに保健行動が必要であるかをアセスメントし，その領域のセルフケアに保健行動をどのように組み込めば支障なく社会生活を続けられるかを考慮してアプローチすれば，よりその人の生活にマッチしたセルフケア再獲得の支援となるであろう．

このように「セルフケア再獲得モデル」は，中途障害者が再びその人らしく生きていくために，あらゆる健康レベルからアプローチする一つの考え方を提案するものである．

引用・参考文献

1) ランダムハウス英和大辞典．小学館，1984．
2) Hill, L. et al. Self-care nursing. Appleton & Lange, 1990, p.3-6.
3) ドロセア・E・オレム．オレム看護論：看護実践における基本概念．第4版．小野寺杜紀訳．医学書院，2005，p.440.
4) 新村出編．広辞苑．第7版．岩波書店，2021．
5) 小此木啓吾．対象喪失．中央新書，1998．
6) E. キューブラー・ロス．死ぬ瞬間：死にゆく人々との対話．川口正吉訳．読売新聞社，1969．
7) 富田拓郎ほか．展望：悲嘆の心理過程と心理学的援助．カウンセリング研究，1997, p.49-67.
8) 坂口幸弘．喪失学．光文社新書，2019, p.34-35, p.50-51.
9) 和田攻ほか編．看護大事典．第2版．医学書院，2010．
10) 窪寺俊之．スピリチュアルケア学概説．三輪書店，2018. p.55, p.64-66.
11) 前掲書10）．p.49-90.
12) 前掲書5）．
13) 前掲書8）．p.148-151.
14) ローリー・アレクサンダー．パラリンピックは世界をかえる．福音館，2021．
15) 佐野慎輔，大野益弘監修．オリンピック パラリンピック大図鑑．講談社，2020．
16) 田中圭太郎．パラリンピックと日本：知られざる60年史．集英社，2020．

重要用語

セルフケア
セルフケア再獲得
中途障害者（成人）
健康障害と障害
セルフケア再獲得モデル
生命維持レベルのセルフケア
生活基本行動レベルのセルフケア
社会生活レベルのセルフケア

2 セルフケアの低下と再獲得

学習ポイント
- 生命維持に関わる身体機能の変調とセルフケアの関連を理解する．
- 生命維持レベルのセルフケアの低下した状況と再獲得支援方法を知る．
- 生活基本行動とセルフケアの関連を理解する．
- 生活基本行動レベルのセルフケアの低下した状況と再獲得支援方法を知る．
- 社会生活とセルフケアの関連を理解する．
- 社会生活レベルのセルフケアの低下した状況と再獲得支援方法を知る．
- 障害の受容と適応に関する議論を知り，セルフケア再獲得プロセスにおける心理・精神的変化に合わせた対応について考える．

1 生命維持レベルのセルフケアの低下と再獲得

1 生命維持機能とセルフケア

　1節で述べたように，セルフケア再獲得モデルは人生の途上で，疾病や外傷のためになんらかの身体機能障害を抱えることになった成人が，どのようにセルフケアを取り戻していくのかに焦点を当てている．そして，生命維持レベルのセルフケア，生活基本行動レベルのセルフケア，社会生活レベルのセルフケアを三つの同心円で考えていくことを提案している．

　では，生命維持レベルのセルフケアの低下とは，具体的にどのような状況であろうか．

　生物としてのヒトが生命を維持していくには，あらゆる身体機能がバランスよく働き，ホメオスタシスが保たれている必要がある．すなわち，ヒトは，身体を動かして（運動機能），酸素を取り込み（呼吸機能），水と食物とを消化吸収して取り入れ（消化機能），それらをエネルギーに変え（代謝機能），血液として（造血機能），身体の隅々の細胞に行き渡らせ（循環機能），不要なものを排出し（排泄機能），感染を防御し（免疫機能），それらを統制して（脳・神経機能）生きている．それゆえ，これらの身体機能の悪化した状態は，いずれも生命の危機状況となる．ヒトの死の三徴候は，呼吸停止，心停止，瞳孔散大で表され，これとの対比から考えれば，呼吸，循環，脳・神経機能が，生命維持に最も重要な機能といえる．

　人は，呼吸や循環が十分に機能している状態では，息苦しさや動悸などがなく，呼吸や循環を意識していない．しかし，ひとたび呼吸や循環等に異常をきたす状態になれば，生命の危うさとしてその身体感覚を意識せざるを得ない．オレム（Orem, D.E.）は，人は誰しも空気の取り入れ，水分の取り入れ，食事摂取などの生命の維持に関わる要素もセルフケアしているという[1]．これらを統合して考えると，生命維持レベルのセルフケアの低下した状況とは，生命

plus α

ヒト，人，人間

「ヒト」は生物的なホモサピエンスという特徴を表す場合に使い，「人」は個人 individual という意味で用い，「人間」は社会的な存在としての human being という意味で用いる．

〈生命維持レベルのセルフケアの低下〉
生命維持に関わる身体機能が低下しているとき
医療機器を使用しているとき
医学的な治療・処置が必要なとき など

〈生活基本行動レベルのセルフケアの低下〉
ADLに関連する身体機能が低下しているとき
苦痛症状が続くとき
生活行動変更が必要になるとき など

〈社会生活レベルのセルフケアの低下〉
生命維持レベルのセルフケアが低下しているとき
生活基本行動レベルのセルフケアが低下しているとき
認知機能・精神機能の障害をもつとき など

図4.2-1　セルフケアの低下した状況の例

の危うさを意識しながらセルフケアせざるを得ない状況であるといえる．

こうした状況では，ほとんどの場合，医学的なライフサポートが不可欠である．すなわち，低酸素血症で酸素療法を受けたり（呼吸），呼吸不全に陥って人工呼吸器装着を余儀なくされたり（呼吸），脱水や低栄養のために輸液療法を受けたり（代謝・循環），出血性ショックのために止血処置や輸血療法を受けたり（循環），致死的不整脈が起こるため除細動器や心臓ペースメーカーを使用したり（循環），腎不全のために人工透析を受けたり（循環・排泄），感染症悪化のために薬物療法を受けたり（免疫）するなど，ライフサポートテクノロジーを駆使した多種多様な医療機器を使用し，医学的治療・処置を受ける．これらから，①生命維持に関わる身体機能が低下しているとき，②医療機器を使用しているとき，③医学的な治療・処置が必要なときなどは，生命維持レベルのセルフケアの低下した状況であるといえる（図4.2-1）．

透析患者の一例

このようにとらえると，心電図モニターの波形や血圧の変動をみることは，生理的異常の発見という意味を超え，その人が訴えられずにいる苦痛のサインを読み取ることになるし，人工呼吸器や透析機器の管理は，医療機器の取り扱いというよりも呼吸や排泄のセルフケアを補う行為となり，輸液バッグを交換する行為は，輸液管理というだけでなく食事を配膳する行為のように意味づけることができる（図4.2-2）．医療機器に囲まれ生命の維持さえも危ぶまれるような状況のときにこそ，このような看護者の振る舞いが，その人自身の存在をケアすることになるのである．

ただ，このような生命維持レベルのセルフケ

図4.2-2　「食事配膳」と意味づけながら行う輸液交換

●在宅酸素療法（home oxygen therapy：HOT）
継続的な酸素吸入の必要な慢性呼吸不全の人が，酸素供給装置と酸素吸入器具を使って，自宅で過ごせるようにする．酸素供給装置はレンタルでき，社会保険診療として認可されている．

●連続携行式腹膜透析（continuous ambulatory peritoneal dialysis：CAPD）
慢性腎不全の人が腹膜を利用して透析（血液浄化）を行う療法の一つ．透析液を出し入れするための腹腔カテーテルを挿入し，1回約30分の操作を1日4，5回，自分で行う．血液透析に比べ生活のための時間や行動範囲を拡大しやすい．APD（automated peritoneal dialysis）という夜間だけ行う腹膜透析の方法もある．

（日本光電工業株式会社提供）

●植え込み式ペースメーカー（恒久式）
ペースメーカーが正常に作動しているかどうか自己検脈により確認することが必要である．日常生活で使う電気機器類はほとんど問題ないが，強力な磁気や磁石には影響を受けるので注意する．飛行機に搭乗する際は，ペースメーカー手帳を提示する．

●ストーマ装具
大腸癌の手術を受け，人工肛門を造設した人は，面板，ストーマ袋を使って，排便管理を行う．ストーマをつくる部位や形状によって，便の性状やスキントラブルなども変わってくるため，その人その人に合ったケアが必要になる．

図4.2-3　生命維持レベルのセルフケアを支える医療機器・用具のいろいろ

アの低下は，セルフケア不足を補えば回復していくので，必ずしもセルフケア再獲得が必要となるとは限らない．例えば，強度の下痢で脱水を起こし輸液療法を行う場合，治癒すれば輸液は不要になる．

しかし，長期にわたり人工呼吸器を使用するなど，生命維持レベルのセルフケアを再獲得しなければならない場合がある．現在は，さまざまな在宅医療機器やセルフケアのための用具（図4.2-3）の開発・改良，普及が進み，それらの機器や用具を利用して，自宅でその人らしく生活することが可能となっている．生命維持レベルのセルフケアの低下が数カ月以上の長期にわたることが見通せる状況ならば，セルフケアの再獲得を支援して，在宅生活に移行する方向を検討することが重要である．

2 セルフケア再獲得支援方法

人工呼吸器を装着した経験をもつ患者への調査研究から，患者が，「自分の呼吸や行動を（呼吸器に）合わせる」「自分の活動を抑える」などと，人工呼吸器を離脱する過程で「自分自身の反応をコントロールする」ようにしていたことが明らかにされている[2]．また，長期にわたり経口摂取が困難になった患者が，高カロリー輸液バッグを「私のごはん」「私のいのちのもと」と言って

大切にしている姿を臨床で日常的に見ることができる．このように人は，今までの生活の中ではまるで必要とせず，見慣れない非日常的な医療機器であっても，その目的や特徴がわかれば，セルフケアするように変わっていく．とりわけ，成人には自分に必要なことは習得していくという学習の特徴がある．それゆえ，セルフケアの再獲得の支援には，本人および共に暮らす人がその人の生命維持に必要な知識と技術を習得し，ソーシャルサポートを活用できるようにセルフケア教育を行っていく必要がある．

→ナーシング・グラフィカ『成人看護学概論』6章参照．

教育内容としては，①生命に関わる身体機能異常の発見のための知識，②使用している医療機器類の目的・取り扱い・使用上の注意点，トラブル時の対応，③吸引，チューブ類挿入部の消毒など継続する必要のある処置方法，などである．また，適切にメンテナンスが受けられるように医療機器メーカーとの関係をつないでいくことも必要となる（医療機器メーカー等では，レンタル機器や在宅支援の専門部署を設けているところもある）．ただし，生命維持レベルのセルフケアの低下があるままで在宅生活に移行していくときには，次節以降で触れる生活基本行動レベルのセルフケア，社会生活レベルのセルフケアという，セルフケア再獲得モデルの同心円のすべてについて学習することも必要となる．それは決して容易なことではない．特に支援を受ける状況が，その人や共に暮らす人々にとって，突然に生じたことか，時間の経過とともに徐々に生じたかによって，違いがあると考えられる．

> **plus α**
> **アンドラゴジー andragogy**
> ギリシャ語のandros（成人）とagogos（指導）の合成語．成人の発達段階の特徴を生かした学習あるいは教育について解明する教育学をいう．ノールズ，ペーゲラーらの成人教育学者によって，教育学，社会学，心理学，行動科学などの諸科学を取り入れた成人教育学の理論体系が確立されている．

例えば，ALS（筋萎縮性側索硬化症）が徐々に進行して呼吸筋麻痺が生じた結果，気管切開を行い人工呼吸器を使用する場合と，突然の事故によって頸髄損傷を受け，数週間の経口挿管下での人工呼吸器使用を経て気管切開を行い人工呼吸器使用に変更していく場合では，周囲のサポートシステムも含めた本人のセルフケア能力には大きな開きがある．生命に直接関わる呼吸のセルフケアを再獲得するために，上気道感染の早期発見や予防法，人工呼吸器の取り扱いと使用上の注意点，気管切開部分の皮膚・粘膜ケア，痰の吸引などを習得しなければ在宅療養は困難という点ではどちらも違いはない．しかし，その内容を同じように説明すればそれでよいということにはならない．

前者の場合，上気道感染症予防はALSの長期療養期間中に既に習得し日常的になっているし，痰の喀出困難時の吸引に際しても，機器もそろっており技術習得もなされている可能性が高い．人工呼吸器使用についても，同病者等から情報を得た上で準備して臨んでいるかもしれない[3]．加えて，車椅子臥床生活のできる住環境の整備や，活用可能な福祉制度の利用などにより，本人も周囲も生活を徐々に変化させながらセルフケア能力を向上させてきていることが考えられる．こうした場合，療養生活は主体的であり，セルフケアの再獲得には積極的であると考えられる．

一方，後者では，突然の事故を境に，気づいたら人工呼吸器に呼吸を管理されており，吸引が必要になっている．自分の状況を理解することさえままなら

ない環境に置かれ，本人も周囲も何をどこからどのように習得していけばよいのか見当もつかない混乱に陥っていると考えられる．自宅の環境も未整備であり，福祉制度についてもほとんど知らない．療養生活は受動的になり，在宅生活には不安が大きく，セルフケアの再獲得には，むしろ拒否的でさえあるかもしれない．

生命維持レベルのセルフケアを再獲得していかなければならない状況にある成人とその周囲に対して，どのようにセルフケア再獲得を支援していくかは，当事者の置かれた心理状態，社会状況等を十分に考慮して時間をかけて行わなければならない．

2 生活基本行動レベルのセルフケアの低下と再獲得

1 生活基本行動とセルフケア

本書でいう生活基本行動とは，日常生活（daily living）を営む上で不可欠な行動という意味である．「日常生活」という言葉は，一般的に一人ひとりの普段の暮らしという意味であり，学生であれば学生生活も含み，職業に就いていれば職業生活も含んでいる．それゆえ，何らかの社会的役割を獲得している成人にとって，日常生活は社会生活を含んでいる．しかし，医療・福祉の領域で「日常生活」という場合，社会生活を除いた家庭や施設など療養の場での生活を指していることが多い．そこで本書では，こうした多様な使い方をされる「日常生活」という用語を用いず，入院施設であっても，在宅であっても，職場や旅行先であっても，24時間を過ごす上で不可欠な行動を「生活基本行動」と表現している．

医療・福祉領域では，**日常生活動作・活動**（activities of daily living：ADL）という用語がある．この語は，主にリハビリテーション医学の分野で発展してきたが，英語表記を見ればわかるように，人のいつもの生活における「動作」あるいは「活動」を指している．「日常生活動作」とする場合，毎日の生活で行う身体の動きといった意味となり，動作に支障のある状況に焦点を当てることができる．一方，「日常生活活動」とする場合，毎日の生活で働き動くことといった意味になり，身体の動きだけでなく生活行動全般が含まれるので，動作そのものに支障がなくとも，倦怠感や息苦しさなどによって動くことに支障がある状況に焦点を当てることができる．

ADLという概念は，最も広義には，家庭，職場，学校，地域など，あらゆる場において動くことすべてを指し，家事動作（炊事・洗濯・掃除），買い物，育児，通勤，訪問，学習，レクリエーション，旅行，スポーツ，趣味，性生活などにおける動きや，身の回り動作（食事，衣服の着脱，排泄，入浴・整容）などが含まれる．ただ，一般にADLという言葉が使用される場合，最も狭義の身の回り動作を指していることが多い．このため，より広義のADLを指すときに，**手段的日常生活動作**（instrumental activities of daily living：

IADL）あるいは，**日常生活関連動作***（activities parallel to daily living：**APDL**）と表すことがある[6]．さらに，リハビリテーション医学の分野では，この身の回り動作のことを「セルフケア」と表記しているものが多々みられる．看護学においてもNANDA看護診断分類*では狭義の意味で用いられている．しかし，わが国の看護学では「セルフケア」という概念を広義のADLよりもさらに広く，人が自らの健康のために行うあらゆるケアを指す場合が多い．

　この日常生活動作・活動（ADL）という視点から，生活基本行動レベルのセルフケアの低下した状況を考えてみよう．まず代表的なのは，脳梗塞や脳出血などで片麻痺になったり，脊髄損傷で対麻痺になったり，下肢の外傷で下腿切断を余儀なくされるといったような，運動機能に支障が生じた状況である．また，心筋梗塞後の心機能低下や心不全，慢性閉塞性肺疾患（COPD）*の進行による呼吸不全，片肺切除術後の呼吸機能低下など，動くために必要な酸素を取り込み運搬する呼吸機能・循環機能が低下した状況でもADLが低下する．さらに，中途失聴や中途失明など，動くために必要な情報の獲得が困難になる視聴覚機能の低下の状況もある．これらは，いずれも生涯にわたる機能障害（impairment）を抱える状況である．また，機能障害はほぼ完全に回復することが見込まれる場合でも，骨折後の回復期や，術後に手術部位周辺の動作を制限されていたことによる関節可動域障害が残った場合，また長期安静臥床生活が続いて心肺機能が低下したときなどの**不使用性症候群**（または**廃用症候群**；disuse syndrome）がある状況などでは，数カ月にわたりADL低下が生じる．

　このほか，ADLという視点からは着眼しにくいが，それは，倦怠感，易疲労，動作時痛といった苦痛症状を長期的に抱えている状況や，人工肛門や人工膀胱を造設し，それまでと異なった排泄行動となる状況，胃切除術後で食生活の変更が必要になる状況など[7]，生活行動に変更が生じた場合も，生活基本行動レベルのセルフケアの低下が起こりうる．

　これらから，①ADLに関連する身体機能が低下しているとき，②苦痛症状が続くとき，③生活行動変更が必要になるときなどでは，生活基本行動レベルのセルフケアの低下があると考えることができる（➡p.202 図4.2-1）．

2 セルフケア再獲得支援方法

　この生活基本行動レベルのセルフケア再獲得のために，まず重要なことは，**急性期リハビリテーション**である．

　「リハビリ」と通称で呼ばれるときには，回復期の運動療法などのトレーニングを指すことが多いが，リハビリテーションrehabilitationの語源はre（再び），habilis（適した，ふさわしい），ation（にすること）で，「人としてふさわしい状態に戻す」「全人間的復権」といった意味であり[8,9]，医療，福祉にまたがる理念である．したがって，急性期リハビリテーションとは，生命維持レベルのセルフケア低下があるときにも，その人がその人らしい生活を取り戻

用語解説*
日常生活関連動作
activities parallel to daily living：APDL
道具的（手段的）日常生活動作（Instrumental activities of daily living：IADL）ともいわれ，日常生活上で必要な，ADLよりも複雑かつ多くの労作を必要とする活動．

用語解説*
NANDA看護診断分類
北米看護診断協会（North American Nursing Diagnosis Association）によるもので，健康問題に対する個人の反応を共通の表現で示す看護診断分類．

用語解説*
慢性閉塞性肺疾患 COPD
chronic obstructive pulmonary disease．たばこなどの有毒な粒子やガスの吸入によって生じた肺の炎症反応に基づく進行性の気流制限を呈する疾患．慢性気管支炎，肺気腫，両者の併発した閉塞性換気障害などがある．

せるようにするにはどうしたらいいか，という視点をもって関わっていくことをいう．

具体的な看護活動としては，不使用性症候群予防を常に念頭に置いて援助することである．患者の苦痛が強かったり，重症であったり，局所あるいは全身の安静を必要とする急性期は，必然的に「動くこと」が少なくなり，使用しない機能が増えてくる．人工呼吸器が装着されていたり絶飲食が続けば，使わないことによって顎関節は拘縮し，会話がなかったり笑顔になるような刺激もなければ表情筋も低下する．ルート類の長さや固定のしかたによっては，不要な動作制限を生じさせることになる．それゆえ，あらゆる場面で，本人が最大限に身体機能を使用できるように関わる．例えば，体位変換のときに苦痛や生理的異常を誘発しない範囲で自分で動いてもらう，呼吸器合併症予防の観点だけでなく呼吸機能の維持・向上を念頭に深呼吸を促す，関節可動域の維持を意識しながら清潔ケアを行うといったことが考えられる．つまり，特別なリハビリテーションアプローチを行うというよりも，**急性期であっても，その人がその人の意思で一つひとつのことを選択し決定できるようにしながら，できるだけ快適に日常生活を過ごせるように援助する中で，不使用性症候群の予防を念頭に置いていること**が重要なのである．

次に，回復期に入ったら，生活基本行動レベルのセルフケアの再獲得が必要かどうかアセスメントし，ゴールを共有する．生命を脅かすような症状が落ち着き，病状のコントロールができてくる回復期に入ると，身体の機能障害が中長期にわたって残るかどうか医学的な判断がつくことが多い．この場合に，既に開発されているADL評価指標を活用して評価を行うと，医学的リハビリテーションの必要性を判断できる．

代表的なものに，**FIM**（機能的自立度評価表：functional independence measure. ➡p.247），Katzの**ADL自立指標**（**表4.2-1**，**表4.2-2**）[6]などがある．FIMは米国のリハビリテーション医学アカデミーとリハビリテーション医学会が共同で行った脳卒中機能帰結評価研究の結果を踏まえて，リハビリテーション医療の対象者すべてのADLを中心とした能力低下を評価する指標として開発された．この評価表は，信頼性・妥当性も国際的に検討されており，本人がしようとすればできる動きを反映した「**できるADL**」ではなく，実際に生活の中で実施している動きを反映した「**しているADL**」を評価するという特徴があり，脳卒中以外にもあらゆる疾患に活用でき，評価時間は約40分とされている．また，KatzのADL自立指標は，脳卒中，大腿骨頸部骨折，多発性硬化症患者のADL評価のために開発されたもので，評価時間が20分以内のため，リハビリテーション医療が必要かどうかのスクリーニングに適しているとされている．しかしこれらは患者自身が求め，望んでいるADLを評価するものではないことに留意しておく必要がある．

例えば，脳卒中のために右麻痺がある患者では，KatzのADL自立指標を用

表4.2-1　KatzのADL自立指標（Katz, et al.1963）

1. ADLの自立指標

ADLの自立指標は，入浴，更衣，トイレへ行くこと，移乗，排泄コントロール，食事における機能の自立または依存の評価に基づいて決める．機能的自立と依存の定義は下記の通り．

- A　－食事，排泄コントロール，移乗，トイレへ行くこと，更衣，入浴に関して自立している．
- B　－上述の機能の一つを除くすべてに自立している．
- C　－入浴とそれ以外の一つの機能を除いて自立している．
- D　－入浴，更衣，それ以外の一つの機能を除いて自立している．
- E　－入浴，更衣，トイレへ行くこと，それ以外の一つの機能を除いて自立している．
- F　－入浴，更衣，トイレへ行くこと，移乗，それ以外の一つの機能を除いて自立している．
- G　－六つのすべての機能に関して他者に依存している．
- その他－少なくとも二つ以上の機能に関して他者に依存しているが，C，D，E，Fに分類されないもの．

自立とは，下に特記する場合を除いて，監督，指示，実際的手助けのいずれをも受けないことを指す．これは実際的状況に基づいて決めるものであり，能力を根拠としない．ある機能の実行を拒否する患者は，たとえできそうに見えても，その機能を遂行していないと見なされる．

入浴（清拭，シャワーまたは浴槽利用）
- 自立：背中または患肢など身体の1カ所の洗いについてのみ介助を受ける．または身体の全部を自分で完全に洗う．
- 依存：身体の1カ所よりも多い部分の洗いについて介助を受ける；浴槽への出入りに関して介助を受ける；または自分で洗わない．

更衣
- 自立：クロゼットや引き出しから衣類を取り出す；衣服，外とう，装具をつける；留め具を扱う；靴ひも結びは除外．
- 依存：自分で着ない．または一部しか着ない．

トイレへ行くこと
- 自立：トイレへ行く；便座に腰掛け，立ち上がる；衣服の上げ下げをする；拭く；（夜間のみ自分で差し込み便器を使用するのはよい．物理的な支えの利用のいかんは問わない）
- 依存：差し込み便器またはコモードを使用．またはトイレへの移動とトイレの使用に介助を受ける．

移乗
- 自立：ベッドへの出入りと椅子への出入りを自立して行う（物理的支えの使用のいかんを問わない）．
- 依存：ベッドへの出入りおよび／または椅子への出入りに関して介助を受ける；これらのひとつまたはそれ以上の移乗を自分で行わない．

排泄コントロール
- 自立：排尿・便通を完全に自分でコントロールしている．
- 依存：排尿または便通について部分的または全面的失禁がある；浣腸やカテーテルによる部分的または全面的コントロールを受けている．またはしびん・差し込み便器を定期的に使用している．

食事
- 自立：皿もしくは類似のものの中の食物を口に取る（肉をあらかじめ切っておくことやパンにバターを塗るなどの準備は評価の対象としない）．
- 依存：食事の動作（上述）に関して介助を受ける；全く食べない，または食べさせてもらう．

Katz, S. et al. Studies of illness in the aged－The index of ADL：a standardized measure of biological and psychosocial function. JAMA. 185, 1963, p.914-919より（伊藤利之，鎌倉矩子．ADLとその周辺：評価・指導・介護の実際．第2版．医学書院，2008，p.19-20より一部改訂）

いたときには，肉をあらかじめ切っておいたり，パンにバターを塗っておいたりする介助を必要としても，皿の中の食物をとることができれば，食事は自立しているとされる．しかし，成人にとって食事が自立しているというのは，単に食物を食べられるかどうかだけではないだろう．魚肉をはしできれいにそいで食べたり，フォークとナイフを駆使してフルコースのディナーを食べたりできてはじめて，食事が自立していると感じられるものではないだろうか．それゆえ，その人が望む生活基本行動レベルのセルフケア再獲得を支援するには，**その人が自分の日常生活を取り戻すために，朝起きてから翌朝を迎えるまでの24時間のなかで，毎日暮らしていく生活環境において，何がどのようにでき，何がどのように不自由で，その不自由を補うには，どのような工夫をしたり，援助を求めたりすることが必要なのかを本人とともにアセスメントすることが重要である．**

表4.2-2　KatzのADL評価用紙（Katz, et al.1963）

２．評価用紙

氏名＿＿＿＿＿＿＿＿＿＿＿＿＿＿＿＿＿　　　評価年月日＿＿＿＿＿＿＿＿＿＿＿＿

下記の機能領域ごとにあてはまるものをチェックする〔「介助」とは監督，指示または個別的介助を指す〕．

入浴－清拭，浴槽利用またはシャワー
- □介助を受けない（浴槽利用の場合は自立で浴槽に出入りする）
- □身体の１カ所の洗体についてのみ介助を受ける（背中または片側下肢など）
- □身体の２カ所以上の洗いについて介助を受ける（または洗わない）

更衣－クローゼットまたは引き出しから衣類を出す－下着，外とう類，留め具使用を含む（装具使用の場合はこれも含む）
- □介助を受けずに衣類を取り出し，完全に着衣する
- □衣類を取り出し，完全に着衣するが，靴ひも結びのみ介助を受ける
- □衣類の取り出しまたは着衣に介助を受ける．または一部の着衣にとどまるか，全く着衣をしない

トイレ使用－排泄のため"トイレ室"へ行く；拭き，衣服を整える
- □介助を受けずに"トイレ室"へ行き，拭き，衣服を整える（杖，歩行器，車椅子などの物や支えを使ってよい．自分で夜間のみ差し込み便器やコモードを使い，翌朝に自分で後始末をするならそれもよい）
- □"トイレ室"への移動，拭き，排泄後の衣服の整えのいずれかに介助を受ける．または夜間の差し込み便器やコモードの使用に介助を受ける
- □排泄のために"トイレ"という名の部屋に行くことはない

移乗－
- □ベッドおよび椅子への出入りを介助を受けずに行う（杖，歩行器などの物や支えを使ってもよい）
- □ベッドまたは椅子への移動，またはそこからの立ち上がりに介助を受ける
- □ベッドの外へ出ない

排泄コントロール－
- □排尿および便通を完全に自分でコントロールしている
- □ときどき"失敗"がある
- □見守りがあれば排尿・排便のコントロールができる；カテーテルを使用している，または失禁している

食事－
- □介助を受けずに自分で食事をする
- □肉を切ったりパンにバターを塗ったりする以外は自分で食事をする
- □食事をするのに介助を受ける．または一部あるいは全部を食べさせてもらう．あるいは経管栄養または静脈内栄養を受けている

Katz, S. et al. Studies of illness in the aged－The index of ADL : a standardized measure of biological and psychosocial function. JAMA. 185, 1963, p.914-919より（伊藤利之，鎌倉矩子．ADLとその周辺：評価・指導・介護の実際．第2版．医学書院，2008，p.19-20より一部改訳）．

表4.2-3　医学的リハビリテーションの主な内容と職種

セラピー	内容	主に行う職種
物理療法	①温熱療法：ホットパック，超音波，パラフィン浴ほか ②寒冷療法　③水治療法：渦流浴，交代浴，気泡浴ほか ④電気治療法：TES，TENS，FES　⑤機械力学的療法：牽引療法	理学療法士
運動療法	①関節可動域（ROM）訓練　②筋力維持・増強訓練：等張性運動，等尺性運動 ③協調訓練　④歩行訓練　⑤有酸素運動　⑥持久力運動	
作業療法	①ADL訓練・生活関連動作訓練　②巧緻動作訓練　③認知機能回復訓練	作業療法士
装具・義肢療法	①装具：上肢装具，下肢装具，体幹・頸部装具　②義肢：義手，義足	義肢装具士
言語療法	①発音訓練　②構音訓練　③コミュニケーション訓練	言語聴覚士

またこの時期は，同時に，医学的リハビリテーションアプローチ＊（物理療法，運動療法，作業療法，装具・義肢療法，言語療法など，表4.2-3）を受けられるよう調整が必要である．これらは，「リハビリ」と通称されるが，看護者は，実際にそれらの訓練や治療がどのような目的や方法で行われているかを確認し，その影響や成果を患者と共有するとともに，適度な休息を患者とともに考えて生活スケジュールを調整する．

また，訓練の成果を実際の生活に生かしていけるように，「できるADL」に

急性期リハビリテーション	セルフケア再獲得必要性のアセスメント	医学的リハビリテーションアプローチ
不使用性症候群予防 　関節拘縮・筋力低下・褥瘡・心肺機能低下・腸蠕動低下・精神活動低下 ➤ 他動運動を行う ➤ 適度な体位変換 ➤ 深呼吸を促す ➤ 口腔ケア，全身清拭などを行い，清潔を保つと同時に，顎，手指，肘，肩，足，膝，股関節などを十分に動かしながら行う ➤ ルート類の固定に留意して，不要な動作制限が生じないようにする ➤ 積極的に苦痛を緩和し，早期体動，早期離床を促す ➤ 便秘予防ケアを行う ➤ 時間や状況を伝え，会話を増やし，自分自身で選択し決定することを続けられるようにする	その人の日常生活の把握とゴールの共有 ➤ ADL評価表を用いる ➤ 1日の生活スケジュール・生活環境の評価 　在宅生活でのその人の24時間の過ごし方を居住環境，人的環境を含めて共にたどり，できること，できないこと，手助けが必要なこと，工夫が必要なことなどを考える 　例）どんな寝室でどう起床するか，どんな服をどこで選びどう着脱するか，どんなトイレか，距離はどのくらいか，食事の支度は誰がするか，どんな台所か ➤ 求める生活スタイルの共有 　その人が望む生活スタイルを知り，どのようにすれば実現可能か考える	必要に応じて専門的アプローチを受けられるように調整する ➤ 活用可能な専門職種との連携 ➤ 訓練効果や影響の把握 ➤ 生活スケジュール調整と適度な休養の確保 ➤ 「できるADL」を「しているADL」にしていく 　ま　待つ：十分な時間をとる 　み　見守る：危険回避 　む　向かい合う：目標や具体策の共有 　め　面倒くさがらない：自助具の活用，環境整備，手段の探求など試行錯誤し工夫する 　も　もう一歩：遠すぎない少し先を予測する

図4.2-4　生活基本行動レベルのセルフケアの再獲得支援の方法

「しているADL」を近づけていくことが必要である．そのためには，介助したほうが時間を短縮できるとしても，本人がやり遂げようとする行為を実施できるまで**待つ**ことが必要である．そして，危険回避のために**見守る**こと，また，意識的に本人と**向かい合う**時間をとり目標や具体策を共有し，自助具の使用・物品の配置・ベッドの位置といった生活環境の整備など，さまざまな工夫をする．そして本人は，今の自分にできることで精いっぱいになっていたりするので，回復の経過を見通して，一歩先を予測しながら関わることが必要である[10]（図4.2-4）．

このとき専門的力量をもつ多様な人材を，患者の必要に応じてチーム医療として提供できるように組織していくことが望ましいが，それらの人材が得られない場合，患者のセルフケア再獲得のために，看護師がこれらの専門的アプローチを習得して提供していくことも必要である．代表的なものとして人工肛門や人工膀胱造設患者へのストーマリハビリテーションなどがあるが，排泄のセルフケアに関するリハビリテーション専門職種はなく，もっぱら看護師が行っている．これについては，日本看護協会の認定看護師制度で，皮膚・排泄ケア認定看護師が活躍しており，摂食・嚥下障害看護についても認定看護師制度が発足している[11]．こうした研修制度等を活用し，専門的力量を向上させながら，セルフケア再獲得を支援していくことが必要である．

3 社会生活レベルのセルフケアの低下と再獲得

1 社会生活とセルフケア

人は，生まれたときから，家庭という複数の人が集まる集団の中で育ち，周辺地域に住む人々と交流しながら，文化や伝統を身につけ，成長していく．また，学校に行く，職業に就く，趣味のサークルに入るなど，新しい集団に参入

用語解説 *

リハビリテーションアプローチ

リハビリテーションアプローチは，4分野に整理して論じられる．①学校教育の場で行われる教育的リハビリテーション，②医療機関を中心にリハビリテーション医学を基礎に行われる医学的リハビリテーション，③法制度整備をはじめとした地域社会の人的・物理的環境改善を指す社会的リハビリテーション，④職業能力開発などの職業的リハビリテーションである．

創傷・オストミー・失禁（WOC）看護認定看護師

していく中で，その集団の中で求められるような振る舞いを身につけていく．こうした変化は，個人の視点からは**アイデンティティ形成**であるが，社会との関係からみれば，**社会化**と呼ばれる．

この社会化は，社会の側からすれば，個人にその集団の文化や伝統を教え込んでいく過程である．近代以前の伝統社会では，家庭や地域における教育が個人の社会化の中心であり，人は，生まれた家や土地の中で育まれながら家業を継いでいくといったように，生涯を通じて社会関係が比較的固定されていた．しかし，近代以降の社会では，学校などのように制度化された教育が社会化の機能を担っており，自ら選択した職業に従事し，居住地域を選び，必要に応じて新たな社会関係を築きながら生きていくようになった．さらに，現在は，情報化やグローバリゼーション*の流れの中で，個人が交流する集団も多種多様に拡大しており，生涯学習の重要性が強調される時代になっている．

成人の生活の場は，家庭生活，地域生活，職業生活（学業生活），余暇生活（個人生活）に大別して考えることができる．

例えば，ある男性は，二世帯同居の家庭では父親であり夫であり息子で，地域では自治会の会計係で，職場では技術者集団の責任者で，趣味の模型製作では同好会の一員である．またある女性は，母親であり妻であり嫁で，子ども会の幹事をしており，食料品店のパート職員で，バレーボールサークルの一員である．このように，一人ひとりの成人は，複数の社会関係の中で多数の役割を担いながら生活している．以上から，社会生活とは，各人の目的に応じて多種多様な社会集団に参加して過ごしている状況をいう．そして，個人が社会生活を維持する上では，対人関係を基盤として所属する集団においてふさわしい行動をとれることが必要といえ，これが社会生活レベルのセルフケアといえる．

これに関連してオレムは，八つの普遍的セルフケア要件の中に，「人間のもつ潜在能力，既に知られている能力の限界，人間として正常でありたいという願望に従って社会集団のなかで人間としての機能や発達を促進しようとすること」（The promotion of human functioning and development within social groups in accord with human potential, known human limitations, and the human desire to be normal）や，「孤独と社会的相互作用のバランスの保持をすること」（The maintenance of a balance between solitude and social interaction）を挙げている[1]．前者は，例えば，ある集団の中で周囲のほとんどが右利きであれば，左利きであっても，はしやはさみを右手で使うようにするといった行動として表れる．後者は，例えば，集中して作業をするときには一人で過ごすことを選んで，気分転換に出かけるときには友人を誘って過ごすといった行動として表れている．これらを統合して考えると，成人は常に複数の集団に参加し，そこで共に過ごす人々と交流しながら，ふさわしく振る舞うことについてセルフケアしているといえ，本書ではこれを社会生活レベルのセルフケアという．

plus α
認定看護師

2024年11月現在，日本看護協会は救急看護，皮膚・排泄ケア，集中ケア，緩和ケア，がん性疼痛看護，がん化学療法看護，感染管理，訪問看護，糖尿病看護，不妊症看護，新生児集中ケア，透析看護，手術看護，乳がん看護，摂食・嚥下障害看護，小児救急看護，認知症看護，脳卒中リハビリテーション看護，がん放射線療法看護，慢性呼吸器疾患看護，慢性心不全看護の21分野で認定看護師を養成している．2019年に分野の再構築等を含む認定看護師規程が改正され，2020年度からは臨床推論力と病態判断力の強化を含めた名称変更，統合再編成された19分野の教育が開始された．現行の21分野は2026年度で教育が終了する．

➡ ナーシング・グラフィカ『健康と社会・生活』参照．

➡ ナーシング・グラフィカ『成人看護学概論』4章参照．

用語解説*
グローバリゼーション globalization

地球規模化ともいう．複数の社会とその構成要素の間での結びつきが強くなることに伴う社会における変化．特に運輸・通信技術の発達によって文化，経済の国際的交流が促進されていることによる．

図4.2-5　国際障害分類（ICIDH）

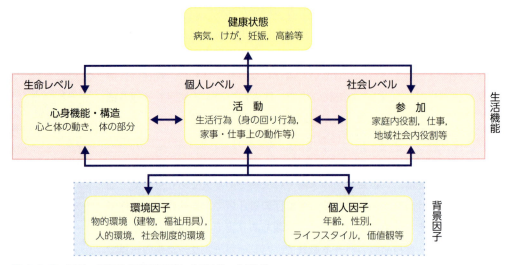

図4.2-6　ICF：国際生活機能分類（WHO，2001）

1980年から使用されてきたWHOの国際障害分類（international classification of impairments, disabilities and handicaps：**ICIDH**）（**図4.2-5**）が，2001年に**国際生活機能分類**（international classification of functioning, disability and health：**ICF**）（**図4.2-6**）に変わった．この改訂では，障害をみるときに，単に心身機能の障害による生活障害によって分類するということではなく，「活動（activities）」や「参加（participation）」や環境因子にも視点を当てている．この変化は，**医学モデル**と**社会モデル**の統合ともいわれている．医学モデルで障害をみるということは，障害という現象を個人の問題としてとらえ，病気・外傷やその他の健康状態から直接的に生じるものであり，専門職による個別的な治療という形で医療を必要とするものであるとみる．一方，社会モデルで障害をみるということは，障害は社会によってつくられた問題と見なし，障害のある人を社会の一員として完全に統合していくことの問題であるととらえることである[17]．「障害者」の医療・福祉に関する制度改正や研究等で，ICFが用いられるようになっている．これまで，障害者にとって社会生活の営みを阻む出来事が本人にとっての「社会的不利（handicap）」という視点で論じられてきたことが，その人が社会生活に「参加」していくには社会全体でどうしたらよいだろうという視座で，つまり，社会の側に変化を迫る方向で論じられていくのである．

しかし現実的には，社会は身体機能に異常がなく，日常生活の自立している人間を基準に形成されている．つまり，生命維持レベルのセルフケア，生活基本行動レベルのセルフケアを独力で満たしていられることが前提とされている．それゆえ，これらのセルフケアが低下しているときには，社会生活レベルのセルフケアの低下が生じ，その再獲得が必要となる．

出張や旅行などの多い人が，週3回の人工透析が必要になった場合，夜間透析を利用するにしても，滞在先で透析を受けられる設備がなければ生命維持にリスクが生じる．また，電車通勤し，管理職として数カ所の営業所を巡回して調整会議を行う仕事をしている人が下半身麻痺になった場合，歩行や移動，排泄動作といったADL障害があるため，車椅子使用が不可欠になる．電車通勤はリスクが多いことから，障害者免許を取得し自動車通勤に切り換えることにしたとしても，職場の駐車場スペースを確保する必要があるとか，移動先にエレベーターや自動ドアがなければ他者の援助を確保できるようにしなければならないし，トイレや食堂，会議室などが車椅子移動のできる環境に整えられている必要がある．

このほか，生命維持レベルや生活基本行動レベルのセルフケアの低下はほとんどなくても，**高次脳機能障害**や精神障害などでは，社会生活が困難になる．例えば，電話応対の多い職務についている人が，頭部外傷後，麻痺も残らず生活基本行動レベルのセルフケアのほとんどを独力で満たせるようになったものの，電話を切ったとたんに約束した内容を忘れてしまうというような短期記憶障害によって重要事項の連絡が抜けるといったミスが頻繁に生じれば，対人関係にトラブルが生じてしまう．このため，職場や部署の変更を検討する必要がある[18]．また，地域の自治会で役員をし，多彩な趣味の活動をしていた人が，事故で一度に家族を失ったことがきっかけで強度のうつ状態になり対人関係がうまく維持できなくなった場合，多種多様な集団に参加することは大きな負担となるため，役員を辞したり，サークルから脱退したりするといった調整が必要になるかもしれない．このように，情報を統合したり物事を判断したり，対人関係のバランスを維持するために必要な認知機能，精神機能の障害をもつ場合もまた，社会生活レベルのセルフケアが低下する．

以上から，①生命維持レベルのセルフケアの低下があるとき，②生活基本行動レベルのセルフケアの低下があるとき，③認知機能，精神機能の障害をもつときなどに，社会生活レベルのセルフケアが低下するといえよう．

2 セルフケア再獲得支援方法

社会生活レベルのセルフケアには，対人関係のバランスをとっていく必要がある．そのため入院中であっても，関係を継続していきたい友人・知人と面会できる環境を整えたり，面会時，本人がうまく自分の状況を伝えられないときには代行や補足をしたり，同室者や同じような状況にある人たちとの交流が円滑に図れるよう施設内での対人関係を支援する．特に，施設内生活が中長期に

plus α

高次脳機能障害への対応

脳血管障害や頭部外傷，感染症などによって生じる認知障害（記憶・記銘力障害，遂行機能障害，判断力低下など）や人格障害（感情易変，攻撃性，被害妄想など）がみられる高次脳機能障害の場合，障害の程度が理解されにくいため，障害理解のための普及活動が行われている．高次脳機能障害者と家族の会．http://kouji-kazokukai.org，（参照2024-11-11）．

わたる場合には，レクリエーションなどでの交流や，外出・外泊の調整も必要になる．そして，ありのままの自分で対人関係のバランスを保てるように支えながら，社会関係を維持できるようにすることが重要である．また，集団にふさわしい行動をとるためには，所属している集団でどのような行動が期待されているかを考慮し，それがどのように困難になっていて，どのような方法をとれば解決できるかを考えなければならない．

　入院医療の必要がなくなれば，在宅生活や中長期の療養型施設での生活に移行することになるが，直接，在宅生活に移行する場合，最初の社会生活の場は家庭内と居住地域内になる．この場合，家庭におけるその人の役割は何か，地域内ではどうかといったことを考えなければならない．そのためには，本人だけでなく家族とも話し合う．これらは，退院調整や退院支援のテーマで論じられている．また，さまざまな制度利用には，法的に**障害者認定**を受けていることが条件となるが，認定手続きには1〜2カ月かかるため，本人あるいは代理人に居住する市町村窓口に相談に行くことを勧める（**図4.2-7**）．ただし，一般に，疾病や外傷により「障害者」となる自分を受け止め，自分の状態に応じたセルフケアができるようになるまでには時間が必要であるため，心理状態を考慮しながら行う．

　また，職業生活でのセルフケアの再獲得に関連して，障害者の職業生活を支えるために，「障害者の雇用の促進等に関する法律」（通称：障害者雇用促進法）に基づいた対応機関がある[19]（**図4.2-8**）．ただし，これらはすべて，障害者となった個人が利用しようとした場合にのみ提供される．成人期の中途障害者の場合，本人や周囲がこれらの対応について知らないと，サービスが開始されないことになってしまう．

　また，全国32施設の労災病院（独立行政法人労働者健康福祉機構が運営）や，国立障害者リハビリテーションセンターなどの各地のリハビリテーション

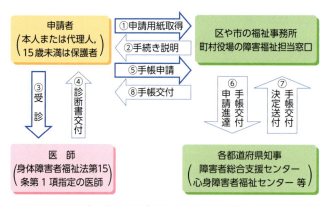

・認定手続きには①〜⑧の手順があり，申請者はまず①の申請用紙を取得する必要がある
・①③⑤が申請者がしなければならないこと

図4.2-7　身体障害者手帳の交付申請の流れ（例）

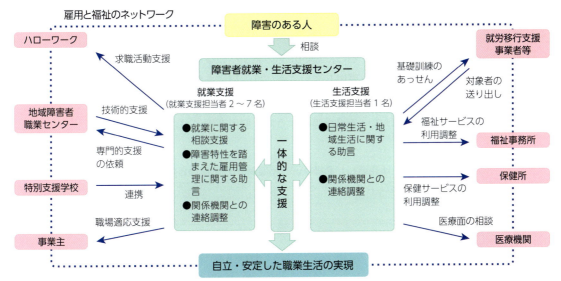

障害者就業・生活支援センターでは，障害者の身近な地域において就業面と生活面の一体的な相談・支援を行う．2024年4月現在，全国に337か所設置されている．
厚生労働省．障害者就業・生活支援センターについて．

図4.2-8　障害者就業・生活支援センターの概要

センターは，一般病院に比較すれば設備も専門職員も充実し，経験も蓄積しているので職業リハビリテーションにもつながりやすいが，一般市民にはあまり知られているとはいえない．

また住民として市町村の福祉相談窓口や企業の人事部等に相談することもできる．しかし，こうした社会のしくみについても，当事者にならない限り知らないままで生活していることが多い．情報社会の現在は，インターネット等を通じてこうした情報に自らアクセスしていく人たちも多数いる．また，社会関係の中で，友人・知人を通して情報を得ていくこともある．しかし，疾病や外傷によって「障害者」と呼ばれる状況になった人に最も初期に接するのは医療従事者であり，とりわけ，24時間の入院生活全般を支えている看護師は，医療ソーシャルワーカーとともに，職業生活に関わる対応機関やリハビリテーション関連施設の利用についての情報提供を考慮して接していきたい．

加えて，同じような状況に置かれた人たちの情報が支えになることがあるので，**患者会**や**セルフヘルプグループ**を知らせることも検討する[20,21]．ただし，それらが，必ずしも本人にとって「ピア（仲間）」と感じられないこともあるし，こうした団体との交流をもつことそのものが，新しい社会関係を結んでいくことでもあるため，本人の意向について十分に配慮する．

もう一つ，社会生活レベルのセルフケア再獲得支援について，強調しておきたいことがある．それは社会への参加には，本人が変わることばかりが重要ではなく，社会が変わることのほうがより重要なことも多いということである．

例えば，さまざまな法律で，**障害者の欠格条項***が定められていたが，今，

用語解説*

障害者に係る欠格条項

資格・免許制度または業の認可制度において，身体または精神の障害を欠格事由として掲げている法令の規定．また，特定の業務への従事，公共的なサービスの利用にあたり障害を理由に一般と異なる制限を付している法令の規定をいう．

それは撤廃の方向に向かっている(**表4.2-4**).ある集団において,その人がふさわしく振る舞えない状況にあることを自他共に認めるがゆえに,その集団に参加しないことを自ら選択することと,法的にその集団への参加を制限されることとは全く違う[22,23].障害者を雇用していく側には,環境を整えるための具体的な知識と実行力が求められる.これには,日本経団連障害者雇用相談室のような企業の側の相談を受けている組織等のように,雇用者側に対応する組

表4.2-4　「障害者に係る欠格条項見直し」進捗状況(措置済み63制度から抜粋)

所管	制度名	法令名等
人事院	国家公務員の就業禁止	人事院規則
警察庁	警備業の認定,警備員の制限 警備員等の検定資格 自動車等の運転免許	警備業法 警備員等の検定に関する規則 道路交通法
防衛省	海技試験制度〔自衛艦〕	船舶の配員の基準に関する訓令
法務省	検察審査員 外国人の上陸制限	検察審査会法 出入国管理及び難民認定法
総務省	無線従事者免許	電波法
文部科学省	放射性同位元素等の使用,販売等の許可	放射性同位元素等による放射線障害の防止に関する法律
厚生労働省	栄養士免許 薬局開設許可,医薬品等の製造業等許可 薬剤師免許 毒物劇物取扱責任者 調理師免許 理容師免許 美容師免許 製菓衛生士免許 医師免許,医師国家試験・予備試験 歯科医師免許,歯科医師国家試験・予備試験 診療放射線技師免許 臨床検査技師・衛生検査技師免許 理学療法士・作業療法士免許 視能訓練士免許 言語聴覚士免許 臨床工学技士免許 義肢装具士免許 救急救命士免許 あん摩マッサージ指圧師,はり師又はきゅう師の免許 柔道整復師免許 歯科衛生士免許 歯科技工士免許 保健師,助産師,看護師又は准看護師免許 衛生管理者・作業主任者・クレーンの運転等の免許	栄養士法 薬事法 薬剤師法 毒物及び劇物取締法 調理師法 理容師法 美容師法 製菓衛生士法 医師法 歯科医師法 診療放射線技師法 臨床検査技師,衛生検査技師等に関する法律 理学療法士及び作業療法士法 視能訓練士法 言語聴覚士法 臨床工学技士法 義肢装具士法 救急救命士法 あん摩マッサージ指圧師,はり師,きゆう師等に関する法律 柔道整復師法 歯科衛生士法 歯科技工士法 保健師助産師看護師法 労働安全衛生法
農林水産省	家畜人工授精師免許 獣医師免許	家畜改良増殖法 獣医師法
経済産業省	火薬類取扱い	火薬類取締法
国土交通省	船員の就業制限 通訳案内業免許 公営住宅への単身入居 改良住宅への単身入居 水先人免許 航空機乗り組のための身体検査基準	船員法 通訳案内業法 公営住宅法施行令 住宅地区改良法施行令 水先法施行規則 航空法施行規則
環境省	狩猟免許	鳥獣保護及狩猟ニ関スル法律

織的活動を行っていくことも重要な課題である．

また，2000（平成12）年に「高齢者，身体障害者等の公共交通機関を利用した移動の円滑化の促進に関する法律」（通称：**交通バリアフリー法***）が施行された．さらに，同法の2002（平成14）年の一部改正では，学校施設がバリアフリー化の努力義務の対象として位置づけられた．これを受け，2004（平成16）年に文部科学省が，学校施設バリアフリー化推進指針を出した．こうした社会の変化，すなわち社会的リハビリテーションの推進に貢献することもまた，社会生活レベルのセルフケアの再獲得支援につながる．

一人ひとりの成人に向かい合う看護実践の場で，その人の社会生活レベルのセルフケア再獲得を支えていくためには，できるだけ早期に，その人が共に暮らす人びと，すなわち，家族をはじめ，その人が社会関係をもっている友人や職場の管理者等にも，本人の了承を得た上で情報提供していくことが重要であろう．

> **用語解説** *
> **交通バリアフリー法**
> 高齢者，身体障害者，妊産婦などの公共交通機関を利用した移動の利便性・安全性の向上促進を趣旨とする法律．駅やバスターミナル，旅客船・航空旅客ターミナル，鉄道車両，バス，旅客船，航空機についてバリアフリー化を促進するなどが定められている．

➡ ナーシング・グラフィカ『地域療養を支えるケア』参照．

4 セルフケア再獲得プロセスにおける心理・精神的変化

1 障害の受容に関連する議論

障害の受容（acceptance of disability）とは，「疾病や事故で障害を持った人間が新しい状況を心理的に受け入れていくことを指す」[24]とか，「個人が積極的に障害をライフスタイルの一部として受け入れ，情緒的エネルギーを駆使して必要とされる適応を図ることを意味する」[25]とされる．受容（acceptance）とは，受け入れて取り込むこと，適応（adaptation）とは，「環境に合うように行動のしかたや考え方を変えること」[26]で，厳密には異なっている．後者の説明は，障害の受容とは障害への適応であるというふうに，ほぼ同義に説明していることになる．しかし，障害の受容というとらえ方が障害を取り込んでいる状態であるとすれば，障害への適応は，障害がある状況にふさわしく振る舞えるようになることをいうので，適応という表現のほうが，なんとかその状況に対処（coping）していこうとするというニュアンスがあることから適切ではないかという議論がある[27,28]．

以下に，障害受容論と呼ばれるもののうち代表的なものを紹介する[28,29]．

最初に身体障害後の受容に注目したのは，グレイソン（Grayson, M. 1946）であるとされる．彼は，身体の障害の後に，患者はまず自分自身の身体像（body image）を再構成し，その上で，障害者に対する周囲の否定的な態度などの外からの圧力に対して，障害者として自分を社会に適合させるとし，障害受容を身体的，心理的，社会的の三つの側面から複合的にとらえなければならないと主張した．この理論を応用すると，片麻痺や脊髄損傷，外傷や術後など，身体的な外観に変化がある患者は，身体像をつくり直したり，周囲との関係の中でそれが受け入れられるような状況をつくり出していくことに

よって，自分の障害を受け入れていくと理解できる．

またライト（Wright, B.A.）は，障害受容は価値の転換であるとし，①失った価値にとらわれないでそれ以外にも価値のあるものがあるととらえ，価値範囲を拡張すること（enlargement the scope of values），②身体的外観や能力よりも人格的な価値のほうが大切であるととらえ，身体的価値を従属させること（subordinating physique），③人と比べないで自分自身の価値を考え，相対的価値を資産価値に変えること（transforming comparative values into asset values），④障害によって失った価値は一部にすぎず，全体としての価値や人格を否定するものではないととらえ，障害に起因するさまざまな波及効果を抑制すること（containing disability effects），という四つの価値の転換が必要であるとした．この理論を応用すると，自由に動けなくなったとか，赤ちゃんみたいになってしまったとか，どこへ行くにも酸素ボンベを持って行かなければならないなんて情けないとか，こんな状態で職場復帰しても周囲の重荷になるだけだなどと自分の価値を低くみて，自尊感情が低下しているような言動を繰り返す患者も，いつかこの世に二人といない自分の価値に気づいていけるようになるのだと受け止めることができる．

さらに，1960年代にモデル化され，その後，日本国内で広く普及したものに，**段階理論**（stage theory）と呼ばれる理論群がある．中途障害者の障害受容に関する段階理論で代表的なのは，コーン（Cohn, N.）のモデルとフィンク（Fink, S.L.）のモデルである．上田は，この段階理論と価値転換の理論を統合して，受容に至るまでの過程を，ショック期→否認期→混乱期→解決への努力期→受容期と整理している（➡p.269 **表5.2-6**参照）．

これらの段階理論は，突然の事故や疾病によって身体機能障害を抱えることになった人たちの言動の変化を受け止めるときに役立つ．例えば，外傷で緊急入院してきた人が「明日の試験に行く」と不可能なことを何とかしようとしたり，意識を取り戻したときに医療者から知覚の有無を尋ねられ，下肢の存在がわからないことに気づかされて呆然自失で無反応な状態になったりというようなことがあっても，これはショックを受けた状態の当然の反応であって，異常な反応ではないと受け止めることができる．そしてその後に，あの事故はなかった，こんなことは嘘だ，夢に違いないと否定するような言動がみられても，否認の心理状態にあるのだと受け止められる．また，汗を拭こうとしただけなのに，「よけいなことをするな，うるさい，ほっといてくれ」などと攻撃的な発言をされたりしても，混乱しているのだからと，怒りをしっかり受け止めようとすることができる．これらの理論は，人間の強さを説明したものともいえ，どんなに重度の障害をもっていても人は必ず自分らしく生きていくように変わっていくものだと，相手を信じるよりどころとすることができる．

しかし，これらの理論はあいまいなまま用いられる傾向があることや，心理状態の変化は理論どおりではないにもかかわらず，理論どおりに変化させよう

と働きかけるという誤った理論の応用を促進させるリスクがあること，「障害者」と呼ばれる当事者の視点からではなく，「健常者」と呼ばれる側からみて望ましい変化を押しつけていく危険があることなどが指摘されている[27,30]．

　この議論に関連して，南雲は，障害受容を自己受容と社会受容という2種類に分けて考えることを主張している[31]．障害受容は，受傷後の心の苦しみを緩和する方法の一つであるとし，その苦しみは「自分の中から生ずる苦しみ」と「他者から負わせられる苦しみ」の二つがあるとする．そして，障害者を苦しめないように他者が心を入れ替えること，そうした他者が障害者を心から受け入れる他者受容が，自己受容を促進するとする．そして，このような他者がその人の周囲のコミュニティーとなっていることの重要性を示している．例えば，左利きであることが「恥」である社会であれば，右手が少し動きにくくなって左手を使うようになっただけでも自尊感情が低下したり，眼鏡を使う人が誰もいない集団に過ごしていれば，眼鏡を使わなければ日常生活に支障がある程度の視力低下でさえも苦しみになることがある．これとは逆に，呼吸器をつけていても，酸素ボンベを携行していても，車椅子で行動していても，週に3回夜間透析のために職場を早退するとしても，そういう人がいることが当然のコミュニティーであれば，障害をもっていることによる苦しみは減るのである．

　ろう者の間では，手話という言語を通じて得られる文化があり，ろう者として生まれたのに手話を禁じられたら，ろうの文化を習得できないという主張もある．また先天性の障害者や幼少期から障害をもつ人は，そのままの自分として生きていけるので，いわゆる健常者との同化を目指すことをやめて，克服努力は続けないという「引き返し」の選択をなしうるという論点がある．つまり，障害をもっていることそのものが本来のありのままの自分だとして，その原点に引き返して，健常者と同じようになろうとするのをやめられるということである．しかし，中途障害者には，そういう「引き返し」できる自分がいない．聞こえていた自分がその人にとっての自分，自己概念だったのだから，元どおりになりたいと思うのは避けられないことでもある[32]．

　これは，前述した社会受容だけでは障害受容が成り立たないことを指摘しているとも考えられる．もし，その人にとってのコミュニティーがその人の障害を受容していたとしても，本人が今の自分を受容できなければ，苦しみは続くということである．

　理論の学習は，状況を理解し，その状況を受け止めるときには根拠となり，支えになる．重力のあるところでは物は必ず落下するというような物理理論や，個体に関しては $1+1=2$ という法則が成り立つというような数学理論，恒温動物は寒い環境でも一定範囲内の体温を維持し続けるというような生物理論などは，普遍性や汎用性が高く，地球上のどこでも，いつでも，ほとんどの場合に当てはまる．しかし，前述したような障害受容に関する理論は，あくま

でも成長発達の過程で身につけてきたパーソナリティー，異なる文化的背景や社会的背景，その人の周囲のありようなどによって，多彩に変化する．したがって，理論が先にあって，それに当てはめて相手を理解するのではなく，まず，相手に向かい合って，その中で自分が自分の存在をかけて感じたり考えたりしたことを手がかりに相手を受け止めていくために，相手の置かれた状況を解釈する一つの根拠として理論を用いることが重要である．

2 ありのままのその人を受け止めること

> 　最後にひとつ，お願いがあります．この本を読み終わっても，あなたの病棟にいる患者さんに，「こんなに明るく前向きに，頑張っている人もいるのよ．○○さんもしっかりしなくちゃ」なんてことは，絶対に言わないで．私がみなさんに伝えたいのは，そういうことじゃない．目の前のその人を，ありのままに受け入れてほしいということなのです．それが，何よりの救いになるから．
>
> 　もし患者さんに伝えてくださるのなら，私が今でも「でも，やっぱり歩きたい」と思っていることを伝えてください．歩きたいのなら，「歩きたい」と言っていいんだよ，と．
>
> 　　　　　　　滝野澤直子．でもやっぱり歩きたい：直子の車椅子奮戦記．[33]

これは，看護師だった著者が，頸髄損傷となった自分の経験をまとめた本の最終部分にある一節である．

看護職として，多くの「障害者」と呼ばれる状況になった人たちと接していくと，その人たちが，障害をもったままで自分らしく生きようとしていく姿に出会うことがたびたびある．悲しみに暮れ失望している状況にある人と接することは，誰にとっても決して楽しいことではなく，前向きで，希望をもって明るく過ごしている人と接しているほうが，心が軽くなる．突然の事故や疾病によって，自分にできないことがたくさんあることに気づかされて戸惑っていたり，悲しみに暮れたりしている人と接したときには，明るくあってほしいと願ってしまうものである．けれども，この著者のメッセージを深く心にとどめてほしい．自分で意識していなかった生命維持レベルのセルフケアを意識しなければならなくなっているとき，かつては当たり前にできていた生活基本行動レベルのセルフケアにもいろいろな工夫をしなければならないとき，その集団に属しそこで過ごすことが当たり前だった人との交流さえも困難になっていると気づいて社会生活レベルのセルフケアに努力を強いられるとき，悲しい思いや悔しい思いをすることが，本当になくなるのだろうか．たとえ身体機能の障害がなくても，人は失恋したり，失敗したり，思うようにいかなければ抑うつ的になってしまうし，自尊感情が低下する．そんなとき，明るく前向きに振る舞うように周囲が期待すると，それがその人を追いつめる．

「指が動かないことも，足が動かないことも，たしかに障害にはちがいな

い．だけど，私にとって本当の障害は，指や足が動かないということではなく，したいことができないこと，行きたいところに行けないことなのである」[33]．

　いつでも誰にでも，事故や疾病でセルフケアが低下する状況が生じうる．そして，自殺してしまいそうになったり，病的な精神症状が出現したりすることもある．けれども，たいてい人は，どういう状況になっても，いずれセルフケアを再獲得して自分らしく生きていこうと歩き始める．理論的にいわれているからというよりも，看護者という立場で，患者や障害者と呼ばれる状況にある人と出会っていくことで，そういう人の弱さとそれを抱えて生きていける強さへの信頼が体験として蓄積され，実感として確信に変わっていく．そういうキャリアを重ねながら，相手のありのままを受け止められるようになっていく．そして，そういう姿を，本人に，またその人と共に暮らす人に示していくことができる．そういう看護者の振る舞いだけでも，社会受容と呼ばれる状況を創り出していくことにつながるかもしれない．セルフケアの再獲得を支援するのは，相手を変えることよりも前に，看護者としての自分の価値観を変容させていくことから始めることといえるのではないだろうか．

■ 引用・参考文献

1) Dorothea E. Orem. Nursing Concepts of Practice 6th ed. Mosby, 2001, p.225-229. ドロセア・E・オレム. オレム看護論：看護実践における基本概念. 第4版. 小野寺杜紀訳, 2005, p.209-212.
2) 竹嶋千晴ほか. ICUで人工呼吸器から離脱する過程における患者のWork（しごと）の意味. 第23回日本看護科学学会学術集会講演集, 2003, p.135.
3) ベンチレーター使用者ネットワーク. http://www.arsvi.com/o/jvun.htm（参照2024-11-11）.
4) 立岩真也. ALS：不動の身体と息する機械. 医学書院, 2004.
5) 全国自立生活センター協議会. 自立生活運動と障害文化当事者からの福祉論. 現代書館, 2001.
6) 伊藤利之ほか編. ADLとその周辺：評価・指導・介護の実際. 第2版. 医学書院, 2008.
7) 中村美鈴. 上部消化管がん患者の手術後の生活で困っている内容とその支援について. 自治医科大学看護学部紀要, 2005, p.19-31.
8) 上田敏編. リハビリテーション. メディカ出版, 1994, (クリニカルナーシングガイド, 17).
9) 上田敏. リハビリテーションの思想：人間復権の医療を求めて. 第2版. 医学書院, 2004, p.23-49.
10) 太田澄恵ほか. 成人臨床看護における回復期の特徴. 順天堂医療短期大学紀要9巻, 1998, p.90-99.
11) 日本看護協会. https://www.nurse.or.jp/,（参照2024-11-11）.
12) 上田敏. 科学としてのリハビリテーション医学. 医学書院, 2001.
13) 奥宮暁子ほか. 生活の再構築を必要とする人の看護Ⅰ. 中央法規出版, 1995,（シリーズ　生活を支える看護）.
14) 奥宮暁子ほか. 生活の再構築を必要とする人の看護Ⅱ. 中央法規出版, 1996,（シリーズ　生活を支える看護）.
15) 佐々木日出男ほか. リハビリテーションと看護：その人らしく生きるには. 中央法規出版, 1996.
16) Gary A. Okamoto編著. リハビリテーションの臨床実践：全人的マネージメントのためのマニュアル. 上田敏監訳. 医学書院サウンダース, 1987.
17) 世界保健機関（WHO）. ICF：国際生活機能分類. 国際障害分類改訂版. 2002.
18) 中島恵子. 理解できる高次脳機能障害：脳の障害と向き合おう！ ゴマブックス, 2001.
19) 高齢・障害・求職者雇用支援機構（JEED）. https://www.jeed.go.jp,（参照2024-11-11）.
20) 久保紘章ほか. セルフヘルプ・グループの理論と展開：わが国の実践をふまえて. 中央法規出版, 1998.
21) 以下のサイト・書籍が，定期的に患者組織に関する情報を更新している. 楽患ねっと. http://www.rakkan.net,（参照2024-11-11）. 全国患者会障害者団体要覧編集室・編集協力：ささえあい医療人権センターCOML. 全国患者会障害者団体要覧. 第2版. プリメド社, 1999.
22) 臼井久実子. Q&A障害者の欠格条項：撤廃と社会参加拡大のために. 明石書店, 2002.
23) 牧口一二.「アジア太平洋障害者の十年」最終年記念大阪フォーラム（上）第3分科会：障害者を締め出さない社会：欠格状況について. リハ研究. 2003, 114, p.14-18.
24) 竹内孝仁. 図解リハビリテーション事典. 廣川書店, 1987, p.90.
25) デル・オルト／マリネリ編. 障害とリハビリテーション大事典. 中野善達監訳. 湘南出版社, 2000, p.295.
26) 松村明編. 大辞林. 第2版. 三省堂, 1995, 1735.
27) 本田哲三. 障害の受容と適応. リハビリテーション医療心理学キーワード. 才藤栄一ほか編. エヌ＆エヌパブリッシング, 1995, p.42-46.
28) 川波含香. 障害者の心理. リハビリテーション看護. 奥宮暁子ほか編. 学習研究社, 2003, p.29-40,（Nursing Selection, 11）.

29) 石鍋圭子ほか. リハビリテーション専門看護：フレームワーク/ビューポイント/ステップアップ. 医歯薬出版, 2001, p.104-109.
30) 立岩真也. 障害学の本・再度. 看護教育. 2004, 45（5）.
31) 南雲直二. 障害受容における相互作用. 障害受容の相互作用論：自己受容を促進する方法としての社会受容・総合リハビリテーション. 2003, 31（9）, p.811-814.
32) 石川准. "ディスアビリティの削減：インペアメントの変換". 障害学の主張. 石川准ほか編. 明石書店, 2002, p.17-46.
33) 滝野澤直子. でもやっぱり歩きたい：直子の車椅子奮戦記. 医学書院, 1995, p.139, 219.
34) 伊藤利之ほか. 新版日常生活活動（動作）：評価と訓練の実際. 第3版. 医歯薬出版, 2010.

重要用語

生命維持機能とセルフケア
生活基本行動とセルフケア
日常生活動作・活動（ADL）
手段的日常生活動作（IADL）
日常生活関連動作（APDL）
不使用性症候群（廃用症候群）
リハビリテーションアプローチ
認定看護師
社会生活とセルフケア
国際生活機能分類（ICF）
高次脳機能障害
障害の受容

3 セルフケアの再獲得と自立

学習ポイント
- 依存と自立の概念について理解する.
- 依存と自立概念の変化のプロセスについて理解する.
- 依存による自立，依存＝自立という考え方における依存と自立のあり方について理解する.
- セルフケアから見た依存と自立について理解する.

1 依存と自立の概念

疾病や機能低下がありながらも長生きする人が増えてきた近年，人のもつ機能や障害に一層焦点が当たるようになってきた．人の障害の克服や機能の回復・改善には**リハビリテーション**の概念が用いられる．リハビリテーションとは，障害をもつ人の「人間たるにふさわしい権利，資格，尊厳，名誉などの回復」といわれる．このことは，人は本来，健常なときには権利，資格，尊厳，名誉とともに生きることができても，障害をもつとそれらが傷つけられる，または傷つけられやすいことをいっている．

1993（平成5）年に改正された**障害者基本法**には，障害者とは「**身体障害，知的障害，精神障害（発達障害を含む.）その他の心身の機能の障害（以下「障害」と総称する.）がある者であつて，障害及び社会的障壁により継続的に日常生活又は社会生活に相当な制限を受ける状態にあるものをいう**」と述べられている．ここに明らかなように，障害をもつ人は日常的，社会的な制限の中で生きることになり，そのために人としての権利，尊厳などが保持されにくい立場に置かれることがわかる．日常的，社会的な制限とは，生きるために必要なことが自分の力では完全に，または部分的にできないということである．

日常生活および，社会生活というのはマズロー（Maslow, A.H.）の**欲求階層理論**（図4.3-1）でいうと，生理的欲求，安全の欲求，所属と愛の欲求，承認の欲求，自己実現の欲求を満たすことを目指す，人の身体活動，精神活動，社会活動からなっている．どのような活動も，健常な人の生活では，その多くが格別意識されることもなく繰り返されている．特に日常生活活動を成り立たせている身体動作などは，長い年月をかけて反射的な連続動作と化し，その始まりや終了に気づくことさえない．しかし障害をもつ人は，食事，排泄などの生理的欲求を満たす行動や，外出や社会的行動を自力で行おうとしてもかなりの努力を要するか，もしくは全く行えないこともある．

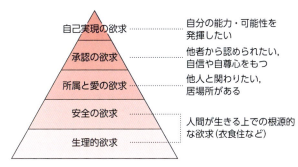

図4.3-1 マズローによる欲求の階層

このような状況のもとで，軽重の差はあっても，障害者自身と障害者を支える家族など身近な者の間では，障害者とは，「誰かに手伝ってもらわないと生活していくことができない存在」とする認識ができていく．いつしか家族や周りの健常者は，「障害者の介助者，援助者」としての存在となり，これによって障害者の生き方が障害をもたない者の判断に委ねられるような「依存」と「自立」の構図が示されることになる．

1 依存とは

依存とは，「他に頼って存在，生活すること」とされる．人生の途上で障害をもった人の場合，行動の制限によって，経験したことのない新たな身体感覚への戸惑いやなじみのある生活の場を自分で制御できないもどかしさなどを味わう．実際の行動では，時間がかかる，介助なしではできないといった経験をする．このような障害者を見る社会の目も，他に依存せざるを得ない人，不自由さをもつ人，ハンディをもつ人といったとらえ方をする．

このような見方，感じ方が育つ背景には障害者を健常者の対極に置く社会のあり方と関係がある．つまり健常者を基準に評価すると，障害者は，「一人でトイレに行けない」「一人で買い物に行けない」「必要な収入を得ることができない」というように，「〜ができない」や「〜はこの程度しかできない」という否定的な面が強調されてしまう．その結果，障害者には他に頼らないと生きていけない存在としての社会的価値が当てはめられ，それに基づく依存の概念が障害者に与えられることになる．頼られる側である周囲の者は，障害者を，他に頼る存在，依存する存在と受けとめ，障害者のできないことは当然他者が代行または補助すべきであると考える．

また一方で，頼む立場と頼まれる立場の間には平等関係が成立しにくいことによる緊張も起こる．一般社会での頼み（依存する），頼まれる（依存される）頻度は「ギブ・アンド・テイク」の言葉のようにほぼ五分五分に発生すると考

えられるため，依存が緊張につながることは少ないだろうし，ここでの依存はおおよそ双方の了解があって実行される．しかし障害者の周りでは，頼まれるのは家族や友人など健常者側であり，頼むのは障害者側であることが多い．相互依存ではなく，このような一方向的依存は軋轢(あつれき)を生み，「そんなことは頼んでいない」「勝手にされた」「わがままだ」など双方にとって不満感につながりやすい．

障害者を「〜ができない」無力な存在と見なすことは，障害者を周りの人に頼って生きる状態に追い込み，依存相手に対する過大評価，疑惑や不信，恨みのこもった攻撃性，相手が要求に応じても満足できないというように，依存の悪循環に陥っていく可能性がある．障害者に付与された依存の考え方が「依存すること」一辺倒で，障害者も「依存されること」が可能であるという側面を見過ごしてしまうと，障害者が誰かに依存される機会を奪うことになり，障害者の依存に対しては寛容さを欠くことにもなりかねない．

2 自立とは

自立とは一般には「他への従属から離れて独り立ちすること，他からの支配や助力を受けずに存在すること」とされる．他者の助力を受ける必要がないことが自立であれば，他者の助力を必要とする障害者は自立していないことになる．例えば両下肢の機能を失い歩行ができなくても，車の運転はできることがある．しかし車から車椅子に移動するときは他者に援助を頼まざるを得ないかもしれない．援助を頼む人は自立しているとはいえないのだろうか．

自立の定義は，健常者を基準にしたものといえる．この自立の考え方に従うと，他者に頼まざるを得ない状況の障害者に，自立はあり得ないことになる．背後には不完全で弱い障害者は，完全である健常者のような自立には達し得ないという障害者観が感じられる．健常者を完全，障害者を不完全とみなす自立の概念で，障害者にとっての自立を語ることは難しいといえる．

障害者にとっての自立とは何か，その疑問に障害者自身が答えることのできる社会をつくり出そうと生まれたのが**ノーマライゼーション思想**と**自立生活運動**（IL〔movement of independent living〕運動ともいわれる）である．

ノーマライゼーション思想は，1950年代のデンマークで当時進められていた知的障害者を巨大収容施設に保護する政策への批判や反省から生まれ，障害者の権利回復の運動として広まった．その後ノーマライゼーションの思想は，1981年の**国際障害者年**に世界的に展開され，日本においても「障害のある人が身近で普通（ノーマル）に生活しているのが当たり前である」というノーマライゼーションの考え方が広まった．1995（平成7）年には国の障害者対策推進本部（平成8年，障害者施設推進本部と改称）において「障害者プラン－ノーマライゼーション7か年戦略*」が決定され，障害者が地域で普通に生活できるような社会的自立を推進する取り組みが述べられた．「普通に生活できる」とは，障害者を排除し，差別してきた社会への反省に立ち，障害者も地

用語解説*

ノーマライゼーション7か年戦略

リハビリテーションの理念とノーマライゼーションの理念を踏まえ，次の七つの視点から障害者施策の推進を図るもので，数値目標を設定するなど具体的な目標を明記している．
①地域で共に生活するために，②社会的自立を促進するために，③バリアフリー化を促進するために，④生活の質（QOL）の向上を目指して，⑤安全な暮らしを確保するために，⑥心のバリアを取り除くために，⑦我が国にふさわしい国際協力・国際交流を．

域で共に生きていける社会にしていくという視点を含むものである．さらに，2006（平成18）年には，障害者がより働ける社会にする，障害者がより身近なところでサービスが利用できるよう規制を緩和するなどの改革を示した**障害者自立支援法**が施行された〔2013（平成25）年4月1日から，**障害者総合支援法**に改正〕．

一方，自立生活運動*は，1960年代のアメリカで重度の障害をもつ学生の学生生活の保障を扱ったカリフォルニア大学バークレー校で始まり，1970年代には全米に広まった運動とされる．介助を要する障害者は，家族や身近な人の援助を不可欠とする一方で，援助者に不当に扱われることで否定的なアイデンティティーが形成され，自己価値を見出せない状況にあった．自立生活運動は自己を否定せざるを得ない障害者観からの脱却を目指すものであった．

それまでは，自立といえば日常生活動作（activity of daily living：ADL）の自立と理解されていたが，この運動は，自分のことは自分で選択し自分で決めるという「自己決定」こそが自立であるとする考えを打ち出し，障害者の自己決定権をアピールする先駆的なものとなった．ノーマライゼーションの思想と自立生活運動における障害者の自己決定を軸とする自立の考え方を取り込んで，新たな自立概念を発展させた．障害者にとっての自立とは「地域の中で自らの意志と責任において自らの生活を営むこと」である．つまり地域で「普通」に，生活できるようになることである．

> **用語解説***
> **自立生活運動**
> ポリオの後遺症による四肢麻痺をもつエド・ロバーツが，カリフォルニア大学バークレー校で仲間とともに障害者学生サポートセンターを作って活動を始め，卒業後，地域で自立生活センターを創設したのを機に全米に広がっていった障害者運動．

2 依存から自立へ：自立の三側面を理解する

ノーマライゼーション思想や自立生活運動を通じて，障害者は他者に依存するばかりの弱いものという存在から，自分のことは自分で決める存在への転換を図る努力を行ってきた．

自立には三つの側面，**身体的な自立**，**精神的な自立**，**経済的な自立**があるといわれる．身体的自立とは誰かに頼りきりになるのではなく，できるだけ自分の力で生活できるということ（自分の身辺からの自立），精神的な自立とはケアを受けるのみでなく，自分のケアは自分で行うという精神面での心構えができること，経済的な自立とは制限されずに自由な行動をとれる経済力をもつことといわれる．

自立の概念でとりわけ重要とされるのは**自己決定**である．自己決定を行うには，例えば身体的に自分のことはできるだけ自分でできるというときの「自分のこと」とは何か，「できるだけ」とはどの程度なのか，「自分でできる」とはどうすることなのかを明らかにする必要がある．自分で「できること」と「できないこと」を明確にすることで，生活の中の「できること」と「できないこと」を管理することができる（**図4.3-2**）．

例えば，排泄という生理的欲求は，「自分のこと」であり，通常はトイレに行く（移動），衣服の上げ下げをする（衣服の操作），便器を使用する（便座に

図4.3-2 いろいろなサポートを活用したその人の自立

着き，離れる）などの一連の行動が難なく実行される．しかしADLの障害をもって日の浅い人は，排泄のための全行程を「自分でできる」状態にはない．ここで，自己の排泄の行程を査定してみると，何ができて，何ができないかがわかり，排泄行動を自己決定の考え方で管理できる能力を育てることができるだろう．

　また自己決定を行うには，「自分のケアは自分で行うという精神面での心構え」が重要な要素となる．つまり精神的にどこまで自立しているかにかかっている．自分の歩行能力を査定できれば，歩行を補助するどのような用具を使用すべきか，必要な移動距離のどこで他者の援助を求めるのか，どのような援助だと有効かなど，障害者自身が判断できる．運動障害があるとしても，その運動障害は永続的なものか，訓練によって回復可能なものかなどを査定することで，その時点での限られた身体能力を変化させる方向に向けることができる．上肢の喪失または上肢機能の永続的な喪失があっても，上肢機能を身体の他の部位や義肢などがうまく代行できるほど，障害を克服している人もいる．脳卒中に伴う片麻痺による運動障害の場合は，上肢機能の回復を目指した早期からの訓練が必要になるが，訓練にいかに積極的に臨むかは，障害をもつ人自身の意欲，つまりどのような自立生活を求めるかによる．

　また，障害者の自由な行動を支えるには経済的自立が不可欠であり，そのための雇用の促進と就業の安定を図ることを目的に，1960（昭和35）年に「身体障害者雇用促進法」が制定された．厚生労働省によると，2021（令和3）年度，公共職業安定所（ハローワーク）に登録している障害者の有効求職者数は約36万人で，2004（平成16）年の約15万4千人に比べ大幅に増加し，

障害者雇用促進法

「身体障害者雇用促進法」は，1987（昭和62）年にその対象とともに「障害者の雇用の促進等に関する法律（障害者雇用促進法）」と名称を変更した．その後も数次の改正を重ね，2024（令和6）年にも改正法が施行された．

表4.3-1 民間企業における障害者の雇用状況（人）

年	身体障害者	知的障害者	精神障害者	雇用率（%）
平成18年	238,267	45,356	1,918	1.48
平成20年	266,047	53,563	5,997	1.59
平成25年	303,799	82,931	22,219	1.76
令和 元年	354,134	128,383	78,092	2.11
令和 5年	360,158	151,723	130,298	2.33

平成18年より雇用率の算定が始まる．

重度の身体障害者の登録も増えていることが明らかにされた．この状況は，障害者の就業意識の高まりの現れであると考えられる．2023年度の公共職業安定所を通じた障害者の就職件数は，110,756件（前年度比8.0％増）であった．

障害者雇用率制度における**法定雇用率**は，2024年4月から民間企業2.5％，公官庁2.8％の指定があるが，2023年の民間企業の雇用率は2.33％である．雇用件数は，2004（平成16）年からは毎年着実に増加している．表4.3-1の障害者雇用の推移を見ると，まだ安定的な雇用状況とはいいがたく，今後も継続した雇用促進対策が必要である．現在も障害者の雇用機会の創出，福祉的就労から雇用への移行の推進，雇用達成率指導，職場適応のための人的支援の強化などの取り組みが行われている．法定雇用率を達成している企業では，職業リハビリテーションセンターとの連携，職場のバリアフリー化，在宅勤務者の導入，手話教室の開催など，職場環境づくりの努力をしている．

このように障害者の経済的自立は，社会が障害者をどのように受け入れていくかに左右される．障害者自身が一人前の社会の一員となることを望んでも，それを受け入れる場が十分に整備されていないのが現状であり，雇用についてもノーマライゼーションの実現に向けた社会全体の努力が必要とされている．

> **用語解説** *
> **法定雇用率**
> 「障害者の雇用の促進等に関する法律」によって，民間企業，国，地方公共団体が雇用しなければならないとされている身体障害者，知的障害者，精神障害者の割合．40.0人以上規模の企業2.5％，特殊法人等2.8％，国，地方公共団体2.8％，都道府県等の教育委員会2.8％と定められている（2024年11月現在）．

3 依存による自立

1970年代に始まった**自立生活運動**は，「自らの健康を管理する」ことであるセルフケア，セルフヘルプという考え方も発展させた．1978年のWHO国際会議におけるアルマアタ宣言では，健康に関する世界戦略としてプライマリヘルスケアという理念が打ち出された．プライマリヘルスケアは，自助と自決の精神にのっとった，地域社会のすべての個人や家族の全面的な参加があって実現される保健活動であり，自助，つまりセルフヘルプの考えに根ざしたものである．

自立生活運動における自立概念には，自己決定の考えが大きくかかわっていることを述べたが，この自立概念では「依存」についてはどのように扱われ，セルフヘルプの考え方とどのように結びつくのだろうか．

従来，日常生活動作の自立というと，できるだけ自分で行うことに重きが置

依存による自立

かれてきた．しかし自立生活運動では，自分でできないことに弱みを感じるのではなく，他人の支援を獲得することによる自立，つまり**依存による自立**または自立＝依存といってもよい自立のあり方を価値づけた．人は「他者に支えられ，他者を支える」という相互に依存し合う存在である．依存と自立の関係は対立するものではなく，人の自立は他者に依存することによって成り立っているといえる．「人の助けを借りて15分で衣服を着，仕事に出かけられる障害者は，自分で衣服を着るのに2時間かかるため家にいるほかはない障害者より自立している」とする自立生活運動のシンボリックな理念がこのことをよく物語っている．

この理念の基盤になっている自立観とは，依存することをつらいと感じることなく，必要に応じて自分でできること，依存することの使い分けができること，依存するときに自信がもてること，つまり「うまく人の世話になること」といえるのかもしれない．このように自助と自決の精神にのっとった保健活動に参加する障害者の生き方は，どのように，どの程度依存するのか，自分でできることは何かを障害者自身が掌握し，依存の内容を決定，選択できることとされるようになってきた．

自立生活運動の国際的発展の原動力となったのは，自立の新たなパラダイムが示されたこと，そこで新たな障害者の生き方モデルが形成されたことである．**自立生活パラダイム**は医療モデルと対置される（**表4.3-2**）．介助を必要とする障害者は保健，医療，福祉の専門家のサービスを必要とするが，医療モデルでは障害者は患者やクライエントとされ，専門家のアドバイスを受ける存在となる．専門家と患者の間では，治療，看護，訓練などが一方的に提供され，患者である障害者はそれを受け入れるばかりでは自立が阻害されやすくなる．

自立生活パラダイムでは障害者は医療，福祉などの専門的サービスの消費者

表4.3-2　自立生活パラダイムと伝統的パラダイム

	医療モデルとリハビリテーションパラダイム	自立生活パラダイム
問題の定義	肉体的・精神的機能障害：職業能力の欠損	専門家，家族などへの依存：対立的な態度と環境
問題の所在	個人（個人は「治療」されなければならない）	環境：医療かつ／またはリハビリテーションの過程そのもの
問題解決方法	専門的介入：治療	1．バリアの除去 2．アドボカシー（権利擁護） 3．自助 4．ピア（仲間）・ロールモデルとピアカウンセリング 5．選択とサービスにおける消費者管理
社会的役割	障害をもった個人は「患者」であり「クライアント」である	障害をもった個人は「消費者」であり「利用者」である
誰が管理するのか	専門家	「消費者」または「市民」
望まれる結果	最大限のセルフケア：日常生活動作自立，有給の仕事につくこと	統合された地域社会での毎日の生活のために，受け入れ可能な選択肢を管理することを通しての自立

Developed by Gerben Dejong in 1978；adapted/expanded by Maggie Shreve.
日米障害者自立生活セミナー資料集．全国自立生活センター協議会．1997．p.25より．

であり利用者であるという立場をとる．専門的サービスは消費者側が選択し，サービスをどのように受けるかは消費者側が管理していく．そこでは問題解決の方法は，どのような治療を受けるかということより，どのように**バリア**を除くか，**アドボカシー**（権利擁護）を確保していくか，**自助**（セルフヘルプ）を考えるか，**ピアカウンセリング**を活用するかという点にある．

　バリアを除くとは，障害のある人が社会生活していく上で障壁（バリア）となるものを除去すること，例えば，段差解消などが狭義の考えであるが，広くは障害者の社会参加を困難にするものの除去という点が含まれる．最近ではバリアの存在を前提とするバリアの除去ではなく，最初から誰でもが使えるユニバーサルデザイン*としての形状，構造化が図られている．

　アドボカシーは，適切なサービスを受けられない，虐待や差別など侵害される，救済の制度はあっても活用できないなどの社会的な弱者に対して，その人の立場に立って援助する活動である．弁護士会や社会福祉協議会などによる権利擁護センターでは，障害者の受けた侵害の相談や加害者との間に入った調整なども行われている．2011（平成23）年6月には障害者虐待防止法が成立し，2012（平成24）年10月より施行されている．セルフヘルプの活動では，同様の問題を抱えた障害者が自発的・自主的に対等に話し合い，相互援助によって自分の問題について考え，解決していくことを目指している．

　障害者の自立生活運動が社会に浸透してきたことの現われが，国の「市町村障害者生活支援事業」に**ピアカウンセラー**の設置が義務づけられたことといわれる．ピアとは，「仲間・対等者」を意味し，障害をもつ当事者同士が，対等な立場で，経験や知識を共有し，社会生活力を高め，自己信頼を高めていく「ピアサポート」の精神に基づいて，既に自立している障害者がさまざまな悩みや問題を抱える障害者の相談に乗ることをピアカウンセリングという．同じように障害をもつ「ピア」であるから，障害者のニーズを知ることができ，最も効果的なアドバイスを提供できる．経験豊かな質の高いピアカウンセラーの養成と認定が求められるようになり，ピアカウンセラー認定委員会が役割を担っている．

　自立生活パラダイムによって展開される活動は，1986（昭和61）年に設立された日本最初の自立生活センターに始まり，2024（令和6）年11月現在，全国自立生活センター協議会*（Japan Council on Independent Living Centers：JIL）に加盟する114のセンターで実践されている[5]．

4 セルフケアにおける依存と自立

　自立生活運動やプライマリヘルスケアで示された自助と自決の精神と地域の個人や集団の参加をもって行われる保健活動は，自らの健康を管理するというセルフケアの概念にも影響を与えた．

　従来のセルフケアの考え方は，「自分のことはできるだけ自分で行う」こと

用語解説*
ユニバーサルデザイン
「すべての人のためのデザイン」という意味で，年齢や性別，能力の違いなどに関係なく使える製品，建物，環境などのデザインをいう．

plus α
障害者虐待
障害者虐待防止法における障害者虐待とは，養護者による障害者虐待，障害者福祉施設従事者等による障害者虐待および使用者による障害者虐待をいう．

用語解説*
全国自立生活センター協議会
自立生活センターに対して，人材養成，ノウハウの提供，情報交換などの支援を行う協議団体．

を重視してきた．そのためにセルフケアの自立というとき，日常生活に支障がないこと，またはADLの自立とほぼ同義に扱われることが多い．しかし，セルフケアは自分の健康を管理するのに必要な行為の選択と意思決定の能力を要求するといわれる．つまりセルフケアは単にADLの自立にのみ言及するものではなく，自らを自らで管理するときに働く**意思決定の能力**を重視するものであると考えるべきであろう．このことは人間たるにふさわしい状態への復帰とされるリハビリテーションの成果が，復帰への意欲，意思に左右されるといわれることにもつながっている．

　セルフケアモデルを看護理論に著した**オレム**（Orem, D.E.）は，「セルフケアとは，個人が生命，健康および安寧を維持する上で自分自身のために，積極的に行う諸活動の実践である」と明示している[6]．これを自立生活パラダイムに重ねて考えてみると，積極的に行う諸活動とは，誰にも頼らず頑張って自分で乗りきろうとすることというより，必要に応じて上手に他への依存を活用していく在り方といえる．

　国際看護師協会（International Council of Nurses：ICN）による看護の定義は，「病気あるいは健康な人のケアをするにあたっての看護師の独自の機能とは，彼らの健康状態に対する反応を査定し，彼らがもし必要な力，意志あるいは知識をもっていれば援助されなくても行えるであろう健康あるいは回復，または尊厳ある死に資するこれらの行為の遂行を援助すること，そして彼らができるだけ早期に部分的あるいは全面的な自立を得るのを援助するというやり方でそれを行うことである」[7]とされる．これによると看護の機能は人の部分的なまたは全面的な自立のために援助することである．

　人が健康，治療，訓練，介護のどのプロセスにあろうと，看護の援助はセルフケアによる自立を目標とすることが多い．「依存による自立」という新たな自立概念とセルフケアに基づいた援助となるには，セルフケアという考え方の基盤にあるサービス利用者の意思決定，自己決定を支援する看護サービスが求められる．セルフケアが再獲得されると，「彼らがもし必要な力，意志あるいは知識をもっていれば援助されなくても行えるであろう健康あるいは回復」状態への復帰につながるはずである．

　セルフケア，依存，自立の概念を熟慮した看護が期待されている．

■ 引用・参考文献

1) 内閣府編．障害者白書．平成14年版：障害者対策に関する新長期計画の10年を振り返って．財務省印刷局，2002．
2) 定藤丈弘．アメリカにおける障害者の自立生活運動と課題．ノーマライゼーション障害者の福祉．1997, 17(189), p.41-45.
3) 藤丈弘他編．自立生活の思想と展望：福祉のまちづくりと新しい地域福祉の創造を目指して．ミネルヴァ書房，1993．
4) 内閣府編．障害者白書，平成25年版．
5) 全国自立生活センター協議会．http://www.j-il.jp/kameiichiran, （参照2024-11-11）．
6) 厚生労働省職業安定局障害者雇用対策課報告．今後の障害者雇用施策の動向～障害者雇用促進法改正法について．2013, p.1-35.
7) 日本看護協会編．日本看護協会看護業務基準集．2004年．日本看護協会出版会．2004, p.317.
8) 厚生労働省．令和5年障害者雇用状況の集計結果．https://www.mhlw.go.jp/stf/newpage_23014.html, （2024-11-11）．

重要用語

依存
自立
ノーマライゼーション

自立生活運動
自己決定
依存による自立

自立生活パラダイム
ピアカウンセリング

4 セルフケアを再獲得するプロセスにある人の人権擁護

学習ポイント
- 障害者の人権が擁護されるべき法的根拠を理解する．
- 障害者の人権が擁護されるために，本人・家族，地域社会，行政，国がそれぞれどのような役割を果たすことが期待されているのかを理解する．

1 アドボカシーとは

　アドボカシー（権利擁護）とは，「ある人の味方となって，その人の権利を擁護する（守る）」ことであり，人権の侵害・危害から守ることである．障害者など社会的に弱い立場に置かれた人々は，適切なサービスが受けられずに放置されたり，差別や虐待などによって権利を侵害されやすく，それらを救済・解決していく意味がある．

　近年，制度の改変や**ノーマライゼーション**（障害があってもなくても，その人らしく地域で暮らすこと➡p.224参照）が普及する中で，アドボカシーは意思決定能力の弱い認知症高齢者や知的障害者，精神障害者の意思を尊重し，日常生活での見守りや財産の保護といった保護的な意味で使用されている．

2 アドボカシーが必要とされる背景

1 施行制度の方向性

　社会福祉基礎構造改革によって，障害者や高齢者の福祉サービスは，**措置制度***から**契約制度***に変わった．また，サービスの利用にあたっては，所得に応じて利用料が発生するようになった．知的・精神障害や認知症のある高齢者は，理解力や判断能力が不十分なため，適切な契約ができない，サービスを依頼できない，といったことが起きてしまう．そのため，理解力や判断力が低下している人で，家族からの協力が得られる状態にない人には，必要な支援が受けられるよう本人に代わって契約をしたり，金銭を管理したりする人の存在が必要となった．

　また，障害者や高齢者に関する制度の方向性は，地域で暮らすことを目標としている．障害があるから施設に入所するのではなく，本人の能力を引き出しながら地域で生活できるようなサービスを提供するための体制づくりが進めら

用語解説*
措置制度
行政（県や市町村）の権限でサービスの内容を決定すること．

用語解説*
契約制度
本人とサービス提供者の互いの合意に基づく契約を結んでサービスを利用すること．

れている．

2 家族形態の変化

　以前の日本では，大家族で暮らし，親が年老いると兄弟姉妹や親せきなどで介護を担ってきた．しかし，近年では核家族化が進み，一人暮らし世帯も増加している．家族がいても疎遠になっており，身寄りがなく生活している人もいる．また，同居する家族がいても，本人に適切な支援ができない，家族も判断力が低下している場合などがある．そのため，家族による支援が受けられない人でも，地域で生活できるような支援を行うことが必要である．

3 セルフケア再獲得の状態にある人の特徴

　これまで，何ら問題なく生活し就労もしていた人が，突然，病気や事故によるけがで入院し，今までと同じではない状態になったり，障害が残ったりすると，できなくなったことばかりに着目し，家族や周囲に迷惑をかけていると思い，退院して自宅で生活したいという自分の希望を言い出しにくくなる．そのような状態にある人に対し，看護職者・医療職者は疾患や障害の程度を十分にアセスメントし，どのような支援があれば本人らしい生活ができるか，どのように制度を活用していくかなど，本人の希望を引き出し，本人・家族・支援者と相談しながら，本人の希望に近づけるよう支援していく必要がある．

　また，認知症のように，少しずつ判断力や生活能力が低下していくため気付かれにくく，必要な支援が受けられないままになってしまうことがある．看護職者は，入院中のさまざまな場面や，外来診察，待ち時間などのあらゆる機会を利用して，本人の状態をアセスメントしたり，医療機関・行政などの地域の看護職者（保健師など）や他職種と連携しながら，支援の機会を逃さないようにする．

　生活におけるセルフケアでは，ADL（日常生活動作）の中でもIADL（手段的日常生活動作）といわれる家事や買い物，通院，金銭管理，服薬管理などが，地域で療養していく上で必要な能力といえる．特に，家族の支援がなく一人で生活していく場合に，金銭管理は生活を成り立たせる上で重要であるため，成年後見制度や日常生活自立支援事業が設立された．

> **plus α**
> **アセスメントの例**
> ①予約日時を間違って来院する
> ②順番が来るまで落ち着いて待っていられない，そわそわしている
> ③季節に合った服装ではない
> ④清潔が保たれていない（たとえば便・尿臭がある，顔がきれいになっていない）
> ⑤耳が遠いわけでもないのに，同じことを何度も聞いてくる
> ⑥服薬管理ができていない
> など．

4 アドボカシーに関する主な制度

1 成年後見制度

①対象者：判断能力が不十分な者（認知症高齢者，知的障害者，精神障害者など）
②アドボカシーの担い手：親族や弁護士，司法書士，社会福祉士など家庭裁判所が認めた者
③申請先：家庭裁判所
④判断能力の確認方法：医師の診断書を家庭裁判所に提出する

⑤援助の内容：財産管理・身上監護に関する法律行為（財産管理処分や介護保険や入院・入所の契約）

2 日常生活自立支援事業

①対象者：判断能力が十分でないことにより日常生活に支障がある者
②アドボカシーの担い手：都道府県・指定都市社会福祉協議会＊（窓口業務等は市町村の社会福祉協議会等で実施）
③申請先：家庭裁判所．本人と社会福祉協議会との契約で行う．
④判断能力の確認方法：判断力について専門員がガイドラインに沿って面接調査し，判断する．判断能力が低下し，本人による契約が困難と判断された場合は，本事業は利用できないため成年後見人制度の利用を進める．
⑤援助の内容：福祉サービスの情報提供，助言，相談など．日常的金銭管理（預貯金の払い出しの代行），福祉サービス・公共料金・税金・医療費などの支払いの代行など．

用語解説＊
社会福祉協議会
民間の社会福祉活動の推進を目的とし，営利を目的としない民間組織．1951（昭和26）年に制定された社会福祉事業法（現「社会福祉法」）に基づき，設置されている．

5 アドボカシーの視点でみる事例

事例❶

脳梗塞のため判断能力が低下した事例
目黒さん，78歳，男性．一人暮らし．

　独身で，親やきょうだいは他界，親せきとのつき合いもなく過ごしていた．生活費は年金でまかなっている．要支援2で週1回のデイサービスと買い物などの家事援助を受けていた．ある日，デイサービスで意識レベルが低下している状態を発見され，救急搬送．右被殻に脳梗塞を起こしていることがわかった．

　入院して3週間が経過したころ，左片麻痺があるため移動は車椅子を使っていたが，回復期病院に転院しリハビリを行い，杖歩行ができるまでになり，退院を検討できる状態になった．その間，ケアマネジャーは病院の退院調整看護師と連絡をとったり，病院を何度も訪れたりして，目黒さんの状態を確認していた．退院調整看護師からの情報では，本人による服薬管理は難しく，看護師による配薬で可能な状態であった．入院中に大きなトラブルなどはないが，衣服が汚れていても気づかず，着替えを促せば着替えられるという状態であり，トイレは間に合わないことがあるためおむつを使用しているという．看護師等が付き添って，キャッシュコーナーでお金を引き出すことは自分でできたが，売店で財布に入っているお金をあるだけ使ってしまうため，金銭管理に支援が必要であるという情報があった．

　退院調整看護師とケアマネジャーは，目黒さんに，退院したらどこで過ごしたいかを確認すると，近所の人に預けている飼っていた猫と一緒に，今までどおり家で過ごすことを希望された．ケアマネジャーは，本人，主治医とも相談した結果，介護保険の区分変更申請を行いヘルパーやデイサービスを利用する，日常生活自立支援事業を利用して金銭管理のサポートをしてもらうなどの必要があると考えた．

　退院前カンファレンスでは本人，ケアマネジャー，主治医，病棟看護師，退院調整看護師が同席し，自宅退院に向けての話し合いが行われた．目黒さんが自宅で過ごすために注意することや，服薬管理，金銭管理についても支援の必要があることが確認

plus α
介護度の区分変更
介護度は必要に応じて変更の申請が可能である．ADLの低下など，介護度に変化が生じたと考えられる場合，残りの有効期間にかかわらず，いつでも要介護状態の区分の変更を申請できる．月の途中に要介護状態の区分に変更があった場合は，申請日にさかのぼり，新しい要介護認定を適用する．

され,目黒さんも同意した.そのため,ケアマネジャーは目黒さんに日常生活自立支援事業について説明し,利用することとなった.

事例❷

知的障害があり,父の入院をきっかけに地域での支援を受けることになった事例
中西さん,42歳,女性.85歳の父と同居.

　母は10年前に亡くなっている.きょうだいはいない.父が自宅で胸の痛みを訴え,中西さんに救急車を呼んでほしいと頼んだので,119番連絡をした.すぐに救急車がきて救命救急センターに運ばれ,心筋梗塞と診断されて緊急入院となった.

　中西さんは救急車に同乗したが,父が入院した後,一人で徒歩で帰宅した.父は,中西さんが心配と言っており,病棟の看護師が病院の退院調整看護師に連絡した.退院調整看護師が父と話したところ,中西さんは知的障害があり,家事などは指示すればできるが,まったく一人では心配だという.市と連絡をとり中西さんへの支援を依頼するかどうかを確認すると,ぜひお願いしたいとの希望があったため,市地域包括支援センターの保健師に相談した.

　市地域包括支援センターの保健師は市の障害者担当保健師に連絡し,民生委員と3人で自宅を訪問した.中西さんは,「お父さんが帰ってくるまで家で待っている」と,自分でご飯を作って食べているところであった.火の管理はできていた.中西さんは,これまでは特にサービス等の支援は利用していなかった.父は,治療に時間がかかることが予測されたため,主治医の許可を得て,市障害者担当保健師,市地域包括支援センター保健師,社会福祉協議会相談員地域ケア担当者で父と面談し,父の意思と希望を確認し,地域で中西さんを支援していくこととなった.中西さんは金銭管理ができず,食事は作れるが,何をどれだけ買えばよいのかを考えるのは難しく,指示や援助が必要であった.また,清潔を保つための入浴にも促しが必要であった.

　早急に支援が必要であったため,父の了解を得て有償ボランティアによる買い物の同行や見守りの支援を行い,民生委員の見守りもお願いするとともに,日常生活自立支援事業について中西さんに説明し,本人の同意が得られたため申請することとなった.また,障害者総合支援法による支援の申請手続きも進めていくことになった.

　今後は,日中に自宅以外でも安心して過ごせる場所をつくり,いずれは施設入所の検討も必要であった.

目黒さんのように本人の病気が原因で支援が必要となったり,中西さんのように家族の病気がきっかけで生活を再編しなくてはいけないことがある.看護職者には,本人や家族の生活への支援の必要性を多角的にアセスメントし,他職種・他施設と協働してより良い環境を整えていく役割がある.

■ 引用・参考文献

1) 全国社会福祉協議会・地域福祉権利擁護に関する検討委員会.「地域における権利擁護体制の構築の推進に向けて」調査研究報告書『「権利擁護センター等」の具体化に向けて』.全国社会福祉協議会,2013.
2) 増田雅暢ほか編著.社会福祉と社会保障.第4版.メディカ出版,2015,(ナーシング・グラフィカ,健康支援と社会保障3).
3) 日本精神保健福祉士協会・日本精神保健福祉学会監修.精神保健福祉用語辞典.中央法規出版,2004.
4) 成年後見センター・リーガルサポート編.市民後見人養成講座1　成年後見制度の位置づけと権利擁護.民事法研究会,2013.

重要用語

アドボカシー　　　　　　　　　　成年後見制度
ノーマライゼーション　　　　　　日常生活自立支援事業

コラム　疾病発見の遅れ

　疾病は，健康診断や検診による異常の発見，あるいは痛み・不快感・違和感や表在異常などを自覚する，あるいは他者からの指摘によって受診行動がとられて，発見される．ところが，この過程をスムーズにたどれないと健康障害の発見が遅れるか，発見されず最悪な状況に至る結果につながる．
　では，この過程がスムーズにたどれない原因について考えてみよう．

❀ "症状"発見の遅れ

　人間が，内部・外部環境からのさまざまな刺激を情報として受け取るのは感覚器である．刺激は，感覚受容器を通り大脳皮質に入ってはじめて感覚として意識される．意識される感覚には，便意や尿意はもちろんであるが，痛みや渇きなどの身体の異常を知らせる感覚もある．
　発熱や咳嗽，出血や腫脹などは周囲の人にも観察できる症状であるが，「痛み」「渇き」などは全く主観的な症状であるため，他者が把握するのは困難である．ところが，脊髄頸髄損傷や高次脳機能障害などの感覚障害がある場合は，このような主観的な症状を知覚しにくい．また失語症などの言語障害や認知障害がある場合は，異常を知覚しても他者へ自覚している症状を適切に伝えることができずに，症状の発見が遅れることがある．そのため，常に接している家族や介護者の感じる，日常とは異なる「きょうは少し元気がない」「なんとなく様子がおかしい」という違和感は，疾病発見の遅れを防ぐ上で重要な手がかりとなることが多い．

❀ "受診行動"の遅れ

　一般的に受診行動の遅れの原因には，本人の不安や恐怖・羞恥心，医療不信などの心理的な要因に加え，医療費などの経済的問題，仕事を休むことへの遠慮や罪悪感などの社会的影響がある．障害者にとっても同様であり，介助を要する障害者にとっては，なかなか受診を言い出せないこともある．
脳卒中の後遺症により半身麻痺があり車椅子で生活をしている木村さんは，町の検診の通知を受け取り，検診に出かけた．しかし実際に検診ができた項目は血圧と視力測定，血液採取だけだったという．尿の採取もレントゲン撮影もできなかったそうである．
　バリアフリーは障害者の社会復帰に絶対条件であり，公共の場所における改善は進んでいる．しかし，木村さんのようなケースは少なくない．障害者がスムーズに検査が受けられる環境的・人的体制が整っていないところもあり，その結果，「どうせ検査はできないだろう」というあきらめから，受診行動の遅れにつながることもある．

❀ 罹病発見の遅れをなくすために

①家族・介護者の日々の観察：いつもと違う様子を発見しやすいのは家族や介護者であるため，看護師は密なコミュニケーションから情報を得る．
②ホームドクターを決める：病気への反応の仕方や症状の訴え方など，その人の特徴を普段から把握・理解しているかかりつけの医師はコミュニケーションがとりやすい．
③定期的な検診を心掛ける：検診が受けやすい病院や施設を選択し，定期的に検診を受ける．

◆ 学習参考文献

❶ ドロセア・E・オレム．オレム看護論：看護実践における基本概念．第4版．小野寺杜紀訳．医学書院，2005．

オレム看護論の原著訳本で，頁数も内容も重厚である．他の解説書で理論を概観し，より深く理解したいときに読むのに適する．

❷ スティーブン・J・カバナ．オレムのセルフケア・モデル：看護モデルを使う（1）．数間恵子ほか訳．医学書院，1993．

オレム看護論をコンパクトにわかりやすく整理してあり，豊富な事例が展開されているため，事例を通して理論を理解するのに適する．

❸ 竹尾惠子監修．超入門 事例でまなぶ看護理論．新訂版．学習研究社，2007．

理論にわかりやすく親しめるよう，イラストがふんだんに盛り込まれ，丁寧な事例展開を通して解説しているので，初めてオレム看護論を勉強したい人に適する．

❹ 立岩真也．ALS：不動の身体と息する機械．医学書院，2004．

人工呼吸器を装着することについて，当事者の視点と社会の視点から考えてみることの大切さがわかる．

❺ 伊藤利之ほか編．ADLとその周辺：評価・指導・介護の実際．第2版．医学書院，2008．

ADLという視点をしっかりとらえるのによい．

❻ 佐々木日出男ほか．リハビリテーションと看護：その人らしく生きるには．中央法規出版，1996．

リハビリテーション看護のエッセンスが込められている．

❼ 日本経団連障害者雇用相談室編．障害者雇用マニュアルQ&A：採用から退職までの実務．日本経団連出版，2004．

企業などの社会集団で対応するときに考えるべきことがしっかりとまとめられている．

❽ 石川准．"ディスアビリティの削減，インペアメントの変換"．障害学の主張．石川准ほか編．明石書店，2002．

「障害」について考え直すのに必読の書．

❾ 滝野澤直子．でもやっぱり歩きたい：直子の車椅子奮戦記．医学書院，1995．

障害とは，看護とは，をエッセイから問い返される．

❿ ベンクト・ニィリエ．ノーマライゼーションの原理：普遍化と社会変革を求めて．河東田博ほか訳．現代書館，2000．

ノーマライゼーションの原理を発表し，かつ原理を育ててきたといわれる著者のノーマライゼーションの考え方は，基本知識として理解しておきたい．

⓫ 鈴木勉ほか．ノーマライゼーションと日本の「脱施設」．障害者生活支援システム研究会編．かもがわ出版，2003．

特に知的障害者の入所施設の縮小化傾向が進もうとしているが，入所施設の縮小は本当に必要なことなのか，ノーマライゼーションについて別の角度から考えることができる．

⓬ 石川准ほか編．障害学の主張．明石書店，2002．

「障害」を，単に医療や福祉の対象としてではなく，障害者の文化，自己決定権など社会システムを考える視点としてとらえており，「障害」の奥行きを感じることができる．

第2部　セルフケアの再獲得

5 セルフケア再獲得を必要とする成人への看護

学習目標

- セルフケア低下状態にある成人のアセスメントと評価を理解する．
- セルフケア再獲得を必要とする成人への看護方法を理解する．
- セルフケア再獲得を必要とする人への人的支援システムを理解する．
- セルフケア再獲得を必要とする人への法的支援システムを理解する．
- セルフケア再獲得を必要とする人への人権擁護を理解する．

1 セルフケア低下状態のアセスメントと評価

学習ポイント
- セルフケアのアセスメントと評価とは何かを理解する．
- 生命維持レベルのセルフケアアセスメントの枠組みを理解する．
- 生活基本行動レベルのセルフケアアセスメントの枠組みを理解する．
- 社会生活（家庭生活，地域生活，職業生活，余暇生活）レベルのセルフケアアセスメントの枠組みを理解する．
- 経済的状況に関わるアセスメントの枠組みを理解する．
- 心理状態（障害適応を含む）に関わるアセスメントの枠組みを理解する．

1 アセスメントと評価

　アセスメント（assessment）とは，看護の対象に関わる情報を収集し，専門的な視点からそれらを分析・解釈・判断して，対象の抱える問題や強みを判別することである．

　看護活動における**評価**（evaluation）とは，対象の健康上の問題解決あるいは健康状態の維持・促進のために目標を設定して介入した後，対象の状況を目標に照らして判断することである．目標に到達したか否か，到達した場合・しない場合の要因は何かを判別することである．

　一方で，「評価」という用語は，広く対象の機能や能力を査定する意味でも用いられている．この章では，アセスメントのための尺度，規準を「評価」という表現で示す．

2 アセスメントの視点

　セルフケアは，自分自身が，自分自身の力で，自分自身あるいは環境に対して行う，健康に関与する目的意識をもった行動ということができる．疾病や外傷などによってセルフケアの需要が高まり（必要とされる内容が増加する，複雑化する，難易度が増す），患者の機能や能力に障害が生じると，セルフケアを行うことが困難となる．患者自身の能力の向上や適応を促進するだけではセルフケアが行えない場合は，他者の援助が必要となる．セルフケアの再獲得は，すべて「自分自身が」「自分自身で」ということを指すものではない．「自分自身で」行うことのレベルは，患者が置かれた環境によって大きく変化する．例えば，訓練室と病室，病院と自宅の建物の構造や用具の違い，また，介助する人の技能の違いによって日常生活活動の自立度は変わってくる．生活習慣の改善や薬物療法などでは，直接的な援助をしてくれなくても，努力を認め，支持してくれる人の存在が自己管理の強化や継続につながる．また，患者本人および介護者の資質（知的能力，体力，介護技術，経済力，サポート体制

など）によって，設定する目標も異なってくる．患者および（または）介護者の，疾病や障害・セルフケアの必要性・セルフケア方法に関する知覚・理解・実施について，具体的にどのようなことが困難であるかを明らかにするには，次の視点をもってアセスメントすることが必要である．

1 「誰が」：セルフケア行動をコントロールする人

患者に意識障害を含む精神機能障害（**高次脳機能障害**）や知的障害があると，患者自身での状況判断や意思決定が困難となり，家族などの介護者が代わりを務めなければならないことがある．障害をもって生活するためにどのような能力が必要とされ，どこまでを患者自身で行うことが可能か，不足部分がある場合，それを補うのは誰か，それによりどのレベルまでが可能となるかを判断する．

2 「誰によって」：実際にセルフケア行動を行う人

頸髄損傷や神経難病による四肢麻痺で自力での体動が困難な人でも，口頭指示などによって意思を表示し，他者に実践部分を委ねることで，セルフケアが可能となる．これとは反対に，精神機能障害や知的障害のある人では，他者からの指示を受けて患者本人が行うということもある．各々のセルフケア行動に患者本人がどこまで参加できるのか，不足部分がある場合，誰がどこまで介助すればよいのか，介助することが可能かを判断する．

3 「誰（何）に対して」：働きかけの対象

患者自身と，患者を取り巻く環境に働きかける場合の二つがある．環境には，家族，職場・学校・地域・世間一般の人や，物，制度などが含まれる．

3 アセスメントの内容と方法

1 基礎情報

診断名，主訴，現病歴や既往歴など患者に関する**基礎情報**（表5.1-1）を把握する．これらは，今後行うアセスメントのポイントを導き出す情報となる．

2 セルフケアのアセスメントの流れ

1 問題現象のアセスメント

セルフケアの再獲得モデルでは，**生活行動遂行状況**が看護問題となる．その際の判断材料として最も重要視されるのは，食事，排泄，清潔・整容・更衣，起居・移動，セクシュアリティ，コミュニケーションなどに関わる行動が，自力でどこまで，どのようにできるのかということである．このとき，やろうと思えばできるが，治療上「やってはいけない」ことも含めて見ていかなければならない．例えば，虚血性心疾患の発作後や，肝疾患，腎疾患，骨折時などにおいて安静が必要とされる場合である．

2 原因のアセスメント

a 習慣・環境

生活行動は，患者のそれまでの生活の中で習慣化され，形成

表5.1-1　患者に関する基礎情報

氏名・年齢・性別・職業／住所・連絡先／診断名／主訴／現病歴（治療経過を含む）・既往歴／現在行っている治療／家族歴／生活歴

されてきたものである．例えば移動動作に関しては，普段の活動範囲が家屋と
その周辺である人と，電車やバス等の交通機関を使って通勤している人とでは
移動距離，活動耐性，移動方法などにおいてセルフケア再獲得の需要が異なっ
てくる．「何が」「どの程度」不足しているのかを判断する際は，受障前のその
人の状態を把握しておく必要がある．これはまた，目標設定の資料にもなる．

b 身体機能障害

生活行動の遂行は，身体機能の障害によって制約を受ける．神経系，筋・骨
格系の疾患により運動障害がある場合は，「身体を動かせない」という事態が
生じる．呼吸器系，循環器系の疾患によっても，酸素化と組織への酸素供給が
障害されるために活動が困難となる．治療による制約を受ける場合も，対象の
器官の機能低下があり，それを庇護するための安静療法ということがある．
重篤な状態であれば，自力での体動が困難であることや安静療法による**不使
用性の障害**が拡大するので，そのリスクも判断する．

c 精神機能障害（高次脳機能障害）

もともと精神疾患に罹患していなくても，脳神経疾患の症状・合併症とし
て，あるいは不適応の症状として，**うつ**などの精神症状を呈することがある．
精神症状は，セルフケア再獲得に向けてのリハビリテーションの実施を阻害す
る．援助方法の決定や症状をコントロールするために，精神機能をアセスメン
トする（表5.1-2）．

セルフケアの遂行には，運動・感覚などの要素的な機能だけでなく，行為の
対象を知覚・認知し，目的をもって計画的に行動する総合的な機能が必要であ
る．成人では脳血管障害や頭部外傷などによる脳損傷や，心肺機能低下に伴う
脳の酸素欠乏，代謝異常が考えられる場合には，注意深くアセスメントする．

まずは，生活面の各動作を成立させる心身の機能をアセスメントし，異常が
見いだされた場合は，さらに専門的な指標を用いて重点アセスメントを行う．

成人期は，発達のピークを迎える時期（青年期）から，徐々に衰退を示す時
期（壮年期），さらには老年期への移行期（向老期）という幅広い年齢層を包
含し，個体差もある．機能の正常異常を判断する際には，発達による変化と平

> **plus α**
> **不使用性の障害**
> 使わないこと（不使用）による機能の衰え．筋萎縮や筋力低下，関節拘縮など局所的不使用によるもの，心肺機能低下など全身的不使用によるもの，知的活動低下など感覚・運動刺激の欠乏によるものなどがある．

表5.1-2 精神機能のアセスメント

	アセスメント項目		
意識	意識状態（JCS, GCS）	意欲・行動	意欲低下／欲求の抑制ができない／異常行動
知覚	幻視・幻聴・幻臭・味覚の異常など	知能	精神遅滞／認知症
記憶	記銘力障害／保持機能の障害（健忘）／記憶錯誤など	その他高次脳機能	注意：動作・反応・作業の速度／集中している時間／落ち着き／自発性など 失行：口頭指示・模倣による動作の実施／道具の使用 失認：見たものの呼称・使い方を示す／同じ図形の選択・模写／音・音楽の識別 失語：聞く・話す・読む・書く能力 遂行機能：合目的な行動／現実的な計画の立案／正しい手順・手続き
見当識	時間・場所・周囲の状況の判断		
思考	思考内容が現実的か／妄想・脅迫的観念　思路（思考過程）の混乱		
感情	抑うつ／興味・関心・喜びの減退／高揚／易怒性		

常時の状態を考慮に入れて行う必要がある．

3 諸レベルのセルフケアのアセスメント

|1| 生命維持レベルのセルフケアのアセスメント

　疾病や外傷を発症し，生命の危機を脱したと判断された時点から生活基本行動レベルのセルフケア再獲得への道のりが始まる．とはいえ，重篤な疾病や外傷，侵襲の大きな手術後は，経口摂取の禁止，尿道留置カテーテルによる排泄，ベッド上での安静保持，処置に適した衣服を介助により着用するなど，健康や障害の程度または治療による制限はつきものである．

　食事についてみると，胃切除術直後など消化管そのものの障害の急性期では，食事摂取の動作は自分で行えるが，消化管の機能回復を図るために経口摂取が禁止され輸液による栄養摂取となる．脳血管障害で意識障害が重ければ，誤嚥の危険を回避するために経口摂取が禁止されるが，消化管の機能に問題がなければ胆嚢炎やBT*（bacterial translocation）を回避するため，比較的早い時期から経鼻経管栄養が実施される．この状態で誤嚥性肺炎や逆流性肺炎を頻発する場合は，胃瘻造設ということも考えられる．意識障害が軽度で嚥下障害がある場合は，練習食から開始して障害の程度に応じた形態の食事を経口で摂取することになるだろう．上肢の運動麻痺があれば，食事摂取の動作が困難となる．また，心機能障害では，心負荷軽減（食事に伴う酸素消費量を減少させる）のために，食事内容や食事量が制限される．排泄も同様に，排泄に直接関わる器官の障害，排泄動作に関わる機能や能力の障害，治療による制限の影響を受ける．

用語解説*
BT
バクテリアルトランスロケーション．腸内細菌や真菌が腸管壁を通過して，腸間膜リンパ節や門脈などに侵入する現象．絶食が3日を超えると生じやすいといわれる．

　このように，急性期にある患者のセルフケアは，疾病や障害の程度や治療によって異なるため，それらを踏まえたアセスメントが必要となる（詳細は急性期看護の成書を参照されたい）．

|2| 生活基本行動レベルのセルフケアのアセスメント

　食，排泄，清潔・整容・更衣，起居・移動，セクシュアリティ，コミュニケーションの各アセスメントについて次に述べる．

a 食に関わるセルフケアのアセスメント

問題現象のアセスメント　食の動作の自立度をアセスメントする（表5.1-3）．このほか，全身形態・機能からもアセスメントする（図5.1-1）．

原因のアセスメント　食習慣・環境，**摂食・嚥下**に関わる機能をアセスメントする（表5.1-4）．摂食・嚥下は，食物の認識・口への取り込み・咀嚼・食塊形成・咽頭への送り込み・咽頭通過・食道通過という流れで行われる．障害のある相により援助方法が異なるので，詳細を評価する（表5.1-5）．

表5.1-3　食のセルフケアのアセスメント

食事摂取にかかる時間・摂取量
食事の準備（セッティング）
食器の把持：スプーン／フォーク／はし／茶碗／コップ／グラス
食器の固定：茶碗／皿
容器の開閉：切り分け／バターなどを塗る
食物を口まで運ぶ：口に入れる／コップから飲む
咀嚼
嚥下
姿勢の保持／移動
上肢の巧緻性：食器の持ち方／返し
上肢の協調運動（円滑か）
片付け

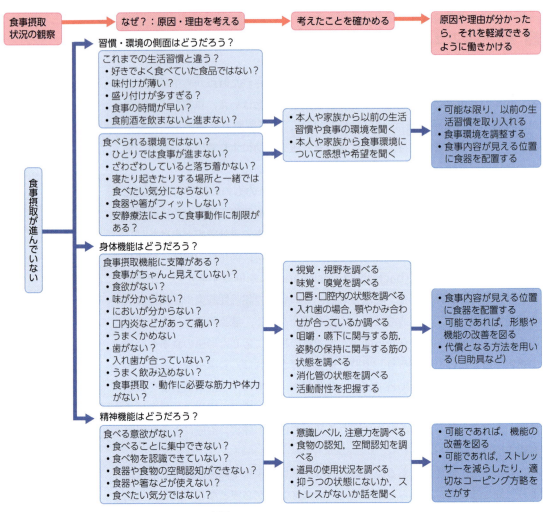

図5.1-1 食に関するアセスメントからの援助

表5.1-4 食のセルフケアに関する原因のアセスメント

習慣・環境	身体機能障害	精神機能障害（高次脳機能障害）
〈習慣〉 発症前の食事回数・量・時刻 好んで摂取する食品・調理法・味付け 嫌いな食品・禁忌・アレルギー 食事に対する考え方 嗜好：飲酒・喫煙・その他 健康食品・サプリメント・薬物の摂取 〈環境〉 食事の場所・設備・食事中の環境 器具・用具の使用	視力・視野：食物・食器の知覚 味覚・嗅覚：味・においの知覚 口腔環境（歯・歯肉・口腔粘膜） 咀嚼 嚥下 栄養障害 消化管の状態	意識レベル・注意：食事への意欲・集中 記憶・認知：食物・食べたこと・方法などの認知・記憶 視空間認知：食物・食器の認知 失行：行為の遂行，器具の使用 抑うつ・精神的ストレス

b 排泄に関わるセルフケアのアセスメント

問題現象のアセスメント 排泄動作の自立度をアセスメントする（表5.1-6）.

原因のアセスメント 排泄習慣や環境，排泄に関わる機能をアセスメントする（表5.1-7）．環境ではトイレのスペース，便器の様式，便座の高さ，手すりなどが自立の阻害要因となりうる．

排尿障害は，支配神経，下部尿路（膀胱・尿道など）の器質的・機能的変化，前立腺疾患などによって起こる．排尿状態を観察し，障害の種類（障害部位）を判別する．セルフケアの再獲得を要する患者では，排便コントロールに関わる神経の障害や，活動量の減少などにより，**便秘**がしばしば問題となる．高血圧や虚血性心疾患の患者では，便秘による努責が血圧の上昇や心負荷の増

表5.1-5 摂食・嚥下障害の観察ポイント

障害相	観察ポイント
食物の認識	・意識障害：ぼーっとしている，傾眠 ・食物に無反応：見ても口を開かない．口唇にスプーンが触れないと口を開かない／触れても口を開かない
口への取り込み	・口の中に取り込めない　・顎が上下に動かない　・食べ物が口からこぼれる ・唇が閉じない／閉じ方に左右差がある　・よだれが多い
咀嚼・食塊形成	・固形物が食べにくい　・口が開かない　・舌の突出後退ができない ・顎が上下に動かない／回旋運動ができない　・舌で唇の周りをなめられない ・歯の嚙み合わせが悪い／義歯が合わない　・舌を口蓋に押し付けられない
咽頭への送り込み	・舌を口蓋に押し付けられない　・口の中に食物残渣がある　・顎をかみしめられない ・上を向いて飲み込む
咽頭通過 食道への送り込み	・食べるとむせる　・咽頭に残留感がある ・食後に咳が出る　・水を飲んだ後に声が変わる
食道通過	・胸につかえる　・流動食しか入らない　・飲み込んだものが咽頭に逆流してくる

藤島一郎ほか．口から食べる：嚥下障害Q&A．第4版．中央法規出版，2011を参考に作成．

表5.1-6 排泄のセルフケアのアセスメント

```
排尿の回数・量・時刻・所要時間
排便の回数・量・時刻・所要時間
排泄物の性状・調節方法
尿意の知覚／コントロール
便意の知覚／コントロール
排泄方法：カテーテル／おむつ／床上尿便器／ポータブルトイレ／トイレ
トイレまでの移動
ズボン・下着の上げ／下げ（上肢の巧緻性）
姿勢の保持：座位／かがみ
後始末：陰部を拭く／生理用品の処理／水を流す
```

表5.1-7 排泄のセルフケアに関する原因のアセスメント

習慣・環境	身体機能障害	精神機能障害（高次脳機能障害）
〈習慣〉 発症前の排泄回数・量・時刻・所要時間 発症前の調節方法（食品・水分・薬物など） 排泄に対する考え方 〈環境〉 排泄場所・設備・排泄中の環境 器具・用具の使用	知覚：便意・尿意の知覚 尿・便の排出に関与する筋の運動 姿勢の保持 腎機能 消化・吸収機能 心機能・呼吸機能	意識レベル・注意：排泄に対する意識化 記憶・認知：場所・方法などの認知・記憶 視空間認知：設備・用具の認知 失行：行為の遂行，用具の使用 抑うつ・精神的ストレス

表5.1-8 便秘のアセスメント

原因／メカニズム	便秘の種類
腫瘍・瘢痕・癒着により大腸が機械的に狭窄・閉塞	大腸通過障害による便秘
先天性巨大結腸症，全身性硬化症，脊髄損傷，甲状腺機能低下症など	便の輸送障害による便秘
排便の意図的抑制，下剤・浣腸の乱用，腹圧の減弱 通常の直腸圧増加では便意が起きず，直腸が拡大して便が貯留	直腸性便秘
食事の摂取不足，運動不足 大腸運動が低下し，腸内容物の移送が遅れて水分を過度に吸収	弛緩性便秘
緊張などの精神的ストレス，抑うつ，精神疾患 大腸壁の自律神経機能異常により腸管の輪状筋の収縮が亢進	痙攣性便秘

plus α

便秘の分類

便秘は直腸性や弛緩性，痙攣性などに分類されていたが，近年は病態による大腸通過遅延型，大腸通過正常型，便排出障害型とする分類もある．

強を招く．便秘は，表5.1-8のような観察からその種類を判別することができる．

c 清潔・整容・更衣に関わるセルフケアのアセスメント

問題現象のアセスメント 清潔・整容・更衣動作の自立度をアセスメントする（表5.1-9）．

原因のアセスメント 清潔・整容習慣や環境，衣生活，これらの動作に関わる機能をアセスメントする（表5.1-10）．動作の自立度は，運動機能と活動耐性（心肺機能），精神機能に依存する．浴室のスペースや段差，手すりなどの環境が自立の阻害要因となることもあるし，排泄と同様に，清潔動作時の環境や方法が血管の収縮や心負荷を招くこともある．

d 起居・移動に関わるセルフケアのアセスメント

問題現象のアセスメント 起居・移動動作の自立度をアセスメントする（表5.1-11）．

原因のアセスメント 運動・活動の習慣や環境，起居・移動に関わる機能をアセスメントする（表5.1-12）．

起居・移動動作も運動機能と活動耐性（心肺機能），認知機能に依存する．運動機能は，筋，神経，骨格系の障害の影響を受ける．**随意運動**は，大脳皮質運動野から出される信号により筋が収縮することで起こるが，大脳皮質運動野，筋までの神経路（錐体路），筋の損傷，筋を支える骨・関節の損傷によって障害される．また，随意運動は，運動を調整する小脳および錐体外路の損傷によっても障害される．中枢性片麻痺がある場合は，援助方法を明らかにするために回復状況をアセスメントする．

表5.1-9 清潔・整容・更衣のセルフケアのアセスメント

清潔動作	清潔保持方法：入浴／シャワー／清拭 口腔の清潔保持方法：歯磨き／洗口，歯間ブラシ・デンタルフロスの使用 耳・鼻・目の手入れの方法 清潔保持の回数・時刻・所要時間 必要な用具の準備 浴室・洗面所への移動 浴室・浴槽への出入り 水道栓の開閉／水量の調節／湯温の調節 歯を磨く／含嗽 顔を洗う／手を洗う／体を洗う／髪を洗う シャワーを使う タオルを使う：絞る／拭く 目・耳・鼻の清潔を保つ
整容動作	身だしなみを整える 爪の手入れ ひげ剃り：かみそり・シェーバーの使用 化粧 整髪：くし・ブラシの使用／ドライヤーの使用 衣服を整える
更衣動作	衣服がふさわしいか：場・気候・身体の状態など 衣服の清潔保持の状態 衣服の選択 衣服の取り出し 上衣を着る／脱ぐ 下衣を着る／脱ぐ ボタン・スナップ・マジックテープをとめる／はずす ファスナーを閉める／開ける ベルト・ひもを結ぶ／ほどく 靴下を履く／脱ぐ 靴を履く／脱ぐ 衣類の整理

運動障害はなくても，**安静療法**によって長時間，骨格筋を使わないでいると筋は萎縮する．筋の萎縮は，筋萎縮性側索硬化症などの神経の変性疾患や，進行性筋ジストロフィーなどの筋そのものの変性を来すような疾患によることもある．筋緊張や筋力など筋の状態をアセスメントする（表5.1-13）．また，

表5.1-10 清潔・整容・更衣のセルフケアに関する原因のアセスメント

習慣・環境	身体機能障害	精神機能障害（高次脳機能障害）
〈習慣〉 発症前の清潔ケア方法・衣生活 清潔保持・身だしなみに対する考え方 衣服の好み 〈環境〉 清潔ケアの場所・設備・ケア中の環境 器具・用具の使用	知覚：皮膚・粘膜の知覚 運動：可動性・関節可動域 筋力・協調運動 心機能・呼吸機能	意識レベル・注意：清潔・身だしなみに対する意識化・集中 記憶・認知：場所・方法などの認知・記憶 視空間認知：設備・用具・衣服の認知 失行：行為の遂行，用具の使用 抑うつ・精神的ストレス

表5.1-11 起居・移動のセルフケアのアセスメント

起居動作	移動動作
仰臥位での移動：上／下／右／左 寝返り：右／左 仰臥位からの長座位：右／左 座位保持／いざり 臥位から四つばい 四つばいの保持／移動 座位から膝立ち 膝立ちの保持／移動 膝立ちから片膝立ち：右／左 立ち上がり 立位保持 床に腰をおろす	ベッドから（車）椅子／（車）椅子からベッドへの移乗 床から（車）椅子／（車）椅子から床への移乗 車椅子からトイレ／トイレから車椅子への移乗 車椅子の操作：ブレーキ／フットレスト 車椅子の駆動：カーブ／段差／傾斜路 車椅子での走行距離：短距離／中距離／長距離 車椅子から車／車から車椅子への移乗 平地での歩行：平行棒内／屋内／屋外 傾斜地での歩行：上り／下り 階段の昇降：上り／下り 障害物を避ける・溝をまたぐ・不整地の歩行 物を持っての歩行：片手／両手 歩行ペース：スロー／中等度／ハイペース 歩行距離：短距離／中距離／長距離 装具・義肢・補助具の使用

表5.1-12 起居・移動のセルフケアに関する原因のアセスメント

習慣・環境	身体機能障害	精神機能障害（高次脳機能障害）
〈習慣〉 発症前の動作や運動のレベル・方法 発症前の活動・休息パターン 活動・運動に対する考え 〈環境〉 家屋環境：間取り・広さ・設備・段差 住居環境：坂道・階段・交通手段 器具・用具の使用	知覚：表在・深部知覚 運動：可動性・関節可動域 筋力・協調運動 心機能・呼吸機能	意識レベル・注意：起居動作・移動動作に対する意識化・集中 記憶・認知：場所・方法などの認知・記憶 視空間認知：設備・用具の認知 失行：行為の遂行，用具の使用 抑うつ・精神的ストレス

表5.1-13 徒手筋力テスト：MMT（manual muscle testing）スコア

5	正常	normal	強い抵抗を加えても，完全に動く
4	優	good	ある程度の抵抗を加えても，正常可動域いっぱいに完全に動く
3	良	fair	抵抗を加えなければ，重力に抗して正常可動域いっぱいに動く
2	可	poor	重力を取り除くと，正常可動域いっぱいに動く
1	不可	trace	筋のわずかな収縮は起こるが，関節は動かない
0	ゼロ	zero	筋の収縮が全くみられない

各段階の中間値をとりたい場合は「＋」「－」をつける．
　例）弱い抵抗を加えて動かせる場合：正常可動域の50％以上なら「4－」，50％以下なら「3＋」

運動を行うには骨格筋への酸素供給が不可欠であるが，心肺機能の障害によって酸素供給が阻害されると，移動動作は困難となる．活動耐性や活動に伴う自覚症状の有無と程度をアセスメントする．

> 心肺機能については，ナーシング・グラフィカ疾患と看護①『呼吸器』，筋・骨格系については疾患と看護⑦『運動器』，神経については疾患と看護⑤『脳・神経』参照．

ADLと評価指標

ADL（activities of daily living）は，「ひとりの人間が独立して生活するために行う，基本的な，しかも各人ともに共通に毎日繰り返される一連の身体動作群」（日本リハビリテーション医学会）とされ，家庭生活における起居動作，セルフケア（食事，排泄，整容，入浴，更衣，移動），コミュニケーションを指す．近年，国内で用いられている指標には，**バーセル指標**（Barthel Index：**BI**，表5.1-14），**機能的自立度評価法**（Functional Independence Measure：**FIM**，表5.1-15），**Katz Index**（Katz Activities of Daily Living Scale，表5.1-16，→p.208 表4.2-1も参照）がある．

BIは，介護量の測定を目的とし，実際の日常生活を観察して「できるADL」

表5.1-14　バーセルインデックス（Barthel Index）

食　事	10：自立．必要に応じて自助具をつけることができ，食物を切ったり，調味料をかけたりできる 5：食物を切ってもらうなどの介助を要する 0：全介助
車椅子とベッド間の移動	15：自立（ブレーキやフットレストの操作を含む）．車いすからベッドに移り臥位になれる． 10：移動の動作のいずれかの段階で部分介助や，安全のための声かけ，監視を要する 5：移動に多くの介助を要する 0：全介助
整　容	5：自立：手洗い，洗顔，整髪，歯磨き，ひげ剃り 0：全介助
トイレ動作	10：自立：便器への移動，衣服の始末，拭き取り，水洗操作が介助なしにできる 5：部分介助：安定した姿勢保持や衣服の着脱，トイレットペーパーの使用などで要介助 0：全介助
入　浴	5：自立：浴槽使用，シャワー使用 0：全介助
平地歩行	15：45m以上，介助や監視なしに歩ける（補助具や杖の使用は可．車輪つき歩行器は不可） 10：最小限の介助や監視下で少なくとも45m歩ける 5：歩行不可能だが，自力で車椅子を駆動し少なくとも45m進める 0：全介助
階段昇降	10：1階分の階段を介助や監視なしに安全に上り下りできる（手すりや杖の使用は可） 5：介助や監視を要する 0：全介助
更　衣	10：自立：靴のひも結びやファスナーの上げ下ろし，治療用の補装具の着脱も含む 5：介助を要するが，少なくとも半分以上は自分で，標準的な時間内にできる 0：全介助
排便コントロール	10：随意的に排便でき，失禁なし．坐薬の使用や浣腸も自分でできる 5：時に失禁あり．坐薬の使用や浣腸は介助を要する 0：全介助
排尿コントロール	10：失禁なし 5：時に失禁あり．または尿器の取り扱いなどに介助を要する 0：全介助

注）代表的なADL評価法である．100点満点でも一人住まいが可能というわけではない．
Mahoney, FL. Barthel, DW. Functional evaluation：The Barthel Index. Md State Med J．
厚生労働省．Barthel Indexについて．2020などを参考に作成．

表5.1-15　機能的自立度評価表（functional independence measure：FIM）

	評価項目		評価内容	点	コメント
運動項目	セルフケア	食事 整容 入浴 更衣（上半身） 更衣（下半身） トイレ動作	咀嚼，嚥下を含めた食事動作 口腔ケア，整髪，手洗い，洗顔など 風呂，シャワーなどで首から下（背中以外）を洗う 腰より上の更衣および義肢装具の装着 腰より下の更衣および義肢装具の装着 衣服の着脱，排泄後の清潔，生理用品の使用		
運動項目	排泄コントロール	排尿管理 排便管理	排尿の管理，器具や薬物の使用を含む 排便の管理，器具や薬物の使用を含む		
運動項目	移乗	ベッド・椅子・車椅子 トイレ 浴槽・シャワー	それぞれのあいだの移乗，起立動作を含む 便器へ（から）の移乗 浴槽，シャワー室へ（から）の移乗		
運動項目	移動	歩行 車椅子 ＊主な移動手段 階段	屋内での歩行 屋内での車椅子移動 12〜14段の階段昇降	□車椅子　□歩行	
認知項目	コミュニケーション	理解 表出	聴覚または視覚によるコミュニケーションの理解 言語的または非言語的表現		
認知項目	社会的認知	社会的交流 問題解決 記憶	他患者，スタッフなどとの交流，社会的状況への適応 日常生活上での問題解決，適切な判断能力 日常生活に必要な情報の記憶		
				合計点	

採点基準		評価内容		
		介助者	手出し	
7点	完全自立	不要	不要	
6点	修正自立	不要	不要	時間がかかる，補助具が必要，安全性の配慮
5点	監視・準備	必要	不要	監視，指示，促し
4点	最小介助	必要	必要	75％以上自分で行う
3点	中程度介助	必要	必要	50％以上，75％未満自分で行う
2点	最大介助	必要	必要	25％以上，50％未満自分で行う
1点	全介助	必要	必要	25％未満しか自分で行わない

千野直一編著．脳卒中患者の機能評価：SIASとFIMの実際．シュプリンガー・フェアラーク東京，1997を参考に作成．

を評価する[1]．食事，移乗，整容，トイレ動作，洗体，平地歩行（車いす），階段昇降，更衣，排便コントロール，排尿コントロールの10項目からなり，「自立」「部分介助」「介助」の3段階で評価する．0〜15点の配点で，総得点は0〜100点の範囲となる．

FIMは，BI同様，介護量の測定を目的とし[1]，「しているADL」を評価する．運動項目と認知項目からなり，運動項目ではセルフケア（食事・整容・清拭・更衣・トイレ），排泄コントロール，移乗，移動動作に関する13項目を採点基準である1点（全介助）〜7点（完全自立）で評価する．そのため合計点は最低13点，最高91点となる．認知項目ではコミュニケーション，社会的認知に関する5項目を採点基準（1〜7点）で評価する．合計点は5〜35点の範囲となる．これらは生活を営むために必要最小限の項目である．

表5.1-16 Katz Index (Katz Index of Independence in Activities of Daily Living)

活動	項目	スコア
入浴 (スポンジ, シャワー, 浴槽)	自立して入浴できる. または（背中, 陰部, 麻痺肢のような）身体の1カ所のみの介助	1
	身体の複数の部位, 浴槽の出入りやシャワーに介助を要する, または全介助	0
更衣	クローゼットや引き出しから衣類を取り出し, 衣類やファスナー付きの上着を着用できる. 靴紐を結ぶことには介助を要する	1
	衣類の着用に介助が必要. または服を完全に着用するには介助が必要	0
トイレに行く	トイレに行き, 便座に移乗し, 衣服を脱着して整え, 排泄後の後始末をすることができる	1
	トイレへの移乗, 陰部の清拭, 便器やポータブルトイレの後始末に介助が必要	0
移乗	介助なしでベッドから出て車椅子に移乗できる. 機械的な移乗補助具は認められる	1
	ベッドから出て車椅子に移乗すること, または完全な移乗に介助が必要	0
排泄（禁制）	自身で排尿や排便のコントロールが完全にできる	1
	部分的あるいは全面的に排便, 排尿のコントロールができない（失禁がある）	0
食事	食器から食べ物をとって口に運ぶことができる. 食事の準備は他者が行うこともある	1
	栄養摂取に関して部分的あるいは全面的に介助を要する, または非経腸栄養剤を必要とする	0

Katz S, Downs TD, Cash HR, et al: Progress in the development of the index of ADL. Gerontologist 10:20-30, 1970. Copyright The Gerontological Society of Americaをもとに作成.

　Katz Indexは，入浴，更衣，トイレ，移乗，排泄コントロール，食事の6項目について，「自立」か「介助」のどちらかで評価する．項目の並びは難易度が高い順になっている．

e セクシュアリティに関わるセルフケアのアセスメント

　セクシュアリティには「性別としての性」「行動としての性」「性役割」「性的同一性」が含まれる．セルフケアの再獲得を要する人々にとって問題となるのは，疾病や障害，治療による性行動および生殖と性役割への影響であろう．脊髄損傷者では，勃起障害や射精障害により性行動に工夫を要することや，心疾患患者では性行動が再発作の誘因になることはよく知られている．また，疾病や障害が性行動を困難にする直接の原因ではなくても，パートナーが患者に触れることに嫌悪感を抱いたり，再発や他の疾病を引き起こすのではないかという不安をもつことで，性交を避ける，満足感を得られないなどの問題が生じることがある．一般に，患者や家族が性的問題を語ることには抵抗感があるので，適任者が「性」を尊重した態度でアセスメントを行う（表5.1-17）．

f コミュニケーションに関わるセルフケアのアセスメント

　コミュニケーションは，社会的相互作用を果たすために不可欠な要素であり，情報の送り手と受け手の間でメッセージの交換を行うことである．メッセージの交換は，情報を発信する媒体，発信の量と内容，受け手の受容器，対人関係に障害があると適正に行われなくなる．これらについてアセスメントする（表5.1-18）．言語障害のうち，失語症についてはタイプにより対応が異なるので，症状を観察し判別する（表5.1-19）．

→ ナーシング・グラフィカ 疾患と看護⑧『腎／泌尿器／内分泌・代謝』参照．

コンテンツが視聴できます (p.2参照)

脳梗塞患者の看護（失語症）

表5.1-17　セクシュアリティに関わるセルフケアのアセスメント

性行動と満足感：発症前の状況，今後への心配事
性機能：勃起，射精，疼痛，不快感
性役割：発症前の性生活と今後への心配事
　　　　母／父・夫／妻役割に関する認識と今後への心配事
　　　　疾病や治療による男性／女性であることの意味への影響
生殖に関する健康歴：妊娠，出産，バースコントロール
性・生殖に関する知識

表5.1-18　コミュニケーションに関わるセルフケアのアセスメント

コミュニケーションの方法
コミュニケーションエイドの活用：補聴器，矯正レンズ，電気人工喉頭など
送り手の機能：視覚障害，聴覚障害，言語障害，発信の過多／減少／理解不能な内容
受け手の機能：視覚障害，聴覚障害，理解したことを表現することの困難さ
対人関係
態度，言葉づかい

表5.1-19　失語症に関わるセルフケアのアセスメント

流暢さ	理解の障害	復唱	失語症の分類
非流暢	重度	不良	全失語
		良好	混合型超皮質性失語
	軽〜中度	不良	ブローカ失語
		良好	超皮質性運動失語
流暢	中〜重度	不良	ウェルニッケ失語
		良好	超皮質性感覚失語
	軽度／なし	不良	伝導失語
		良好	健忘失語

石合純夫編著．言語聴覚障害学：基礎・臨床．新興医学出版社，2001，p.244より一部改変．

❖ 全身の形態・機能の確認

身体各部の機能障害には，進行しないと自覚されにくく，生活基本行動の変化として現れてこないものもある．それぞれの項でも述べたように，各機能の状態については，検査データを含めて確認しておくことが必要である．

→ フィジカルアセスメントの具体的な方法については，ナーシング・グラフィカ『基礎看護技術Ⅰ』参照．

3 社会生活レベルのセルフケアのアセスメント

障害をもって社会で生活を営むにあたっては，患者を取り巻く社会環境がその成否に影響を与える．家庭生活，地域での生活，職業，余暇活動に関することがらをアセスメントし（表5.1-20），看護師や患者自身が働きかける（調整する）必要性や対象を明らかにする．

4 経済的状況に関するアセスメント

セルフケアの再獲得には，経済状態も大きく関与する．経済的な状況は「どこまで」「どのように」という目標の設定と方法にも関わり，経済的不安は，本人の心理状態や家族の生活にも影響を及ぼすので，相手の心証を害することのないよう配慮しながら情報収集に心掛ける（表5.1-21）．

5 心理的適応に関するアセスメント

患者は，障害を認知し，その状態で生きていくことを受け入れる，あるいは障害と折り合いをつけて生きていくことが要求される．心理状態を考慮せずに訓練や教育指導を行っても効果は上がらない．最近では，しばしば**クリニカルパス**＊を用いた援助が行われているが，すべての患者の心理状態が日程表どお

用語解説＊
クリニカルパス
主に入院患者に対して，退院にむけてセルフケア向上を含めた回復を目指し，医療の流れを効率的に計画する考え方．またその標準計画書．

表5.1-20 社会生活レベルのセルフケアのアセスメント

	〈APDL（日常生活関連動作）〉	
家庭生活	電話	番号を調べる．電話をかける．応答する．
	外出	車の運転／バス・タクシー・電車の利用．付き添い．
	買い物	食料品／生活雑貨／衣類／その他．付き添い／輸送．
	炊事	献立を立てる．調理する：簡単なもの／きちんとした食事．自助具の使用．
	家事	掃除，洗濯，ふとん干しなど．軽い労作／重い労作．簡単な作業／複雑な作業．
	金銭管理	日用品の買い物．請求書の支払い．通帳などの取り扱い．金銭出納帳の記入．
	服薬管理	薬剤の使用：副作用の理解．薬剤の正しい保管．薬剤の取り出し 薬剤の服用：正しい時間・薬剤・量．調節してよい薬剤の調節．
	〈家族〉 家族構成：成員の性別・年齢・同居／別居・居住地 家族機能：意思決定者・ルールの存在・役割分担・協力体制・柔軟性 社会性：社会的関心度・情報収集能力・外部社会との交流 家族の価値観：生活信条・健康観・死生観・信仰など 疾病・障害に対する理解 家族に必要とされている能力の理解 家族の能力の評価・援助依頼の必要性の理解 生活習慣：生活リズム・食生活・余暇・趣味・嗜好 ストレス認知（負担感）・対処方略 サポートシステムの有無／利用状況 健康状態：体力・治療中の疾病・ストレス反応	
地域生活	主要な介護者／補助者 利用している／利用可能なサービス 公的／私的ネットワーク 地域住民（特に近隣の人）の理解	
職業生活	勤務の状態：常勤／パートタイマー／退職／無職 職種・業務内容 継続／就職に必要な機能・能力 職種／業務内容／役割の変更の可能性 職場の人の理解 職場の環境	
余暇生活	余暇の過ごし方：内容・方法 所属するサークル・仲間の理解 利用している施設の環境	

りに変化することはあり得ない．なぜなら，誰一人として同じ背景（生育歴や生活環境など）をもつ者はおらず，それらが心理的適応の促進あるいは阻害要因となるからである．心理的適応の過程でみられる情緒的な反応も適応のために必要な要素であるが，効果的でない対処方略を不必要に使い続ける必然性はない．患者の心理的適応状態を的確にアセスメントする必要がある．

なお，障害の受容や適応については，提唱されている理論やモデルを用いてアセスメントするのもよい．代表的なものとしては，脊髄損傷者を対象とした研究から開発されたフィンク（Fink, S.L.）の**危機モデル**などがある．理論やモデルが開発された背景（どのような人を対象とした研究に基づいて開発され

表5.1-21 経済的状況に関するアセスメント

主な収入源：給与／家賃収入／年金／仕送り／公的扶助など 収入を支える人：患者／配偶者／その他 主な収入で生活する人の数 今後予定されている多額の支出 経済的不安・経済的援助の希望 加入している保険 住宅の条件：持ち家／賃貸／借家など 衣服・所持品・住居などの様子

➡ ナーシング・グラフィカ『成人看護学概論』14章参照．

たのか）を理解し，適用が妥当であるかを検討した上で用いる．その場合は，理論やモデルの概念を視点としてアセスメントする（➡p.201，4章2節参照）．

4 アセスメントの例

> **事例**
>
> Aさん．59歳，男性，会社員
> 診断名：右被殻出血
> 既往歴：5年前より会社の健康診断で高血圧を指摘されるが放置
> 現病歴：〇〇年〇月〇日，勤務中に左上下肢の脱力感を訴え，その後，ろれつが回らなくなり，歩行困難となった．救急車を要請し，病院に搬送された．外来到着時は意識レベル20（JCS），発語は聞き取りにくく，左上下肢の麻痺がみられた．酸素吸入，脳浮腫改善薬，降圧薬などを用いた急性期の治療を終え，急性期病棟から回復期リハビリテーション病棟へ転棟となった．

回復期リハビリテーション病棟の看護師が患者の状態を改めてアセスメントすることにした．次にその一部を紹介する．

1 食に関わるセルフケアのアセスメント（表5.1-22，表5.1-23）

急性期病棟では，経鼻経管栄養による栄養摂取が主体であり，経口摂取はゼリーなどを用いた訓練の開始段階であるとの申し送りがあった．発語の聞き取りにくさが続いていたため，嚥下のアセスメントを行い，発症前の状況については妻から話を聞いた．

表5.1-22　Aさんの食に関する情報

	問題現象アセスメントのための情報	原因アセスメントのための情報
食に関わるセルフケア	〈セルフケア：食の動作〉 食事：経管栄養剤（1,600kcal）を3回／日に分け摂取 準備：介助にて車椅子へ移動する．セッティングが必要 食器の使用：利き手である右手の使用が可能．左手の活用はできない． 咀嚼・嚥下：ゼリーの摂取を開始している． 姿勢：車椅子で短時間であれば姿勢保持は可．片付けはできない．	〈発症前の習慣・環境〉 発症前の食生活：3回／日，昼食・夕食は外食が多かった． 好み：味付けは濃いほうが好き，肉類を好み野菜はあまりとらない． 嗜好：週の半分は外で飲酒して帰宅
身体機能 問題現象および原因のアセスメントの両方に必要な情報	視覚・聴覚・嗅覚・味覚の異常の訴えなし． 口の開閉は可能 明らかな口角の下垂はなく，口唇を突出することはできるが，横引きは左がやや弱い． 舌は上下・左右・前後に動き，明らかな偏位はない． 口腔内の知覚はあり左右差なし． 咽頭反射はあるが，左のほうがわずかに弱い． 身長170cm，体重73kg 血液検査データ：TP 6.8g/dL，Alb 3.6g/dL，Hb12.7g/dL	
精神機能 （高次脳機能）		意識レベル：1（JCS），食事への意欲はあるが，やや注意がそれる．食物・食器の認知は可能
嚥下のアセスメント	改訂水飲みテスト：嚥下あり，呼吸良好だがむせることがある． 訓練食の摂取：左側の歯と頰の間・口腔底に食物残渣あり，飲み込むときにむせることがある． 水分摂取で左口角からわずかに水が漏れ，むせがある．	

表5.1-23　情報の分析・解釈・判断と看護問題

分析・解釈・判断	看護問題
・現在，主な栄養摂取は経管栄養による．摂取量は必要量に比べ若干少ないが，やや肥満気味であること，またデータ上問題はないので，摂取量は現状維持（1,600kcal）でよいと考える． ・摂食・嚥下障害の原因の一つは，意識レベルの低下である．他の高次脳機能障害の症状がないことから，注意の改善も見込まれる．もう一つの原因は嚥下運動の麻痺である．嚥下障害は右被殻出血による仮性球麻痺によるものと考えられ，準備期，口腔期，咽頭期のいずれにもみられる．そのため誤嚥のリスクが高い．しかし，口の開閉運動については口唇の横引きが左がやや弱く，咽頭反射も左のほうがわずかに弱いだけであるため，十分注意すれば，経口摂取を積極的に進めていくことは可能である．	#1　意識障害と嚥下障害に関連した食のセルフケアの障害：摂食・嚥下（経口摂取の向上が期待できる）
・非利き手麻痺であるため食器の把持はやや困難であるが，滑り止めマットなどを使って食器を固定しセッティングすれば，一人で摂食は可能である．	#2　セルフケアの障害：摂食動作（自助具の使用により，健側上肢での摂食の確立が見込まれる）

（　）内はウェルネス型で表した場合

■ 引用・参考文献

1) 辻哲也評価，伊藤利之，江藤文夫編．日常生活活動（ADL）評価と支援の実際．医歯薬出版，2020，p48，51．
2) 岡本祐三監訳．高齢者機能評価ハンドブック：医療・看護・福祉の多面的アセスメント技法．医学書院，1998．
3) 石合純夫．高次脳機能障害学．第2版．医歯薬出版，2012．
4) 高木永子監修．New看護過程に沿った対症看護．改訂4版．学習研究社，2010．
5) 奥宮暁子ほか監修．リハビリテーション看護．学習研究社，2003，（Nursing Selection，11）．
6) 渡辺基ほか著．特集　高次脳機能障害のリハビリテーション：重症度別アプローチの実際．Clinical Rehabilitation．2013，22（11），p.1068-1100．
7) 赤居正美編著．リハビリテーションにおける評価法ハンドブック．医歯薬出版，2009．

重要用語

セルフケア低下状態のアセスメント
問題現象と原因のアセスメント
生命維持レベルのセルフケアのアセスメント
生活基本行動レベルのセルフケアのアセスメント
社会生活レベルのセルフケアのアセスメント
経済的状況に関するアセスメント
心理的適応に関するアセスメント

コラム 　　　　　　　　　　中途障害者の生活習慣病

　中途障害者の生活スタイルは，障害前と大きく変化している．中でも活動の量や質の変化は大きく，その結果消費エネルギーに影響を及ぼす．消費エネルギーが少なく，摂取エネルギーが過剰になれば肥満が生じる．またそれとは逆に消費エネルギーに対して摂取エネルギーが少なくなると，やせや脱水などが引き起こされる．

　生活習慣病には，脳卒中・心臓病・悪性新生物や糖尿病・高血圧・脂質異常症などがある．脳卒中による麻痺の残存や認知障害，糖尿病による失明や下肢の切断などを体験している中途障害者は，多くが生活習慣の乱れにより疾病を発症していることから，脳卒中の再発作，慢性疾患の増悪や新たな生活習慣病の発症を予防するために，入院中には大半の人が生活指導を受けている．生活指導は，運動・食習慣・休養と喫煙や飲酒などの嗜好品の見直しから行われる．しかし長い間の生活習慣や嗜好をすぐに変えることは難しい．さらに中途障害者の生活活動は，障害の種類やレベルによって違いはあるものの，車椅子に座った状態か，臥床した状態で過ごすことが多い．脊髄損傷者の余暇活動をみると，テレビを見て過ごす，ラジオ・読書など消極的・受動的な活動が大半を占めているという報告があり，活動性が低いことがうかがえる．そのため，生活指導では，車椅子やベッド上に座ったままでもできる効果的な運動プログラムを実施し，生活の中に定着するような支援が必要であろう．

　また，排泄障害や移動能力の障害がある人の多くは，排泄行動に他者からの支援が必要であったり，外出先での排泄場所がなかなか見つからないなどの環境的な制限から，飲水を制限してしまうこともある．また，活動量が少ないために発汗量も少なくなり，習慣的に飲水量が少なくなる傾向がある．その結果，徐々に脱水傾向を引き起こし，結石を発症しやすい状態になる．

　中途障害者の生活習慣病の予防には，生活の再構築の段階から，具体的な運動方法や水分管理の必要性，生活の中にプログラムし習慣化してゆく方法を一緒に考え，指導していく必要がある．

2 セルフケア再獲得を支援する看護方法

学習ポイント
- 生命維持レベルのセルフケア低下状態時の支援方法を理解する．
- 生活基本行動レベルのセルフケア低下に対する心理状態とその支援方法を理解する．
- 「できるADL」から「しているADL」への支援方法を理解する．
- 社会生活レベルのセルフケア低下に対する支援方法を理解する．
- ノーマライゼーションの理念を理解する．
- ノーマライゼーションの促進方法を理解する．

　セルフケアの低下を来す関連要因には種々のものがある．中でも脳卒中（脳血管障害）患者は，その疾患の特徴から運動・感覚機能障害と高次脳機能障害が要因となり，**生命維持レベルのセルフケア，生活基本行動レベルのセルフケア，社会生活レベルのセルフケア**の再獲得を余儀なくされる．脳卒中患者のセルフケア再獲得への支援は，前述したセルフケアの三つの段階に沿って急性期から長期にわたり継続して行われるとともに，多くの職種の支援を必要とする．これらのことから脳卒中患者のセルフケア再獲得は，セルフケア再獲得の支援を必要とする患者の代表的な例といえる．脳卒中患者の例を通して，セル

フケア再獲得を支援する方法を見ていきたい．

1 生命維持レベルのセルフケア再獲得への支援

1 脳卒中急性期の生命維持レベルのセルフケア

　脳卒中の**急性期**は発症から1週間前後をいう．急性期の患者の病態は不安定であり，生命の維持や危機からの脱出は，この時期の重要な課題となる．したがって，看護師がまず重視することは，患者の**身体情報のモニタリング**である．特にバイタルサイン，意識障害の有無や程度を観察するとともに，神経系のアセスメントを実施し，健康問題を特定する必要がある．また，他臓器疾患の合併症も含め予測される**合併症**を推測し，その徴候を観察することが重要である．急性期の合併症は，生命の維持や危機からの脱出，さらには積極的なリハビリテーションの開始にも影響を与え，機能回復の促進を阻害する要因ともなりうる．看護において，合併症についての知識，正確な観察や測定の技術，判断する能力が必須のものとなる．

　生命維持レベルのセルフケアへの支援は，急性期に起こりうる問題を推測でき，正確な観察や測定の技術をもつ看護師によって安全に実施される．詳細は急性期看護に関連する成書に譲るが，ここではセルフケアの再獲得に向けて，特にその阻害要因となる二次障害の予防について述べる．

2 障害の拡大予防と機能回復の促進

　脳卒中急性期には，患者の身体情報をモニタリングする一方で，障害の拡大予防と機能回復の促進に向けた支援が重要となる．つまり，**二次障害の予防**である．二次障害には薬剤の副作用，長期臥床により生じる**不使用性症候群**，不適切な訓練方法によって生じる**誤用症候群**などがある．

　不使用性症候群は，局所の不使用による局所性と，全身の不使用による全身性に分類される．局所性不使用性症候群には関節拘縮，筋萎縮，骨萎縮，褥瘡などがあり，全身性不使用性症候群には心肺（筋）機能低下，消化器機能低下，起立性低血圧，易疲労性などがある．誤用症候群には，誤った他動的**関節可動域訓練**＊によって引き起こされる足関節，肩関節，股関節などの損傷がある．これらの二次障害は，患者の生活基本行動レベルのセルフケア，社会生活レベルのセルフケア活動を実行する能力を低下させる要因となり，社会復帰の阻害要因となりうる．急性期にいかに二次障害を予防できるかが，その後の機能回復の促進に大きく影響するため，セルフケア再獲得の支援方法の要点となる．

3 二次障害予防のための援助

　脳卒中急性期において，二次障害予防のために看護師が行う支援には次のようなものがある．
①ベッド上での**良肢位（ポジショニング）**の保持
②麻痺側の**関節可動域訓練**（range of motion exercise）

---

plus α

筋力の低下

筋力は運動不足によって容易に低下する．1週間，安静臥床を続けると10〜15％，3〜5週間で50％低下するとされる．最も早く筋萎縮をきたすのは下肢と体幹の抗重力筋であるといわれている[1]．

用語解説＊

関節可動域訓練

ROM訓練ともいう．関節可動域の維持および増大を目的としている．他動的ROM訓練と自動介助的ROM訓練があり，拘縮予防のための他動的訓練が主なものである．

③**座位訓練**

|1| ベッド上での良肢位（ポジショニング）の保持

　片麻痺がある患者は，身体の右側と左側では異なった感覚を受容しており，麻痺側からは異常な感覚を受容している．脳卒中急性期において，片麻痺のある患者の良肢位（ポジショニング）を保持することは，二次障害を予防し，日常生活動作（ADL）の向上につながる最も重要で基本的な支援である．良肢位は異常姿勢パターンの固定化や痙性*パターンを予防し，機能の維持を促す．

　仰臥位での片麻痺患者の姿勢の特徴は，麻痺側の肩や骨盤が後ろに引けた状態になることである（図5.2-1）．この姿勢を放置すると関節が拘縮し，後に患者の運動能力を阻害するため，その後のセルフケアにも影響を及ぼす．仰臥位における良肢位の保持では，肩や骨盤が後ろに引けた姿勢にならないように整えることが重要である（図5.2-2）．

　麻痺側を上にした側臥位，麻痺側を下にした側臥位における良臥位の保持を図5.2-3，図5.2-4に示す．

|2| 麻痺側の関節可動域訓練

　関節の拘縮を予防するために，早期から関節可動域訓練を実施する（図5.2-5～図5.2-8）．

|3| 座位訓練

　急性期においても，病態が安定し座位訓練が可能な場合は，主治医やセラピスト（PTあるいはOT）と十分に検討しながらベッド上での座位訓練を進めていく．ベッド上での座位訓練でも，麻痺側の肩や骨盤が後ろに引けた姿勢にならないように注意する．麻痺側の上肢は，オーバーテーブルの上に手のひらを下に向けてのせる．座位訓練は，不使用性症候群の予防や車椅子に座る準備となる．座位訓練により持久力が増し車椅子に座る準備が整えば，日常生活行動においても，ベッド上での排泄がポータブルトイレや病棟内のトイレへ，食事が食堂へ，洗面が洗面所へと拡大していく．

　なお，二次障害の予防のために非麻痺側（健側）の筋力強化訓練を行う場合は，非麻痺側への刺激が強すぎると脊髄レベルでの反射を引き起こすことがあるため，オーバーワークにならないようセラピストと訓練の方法や回数など，非麻痺側から投入する刺激の量や質を十分に検討した上で実施する．

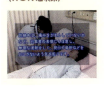

関節可動域訓練（ROM訓練）

用語解説 *
痙性 spasticity
関節を他動的に速く動かしたときに強い抵抗を示し，ゆっくり動かせば抵抗が弱くなる状態．意思と関係なく筋肉に力が入り，手足の運動制限やしびれ，疼痛，呼吸困難感などを生じる．

●ベッド上での良肢位（ポジショニング）の保持　右片麻痺患者の例●

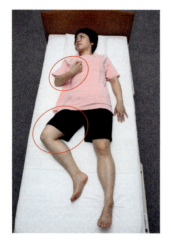

図5.2-1　片麻痺患者によくみられる姿勢
・麻痺側の肩や骨盤が後ろに引けている
・肘関節と膝関節の屈曲位姿勢

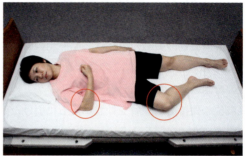

図5.2-2　仰臥位のポジショニング
・肩甲帯の後退を防ぐために，麻痺側上肢を体幹の高さよりもやや高くする
・肩も可能なかぎり前方に出す
・頭部は首の筋肉の萎縮予防のために非麻痺側（健側）方向に傾ける
・麻痺側の骨盤も前方に出す
・麻痺側の下肢が屈曲傾向にある場合は，膝が上を向くように大腿の側面を枕で支持する（屈曲傾向を放置すると，股関節と膝関節の屈曲拘縮，下腿の褥瘡などの二次障害を引き起こす）．

図5.2-3　麻痺側を上にした側臥位のポジショニング（左）
・麻痺側の肩や骨盤を前方に出す
・麻痺側上肢は手のひらを下に向け枕の上に置く

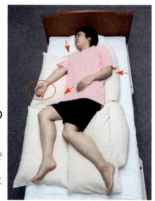

図5.2-4　麻痺側を下にした側臥位のポジショニング（右）
・麻痺側の肩や骨盤を前方に出す
・麻痺側の負担を軽減するために背部を枕で支持する
・麻痺側上肢は手のひらを上に向け枕の上に置く

●麻痺側の関節可動域訓練●

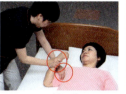
a. 屈曲

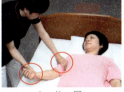
b. 伸展

図5.2-5　肘関節の関節可動域訓練
・看護師は麻痺側の上腕を固定し手関節を持つ
・関節可動域と関節の滑らかさを確認した上で，屈曲と伸展を繰り返す

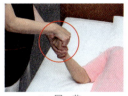
a. 屈曲

b. 伸展

図5.2-6　手指の関節可動域訓練
・麻痺側の手関節を固定し，手指を1本ずつ伸展させる

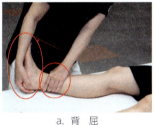
a. 背屈　　　　　　b. 底屈

図5.2-7　足関節の関節可動域訓練
・麻痺側の足関節を固定し，踵部と足底を看護師の前腕に接触させ，背屈と底屈を繰り返す

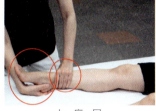

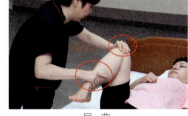
屈曲

図5.2-8　股関節の関節可動域訓練
・麻痺側の膝関節を固定し足関節を持つ
・股関節の回旋中間位を保ちながら膝関節を屈曲位にし，股関節の屈曲と伸展を繰り返す

2 生活基本行動レベルのセルフケア再獲得への支援

　脳卒中患者は，その疾患の特徴から麻痺・感覚障害・四肢の失調などの運動機能障害と，失行・失認・注意障害や記憶障害などの高次脳機能障害が関連要因となり，日常生活に関わるさまざまなセルフケアの低下を来す．次に，運動機能障害によるセルフケア能力の低下，高次脳機能障害によるセルフケア能力の低下について，それぞれのアセスメントと支援の視点を述べる．

1 変化したセルフケア能力：運動機能障害によるセルフケア能力の低下

　運動機能障害に関連したセルフケア能力の低下に関する支援は，p.254，1項3で述べたポジショニングや関節可動域訓練を引き続き実施しながら，機能の回復に応じて食事行為，入浴・清潔・整容行為，更衣行為，排泄行為に必要となる移乗や動作，補助具の使い方を段階的に支援することが肝要である．

　脳卒中片麻痺患者の食，排泄，更衣それぞれに関わるセルフケアのアセスメントと支援の視点を述べる．

1 食に関わるセルフケア

食に関わるセルフケアのアセスメントは,「準備をする」「食事をする」「片付ける」という一連の工程に沿って行う.

準備の段階においては,姿勢(座位)を整える・テーブルの上にセッティングする・義歯をはめる・おしぼりで手をふく,などを行う.特に姿勢を座位に整えることは,食塊を圧差(食塊にかかる圧力の差)と重力によってスムーズに胃まで送り込む嚥下機能にとって重要な準備である.片麻痺患者は姿勢が麻痺側に傾きやすいため,ギャッチベッドやクッションなどを用いて姿勢を整える.車椅子の場合も同様に,クッションなどを用いる.義歯の使用は食塊形成においては欠かせないものである.

食事動作

食事をする段階においては,麻痺側上肢を必ず食事動作に参加させる(茶碗に手を添えるなど)ことを念頭に置き,はしやフォーク・スプーンの使用状況について観察する.利き手の麻痺の場合は,機能障害のレベルを評価し(麻痺の程度・関節可動域・手指の巧緻性),機能障害のレベルに応じて食事動作に必要な補助具の使用を促す.食べ物を食べやすい大きさに切ることができているか,などについても観察する.

➡ 補助具の種類は,ナーシング・グラフィカ『基礎看護技術Ⅱ』5章参照.

片付けは,テーブル上を片付け,可能であれば食器を下げる,義歯を取り外し洗う,鏡で顔を見て食べこぼしがないかなどを患者自身で評価する,などができているかを観察し,患者のセルフケアレベルに応じた片付けを支援する.

2 排泄に関わるセルフケア

排泄に関わるセルフケアも食事と同様に,「準備をする」「排泄をする」「片付ける」の工程に沿ってアセスメントを行い支援する.脳卒中片麻痺患者の中でも,車椅子段階の患者の排泄行為が最も困難である.

準備の段階においては,まずベッドから車椅子に移乗しトイレまで移動する.次にトイレでは車椅子を便座に最も適した位置に配置し車椅子から便座に移乗する,便座に座る前に立位の安定を確認した上で下衣と下着を下ろす,便座に座り姿勢を保持する,などの動作をアセスメントする.排尿・排便後は,ペーパーや洗浄器を用いて清拭する,下衣と下着を上げる,便座から車椅子へ移乗する,車椅子からベッドへ移乗する,などの片付けに関する動作をアセスメントする.

右麻痺患者のADL支援

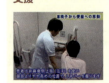

右片麻痺患者のトイレ環境,排泄動作と支援の要点を図5.2-9〜図5.2-14に示す.

●右片麻痺患者のトイレ環境●

図5.2-9 右片麻痺患者のトイレ環境
・非麻痺側(左側)に手すり(バー)が設置されている
・手すりには滑り止めシートを巻く
・便座に向かって斜め30～45°の位置に車椅子を配置できるように,床に赤いラインを引く

図5.2-10 車椅子の配置
・赤いラインの位置に車椅子を配置する

①
患者
・非麻痺側上肢(左手)で頭部よりやや高めの位置でバーを握る
・足底を床に接地し,前方に重心を移動させる
看護師
・患者の非麻痺側上肢(左上肢)を支え,後方下衣を持ち重心移動ができるよう誘導する

②
患者
・基底面積(接地している点や面で囲まれた部分)の中心に重心を移動させ,立ち上がる

③
患者
・基底面積の中心に重心を移動させ,背筋を伸ばし体勢を整える

④
患者
・非麻痺側下肢(左下肢)を軸にし,右回りに回転する
看護師
・麻痺側上肢(右上肢)を支える

図5.2-11 車椅子から便座への移動

①-1

①-2

患者 肩幅程度に下肢を開脚し,非麻痺側上肢(左手)で下衣を脱ぐ
看護師 患者の体幹と麻痺側上肢(右上肢)を支える

②
患者
・バーを持ち,ゆっくりと重心を移動させ便座に座る
看護師
・患者の体幹と麻痺側上肢(右上肢)を支える

図5.2-12 下衣の脱衣から便座への着座

図5.2-13　便座からの立ち上がりと下衣の着衣

図5.2-14　立位から車椅子移動

3 更衣に関わるセルフケア

　更衣に関わるセルフケアのアセスメントは，着衣と脱衣について「準備をする」「更衣をする」「片付ける」の工程に沿って行う．

　準備の段階においては，着脱の前にカーテンを閉めるなどの物理的環境や，姿勢を整えるなどの身体的環境を整えられるかについて評価する．着衣に関しては，着替える衣服の準備ができるかアセスメントする．実施の段階では，上衣の着衣行為は麻痺側上肢から袖を通し，脱衣行為では非麻痺側から上衣を脱ぐことを基本として動作をアセスメントする．片付けの段階では，非麻痺側上肢で衣服をたたむ動作をアセスメントする．右片麻痺患者の衣服の着脱行為と

脊髄（頸髄）損傷患者の更衣

支援の要点を図5.2-15〜図5.2-18に示す．

2 変化したセルフケア能力：高次脳機能障害によるセルフケア能力の低下

頭部外傷や脳血管障害の後遺症に，**高次脳機能障害**がある．高次脳機能障害は，古典的には失語，失行，失認に分類されるが，注意障害・記憶障害・計算力障害・遂行機能障害・感情障害，人格変化なども脳機能の高次の障害である（図5.2-19）．これらの障害は，患者のセルフケア能力の低下を引き起こす因子である．

1 観念失行とセルフケア能力

失行とは，日常の環境の中で学習し慣れ親しんだ動作などに障害や混乱を来

患者
・非麻痺側上肢で柵を握りバランスをとる
・着用する上衣を膝の上に広げて置く

患者
・麻痺側上肢から先に袖を通す
・袖口を肘関節のところまでたぐり寄せる
看護師
・患者の麻痺側上肢を後方から支える

患者
・袖口を肩関節のところまでたぐり寄せる

患者
・非麻痺側の袖口を通す
看護師
・患者の麻痺側上肢を後方から支える

患者
・非麻痺側上肢で上衣の裾から上衣半分ほどのところまでつかみ，頭からかぶる

患者
・上衣の前後を非麻痺側上肢で引っぱり整える

着衣終了

図5.2-15　上衣の着脱：着衣行為

① 患者：非麻痺側上肢で上衣の襟ぐり後方をつかむ／看護師：後方から麻痺側上肢を支える
② 患者：非麻痺側上肢で上衣の襟ぐり後方をつかみ前方に引っぱり脱ぐ
③ 患者：非麻痺側上肢から先に脱ぐ
④ 患者：麻痺側上肢を脱ぐ

図5.2-16　上衣の着脱：脱衣行為

患者：非麻痺側上肢で上衣をたたむ／看護師：後方から麻痺側上肢を支える

図5.2-17　上衣の着脱：服をたたむ

すことであり，その責任病巣は**連合野***の機能障害によることが多いとされている．失行は，その特徴からいくつかのタイプに分類されるが，ここでは臨床で看護師によって発見される可能性が高い**観念失行**について述べる．

　観念失行の責任病巣は，左前頭葉から頭頂葉が指摘されている．観念失行の定義には諸説があるが，山鳥は，「使用すべき道具の認知は保たれており，運動遂行能力にも異常がないのに，道具の操作に失敗する状態．使用のまずさ（運動拙劣症）によるのではなく，使用に際しての困難，誤りによる障害」[2]と定義している．道具の使用に際する困難や誤りは，患者の生活基本行動レベルのセルフケア能力の低下を来す要因となる．観念失行が関連因子となり，セルフケアの低下を来している患者のアセスメントの視点と支援の要点を**表5.2-1**に述べる．

> **用語解説***
>
> **連合野**
> 大脳皮質の多くの領域は連合野と呼ばれ，認知過程を行っている．大脳皮質に届いた情報を以前の経験や学習に基づいて分析，解釈し，統合する働きをしている．

①
患者
・非麻痺側上肢で下衣を持ち，麻痺側下肢を先に通す
看護師
・麻痺側下肢の膝窩から下肢を支え持ち上げる

②
患者
・非麻痺側下肢を通す
看護師
・後方から麻痺側上肢を支える

③
患者
・両下肢を通し終えると，非麻痺側上肢で柵を持ち立ち上がる

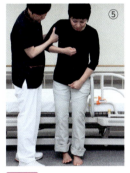

④
看護師
・患者の体幹と麻痺側上肢を支える
患者
・立ち上がった後，非麻痺側上肢で下衣を上げる

⑤
患者
・衣服を非麻痺側上肢で整える

⑥
着衣終了

図5.2-18　下衣の着衣行為

また，整容場面でよく観察される歯ブラシやくしの使用目的・方法を誤った行為を図5.2-20に示す．

2 半側空間無視とセルフケア能力

半側空間無視とは，大脳半球病巣とは対側の片側空間に呈示された刺激に気づかず，注意を向けたり，反応したり，その方向を向いたりすることが障害される病態である．急性期の右半球脳血管障害患者の約4割に「左」半側空間無視がみられ，これが1カ月以上続くと障害として残りやすく，回復期の入院患者でも急性期同様，約4割の患者に「左」半側空間無視を認めるといわれている[4]．左半側空間無視の責任病巣は，右中大脳動脈領

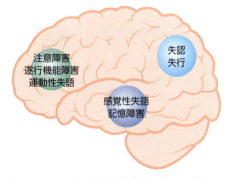

図5.2-19　高次脳機能障害と脳の区分

表5.2-1　観念失行に関連したセルフケアの低下に対するアセスメントの視点と支援の要点

観念失行のアセスメントの視点
1．患者は，セルフケアの行為場面において，使用する物品や道具を目的に応じて使用しているか
2．患者は，道具の持ち方を誤っていないか
3．患者が行為を遂行するとき，「動作の速度」や「滑らかさ」，「両手の使い方」に問題はないか
4．環境は使用する物品に適した環境か
5．道具の種類により行為に障害をきたしていないか

セルフケアにおけるアセスメントの視点	
食事行為	・食事行為に必要なはし・スプーン・フォークなどの物品を目的に応じて使用できるか ・物品を適切に持つことができるか ・道具の種類により行為に障害を来すことはないか ・食物をスムーズに口に運ぶことができるか
入浴・清潔・整容行為	・石けんやシャンプー，洗面器を目的に応じて使用できるか ・全身を洗うときに石けんをタオルにつけることができるか ・タオルで身体を洗うことができるか ・シャンプーのキャップを開けることができるか ・水道やシャワーの蛇口の操作ができるか ・タオル・くし・歯ブラシ・歯磨き粉・コップ・ひげ剃り器などを適切に使用できるか ・道具の種類により行為に障害を来すことはないか ・環境は使用する物品に適した環境か ・行為を遂行するとき，動作のスピードや滑らかさに障害はないか
更衣行為	・衣服の上下を正しく着用できるか ・衣服のボタンをかけることができるか ・更衣行為を遂行する動作のスピードや滑らかさに障害はないか
排泄行為	・トイレやポータブルトイレに身体を合わせることができるか ・トイレの水を流すことができるか ・トイレットペーパーを使用できているか ・排泄行為を遂行する動作のスピードや滑らかさに障害はないか

観念失行の支援の要点
1．患者が物品や道具の使用に混乱や障害を来している場合は，入院前に使用していた物品や道具の使用を試みる
2．使用する物品や道具は，それらに適した環境で使用する
3．模倣が可能な患者の場合は，患者が行為を行う前に看護師がデモンストレーションを行う
4．複数の物品を使用することが困難な患者の場合は，一つひとつの動作を学習し確立させた上で次の動作の学習に進む
5．患者が途中で行為を誤った場合は口頭で訂正するのでなく，看護師の手を患者の手に添えて誤った行為を停止させ修正する
6．患者自身が誤った行為に気づき修正しようとしている場合は見守る

日高艶子．失行症患者のアセスメントと介入の要点．看護のコツと落とし穴 2．中山書店，2000，p.62-63の本文をもとに作成．

a. 歯ブラシで整髪している

b. 歯磨き粉を直接歯につけようとしている

c. 歯磨き粉を歯ブラシの背につけている

d. ブラシで歯を磨こうとしている

図5.2-20　観念失行患者の整容場面で観察される行為

域，中でも下頭頂小葉が重視されている．

　半側空間無視において，患者自身が自発的に症状を訴えることは少ないが，患者はあたかも一側の空間が意味を失ったかのように振る舞うことがある．重度の半側空間無視患者の場合は，しばしば何かにぶつかったり，自己の身体の

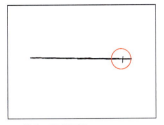
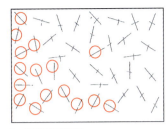
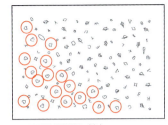

a. 線分二等分課題
204mmの水平な線分の中央に線を引き二等分する課題．二等分点が明らかに右に寄っている．

b. 線分抹消課題
散在している40本の線分に印をつけてすべて抹消する課題．
40本の線分中，左側を中心とした16本の線分が抹消できていない．

c. 図形抹消課題（多）
複数の図形の中からハートの形の図形を選択する抹消課題．
左側を中心に，42個のうち18個のハートの図形が抹消できていない．

d. 模写課題（花：ダブルデージー）

e. 自発画課題（自己像を描く課題）
向かって左の顔面，左の上下肢の一部に欠損がみられる．

左側の花全体が模写されていない．　　それぞれの左側が模写されていない．

図5.2-21　半側空間無視の机上検査

半側だけに注意を向けることが多い．半側空間無視を評価する代表的な検査法には，線分二等分課題，アルバートの線分抹消課題，図形抹消課題，模写課題，自発画課題などがある（**図5.2-21**）．

　看護の臨床場面において，半側空間無視を呈する患者は，「無視側からの呼びかけに応じることができない」「移動時は無視側の壁にぶつかる」「読書のときに無視側の文字を見落とす」などの行動が観察される．また，食事行為，入浴・清潔・整容行為，更衣行為などのセルフケア場面においても，同じような特徴が観察される．左半側空間無視が関連要因となりセルフケアの低下を来している患者のアセスメントの視点と，支援の要点を**表5.2-2**に示す．

3 注意障害とセルフケア能力

　注意障害は，頭部外傷後によくみられる高次脳機能障害で，高次脳機能障害の臨床症状の中でも多くみられるものの一つである．その責任病巣は前頭葉が重視されている．注意の定義は，ルリア（Luria, A.R.）をはじめとする研究者たちによってなされているが，いまだ一致した見解は得られていない．鹿島ら（1986）[5]と本田（1995）[6]が示した注意の特性の一部を改変して，浜田

表5.2-2 左半側空間無視に関連したセルフケアの低下に対するアセスメントの視点と支援の要点

左半側空間無視のアセスメントの視点	
1．患者は，右側のみを見る傾向にないか 2．患者の頭部や身体は右に向いていることが多くないか 3．姿勢とともに患者の眼球は右側に偏位していないか 4．患者は，左側への追視が困難ではないか	
セルフケアにおけるアセスメントの視点	
食事行為	・左側に配膳された食事を無視し，食していないことはないか ・同じ器の中でも左側に盛り付けられた食品を残していることはないか
入浴・清潔・整容行為	・入浴時に身体の左側を洗い残すことはないか ・女性の場合は，整容時に左顔面の化粧をしないなどの行為はないか ・男性の場合は，左顔面のひげを剃らないなどの行為はないか
更衣行為	・着衣のときに左側の袖を通すことができるか ・更衣後に左側の上着のねじれやシャツのはみだしを整えることができるか
排泄行為	・便座の右側寄りに座っていないか ・排泄終了後にトイレットペーパーや水を流すレバーの位置を確認できるか
半側空間無視の支援の要点	
第1段階：無視されていない側から支援する	この段階は，患者がストレス反応を起こさないように，患者が認識可能な範囲にテレビ・床頭台・ナースコール等を配置し，支援するときも無視されていない側から行う
第2段階：無視側に気づかせるように支援する	患者が心理的にも安定してきたら，無視側にあるものに気づかせるような支援を行う．例えば頭を動かして無視側を見るヘッドトレーニング，車椅子のブレーキや食事のトレーの無視側に印をつけ無視側への注意を促す．無視側から支援する
第3段階：患者が無視を代償する能力を獲得できるように支援する	慢性期において半側空間無視が残った患者の場合，半側空間無視が完全に消失することは困難であり，無視を代償する能力を身に付けることが重要な課題となる．特に病棟における看護師の支援においては，患者がセルフケア行為を行うときに，必ず体幹や頭部を無視側に向け無視側を確認することを指導する

は，①覚醒水準（持続性），②選択機能（多くの刺激の中から特定の刺激を選択する），③転動性（注意を柔軟に振り分ける機能），④配分しうる容量（異なった刺激に同時に注意を配分する能力とそれが可能な注意の容量）の四つに，注意の特性を分類している[7]．

注意障害の評価には，ディラー（Diller, L.）らによる持続的注意の日本語版として，鹿島らが作成した数字抹消検査と平仮名抹消検査や，注意の選択機能や配分および転動性を評価するTrail Making Testなどがある．また，日常生活場面における注意の評価スケールとして，ポンスフォード（Ponsford, J.）らにより開発され先崎らが日本語版として作成した「日常生活観察による注意評価スケール」（**表5.2-3**）がある．注意の持続性・選択性・転動性・配分性の障害は，生活基本行動レベルのセルフケアのみならず，社会生活に関わるセルフケアにも障害を来し社会適応を困難にすることは言うまでもない．

注意障害に関連する特徴的な臨床症状として，浜田は**表5.2-4**に示す15項目を挙げている[9]．これら①～⑮の特徴を基本とした食事，入浴・清潔・整容，更衣，排泄に関わるセルフケアのアセスメントの視点を**表5.2-5**に示す．

4｜記憶障害とセルフケア能力

人が話したり，書いたり，読んだり，聞いたり，街を歩いたりするために

表5.2-3 Ponsfordらによる日常生活観察における注意評価スケール

not at all	全く認めない	0点
occasionally	時として認められる	1点
sometimes	時々認められる	2点
almost always	ほとんどいつも認められる	3点
always	絶えず認められる	4点

1) 眠そうで，活力（エネルギー）に欠けて見える
2) すぐに疲れる
3) 動作がのろい
4) 言葉での反応が遅い
5) 頭脳的ないしは心理的な作業（例えば計算など）が遅い
6) 言われないと何事も続けられない
7) 長時間（約15秒以上）宙をじっと見つめている
8) 一つのことに注意を集中するのが困難である
9) すぐに注意散漫になる
10) 一度に二つ以上のことに注意を向けることができない
11) 注意をうまく向けられないために，間違いをおかす
12) なにかする際に細かいことが抜けてしまう（誤る）
13) 落ち着きがない
14) 一つのことに長く（5分間以上）集中して取り組めない

3)：麻痺のある場合には，そのことないしはその身体部位の動作の障害は除外ないしは差し引いて評価する
4)および5)：失語や認知症がある場合にも，それを含めて評価する

Ponsfond J, kinsella G. The use of a rating scale of attentional behaviour. Neuropsychol Rehabil. 1991より.
先崎章ほか．臨床的注意評価スケールの信頼性と妥当性の検討．総合リハビリテーション．1997．（慶應義塾大学医学部精神神経科神経心理研究会訳）．

表5.2-4 注意障害に関連する特徴的な臨床症状

① 集中せず落ち着きがない．
② すぐ中断し長続きしない．
③ ミスが多く効率が上がらない．
④ ほかのことに気が散り目的に沿った言動ができない．
⑤ 複数の事柄を同時進行できない．
⑥ 何度も繰り返し言ったり指示する必要がある．
⑦ 一貫せずまとまりがない．
⑧ 周囲の声や他者の動きに注意がそれやすい．
⑨ 脱抑制的である．
⑩ 周囲の状況に応じて修正・転換ができない．
⑪ ぼんやりして先に進まない．
⑫ 緩慢で，てきぱきと処理できない．
⑬ 何となく意欲が出ず自発性に乏しい．
⑭ 頭がボーッとしていて頭の切り替えがうまくいかない．
⑮ 物忘れしやすい．

表5.2-5 注意障害に関連したセルフケアの低下に対するアセスメントの視点と支援の要点

注意障害のアセスメントの視点	
1．患者は，ある一定時間刺激に反応し続けることができるか	
2．患者は，多くの刺激のなかから特定の刺激を選択できるか	
3．患者は，注意を柔軟に振り分けることができるか	

セルフケアにおけるアセスメントの視点	
食事行為	・食事中に周囲の人や物音を気にして食事を中断することはないか ・キョロキョロした様子はないか
入浴・清潔・整容行為	・入浴中に身体を洗う動作を中断することはないか ・同一部位を洗い続けることはないか ・麻痺側を洗い忘れることはないか ・指示されないと脱衣・洗髪・洗顔を行えないことはないか ・止められるまで歯磨きを続けることはないか ・鏡を見続けることはないか
更衣行為	・衣服のボタンをかけるとき動作が止まったり，同じ動作を続けることはないか ・更衣の途中で人の声や音に反応し動作が止まることはないか ・動作が止まってもまた続けることができるか
排泄行為	・周囲の音や声で動作が止まることはないか ・便座から突然立ち上がる動作はないか

注意障害の支援の要点	
1．注意障害を呈する患者は，行為の途中で周囲から入力される聴覚刺激や視覚刺激に対して，適切に対応できず行為が中断され，その結果，一つの行為に時間を要することを理解して支援する	
2．刺激の量と質を考慮し，環境を調整する	
3．動作が止まった場合は，次の動作を指示する	
4．同じ動作が続く場合は，注意を転換させるように誘導する	

は，いずれも**記憶**が必要である．当然，食事や入浴・整容などのセルフケア行為を行うにも記憶が必要である．記憶には符号化・保持・想起の過程がある．記憶は貯蔵時間と記憶形式から分類されている．貯蔵時間による分類には，数秒間か数分間情報を保持する短期記憶と，情報を永久に保存しその容量には限界がないといわれている長期記憶がある．記憶形式による分類には，言葉で表現できる陳述記憶と，言葉で表現できない非陳述記憶がある．陳述記憶は意味記憶とエピソード記憶からなり，非陳述記憶は，行動や運動，また車の運転技術や楽器の演奏などの技の記憶ともいえる手続き記憶からなる．

　記憶障害は，高次脳機能障害の中でも最も多くみられる障害の一つである．その責任病巣は，海馬（側頭葉内側面），視床，前頭葉，頭頂葉などが重視されている[10]．記憶が障害されると食事，入浴・清潔・整容，更衣，排泄のセルフケア行為のみでなく，新しく出会った人を覚えることができず友人ができない，買い物ができない，仕事に必要な事項を覚えられないなど社会生活への適応が困難となる．記憶の改善がみられない場合は，夢や希望，人生における計画，願望，期待などのコミットメントの変更を余儀なくされる．したがって，看護師は記憶障害への支援とともに，コミットメントの変更をサポートすることも重要な役割となる．

　次に記憶障害が関連要因となり，セルフケアの低下を来している患者のアセスメントの視点と支援の要点について述べる．

a アセスメントの視点

　食事，入浴・清潔・整容，更衣，排泄行為に必要な行為を覚えているか，食事については，食べたことやメニューは覚えているか，摂取量を覚えているか，誰とどこで食事をしたか覚えているか，入浴や洗面については，入浴したことや洗面したことを覚えているか，排泄については，1日の大体の排泄回数を覚えているかなどを観察する．さらに，トイレや洗面所の位置を記憶できるか，電話を使用できるか，見舞いに来た人を覚えているかなどを観察する．

b 支援の要点

　記憶障害へのアプローチには，いくつかの方法が開発されている．看護の領域において，しばしば用いられるものの一つに**外的補助手段**がある．これは，ノート・日記・パソコンなどの情報を貯蔵する補助具と，行動の手がかりを与えるアラームなどの補助具の二つに大別される．外的補助手段を用いて支援する際には，患者が行動を記録することや記録したことを想起できないことがあるため，ノートや日記を定位置に置くこと，患者が行動するときや想起できないときに，必ず「ノート」と声をかけることが必要である．この看護師の「声かけ」が患者に「行動の手がかり」を与える重要な補助具の役割となる．

3 変化したセルフケア能力への心理的適応の援助

　食事，入浴・清潔・整容，更衣，排泄に関わるセルフケアは，幼児期から日々の生活の中で自然に学び獲得してきた行為であり，誰もができて当然の行

為である．したがって，その行為ができなくなるということはかなりの衝撃となり，自尊心の低下を来すこともある．上田はこの衝撃から受容に至るまでの段階を，患者の心理的特徴から①ショック期，②否認期，③混乱期，④解決への努力期，⑤受容期，の5段階に分け，各時期の特徴について述べている（表5.2-6）．

表5.2-6 障害受容の諸段階（上田による）

時期	特徴
ショック期	・肉体的苦痛はあるが心理的には平穏 ・感情鈍麻 ・無関心
否認期	・障害を否認する ・リハビリテーションを拒否する ・わずかな回復の徴候を過大評価する ・病院を転々とする ・障害者と同一視されることに反発する ・健常者に嫉妬する ・退行 ・依存
混乱期	・障害は簡単に治らないことに気づく ・攻撃性が高い（外向的・他罰的，内向的・自罰的） ・否認期への逆行も時にある
解決への努力期	・依存からの脱却 　（ある程度の現実的な明るい展望が不可欠） ・健常者には劣等感をもつが障害者には親近感をもつ ・価値の転換が少しずつ進行する
受容期	・価値の転換が完成する ・生活に生きがいを感じる ・健常者・障害者の区別なく対等に交流できる

上田敏．リハビリテーションを考える．青木書店，1983を参考に作成．

心理的適応への援助は，それぞれの時期における特徴を考慮した上で，保護や支持的態度，積極的傾聴と患者の意思を尊重することを基本とし支援する．特に否認期や混乱期においては，患者の言動に積極的に耳を傾け患者を理解しようとしていることを患者に伝えること，また患者が否定的な感情を表出できるように支持することが必要である．もし患者が，「看護師は，あきらめることなく自分に関心を向けてくれている」と認識できるような支援が実践されたときには，患者の心理的適応は促進されるであろう．同時に看護師は，看護師自身の感情にも気づき，混乱期にある患者の感情に巻き込まれることがないように，スーパービジョン*を受けることも必要である．

また，障害の受容は身体機能の回復とも関連しているため，いかなる段階においてもリハビリテーションを進めていくことができるような支援が望まれる．障害受容は当事者のみでなく，家族においても重要な課題となる．患者と家族の両者の受容は並行して進行していくわけではなく，相互に作用を及ぼしながら進行していく関係にある．したがって，看護師は，家族の障害受容についてもアセスメントし支援する必要がある．

用語解説*
スーパービジョン
自己のカウンセリングの問題点や面接過程を振り返り，よりよいカウンセリングのありかたを習得するために，カウンセラーが，経験豊富な他のカウンセラーから，クライアントの事例について指導やアドバイスを受けること．

4 「できるADL」から「しているADL」へ

日本における**ADL**（activities of daily living）の概念は，1976（昭和51）年に日本リハビリテーション医学会評価基準委員会によって「ひとりの人間が独立して生活するために行う基本的なしかも各人ともに共通に毎日繰り返される一連の身体的動作群を言う」[12] と定義されている．

ADLは，**できるADL，しているADL，するADL**に区別されている．「できるADL」とは，訓練や評価・診察時に行うことができる能力をいい，「しているADL」とは実生活の中で実行している状況をいう．「するADL」とは，目標としての将来の実生活での「しているADL」をいう[13]．つまり，リハビリ

テーションセンターにおいて，「移乗ができた」「歯磨きができた」としても，患者は，それを病棟で「実行しているか」ということである．リハビリテーションセンター内で「できた」ことが必ずしも病棟内で，また生活の中で「できる」「している」ということには直結しない．その要因としては，リハビリテーションセンターと病棟の物理的環境の相違や，患者の認識，看護師の認識などが考えられる．

物理的環境の相違については，看護師は十分に環境のアセスメントを行い，セラピストや患者と一緒にその動作が安全に行える環境を検討する．また逆に，環境に適した動作の獲得を提案することも必要であろう．

患者の認識については，まずリハビリテーションセンターと病棟の役割を患者がいかに認識しているか，患者は退院後どのような生活を期待しているかを確認する．そして，そのために獲得すべき動作について検討し，さらにリハビリテーションセンターと病棟における患者に望まれる行動について検討する．

看護師の認識に関しては，看護師は患者の「できるADL」に常に関心をもち「できるADL」を把握し，看護師が認識している「できるADL」との間に差がないかを確認する．そして「できるADL」を「しているADL」にするために，前述した物理的環境や患者の認識を十分にアセスメントし，「しているADL」を促進する要因と阻害する要因を明らかにし，支援することが肝要である．また，「しているADL」の定着に向けてはセラピストとともに，病棟環境に適した動作の獲得を支援することがより効果的な支援といえる．さらに，「するADL」においても，セラピストとともに患者の自宅を訪問し，外泊などを活用して支援するとよい．

3 社会生活レベルのセルフケア再獲得への支援

社会生活レベルのセルフケア再獲得の支援は，当然，患者の入院時から始まっていなければならない．障害をもつ人が家庭や地域社会で生活していくことを可能にするためには，**ノーマライゼーション**の思想と**地域リハビリテーション**の活動が有用である．ノーマライゼーションという概念を最初に発表したのは，精神発達遅滞者の福祉に半生を捧げたデンマークのバンク-ミケルセン（Bank-Mikkelsen, N.E.）である．彼は「精神遅滞者に可能なかぎり，普通の人に近い生活を確保させる」[14]と述べ，この原理は，デンマークの精神遅滞者サービスを規定した1959年法に盛り込まれた．その後，1969年に初めてニィリエ（Nirje, B.）の論文で体系的に詳しく論述された．さらに，1980年に入りヴォルフェンスベルガー（Wolfensberger, W.）が，ノーマライゼーション原理の再構成として，「可能なかぎり文化的に通常である身体的な行動や特徴を維持したり，確立するために，可能なかぎり文化的に通常となっている手段を利用すること」[15]と提案した．ノーマライゼーション原理の主要な側面は，**社会的統合**である．社会的統合とは，障害をもっていても，障害をもっ

ていない人と同じ地域社会に住み，同じように生活することである．つまり，ヴォルフェンスベルガーが述べるように，人は地域社会の中にいるだけでなく，地域社会に所属していることが必要なのである[16]．そのためには，物理的環境の整備や地域住民のノーマライゼーション社会への理解が鍵となる．

　ノーマライゼーションの原理は，リハビリテーションの定義にも影響を与えた．特に1991（平成3）年の日本リハビリテーション病院協会による地域リハビリテーションの定義は，「地域リハビリテーションとは，障害をもつ人々や老人が住み慣れたところで，そこに住む人々とともに一生安全にいきいきとした生活が送れるよう医療や保健，福祉及び生活にかかわるあらゆる人々が行う活動のすべてを言う」[17]とされ，ノーマライゼーションの原理に強く影響を受けているといえる．地域リハビリテーション活動を左右する諸因子には，国の生活重視政策，地方自治体の姿勢，地域リハビリテーションシステムの構築，地域の保健・医療・福祉のネットワーク，国の縦割り行政是正，**テクノエイドシステム**＊，地域在宅ケア拠点の整備と一体化，在宅ケアマンパワーの充実と教育，地域環境のアクセシビリティ，住民参加・社会教育，当事者の自立生活運動がある．地域リハビリテーションの目指すものは，セルフケアの再獲得からとらえたとき，社会生活レベルのセルフケアに関連する．これらには，家庭生活，地域生活，職業生活，余暇生活の四つの側面がある．次にそれぞれのセルフケア再獲得に向けた支援について述べる．

> **用語解説**＊
> **テクノエイドシステム**
> 障害をもつ人が自立するために必要な，福祉機器や用具の支援を受けることができるシステム．

1 家庭生活に関わるセルフケア再獲得に向けた支援

|1| 自立支援医療制度

　身体障害者手帳が交付された人は，**自立支援医療制度**を利用することができる．自立支援医療制度は，心身の障害を除去・軽減するための医療について，医療費の自己負担額を軽減する公費負担医療制度である．

　自立支援医療費の支給対象は次のとおりである．

①精神通院医療：精神保健福祉法第5条に規定する統合失調症などの精神疾患を有する者で，通院による精神医療を継続的に要する者
　例）精神通院医療：精神疾患→向精神薬，精神科デイケア　など

②更生医療：身体障害者福祉法に基づき身体障害者手帳の交付を受けた者で，その障害を除去・軽減する手術等の治療により確実に効果が期待できる者（18歳以上）

③育成医療：身体に障害を有する児童で，その障害を除去・軽減する手術等の治療により確実に効果が期待できる者（18歳未満）

　例）更生医療・育成医療
　ア．肢体不自由…関節拘縮→人工関節置換術
　イ．視覚障害…白内障→水晶体摘出術
　ウ．内部障害…心臓機能障害→弁置換術，ペースメーカー埋込術
　　　　　　　　腎臓機能障害→腎移植，人工透析　など

2 住宅設備環境の整備

　脳卒中患者が障害を残したまま家庭生活に戻るためには，住宅設備環境の整備が必要となる．住宅環境の整備は，障害者自身のセルフケア能力を評価し自宅における自立を目指した環境であること，また介護者の負担を最小限にする介護支援の視点から検討される．そのためには，障害者のセルフケア能力，家族の介護レベル，経済力などを考慮し，障害者・家族・医師・看護師・理学療法士・作業療法士・建築家などが合同で検討する．運動機能に障害がある場合は，廊下やトイレ，浴槽，洗面所などに手すりを取り付ける．玄関や廊下の幅，トイレの入り口などは，障害者本人と介護者にとって動きやすい広さを検討する．浴槽は，またぎやすさや安定した入浴姿勢がとれるもの，介助しやすい洗い場や脱衣所の広さなどを十分に検討する．段差の対策にはスロープを用いる．自宅が2階建ての場合は，2階への移動に自動昇降機を設置することもある．

3 移動をサポートする機器

　障害者自身の移動をサポートする機器には，歩行の安定を図るために用いる杖（T字杖・四点杖），歩行器（交互型歩行器・四輪型歩行器）などがある．歩行に制限がある者や，座位は可能であるが歩行が不可能な者は，車椅子（自分で操作する車椅子・リクライニング式車椅子・電動車椅子）を使用する．

4 福祉用具の給付

　福祉用具は，障害者や高齢者の自立支援に資するものであり，保険による給付が可能である．身体障害者と認定され，**身体障害者手帳**が交付されている者は，身体障害者福祉法に基づく制度により，補助具や日常生活用具の給付・貸与を受けることができる．また，介護保険の対象者で，「要介護認定」「要支援認定」とされた者は，ケアプランにおいて必要とされる福祉用具を貸与・支給される．貸与・支給の対象となる福祉用具は，厚生労働省告示により定められている（表5.2-7）．

　購入対象の福祉用具は，他人が使用したものを再利用することにより心理的抵抗感が伴う，使用により元の形状や品質が変化し再度利用できない，などの点が判断要素となり，貸与ではなく購入対象として定められている．これらの福祉用具は，対象者の自立を支援するためにケアプランにおいて必要と判断された場合に貸与・給付されるものである．したがって，ケアプランを作成する

表5.2-7　介護保険給付福祉用具（厚生労働省告示）

貸与の対象となる福祉用具	購入の対象となり支給される福祉用具
①車椅子　②車椅子付属品　③特殊寝台 ④特殊寝台付属品　⑤褥瘡予防用具　⑥体位変換器 ⑦手すり　⑧スロープ　⑨歩行器　⑩歩行補助杖 ⑪認知症老人徘徊感知機器 ⑫移動用リフト（つり具の部分を除く）	①腰掛便座　②特殊尿器 ③入浴補助用具　④簡易浴槽 ⑤移動用リフトのつり具の部分

者は，対象者の機能レベルと生活状況を的確にアセスメントし，適切な福祉用具の活用をケアプランに導入しなければならない．

2 地域生活に関わるセルフケア再獲得に向けた支援

1 バリアフリー環境の整備

脳卒中患者が地域生活に関わるセルフケアを再獲得するためには，その障害の特徴から当然，バリアフリー環境の整備が望まれる．**バリアフリー**（barrier free）の語源は「障壁を除去する」，もしくは「障壁がない」である．「障壁がない」とは，障害者が生活していく上で，物理的環境はもちろん，心理的・精神的な環境においても「障壁がない」ということを意味している．つまり，障害者が移動しやすい物理的環境や，自分の意思で選択し決定できる環境である．

2 バリアフリー・デザインに関わる法律

バリアフリー・デザインに関わる各国の法律は，1960年代後半から法体系の整備が行われてきた．それは，建築物や交通に影響を与えた建築に関わる法律であり，障害者が建築物や交通機関などから締め出されることなく容易にアクセスできることを規定したものである．欧米諸国においては，ノーマライゼーションの理念を前提とし，障害者・高齢者のモビリティ（移動）を「市民権」の問題としてとらえている国が多い．

日本においては，高齢者や障害者の自立と積極的な社会参加を目的とし，1994（平成6）年に「高齢者，身体障害者等が円滑に利用できる特定建築物の建築の促進に関する法律（通称：ハートビル法）」が公布された．これは，デパートや公会堂，病院，ホテルなどの建築において，高齢者や障害者が利用しやすいように整備することを促進する法律である．2000（平成12）年には，「高齢者，身体障害者等の公共交通機関を利用した移動の円滑化の促進に関する法律（通称：交通バリアフリー法）」が公布された（➡p.217参照）．また，2006（平成18）年12月には，高齢者や障害者が移動しやすいまちづくりを一体的に進めることを目的とし，「ハートビル法」と「交通バリアフリー法」が統合され，「高齢者，障害者等の移動等の円滑化の促進に関する法律」（通称：**バリアフリー新法**）が施行された．

3 バリアフリー環境の充実に向けて

障害者が地域社会で自立して生活していくためには，支援する側がバリアに気づき，バリアが生じた原因を追究しバリアを除去することにある．そして，バリアフリー環境の充実に向けて，建築学，看護学，リハビリテーション医学，リハビリテーション工学，人間工学，心理学，解剖学，生理学などの人間の生活機能をサポートする専門家により，バリアフリー設計が進められることが必須である．

3 職業生活に関わるセルフケア再獲得に向けた支援

職業に関わるセルフケア再獲得への支援は，就労に向けた相談・評価・訓練の順で実施される．また，就労先の環境改善の調整や職業開発も重要な支援で

ある．これらの支援は，職業相談員，医療ソーシャルワーカー，作業療法士，臨床心理士などの職種によって実施されている．

脳卒中患者の就労は，後遺症の特徴から困難である．就労を困難にしている要因として渡邊は，①医学的側面，②社会的側面（社会生活技術），③職業的側面，④経済的側面（働き盛り），を挙げている[19]．医学的側面では，片麻痺や健康管理，高次脳機能障害が問題となっている．つまり，両手が使えないこと，脳卒中の危険因子として生活習慣病をもつ者が多く，再発の危険性を有していること，さらに記憶障害や注意障害，自発性の低下などが問題となっている．社会的側面においては，通勤のための公共交通機関の利用が困難なことなどが挙げられる．職業的側面においては，障害者を受け入れることに対する不安や給与などの待遇で，就労先が受け入れをためらうことがある．元の職場への復帰の場合は，病前の職域や役職を検討した上で就労が可能になることもある．対象者は働き盛りの成人期にあることが多いが，障害の有無にかかわらず，日本の中高年者の就労状況は，困難な状況にあることは言うまでもない．

以上のように，脳卒中患者の雇用就労は多くの問題を伴っている．したがって，雇用就労の促進とともに，福祉的な就労の場の充実が望まれる．また，運動麻痺がなく高次脳機能障害のみを有する患者の場合（特に若い人の頭部外傷後の高次脳機能障害を有する例に多い）は，身体障害者手帳を取得できず，身体障害者施設が利用できない現状がある．この場合，障害者雇用促進法の適用にも該当せず，授産施設の利用ができない，福祉的な就労の機会も少ない，などの問題がある．

4 余暇生活に関わるセルフケア再獲得に向けた支援

人生80年時代の70万時間ほどに及ぶ生涯時間のうち，余暇時間は20〜30万時間であると計算される．余暇の概念はほかからの拘束を受けることなしに，自由な意思に基づく自己開発，自己実現の機会であるとされ，積極的・創造的に過ごす重要な時間としての認識が広まってきた[20]．

しかしながら，運動機能障害や高次脳機能障害の後遺症をもつ脳卒中患者の余暇生活に関わるセルフケアの再獲得は決して容易ではない．地域生活に関わるセルフケア再獲得の項でも述べたように，障害者が余暇生活に関わるセルフケアを再獲得するためには，自分の意思で何をしたいのか，どこに行きたいのかを選択し決定できる環境や，意思を可能にするために自由に動くことができる物理的環境，地域住民のボランティア活動が必須である．

引用・参考文献

1) 岡崎哲也ほか．廃用性筋萎縮の病態と臨床．総合リハビリテーション．2002, 30（2），p.107-112.
2) 山鳥重．観念失行のメカニズム．神経進歩．1994, 38, p.540-545.
3) 日高艶子．"失行症患者のアセスメントと介入の要点"．看護のコツと落とし穴2．小島操子ほか編．中山書店，2000, p.62-63.
4) 石合純夫ほか．"半側空間無視"．高次神経機能障害の臨床．宇野彰編．新興医学出版社，2002, p.32-35.
5) 鹿島晴雄ほか．注意障害と前頭葉損傷．神経進歩．1986, 30（5），p.847-857.
6) 本田哲三．注意障害と記憶障害の評価法．Journal of

Clinical Rehabilitation 別冊．1995, p.129.
7) 浜田博文．注意の障害．よくわかる失語症と高次脳機能障害．永井書店，2004, p.412-420.
8) 先崎章ほか．臨床的注意評価スケールの信頼性と妥当性の検討．総合リハビリテーション．1997, 25 (6), p.567-573.
9) 浜田博文．注意の障害．よくわかる失語症と高次脳機能障害．永井書店，2004, p.412-420.
10) 長谷川賢一．記憶障害．高次脳機能障害．建帛社，2001, p.50-54.
11) 上田敏．リハビリテーションを考える．青木書店，1983, p.207-228.
12) 高岡徹ほか．ADL・IADLの評価．総合リハビリテーション．2002, 30 (11), p.987-991.
13) 大川弥生．目標指向的介護の理論と実際．中央法規出版，2000, p.101-103.
14) ヴォルフェンスベルガー．ノーマリゼーション．中園康夫ほか編訳．学苑社，1982, p.47-50.
15) 前掲書14) のp.47-50.
16) 前掲書14) のp.70-85.
17) 澤村誠志監修．地域リハビリテーション白書2．三輪書店，1998, p.12-19.
18) 前掲書17) のp.14.
19) 渡邊崇子．就労の現状と問題点．総合リハビリテーション．2002, 30 (9), p.811-816.
20) 秋山哲男編．高齢者の住まいと交通．日本評論社，1993.
21) ベルタ・ボバース．片麻痺の評価と治療．紀伊克昌訳．医歯薬出版，1997.
22) ボバース記念病院監修．脳卒中成人片麻痺リハビリテーション看護の実践Ⅰ ビデオ．
23) 氏家幸子監修．成人看護学D．リハビリテーション患者の看護．廣川書店，2003.
24) 日高艶子監修．セルフケア再構築の成功事例から学ぶ！脳卒中リハビリテーション看護Case Study．リハビリナース別冊．メディカ出版，2011.

重要用語

二次障害予防　　　　心理的適応　　　　　　ノーマライゼーション
ポジショニング　　　できるADL　　　　　　福祉用具
高次脳機能障害　　　しているADL　　　　　バリアフリー

3 セルフケア再獲得を支援する社会システム

学習ポイント
- チームアプローチの理論を理解する．
- チームアプローチの構成メンバーとその役割を理解する．
- チームアプローチの構成メンバーの一員としての看護職の役割を理解する．
- セルフケアの低下状態にある人にとってのセルフヘルプグループの意義を理解する．
- セルフケアの低下状態にある人にとってのボランティア活動の意義を理解する．
- 障害者が活用できる医療・福祉制度について理解する．
- 事例を通し，制度の活用方法が理解できる．

1 セルフケア再獲得を支援する人的システム

1 医療・福祉関連職種によるチームアプローチ
1 チームアプローチとは
a チームアプローチの必要性

これまで，医療の提供は医師が中心となって他の職種との上下関係の中で行われることが多かった．しかし，そのような環境においては情報の共有や自由な意見交換といったやりとりは少なく，各職種の専門性や主体性は発揮されにくい．本来，医療が扱う「人の生活や健康」に関わる問題は複雑で幅が広く，

plus α
チーム医療
チームアプローチと同様の概念であるが，これは福祉などを含まない医療提供に限定したモデルである．

解決のために必要とされる専門的知識，技術は極めて多岐にわたり，医師が単独で解決できることは少ない．そのため，医療等の現場ではさまざまな職種が専門性を発揮し，協力して仕事を行うことが必要になる．特に近年，高齢者や慢性疾患の患者，障害者が増えてきている中で，医療，福祉，保健といった隣接領域の関係者の協働は必須である．さまざまな職種が患者・家族に関わり，目標を共有し，ともに機能していく必要性がより高まっている．つまり，多職種が**チーム**で仕事にあたる必要性が高まっているといえる．

チームとは「明確な共有された目標を達成するために協力して働く，異なった課題をもった二人以上の人間の集まり」[1]である．つまり，目標は共有されているが一人ひとりの機能は異なり，そして個々が連携，協力して課題を達成する集団といえる．したがって**チームアプローチ**とは，このような人々が集まって仕事（問題解決）を行っていくこと，協働していくことである．

b 多職種チームモデル

菊地の整理したモデル[1]を参考にして作成した，多職種によって構成されるチームのモデルを示す（**表5.3-1**）．モデルは多職種間の協働・連携の程度，情報の流れ，チーム内での役割分担により区別されているが，いずれも明確に分けられるものではなく，連続的な関係にあるといってよい．

救急型は，名称が示すように一刻を争うような緊急場面での展開である．この場合は時間をかけた合意形成は意味がなく，一人（多くの場合，医師）の的確な判断・指示のもと，各々が自分の役割を果たすことがまず求められる．

一般型は，病院などでの通常の医療提供場面での展開である．治療に関わる事項の多くは時間的制約の中で決められていく．各職種が相互に役割を理解し，情報共有や協働・連携することが重要である．

地域型は，在宅療養を支える場面展開である．家族や生活場面そのものへの直接的介入が必要であり，課題はより複雑で複合的である．このモデルでは，例えば訪問薬剤師が患者の様態を聴取して看護師と連絡を取るといったように，薬剤師が看護的役割を担うなど，時には職種の役割を超えて横断的に機能することも求められる．前述した二つのモデルに比べ，役割の境界が弱くなる

> **plus α**
> **チーム医療の推進に関する検討会**
> 2010（平成22）年3月に厚生労働省より報告書が出された．看護師の行為の拡大と他のコメディカルの役割拡大が提言されている．

> **plus α**
> **多職種連携**
> 2000（平成12）年ごろから使われ始めた．チーム医療と重なる部分があるがより広い意味で用いられる．病院が活動の範囲を急性期医療から在宅医療に拡大する過程で，保健・医療・福祉の多職種連携が求められてきた背景がある[3]．

> **plus α**
> **在宅医療・介護連携事業**
> 2018（平成30）年から市区町村が中心となって，地域における医療と介護が連携し，一体となってサービス提供を行う体制を構築する．

表5.3-1 多職種チームの三つのモデル

	救急型	一般型	地域型
特徴	情報が一つに集中して集められ，メンバーはチームの中で与えられた専門職としての役割を果たす．	各専門職がチームの意思決定に主体的に関与し，情報を共有する．それぞれの役割を協働・連携して果たす．	情報共有，協働・連携を踏まえて，時にはチーム内で果たす役割を専門分野を超えて横断的に果たす．
指示系統	一人の指示により動く．	メンバー間の合意により動く．	メンバー間の合意により動く．
課題	人命に関わるような緊急な課題を達成する．救命救急のように課題が限定的である．	緊急性の程度はさまざまである．課題は複合的で多面的なアプローチが必要である．	多くが緊急性は低い．課題はより複合的で複雑である．
場面例	救急治療	病院での一般的治療	在宅ケア

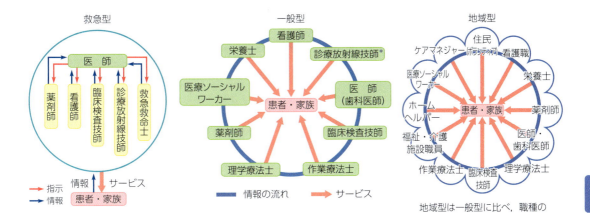

図5.3-1　多職種チーム形態

という特徴がある．

　三つのモデルを模式的に図5.3-1に示す．生命維持レベルのセルフケア再獲得は「救急型」，生活基本行動レベルのセルフケア再獲得は「一般型」，社会生活レベルのセルフケア再獲得は「地域型」のモデルが，主に適用されると考えられる．

c チームアプローチの進め方

　チームアプローチをうまく進めていく一つ目のポイントは，まず各職種が**互いの仕事内容，専門性を理解する**ことが重要である．これを欠いてはチームで機能していくことは難しい．自分の役割と能力の限界を知るとともに，相手が何を専門とする人なのか，相手に何を期待できるのかを知らなければ，役割分担や協力はできない．しかし，実際の現場では，意外に他の専門職の機能を十分知らずにいることが多い．

　例えば，看護師が「看護診断」や「看護計画」を用いて仕事をしていることを知っている他の専門職は，どのくらいいるだろうか．正しく理解するためには，互いに職場での仕事を見る機会をもったり，直接，話を聞くなどの方策が考えられる．また逆に，他の専門職に対して，自分たちが患者・家族へどういう方法で何を提供できるのかなど，その機能を自ら説明し，示していくことも効果的である．

　二つ目のポイントは，**目標の共有と情報交換**である．方法として，①カンファレンスを行う，②各職種の記録を同じ冊子にファイルする，または同じ記録用紙に続けて書く，などがある．2000年以降，徐々に**電子カルテシステム**が普及してきており，利用者間では情報の共有が容易になってきている．

|2| 構成メンバーと各々の役割

　前述したように，チームの構成員は異なった課題をもち，一人ひとりの機能が異なる．そのため，機能の異なるいくつもの職種が医療等の現場では働いている．チームメンバーの主な職種と所属，役割を表5.3-2に示す．

用語解説*　診療放射線技師
医療機関や検査機関において，検査や治療での放射線照射を行う．

plus α　電子カルテシステム普及率
1999（平成11）年に厚生省（当時）が電子カルテを認めた．厚生労働省の医療施設調査による一般病院における電子カルテシステムの普及率は，2008年14.2％，2014年34.2％，2020年は57.2％である．

表5.3-2 多職種チームの主な構成メンバーと役割

職種	主な所属先	主な役割
看護職	医療機関 訪問看護ステーションなど 行政機関（保健師） 福祉機関 学校・産業施設	疾病の治療援助，検査介助，入院生活援助，在宅療養調整 在宅生活援助，病状管理，在宅療養支援 予防，健康保持増進，在宅療養支援 高齢者，乳幼児，障害者・児への生活支援，健康管理 児童・生徒・学生・就労者の健康管理
理学療法士，作業療法士，言語聴覚士	医療機関 訪問リハビリテーション提供機関	入院・外来患者へのリハビリテーション 訪問リハビリテーション
栄養士	医療機関 行政機関（保健所・市町村） 学校・産業施設	入院患者の栄養管理，栄養指導（外来も含む） 地域住民の栄養指導 対象者の栄養管理
薬剤師	医療機関 開業薬局	入院・外来患者への調剤，薬剤指導（訪問も含む） 在宅療養患者への調剤，薬剤指導（訪問も含む）
臨床検査技師	医療機関，検査機関	検体検査，画像検査，生理検査などの実施
臨床心理士	教育機関 医療機関	児童・生徒・学生の心理的支援，相談 患者の心理的支援，相談
医師（歯科医師）	病院・診療所	入院・外来患者の疾病の診断，治療，往診
医療ソーシャルワーカー	医療機関 福祉機関	福祉に関する相談・助言 社会資源の紹介，適用援助など
ケアマネジャー	指定居宅介護支援事業所	介護保険制度におけるサービス計画作成 関係職種の調整，利用者からの相談
ホームヘルパー	指定訪問介護事業所	食事・排泄などの身体介護，家事援助

　これまで主流であった職種は，同じ組織における看護職と医師，栄養士，理学療法士などの医療職であった．しかし，2000（平成12）年の介護保険法施行後，これらに加えて保健関係職，福祉関係職の関与する場合が多くなった．また，介護報酬のみならず診療報酬上でも「チーム医療」に加算が付くようになり，現場では多職種とのカンファレンス，連名での書類作成など，連携を深める方向に進んできている．

|3| 看護職の役割

　看護職は他の職種に比べて従事者数も多く，医療機関各部署のほか，在宅，行政，学校，産業など，さまざまな場所で活動している．このことにより患者・家族に関する多方面の情報を得やすい立場にあり，患者・家族にとっても最も身近な存在といえる．したがって，看護職には，患者・家族がどういう状況にあり，何を考え，何を望んでいるのかなどの情報を把握する役割がある．また，看護学のほかに医学，栄養学，薬理学，心理学など幅広い知識を活動の基盤にもっていることにより，職種の中では応用を利かせて仕事を進めることができる．このことから各職種間の情報伝達，意見調整を担うなど，調整役としての役割も重要である．

2 セルフヘルプグループへの参加

|1| セルフヘルプグループとは

　セルフヘルプグループ（self help groups）は自助グループとも訳されるが，そのままセルフヘルプグループ（以下SHGとする）という表現が用いられることも多い．

　SHGとは，「共通の障害や問題，特定の目的をもった人々が出会い，相互援助によって問題解決，新たな自己発見，目的達成などのために自発的に結成したグループ」である．同じ問題や目的をもった人同士が，「他の人はどうしているのだろうか？」「自分たちで問題に取り組もう」などの思いを共有することをきっかけにグループをつくり，相互交流を通して新しい生き方や考え方を得ていくものである（図5.3-2）．SHGの始まりは，欧米でのアルコール依存症におけるAA＊（Alcoholics Anonymous®）が誕生した1930年代と考えられている．その後の活動を通じて，グループ内での話し合いをもとに問題解決を図っていくというSHGの基本的方法が確立され，発展していった．

　SHGが取り組む問題は，貧困，育児支援などの「家族・生活問題」，アルコールや薬物などの「依存症」，慢性病などの疾病，心身の障害などの「健康問題」ほか多岐にわたり，活動形態も，会合の頻度・地域的広がり・財政基盤などによりさまざまである．SHGの特徴に「自発性」および「専門家などの力に頼らない自律性」があるが，これは絶対的条件ではない．例えば精神障害者のグループでは，治療形態の一つとして専門家によって運営される場合が多いことや，グループの形成過程の一時期に専門家が関与する例などがある．

|2| セルフヘルプグループの役割

　SHGの役割として，次のことが挙げられる．
① 医療などの専門家に問題解決を委ねず，自分たち自身が「解決の主体」と

> **用語解説＊**
> **AA**
> 無名のアルコール依存症者の集まり．匿名性のもと，アルコール依存症からの脱却を目指す患者と家族をメンバーとするSHGである．国際的な広がりをもち，日本では全国に約900カ所のミーティング場がある．

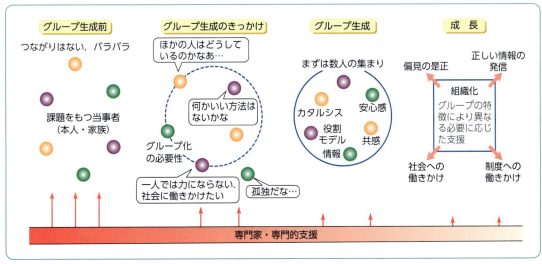

図5.3-2　セルフヘルプグループの生成と役割

なることで問題に主体的に立ち向かう．
②自分たちで自分たちを癒す，治すという「自己治癒力」を高める．
③社会的存在である人にとって必要である「準拠する集団」が提供される．
その中での交流や情報交換を通して，次のことが得られる．
- 「悩んでいるのは自分だけではない」という気づきや，仲間による支援を得ることで，当事者が不安を取り除き安心感を得る．
- 同じ問題で悩んでいる仲間からの貴重かつ実践的な情報を得る．
- 問題に取り組んだり克服したりしている仲間・先輩としての役割モデルを得る．
- 告白，**カタルシス**＊の機会を得る．

④参加者の成長が促進されるのみでなく，社会の制度やしくみを変えたり，偏見・差別の解消を目指した啓発活動など，グループ外へ働きかける「社会的活動」を行う．

|用語解説＊
カタルシス
浄化．心の中にしまってきた悩み，苦痛体験などを自由に表現することで，心の緊張，うっ積を解放し安定を得ること．

3 セルフケア再獲得におけるセルフヘルプグループの意義

著者が関わった患者・家族会の例を紹介し，SHGの意義を考えてみる．

a Sの会

リハビリテーション病院外来の看護職などが，通院中の患者・家族を対象に「集まりをもちますので来ませんか？」と声をかけ，「Sの会（仮名）」をつくった．

目的 脳卒中後遺症の麻痺などの障害をもつ患者が，通院によるリハビリテーション終了後は新たな目的を見いだせず家にこもりがちになっていることに看護職らが気づき，まずは「外出の場の提供」の意味で声をかけた．

立ち上げ 対象者には「同じような障害をもつ人たちとの交流の場」と説明し，あらかじめ何人かに個別に声をかけた．10人程度の集まりから始め，徐々に自発的な参加者も増え，また家族も参加するようになり会員数は三十数名になった．

活動内容 毎月1回，定例会を病院内で開いた．ここでは自己紹介・近況報告を全員が行うようにしたが，自らの病気や障害体験をほとばしるように語る姿に，看護職者らは圧倒された．それまでいかに「語ること」（告白，カタルシス）が少なかったのかを知らされた．また，患者の家族が参加していることで，普段，家ではあまり話さない相手への気持ちやねぎらいを語ることで，患者・家族間の間接的なコミュニケーション手段としても機能していた．さらに情報交換や食事会，バス旅行，他の患者会との交流など，病院外での活動を増やしていった．また，会報の発行も行った．

成果 悩んでいるのは自分だけではないという気づき，前向きな気持ちをもつ，居場所を得る，仲間づくり，家族介護者の交流の場，患者と家族とのコミュニケーションの促進，情報交換，会の活動での役割獲得，外出の機会を得るなどの社会活動への積極性などがみられた．

∴ **専門職の関わり** 立ち上げは専門職主導で進めたが，徐々に会員に運営を委ねるようにしてきている．しかし，疾患の特徴から対象者が高齢であること，言語・認知障害などの高次脳機能障害があることなどにより，必ずしも当事者のみの活動では十分に機能しない面もみられている．

3 ボランティア活動の活用

|1| ボランティアとは

　ボランティアとは，報酬を期待せずに自ら進んで時間や労働を提供し，奉仕活動を行う人をいう．欧米では古くからボランティア活動が社会に浸透していたが，日本では，近年の傾向として学校教育の場に取り入れられたり，1995（平成7）年の阪神・淡路大震災以降，2004（平成16）年の新潟県中越地震，2011（平成23）年の東日本大震災，2016（平成28）年の熊本地震でのボランティアにみられるような広範囲な活動など，ここ二十年ほどで急速に広まってきた．また，ボランティアグループの活動内容も多岐にわたっている．

　「2021（令和3）年社会生活基本調査（総務省）」によると，1年間に何らかのボランティア活動を行った人は2,005万6千人で，10歳以上人口に占める割合は17.8％（行動者率）と，およそ5人に1人の割合であった．男女別にみると，男性が18.2％，女性が17.5％で男性が0.7ポイント高くなっている．また，ボランティアの種類別行動者率では，「まちづくりのための活動」が最も多く7.4％で，「健康や医療サービス」「障害者」を対象にした活動はいずれも3％以下と低く，この分野での活動は身近なものにはなっていない（図5.3-3）．

|2| 保健・医療・福祉分野でのボランティア活動

　ボランティア活動の概念は広く，個人的なものから組織的・広域的な活動ま

注）「総数」は，何らかのボランティア活動を行った人の割合．
総務省．社会生活基本調査. 2021（令和3）年をもとに作成．

図5.3-3　種類別「ボランティア活動」の行動者率（10歳以上）

表5.3-3　保健・医療・福祉におけるボランティアの活動例

分　野	活動内容
保　健	地域での栄養知識普及（食生活推進員） 乳幼児健診補助（母子保健推進員）　など
医　療	外来患者への案内・誘導，受診介助 入院患者の洗濯・買い物・散歩介助・話し相手・季節行事の手伝い 余暇活動の補助（工作・手芸，歌や演奏の披露など） 花の手入れなどの環境整備　など
福　祉	施設利用者の世話の補助，余暇活動の補助 花の手入れなどの環境整備 在宅高齢者・障害者の生活介助，外出介助（車の運転）　など

で多岐にわたるが，ここでは余暇を利用して行える活動例について**表5.3-3**に示す．なお，保健分野の活動例では，地域で順番に担当を割り当て行われている場合もあり，厳密な意味でのボランティアとはいえない面もある．

　保健・医療・福祉分野でのボランティア活動において重要なことは，「やってあげる」という関わりではなく「**対等な立場で**」という意識を基本に行うこと，また最終的には対象者の**自立支援**を目指した活動であることを忘れないことである．対象者は子どもや高齢者，障害者などが多いことから，ややもすると保護的な対応に終始しがちであるが，この点には留意して活動しなければならない．

　これらの分野でのボランティア活動は，前項で述べたように，広がりとしてはまだ十分ではない．しかし，報酬を伴うサービスでは埋めきれないすき間は常に存在しているため，今後，ますますボランティアの活用が期待されると思われる．

　活動を推進していくためには，受け入れ側においてはボランティアに対する教育（活動における心構えなど）や，ボランティア活動に関する広報を活発に行うなどの体制，また，ボランティア側では学校や企業などに所属する人が活動しやすいように時間の保証を得たり，自然に行えるように受け入れ先との調整窓口を整備するなどの体制づくりが必要と考える．

2 セルフケア再獲得を支援する法的システム

1 医療保険制度

日本の医療保険は**国民皆保険**であり，すべての国民は何らかの医療保険に加入している（図5.3-4）．

→ 医療保険制度の詳細は，ナーシング・グラフィカ『社会福祉と社会保障』7章2節参照．

2 介護保険制度

介護保険法の理念および目的は，加齢や病気によって要介護状態となっても，人々の尊厳を保持し，その有する能力に応じ**自立**した日常生活を営むことを保障することである．

→ 介護保険制度の詳細は，ナーシング・グラフィカ『社会福祉と社会保障』7章3節参照．

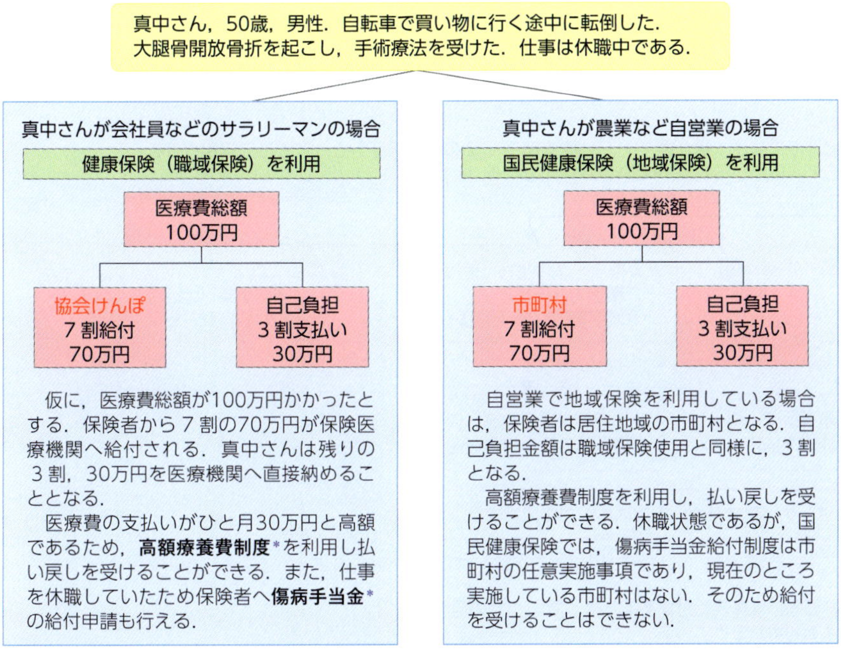

真中さん，50歳，男性．自転車で買い物に行く途中に転倒した．大腿骨開放骨折を起こし，手術療法を受けた．仕事は休職中である．

真中さんが会社員などのサラリーマンの場合
健康保険（職域保険）を利用

医療費総額 100万円
- 協会けんぽ 7割給付 70万円
- 自己負担 3割支払い 30万円

仮に，医療費総額が100万円かかったとする．保険者から7割の70万円が保険医療機関へ給付される．真中さんは残りの3割，30万円を医療機関へ直接納めることとなる．
医療費の支払いがひと月30万円と高額であるため，**高額療養費制度**＊を利用し払い戻しを受けることができる．また，仕事を休職していたため保険者へ**傷病手当金**＊の給付申請も行える．

真中さんが農業など自営業の場合
国民健康保険（地域保険）を利用

医療費総額 100万円
- 市町村 7割給付 70万円
- 自己負担 3割支払い 30万円

自営業で地域保険を利用している場合は，保険者は居住地域の市町村となる．自己負担金額は職域保険使用と同様に，3割となる．
高額療養費制度を利用し，払い戻しを受けることができる．休職状態であるが，国民健康保険では，傷病手当金給付制度は市町村の任意実施事項であり，現在のところ実施している市町村はない．そのため給付を受けることはできない．

被保険者は保険者に定められた保険料を納めることで，保険医療機関を通じて医療サービスを受けることができる．けがや病気で医療機関を受診した際，保険証を提示して診療や看護・投薬などを受ける．かかった医療費総額の原則7割は健康保険組合や協会けんぽ，市町村などの保険者から医療機関に給付される．残りの原則3割は自己負担額として，医療保険機関へ支払われる．ただし，年齢や所得によって，給付割合や自己負担の割合は変わる．

図5.3-4 サラリーマンと自営業の場合の医療保険

用語解説＊ 高額療養費制度
ひと月（1日から月末日まで）にかかった医療費の自己負担額が一定額を上回った場合，申請によりその上回った金額が支給される制度．所得区分により支給金額が異なる．

用語解説＊ 傷病手当金
病気やけがで休職中の被保険者とその家族の生活を保障するため，所得を保障する制度．標準月給の3分の2相当が支給される．

要介護認定申請からサービス利用までを図5.3-5に示す．

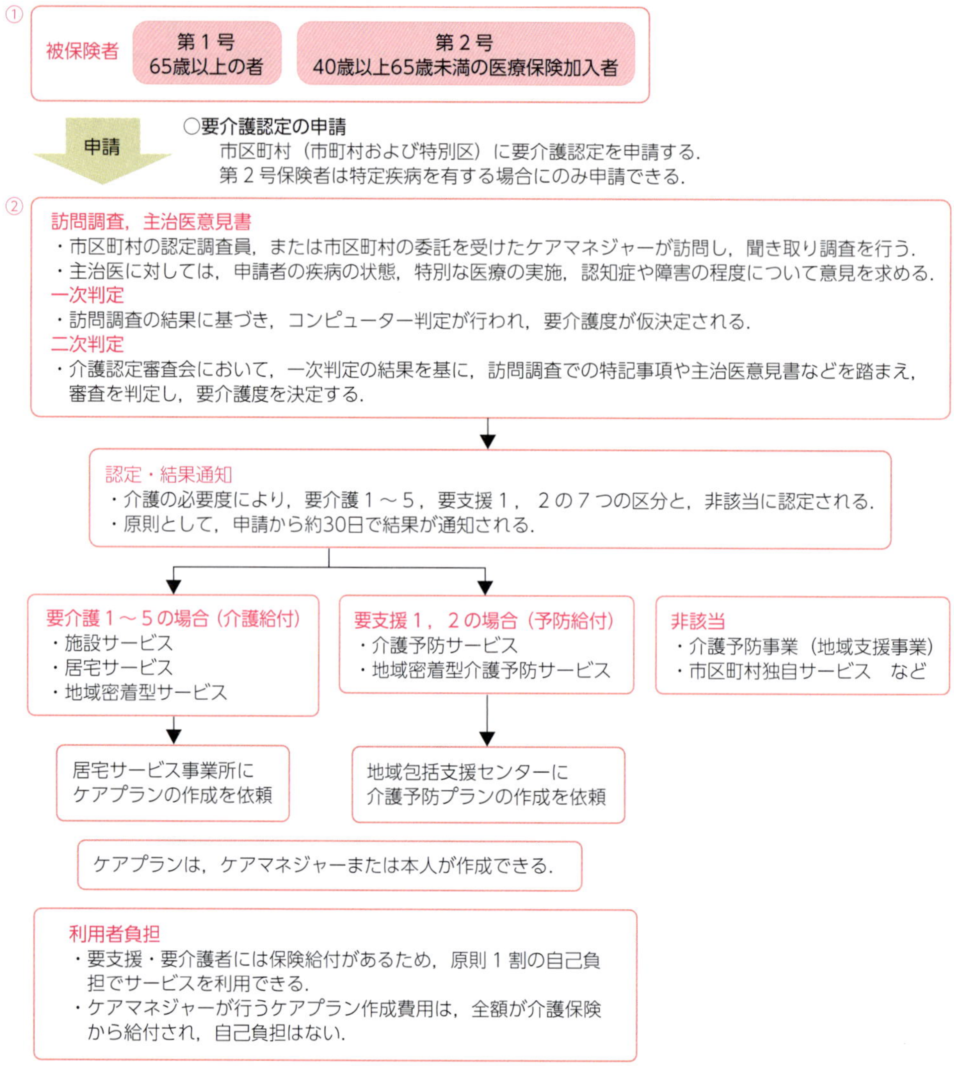

① 被保険者
- 第1号：65歳以上の者
- 第2号：40歳以上65歳未満の医療保険加入者

申請 ↓

○要介護認定の申請
　市区町村（市町村および特別区）に要介護認定を申請する．
　第2号保険者は特定疾病を有する場合にのみ申請できる．

② **訪問調査，主治医意見書**
・市区町村の認定調査員，または市区町村の委託を受けたケアマネジャーが訪問し，聞き取り調査を行う．
・主治医に対しては，申請者の疾病の状態，特別な医療の実施，認知症や障害の程度について意見を求める．

一次判定
・訪問調査の結果に基づき，コンピューター判定が行われ，要介護度が仮決定される．

二次判定
・介護認定審査会において，一次判定の結果を基に，訪問調査での特記事項や主治医意見書などを踏まえ，審査を判定し，要介護度を決定する．

認定・結果通知
・介護の必要度により，要介護1〜5，要支援1，2の7つの区分と，非該当に認定される．
・原則として，申請から約30日で結果が通知される．

要介護1〜5の場合（介護給付）
・施設サービス
・居宅サービス
・地域密着型サービス

要支援1，2の場合（予防給付）
・介護予防サービス
・地域密着型介護予防サービス

非該当
・介護予防事業（地域支援事業）
・市区町村独自サービス　など

居宅サービス事業所にケアプランの作成を依頼

地域包括支援センターに介護予防プランの作成を依頼

ケアプランは，ケアマネジャーまたは本人が作成できる．

利用者負担
・要支援・要介護者には保険給付があるため，原則1割の自己負担でサービスを利用できる．
・ケアマネジャーが行うケアプラン作成費用は，全額が介護保険から給付され，自己負担はない．

介護保険は，2000年に施行された社会保障制度の一つで，財源は40歳以上の国民から支払われる毎月の保険料と，公的財源によってまかなわれている．保険給付は，要介護認定・要支援認定を受けることで受給できる．

図5.3-5　要介護認定申請からサービス利用まで

> **事例❶**
>
> 三浦さん，46歳，女性．M市在住，身体障害者2級．
> **病歴**：45歳のときに筋萎縮性側索硬化症（以下，ALS）と診断される．化粧品会社に勤務していたが，現在は休職している．ALSと確定診断されてからも，約1年間は何とか自力で歩けていた．
> **家族**：夫（会社員，49歳）と娘2人（大学1年生，高校2年生），夫の両親（義父77歳，国鉄を定年退職，自治会会長．義母74歳，保育士を定年退職）との6人家族．
>
> 　1週間ほど前，近所のスーパーからの帰宅途中でバランスを崩し転倒した．その際，自力で起き上がることができず，通りがかりの人に抱き起こしてもらった．その日から上下肢の筋力低下が著しく進み，食事や入浴，トイレでの立ち上がり，上着のボタンどめや洗面などの行為は，家族の介助を受けるようになった．
>
> 　夫は朝7時30分に出勤し，ほぼ毎日残業のため，帰宅は21〜22時ごろになる．娘2人も日中は学校に通っているため，三浦さんの介護は主に義母が行っている．しかし，義母は74歳と高齢であり，腰痛もあるため，介護に負担を感じている．
>
> 　三浦さんも，これ以上は家族に負担をかけたくないと思っており，「病気の進行が気になる．医療者に相談しながらこのまま在宅で安心して暮らしたい」「せめてトイレだけは自分で行きたい」「できないところは手伝ってもらってでも，自宅でお風呂に入りたい」「家族が食べる食材だけでも自分で選びたい」と話す．
>
> 　ALS診断時に担当になった保健師からは，介護保険の申請を勧められている．

1 申　請

三浦さんは現在46歳で，**特定疾病**＊（16疾患）の一つであるALSに罹患しているため，被保険者（第2号）として市町村に**要介護認定**を申請した．介護保険のサービスを利用する場合は，保険者である市町村および特別区に申請し，要介護認定を受ける．対象となる被保険者（図5.3-5の①）は，40歳以上のすべての国民が該当する．しかし，40〜64歳までの被保険者は，特定疾病がなければ介護申請をすることはできない．

2 要介護認定

三浦さんの一次判定の結果は，「要介護3」．調査員から「立ち上がりは一人ではできない状態．浴槽のまたぎも体幹を支えてもらって行っている」という結果が報告された．主治医からは，「筋力低下が著しく進んでいるので，今後の可能性としては呼吸器装着が妥当．現在の状態を少しでも維持するため，関節可動域訓練が必要である」という意見書が出された．日常生活の自立度は，主治医，調査員とも障害高齢者の日常生活自立度はB2，認知症高齢者の日常生活自立度は正常と判定した．これらのことを踏まえて，二次判定の審査会においても「要介護3」と認定された．

要介護認定は市町村が行う．市町村での審査は一次判定，二次判定によって行われる（図5.3-5の②）．介護の必要度により該当（7段階），または非該当の認定を行う．7段階の区分は，**要支援1，2，要介護1〜5**である．

用語解説＊

介護保険法が定める特定疾病（16疾患）

①がん末期，②関節リウマチ，③筋萎縮性側索硬化症，④後縦靱帯骨化症，⑤骨折を伴う骨粗鬆症，⑥初老期における認知症，⑦パーキンソン病関連疾患，⑧脊髄小脳変性症，⑨脊柱管狭窄症，⑩早老症，⑪多系統萎縮症，⑫糖尿病性神経障害，糖尿病性腎症および糖尿病性網膜症，⑬脳血管疾患，⑭閉塞性動脈硬化症，⑮慢性閉塞性肺疾患，⑯両側の膝関節又は股関節に著しい変形を伴う変形性関節症

plus α

要介護認定における日常生活自立度

障害高齢者の日常生活自立度や認知症高齢者の日常生活自立度は，疾患や年齢にかかわらず，要介護認定の際に日常生活の自立度を測る尺度として用いられる．

plus α

不服申し立て

認定の判定結果に不満がある場合は，介護保険法に基づいて都道府県ごとに設置されている「介護保険審査会」に対して，不服申し立てを行うことができる．

表5.3-4 立案された三浦さんのケアプラン

健康管理	訪問看護	医師の指示書に基づき，毎週水曜日に訪問する 健康状態の管理，医療的な相談と助言，上下肢の可動域訓練を行う
生活支援	直接支援	訪問介護：入浴介助…週2回（月・木曜日） 　　　　　近所のスーパーまでの移動介助…週1回（火曜日）
	住環境の改善	住宅改修：手すりの取り付け（廊下，トイレ） 福祉用具の借り入れ（電動ベッド，車椅子） 福祉用具の購入（シャワーチェア）

3 ケアプランの作成

三浦さんには，表5.3-4のようなケアプランが立案された．

サービスは，**居宅サービス計画書**（以下，**ケアプラン**）に沿って利用する．ケアプランとは，アセスメントを行い，具体的目標を定め，決定した介護内容を記載した計画書である．要介護者のケアプランは，居宅介護支援事業所の**介護支援専門員**＊（以下，**ケアマネジャー**）または本人が作成する．要支援者については，地域包括支援センターが介護予防ケアプランを作成する（本人作成可）．

用語解説 ＊
介護支援専門員（ケアマネジャー）
要支援・要介護者が適切な介護サービスを受けられるようケアプランを作成し，市町村・介護サービス事業者などと連絡，調整を行う．主任介護支援専門員（主任ケアマネジャー）は，介護支援専門員へのスーパーバイズなど，地域包括ケアを効果的に運用する役割を担っている．

4 利用料の負担と利用限度額

介護保険のサービス料金は，現行では原則1割が自己負担であり，9割が介護保険でまかなわれている．ただし，収入や世帯構成によっては，2割または3割の自己負担になることがある．居宅サービスでは，要介護度ごとに1カ月の利用額の上限が定められている（**表5.3-5**）．施設サービスの場合は，原則1割負担とは別に居住費や食費，日常生活費などが必要となる．

介護保険制度は，3年ごとの介護保険事業計画の改正の見直しによって改正される．たとえ要介護状態となっても，その人らしい，その人の望む暮らしを実現できる制度へと成熟させていくことが望まれる．

表5.3-5 居宅サービス区分支給限度基準額

要支援1	5,032単位
要支援2	10,531単位
要介護1	16,765単位
要介護2	19,705単位
要介護3	27,048単位
要介護4	30,938単位
要介護5	36,217単位

3 障害者総合支援法とその活用

障害者支援の根底には，**ノーマライゼーション**（➡p.224参照）の理念がある．2003年の支援費制度の施行を境に，行政がサービスを決定し支給する**措置制度**から，利用者本位でサービスを選定する**契約制度**へと転換された．障害があっても地域で心配なく生活が送れるよう**自立を支援する**ことを目的とし，法整備が進められた．**図5.3-6**に示すように，2006年には独立していた三つの障害を統合し，サービスの対象に

図5.3-6 障害者の自立を支援する法律の整備

精神障害を追加した障害者自立支援法が施行された．さらに対象者や支援内容を拡充し，2013年4月1日から「障害者の日常生活及び社会生活を総合的に支援するための法律（**障害者総合支援法**）」が施行された．

次の事例で，障害者総合支援法によるサービスと，セルフケアの再獲得について考える．

→ ナーシング・グラフィカ『社会福祉と社会保障』5章2節参照．

事例 ②

小川さん，30歳，女性．身体障害者1級，**障害支援区分**＊5．
病歴：26歳のときに交通事故に遭い，頭部外傷・意識障害で入院加療後，在宅で生活している．
家族：父（65歳），母（60歳），本人の3人家族である．主介護者は両親．父親は定年退職し，趣味の家庭菜園などをしている．家族仲は良好．両親はときどき，小川さんの将来に不安があると訴えることがある．

小川さんと両親は患者会を通して旅行に出かけたり，町内会の祭りにも参加し，他病院へリハビリテーションに通うなど積極的に活動している．小川さんは目標として「将来，自分の思いを絵で表現したい」と思っている．

〈小川さんの現在のADL状況や生活状況〉
意識レベル：清明．左半身拘縮あり．右上下肢は自分で挙上可能なレベルであるが，実用的な使用は困難．
食事：毎食，胃瘻から経管栄養剤を注入．15時には嚥下練習の目的や楽しみの一つとして，プリンやゼリーを経口で摂取している．
排泄：おむつで排泄．全介助．
移動：寝たきり，全介助．
入浴：週3回デイサービスで施行．
リハビリ：自宅で関節可動域訓練や筋力トレーニングを行っている．
コミュニケーション：簡単な会話は可能だが，ろれつ緩慢で筆談が多い．
利用しているサービス：デイサービス，ショートステイ（レスパイト目的），福祉用具購入の助成
社会保険：労働者災害補償保険法の適用により，訪問診療（月2回，その他往診も）．訪問看護（週1回），訪問薬剤管理指導（診療により処方箋の発行があったとき）
定時内服薬：マグラックス®錠330mg 3錠 1日3回毎食後，14日分
グリセリン浣腸液50％「ORY」60mL，便秘時1回1個，10回分

1 医療面におけるサービスの利用

a 労働者災害補償保険の適用

小川さんは通勤途中での交通事故の後遺障害であったため，労働者災害補償保険が適用され，医療費における自己負担は免除になった．現状では寝たきりで通院が困難なため，24時間契約の訪問診療を毎月2回受けており，緊急時には往診を受けられるよう契約している．さらに服薬に関しては，**訪問薬剤管理指導**＊を自宅で受けることができる．

訪問看護は，①医療的処置として，胃瘻の管理や浣腸施行，②療養上の世話として，排泄の援助，③病状観察と心理的支援として，バイタルサインのチェックや両親への関わり，④リハビリテーションとして，嚥下機能訓練や拘縮予防を目的として利用している．訪問看護も緊急時に対応できるよう24時間体制で契約しており，休日や夜間でも体調に変化のあるときや，療養上の

用語解説 ＊
障害支援区分
障害者等の障害の多様な特性その他の心身の状態に応じて，必要とされる標準的な支援の度合を総合的に示す区分．「非該当」，「区分1」から「区分6」（「区分6」が最も必要度が高い）まで7段階に分けられ，区分に応じた福祉サービスが受けられる．認定は市町村が行う．

相談をしたいときなどに連絡がとれる支援体制になっている．

｜2｜福祉面におけるサービスの利用

　福祉サービスを利用するときは，本人もしくは家族が市区町村の窓口へ相談や申し込みを行う．申請者の意向を踏まえ，市区町村の調査や判定会議を経てサービス支給が決定される．支給されるサービスの利用は，該当する市区町村の相談支援専門員が，ケアマネジメントの手法を用いて支援計画を立案する．

　小川さんは，介護給付から日中活動として生活介護（デイサービス）を利用し，生活支援を受けている．同時に，絵画の練習などの創作活動や生産活動を行う機会としても活用している．また，両親の介護負担を考慮し，**レスパイトケア***目的で介護給付から利用できる短期入所（ショートステイ）も利用している．ショートステイは日中・夜間を含めて，施設で生活支援を行うサービスである．自宅での生活においては，身体機能を補って日常生活をしやすくするために，自立支援給付として補装具および日常生活用具の購入や，修理・レンタルに要する費用の助成を受けている．具体的には移動用リフトを購入し，電動ベッドや特殊マット，車椅子をレンタルしている．

　小川さんは，これらのサービスを受けることにより体調が安定し，自宅での療養生活を安心して継続している．患者会の旅行や町内会の祭りなどに参加できており，小川さんの希望に沿う生活ができている．また，訪問医や訪問看護師は，介護者から療養上の悩みや介護者自身の健康についても相談を受ける機会となっており，小川さんを取り巻く環境が調整され，地域で安心して生活できている．今後も小川さんが目標を達成するための支援が継続して必要であり，主介護者である両親が高齢になるにしたがい，介護への関わり方が変化することも予測される．すべての支援者は随時アセスメントを行い，社会参加が継続できるよう働きかける必要がある．

4　難病対策要綱

　日本では，1972（昭和47）年に**難病対策要綱**を定め，表5.3-6に示す五つの事業を推進してきた．2013（平成25）年4月1日に障害者総合支援法が施行され，障害者の定義に難病等が追加されたことに伴い，QOL向上を目指した事業のうち，ホームヘルプサービス事業・短期入所事業・日常生活用具給付事業は，障害者総合福祉法に基づく障害福祉サービスに移行された．

用語解説
訪問薬剤管理指導
常時介護が必要な患者や寝たきりで外出が困難な患者の場合，主治医の指示のもと，薬剤師が直接自宅を訪問し，処方薬や衛生材料などを届ける．薬などについての作用・副作用・服薬方法・保管方法を説明する．

用語解説
レスパイトケア
介護を必要とする障害者や高齢者の家族を一時的に介護から解放し，休息をとれるようにする支援．サービス内容は，デイサービスやショートステイがある．

➡ ナーシング・グラフィカ『地域療養を支えるケア』7章8節参照．

表5.3-6　難病対策要綱

①調査研究の推進
②医療施設等の整備
③医療費の自己負担の軽減
④地域における保健・医療・福祉の充実・連携
　・難病情報センター
　・難病相談・支援センター
　・難病患者地域支援対策推進事業
⑤QOLの向上を目指した福祉の推進
　・難病患者等ホームヘルパー養成研修

> **事例❸**
>
> 福田さん，54歳，男性．自営（造園業）．
> 病歴：4カ月ほど前から物が二重に見え，まっすぐに歩けずふらつくことが多くなった．受診し検査した結果，脊髄小脳変性症と告げられ，治療法がない進行性の病気であると説明を受けた．
> 家族：妻（51歳），長男（25歳），次男（22歳）の4人暮らし．

1 医療費の助成

福田さんは，病名告知と同時に特定医療費（指定難病）受給者証申請の説明を受け，ただちに保健所に申請した．**特定医療費（指定難病）受給者証**の申請は，「難病の患者に対する医療等に関する法律」（➡p.290参照）に基づく医療費助成の対象疾患を有する患者だけが申請できる．都道府県は申請受理後，内容を審査する．対象者であると認定されると，管轄の保健所を経由して医療受給者証が申請者に交付され，医療費の助成が受けられる．

 ナーシング・グラフィカ『地域療養を支えるケア』7章8節参照．

2 療養支援

自分が難病に罹患したことを知った福田さんは，多くの不安や心配事を抱え，どうしたらよいかわからない状態だった．動けなくなっていくことへの不安，動けなくなれば仕事を失い，経済的問題が発生するという心配，生業である造園の技術・技能を息子に継承させられない焦燥感，妻にかかる負担への心苦しさなど，さまざまな思いが湧き上がった．福田さんが不安な状態から早期に脱し，適切な医療や福祉サービスを受け，安定した生活が営めるように，①保健師，②難病相談・支援センターが相談窓口となり，支援することになった．

> **plus α**
> **難病医療費助成の対象疾患（指定難病）**
> ベーチェット病，多発性硬化症／視神経脊髄炎，重症筋無力症，進行性核上性麻痺，大脳皮質基底核変性症，パーキンソン病，多系統萎縮症（線条体黒質変性症，オリーブ橋小脳萎縮症，シャイ・ドレーガー症候群）など2024年11月現在341疾患が対象となっている．

❶**保健師の難病療養支援における役割** 地域保健法に基づき実施する活動として位置づけられている．具体的な活動は，どの地域にどのくらいの患者が療養しているかの把握，患者の療養相談，患者会活動の支援，地域関係者会議の開催などである．

❷**難病相談・支援センター** 難病対策要綱の事業として位置づけられている．難病患者の療養上・生活上の悩みや不安などの解消を図るとともに，電話や面接による相談，患者会などとの交流を促進，就労支援などを行う．

3 生活場面の支援

福田さんが確定診断を受けてから1年が経過した．手が震えて指の動きが悪くなり，植木の剪定などの細かい作業ができなくなった．歩き方も酔ったようにふらついている．保健師の呼びかけで地域連絡会議が開催され，医師，訪問看護師，ケアマネジャー，ホームヘルパーが集まり，地域の難病患者の療養支援と連携をテーマに話し合い，そこで福田さんの状態が報告された．

検討の結果，福田さんは生活支援が必要であると確認され，介護保険を申請し，ヘルパーから支援を受けることが提案された．医師は，今後の可能性とし

plus α
地域関係者会議・事例検討会の開催，患者会の支援
保健所の役割として地域保健法に基づき実施される．患者会の支援は，難病対策要綱の事業としても位置づけられている．患者会は当事者それぞれの体験を共有し，分かち合い，支え合いながら問題の解決や克服を図ることを目的に集う．

て人工呼吸器の装着が妥当な状態となったときは，意思決定の支援が必要であると意見を述べた．保健師が支援チームの調整役を果たし，ヘルパーによる室内移動とトイレ移動介助の支援が開始された．

現在，福田さんは気分が良いときは廊下の椅子に座らせてもらい，結婚記念樹として植えた2本の沙羅の木の眺めを楽しみながら，生活を続けている．また，息子の送迎で月に一度の患者・家族の会に参加するようになり，病友と励まし合いながら，前向きに病気と向き合っている．

難病患者を支える制度には，難病対策要綱に加えて介護保険制度，障害者総合支援法などがあるが，これらの制度を合わせて活用するだけでは，十分な対応ができないことも多かった．そのため，2014（平成26）年5月23日に「**難病の患者に対する医療等に関する法律**」（**難病法**）が制定され，2015（平成27）年1月1日から施行された．この法制化により，これまでの特定疾患が**指定難病**と呼ばれることになり，2024（令和6）年11月1日現在，341疾患が対象である．医療費の自己負担割合は2割で，所得に応じて自己負担上限額が設定される．

■ 引用・参考文献

1) 菊地和則. 多職種チームの3つのモデル：チーム研究のための基本的概念整理. 社会福祉学. 1999, 39（2）, p.273-290.
2) 菊池和則. 多職種のコンピテンシー. 社会福祉. 2004,44（3）, p.23-31.
3) 藤井博之. 地域包括ケアと多職種連携. 日本福祉大学社会福祉論集. 2018, 138, p.169-180.
4) 特集チームアプローチを実現させるリハビリテーション教育. Quality Nursing. 2003, 9（11）.
5) 板垣昭代. "地域に密着した組織づくりとリハビリテーション看護". 地域生活支援とリハビリテーション看護. 医歯薬出版, 2003, p.30-38,（リハビリテーション看護研究, 6）.
6) 板垣昭代. リハビリテーション病院における患者・家族会活動の経過および参加者ニードに関する一考察. 日本看護学会論文集（地域看護）. 2002, p.114-115.
7) 奥井幸子ほか. 看護とは（2）. 日本看護協会出版会, 1992, p.225-229,（看護学大系, 2）.
8) 三島一郎. セルフ・ヘルプ・グループの機能と役割：その可能性と限界. コミュニティ心理学研究. 1997, 1（1）, p.82-93.
9) 社会福祉士養成講座編集委員会編. 新・社会福祉養成講座（9）, 地域社会福祉の理論と方法. 中央法規出版, 2015.
10) 社会福祉士養成講座編集委員会編. 新・社会福祉養成講座（8）, 相談援助の理論と方法Ⅱ. 中央法規出版, 2015.
11) 厚生労働省. 障害者福祉. https://www.mhlw.go.jp/stf/seisakunitsuite/bunya/hukushi_kaigo/shougaishahukushi/index.html,（参照2024-11-11）.
12) 地域社会における共生の実現に向けて新たな障害保健福祉施策を講ずるための関係法律の整備に関する法律の概要. https://www.mhlw.go.jp/seisakunitsuite/bunya/hukushi_kaigo/shougaishahukushi/sougoushien/dl/sougoushien-01.pdf,（参照2024-11-11）.
13) 障害保健福祉施策の推進に係る工程表（案）. https://www.mhlw.go.jp/seisakunitsuite/bunya/hukushi_kaigo/shougaishahukushi/sougoushien/dl/sougoushien-08.pdf,（参照2024-11-11）.
14) 労災保険情報センター. https://www.rousai-ric.or.jp/,（参照2024-11-11）.
15) 社会福祉士養成講座編集委員会編. 新・社会福祉士養成講座12 社会保障. 第4版. 中央法規出版, 2014.
16) 中央法規出版編集部編. 六訂社会福祉用語辞典. 中央法規出版, 2012.
17) 中山優季編. 難病看護の基礎と実践：すべての看護の原点として. 川村佐和子監修. 桐書房, 2014,（ナーシング・アプローチ）.

重要用語

チームアプローチ	多職種	高額療養費制度
協働	セルフヘルプグループ	傷病手当金
連携	自立支援	障害者総合支援法
情報交換	健康保険	自立支援給付
目標共有	国民健康保険	レスパイトケア

◆ 学習参考文献

❶ 奥宮暁子編．生活調整を必要とする人の看護Ⅰ．中央法規出版，1995．
内部障害をもつ人などの障害による生活への影響とそれに対する援助のポイントを，病態をもとに理解することができる．

❷ 奥宮暁子ほか編．生活の再構築を必要とする人の看護Ⅰ．中央法規出版，1995．
運動機能障害などにより生活の組み立て直しを必要とする人への援助のポイントを，病態をもとに理解することができる．

❸ 石鍋圭子ほか編．リハビリテーション看護とセルフケア．医歯薬出版，2002，（リハビリテーション看護研究，5）．
セルフケアをリハビリテーション看護の立場から考えるときの対象者のとらえ方，見方について示唆が得られる．

❹ 石合純夫．高次脳機能障害学．医歯薬出版，2003．
脳損傷の後遺症として起こる高次脳機能障害を十分に理解し，セルフケア再獲得のための支援方法を考えることができる．

❺ 浦河べてるの家．べてるの家の非援助論．医学書院，2002．
浦河（北海道）で暮らしている精神障害者の自主的活動のさまざまなエピソードが綴られている．困難な現実を担うのはあくまで当事者自身であり，それを支えるのが援助者のあり方であるという考え方は，当然のことであり，また新鮮である．

❻ 原田隆司．ボランティアという人間関係．世界思想社，2000．
自らのボランティア体験を踏まえて，読者に援助者・被援助者関係を考えさせる内容である．

❼ 公益社団法人成年後見センター・リーガルサポート編．市民後見人養成講座1　成年後見制度の位置づけと権利擁護．民事法研究会，2013．
豊富な実務経験に基づき，単に養成だけでなく，その後の市民後見人としての活動を見据えての必要な知識を，あますところなく収録している．

❽ 竹端寛著．権利擁護が支援を変える：セルフアドボカシーから虐待防止まで．現代書館，2013．
国内外の権利擁護実践の現場に通い続けた著者が，当たり前の生活・権利を奪われ絶望的な苦悩に追い込まれた人々に寄り添い，その構造転換を支援する具体的なアプローチを提案する．

第2部 セルフケアの再獲得

6 セルフケア再獲得を目指す成人への看護の実際

学習目標

● セルフケア再獲得を必要とする成人を理解する視座をもとに，低下したセルフケアのレベルと種類により，必要とする看護について具体的な看護場面を通して理解する．

1 生命維持レベルのセルフケアの再獲得
脳出血急性期にある人の看護

学習ポイント
- 脳出血の病態と治療について理解する.
- 脳出血の急性期にある人の特徴を理解する.
- 生命維持レベルのセルフケアの低下を来した人のセルフケア再獲得の看護について事例を通して学ぶ.

1 脳出血の病態と急性期の治療

脳血管は，大動脈弓から伸びた頸動脈と椎骨動脈が**大脳動脈輪（ウィリス動脈輪）**をつくり，前・中・後に分岐した大脳動脈などがさらに細動脈に分岐し，脳全体への血流を保っている（図6.1-1）．加齢に伴い血管の弾性は低下し，喫煙・飲酒・高カロリー食の摂取などの生活習慣が加わると，動脈硬化を起こす．特に脳の細小動脈硬化は，細動脈および細小動脈の中膜の変性により動脈壁の肥厚や内腔の狭窄から血管壊死を起こし，微小動脈瘤を形成する．そこに急激な圧（血圧）が加わると，脳出血を発症する．

脳出血，特に高血圧性出血は被殻，視床，橋，小脳に好発する．治療は，出血部位，血腫の大きさ（出血量），脳浮腫や脳ヘルニアの程度などによって総合的に判断される．血腫の大きさや部位などによっては早急に外科的治療が行われるが，多くは保存的治療が行われる．

脳出血急性期は，呼吸管理，排尿障害に対する尿道留置カテーテル挿入による排尿管理を早急に行う．また，血腫周囲の脳血流が低下しているため，脳浮腫を発症しやすい．したがって，脳浮腫の軽減，脳血流の増加，脳代謝の改善を図る必要があり，浸透圧利尿薬（グリセオール®など）を用いた血圧管理を行う．

図6.1-1 **大脳動脈輪（ウィリス動脈輪）を形成する動脈と脳への主要な枝**

首の後面を走る2本の椎骨動脈は一つになって脳底動脈となり，首の前面を走ってきた内頸動脈と一緒になって，脳底で大脳動脈輪（ウィリス動脈輪）という輪を形成する．

→ 脳出血についてはナーシング・グラフィカ疾患と看護⑤『脳・神経』5章2節参照.

→ 脳浮腫については，ナーシング・グラフィカ疾患と看護⑤『脳・神経』2章7節参照.

コンテンツが視聴できます（p.2参照）

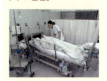
脳卒中急性期にある人の看護

2 脳出血急性期における看護

急性期における看護では，意識レベルを含めたバイタルサインの観察を行う．特に血圧の変動に注意しながら呼吸管理，輸液管理，排泄管理を中心に生命の維持を図る．またこの時期は，安静臥床に伴う**二次障害**が発生する危険もあり，二次障害に対する予防的ケアが重要である（→p.28参照）．

脳出血後のリハビリテーションは，①意識障害がない，②神経症状の悪化

がない，③血圧が安定していることを確認し，発症後2～3日以降から離床を開始する．しかし離床開始前の急性期に二次障害が発生する危険があるので，入院直後から意識状態，上下肢の随意運動，感覚障害の有無や関節可動域などをアセスメントし，セルフケア範囲の維持・拡大を図りながら褥瘡，筋力低下，関節拘縮などを予防する．

3 事例で考える脳出血生命維持レベルのセルフケア再獲得支援

|1| プロフィール

事 例

津　茶太郎さん．49歳，男性．身長171.5cm，体重62.5kg
診断名：右視床出血
現病歴：20××年5月12日昼間，会社の外回り勤務で営業車を運転中に激しい頭痛が出現し，ぼーっとして他車と接触事故を起こす．その日は事故処理後，早々に帰宅し，横になった．翌日，普段どおりに出勤したが，午前10時ごろ突然その場に座り込み，立ち上がれなくなった．左片麻痺と発語が緩慢であり，救急車でA病院へ搬送された．入院時の意識レベルは，JCS* 2-I（見当識障害：時・人・場所がわからない．尿便失禁状態）であった．CT，MRI検査の結果，右視床に出血痕が認められ，脳出血（右視床）と診断された．検査後の意識レベルはGCS* E4V5M6（自発的に開眼し，指南力良好，命令に従う状態）であり，少し改善がみられた．
　診断後は血圧コントロール目的でICUに入室した．ICUでは，ベッド上安静により体動は制限されている．排泄は，尿道留置カテーテルを挿入し管理されている．食事は絶飲食で，必要な栄養管理は輸液で行われ，第2病日を迎えた．
既往歴：血圧が高めという指摘は受けていたが，治療はしていなかった．
家族・生活状況：妻45歳，ホームヘルパーで在宅訪問を行っている．長男23歳（4月に就職），長女18歳（高校3年生），次男14歳（中学2年生）の5人家族．本人の職業は営業（野菜市場）で22年間勤務．休日はほとんど家にいて，庭の草むしりをしたり，寝転んでテレビを見たりして過ごす．月に1～2回魚釣りに出かける．
性格：おとなしく寡黙である．あまり自分の意見を表に出さない内向的な性格である．健康観は不明．

用語解説*

JCS，GCS

ジャパン・コーマ・スケール（JCS）：刺激がなくても覚醒している状態（Ⅰ桁），刺激すると覚醒する状態（Ⅱ桁），刺激しても覚醒しない状態（Ⅲ桁）の三群を，さらに外界からの刺激に対する反応によって3段階に細分し，数字により意識障害の程度を表現したもの．3-3-9度方式とも呼ばれる．
グラスゴー・コーマ・スケール（GCS）：意識レベルの反応を，開眼・発語・運動機能の3様式から別々に観察・評価し，合計3～15点の総合評価を行う．
（➡p.296 表6.1-1参照）

|2| 急性期（第2病日）のセルフケアアセスメント

　ここでのアセスメントは，5章1節（➡p.238～）の方法に沿って展開する．
　まず問題現象と問題を引き起こしている原因についてアセスメントする．問題現象に関する情報は，主にセルフケア状態を反映する一連の生活動作から収集するが，行動から観察できない，あるいは観察が困難な情報はフィジカルアセスメントや，検査データ（身体機能の情報）から収集する．原因に関する情報は，①習慣・環境，②身体機能障害，③精神機能障害のそれぞれの面から収集する．

a アセスメント視点に基づく情報の整理

　表6.1-2，図6.1-2を参照．

表6.1-1 意識レベルの指標

ジャパン・コーマ・スケール（Japan Coma Scale：JCS）

Ⅰ．刺激がなくても覚醒している
  1. だいたい清明だが，今一つはっきりしない
  2. 時・人・場所がわからない（見当識障害）
  3. 前，生年月日が言えない
Ⅱ．刺激すると覚醒する*
  10. 呼びかけで容易に開眼する
      動作（例：右手を握れ，離せ）を行うし言葉も出るが，まちがいが多い**
  20. 大きな声または体をゆさぶることにより開眼する
      簡単な命令に応じる．例えば離握手**
  30. 痛み刺激を与えつつ呼びかけを繰り返すとかろうじて開眼する
Ⅲ．刺激しても覚醒しない
  100. 痛み刺激にはらいのける動作をする
  200. 痛み刺激に少し手足を動かしたり，顔をしかめる（除脳硬直を含む）
  300. 痛み刺激に全く反応しない
（付）R：不穏
    I：糞尿失禁
    A：自発性喪失
（表記例）30-R，3-I，20-RI

*刺激をやめると眠り込む
**開眼が不可能な場合

太田富雄ほか．意識障害の新しい分類法試案：数量的表現（Ⅲ群3段階方式）の可能性について．脳神経外科．1974, 2（9）を参考に作成．

グラスゴー・コーマ・スケール（Glasgow Coma Scale：GCS）

E．開眼　eyes open
  自発的に　（4）
  音声により　（3）
  疼痛により　（2）
  開眼せず　（1）
V．発語　best verbal response
  指南力良好　（5）
  会話混乱　（4）
  言語混乱　（3）
  理解不明の声　（2）
  発語せず　（1）
M．運動機能　best motor response
  命令に従う　（6）
  疼痛部認識可能　（5）
  四肢屈曲反応
   ⎰逃避　（4）
   ⎱異常　（3）
  四肢伸展反応　（2）
  全く動かず　（1）

〔注〕 1) E・V・M各項の評価点の総和をもって意識障害の重症度とする．最重症3，最軽症15
     2) V・M項目を繰り返し検査したときは，最良の反応を評価点とする．

Teasdale, G.et al. Assessment of coma and impaired consciousness. A practical scale. The Lancet, 304（7872），1974, p.81-84. Teasdale, G. et al. Assessment and prognosis of coma after head injury. Acta Neurochir（Wien）．1976, 34（1-4），p.45-55.

表6.1-2 津さんの生命維持レベルのセルフケア（第2病日）

項目	問題現象アセスメントのための情報（入院時のセルフケア状態）	原因アセスメントのための情報
食	意識レベルの低下がみられ，経口摂取による誤嚥の可能性があるため，経口摂取が禁止されている．水分・栄養は輸液によって補われている．	【発症前の習慣・環境（妻からの情報）】 3食／日，朝・昼食は規則的に摂取していた．昼はほとんど外食．夕食は飲酒後にお茶漬などを軽く取る程度で就寝前が多い． 食事に対する考え方：あるものを食べる． 嗜好：キムチや塩辛などの刺激物が好きで生野菜はあまり好まない．飲酒は缶ビール1〜2本／日
排泄	尿道カテーテル留置による管理： 2,000〜2,300mL／日あり． 便は発症から第2病日の今日まで3日間排便がなく腸蠕動音微弱で，浣腸が処方されている．	【発症前の習慣・環境（妻からの情報）】 尿：6〜7回／日程度で自立． 排便：1回／2〜3日．硬便 外回り勤務により車での移動が多くなってから便意を我慢するため習慣性便秘状態．排便には20分程度を要する．
清潔 整容 更衣	全面自力不可であり，他者に依存している．全身清拭と仰臥位状態での陰部洗浄，寝衣交換を受けている．	【発症前の習慣・環境（妻からの情報）】 ほぼ毎日入浴．熱めの湯にゆっくりつかるのが好き． 洗髪は1回／2〜3日．下着は毎日交換していた． 整容は出勤前に整髪・ひげ剃りを行い，すべて自立．
起居 移動	治療上要安静により制限を受けている．起居および必要な移動は他者に全面的に依存している．看護師による全面介助で2時間おきに仰臥位〜側臥位の体位変換を行う．血圧の変動がなければ3日目から看護師による四肢の他動運動が行われる予定．	【発症前の習慣・環境（妻からの情報）】 すべて自立． 仕事・余暇活動では車を利用し，運転していた．

コミュニケーション	問いかけに対してうなずく，また首を振ってYes／Noを表現する．「ここはどこかわかりますか？」「病院」，「どうして入院したかわかりますか？」「具合が悪くなって…車をぶつけた…あとはわからない…」と話すが自発的な会話はなく目をつぶっている時間が多い．妻の面会時もほとんど会話しない．	【発症前の習慣・環境（妻からの情報）】寡黙な性格で口数は多くはなかったが，コミュニケーションは自立．会社の同僚と飲みに行くなど他者との関係性もよい．
入院時の身体機能 *この項目は問題現象・原因アセスメントの両方に必要な共通の情報である	全身状態：バイタルサインは血圧120〜130／70〜80mmHgでコントロールされている．脈拍70〜80回／分，呼吸数16〜20回／分で安定． 栄養：身長171.5cm，体重62.5kg，BMI 21.3，TP 7.6g/dL，Hb 13.5g/dL．輸液（1,600kcal／日） 感覚：麻痺側の知覚（触覚・温覚）障害がある． 呼吸：喫煙20〜25本／日．酸素（6L／分，35％）の投与を受けている． 循環：高血圧の指摘を受けていたが降圧薬の服用はしていなかった．血圧の急激な上昇に伴う脳血管の破綻により右視床に出血を起こした．降圧薬を持続的に投与され血圧を正常範囲に維持している．血圧の変動を避けるため，体動や食事が制限されている．頭蓋内圧亢進予防のためグリセオール®の輸液投与を受けている．体動制限により後頭部・背部・殿部・踵部などの圧迫による毛細血管の循環障害がある． 食：味覚不明． 排泄：尿・便意は不明．	
精神機能		【入院時の状態】意識レベルは入院時JCS2-Iであったが，現在はGCS E4V5M6で意識障害の悪化はない．問いかけに反応する．気分が悪くなり接触事故を起こしたことは覚えている．病院へ入院したことを繰り返し説明を受け「ここはどこか？」の質問には「病院」と答えるが，病態や麻痺状態は認識できていない．

社会生活に関する情報

家庭生活（入院時）

夫（父親）の急病・緊急入院により家族も戸惑いや混乱状態にある．

 妻　仕事を休み病院に通っているが，夫の状態が心配でそばを離れられない．医師からの説明には「はい」と返事するが，看護師に「大丈夫なのでしょうか？」と何度も聞いてくる．

 長男　発症から第1病日まで病院につめていたが，ほとんど眠らない状態で仕事場に向かった．

 長女 次男　病院では母親のそばに寄り添い口数が少なく不安そうであるが，母親と長男に促され学校へ通い始めた．

地域生活

（妻からの情報）病前は地域の集まりなどには家族を代表して参加していた．

職業生活

（妻からの情報）病前は野菜市場で営業を担当し，車で外回りをし商品説明などを行っていた．妻は会社へ夫の緊急入院と現在の状態を報告し，しばらく病休が必要であること，復帰については見通しがつき次第相談したいと要請した．

余暇生活

（妻からの情報）病前は庭の草むしりをしたり，寝転んでテレビを見たりして過ごすことが多かった．月に1〜2回は魚釣りに出かける．

経済的状況に関する情報

後日，必要な時期に情報収集する予定．

心理的適応に関する情報

意識の回復につれ，突然の発症と緊急入院に伴う集中治療，片麻痺であるとことに気づき始めると，戸惑いや混乱が生じることが考えられる．

図6.1-2　社会生活・経済的状況・心理的適応に関する情報

b 情報の分析・解釈・判断と看護問題（図6.1-3）

分析・解釈・判断	看護問題
・高血圧を指摘されていたが，治療は行わず生活習慣も改善せず発症したと考えられる． ・発症後2日目，再出血や頭蓋内圧亢進の危険性が高く，予防目的で安静臥床状態である． ・左片麻痺，同側の知覚麻痺や鈍麻が出現している． ・麻痺患者は臥床中，図のような肢位をとることが多いため，不良肢位の予防と関節可動域訓練を行い，拘縮と筋萎縮を予防する必要がある． ・関節可動域訓練は血圧の変動を考慮し，モニターで観察しながら他動運動から開始する． ・手指は，ハンドロールで拘縮を予防する． ・意識状態の悪化や麻痺等の進行がなく，血圧も安定しておりそろそろ離床が開始されると考えられる． ・健側を積極的に動かし，筋力を維持する． 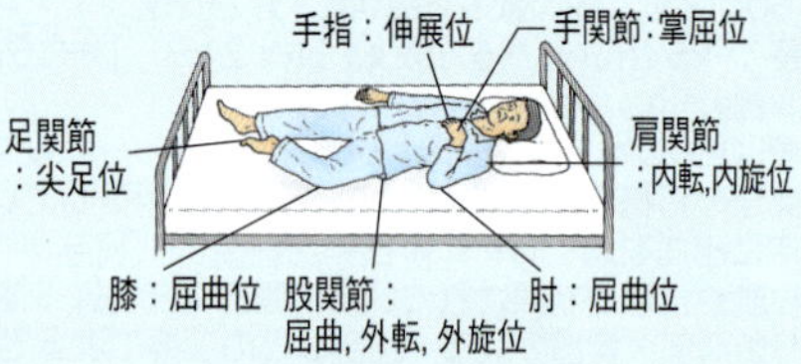 手指：伸展位　手関節：掌屈位 足関節：尖足位　肩関節：内転，内旋位 膝：屈曲位　股関節：屈曲，外転，外旋位　肘：屈曲位	#1 再出血と頭蓋内圧亢進予防によるベッド上安静臥床に関連した二次障害の可能性：筋萎縮と関節拘縮
・安静状態が持続しており，麻痺，発汗に伴う皮膚の湿潤などにより褥瘡発症の可能性がある．圧迫部位の観察，定期的な体位変換や清潔ケアにより予防する必要がある． ・体位変換は，頭部の屈曲や伸展により頭蓋内圧が亢進するのを避けながら行う． ・津さんは喫煙習慣があり気道クリアランスが低下している．安静臥床である，唾液の誤嚥の可能性があることから，肺炎発症のリスクが考えられる．	#2 再出血と頭蓋内圧亢進予防によるベッド上安静臥床に関連した褥瘡・肺炎の可能性
・血圧上昇，頭蓋内圧亢進を避けるための排尿管理，輸液の適切なin/out管理のため，尿道留置カテーテルが挿入されている．カテーテルの長期挿入は，排尿障害や尿路感染を引き起こす可能性があるため，早期に抜去できるよう支援する必要がある． ・排便は，便秘傾向にあることに加え，ベッド上仰臥位では腹圧がかけにくく努責しやすい．血圧は努責開始時に急激に上昇し，努責を中止し大きく息を吸いこむと急激に低下するため，再出血を起こす危険が高い．緩下剤（坐薬）を使用し，規則的に排便を促す必要がある．	#3 尿閉および失禁の可能性とin/out管理の必要性による尿道留置カテーテル挿入に関連した感染の可能性 #4 安静臥床，絶飲食，習慣性便秘による消化管運動の低下に関連した便秘増悪の可能性
・出血や頭蓋内圧亢進の予防のため，降圧薬で血圧が管理されている．血圧変動を起こしやすい食事や排泄・清潔などセルフケア全面において自ら充足することができない． ・輸液で栄養管理が行われており，唾液分泌が抑制され，口腔内の自浄作用が低下している．また，気道内感染を起こしやすい状態にある．口腔ケアで舌苔の発生を予防し爽快感を保つとともに，食欲低下が生じないよう援助する必要がある． ・血圧はコントロールされ全身状態，意識レベルも安定しているため，徐々に離床訓練が開始されると考えられる．自力での体位変換や座位保持，端座位～立位へと起居動作を確立していく必要がある． ・麻痺側への転倒や損傷の危険があるため，重心の置き方などの動作を意識し，効果的なセルフケア動作を獲得できるよう支援する． ・起居動作の拡大とともに，依存していた食・排泄・清潔・整容のセルフケアを，健側肢を活用しながら拡大していく．	#5 再出血と頭蓋内圧亢進予防によるベッド上安静臥床，片麻痺に関連したセルフケア障害：全面
・津さんがどのように現状を認識し受け止めようとしているのかわからないが，不安や恐怖，さまざまな葛藤や焦り，それまでの生活習慣に対する悔いなどが生じることが予測される． ・思い通りにならない身体やできない自分に落ち込む可能性もある． ・津さんの反応を確認しながらアセスメントし，心理的混乱という危機的な状況を乗り越えていけるよう支援する必要がある．	#6 病気の発症，緊急入院，麻痺の自覚による心理的混乱の可能性
・妻と子どもは，夫（父親）の突然の発症・緊急入院，生命の危機的状況に直面し，夫（父親）を失うのではないかという危機に遭遇した動揺は大きいと考えられる． ・家族の基本的発達課題は教育期から排出期への移行段階にある．津さんの発達課題は，経済的生活水準の維持と子どもの教育・成熟の支援，子どもの離家後の配偶者との人間的な結びつきと生活習慣の見直しを図ることである．津さんの突然の発症や予測される障害の残存は，経済的生活水準の維持を脅かし，子どもの成長や独立への支援的役割を遂行できなくなる可能性がある． ・夫婦間で調整されていた役割分担が遂行できず，全面的に妻の負担となることが予測される．家族には津さんの介護という役割が加わる可能性もあり，新たな役割が求められるよう支援する必要がある．	#7 病気の発症・入院（麻痺による障害）に関連した役割遂行の障害・家族機能の変調

図6.1-3　津さんの生命維持レベルのセルフケアアセスメント（第2病日）

3 看護計画と実施

この事例では，二次障害の予防と障害されていないセルフケアの維持・向上に焦点を当てて具体的なケアについて述べる．

a 看護目標

長期目標：健康危機状況を脱し再発を起こさず，ベッド上でのセルフケアを獲得する．

短期目標：以下の二次障害を起こさず，ベッド上でのセルフケアを拡大する．
　①肺炎を起こさない．
　②褥瘡ができない．
　③筋の萎縮と関節の拘縮がない．
　④健康なセルフケアを維持向上する．
　⑤ベッド上でのセルフケア範囲を拡大する．

b ケアの方法とその根拠（表6.1-3）

❶ 観察ポイント

ケア前後は，血圧や悪心（嘔気）など頭蓋内圧亢進症状の有無と意識状態を観察する．生活基本行動レベルのセルフケア援助時は，表情や問いかけへの反応，意欲や取り組む姿勢など心理機能も含め，健康な機能と残存機能を観察する．また，ケア実施時に関連情報のアセスメントや評価を同時に行うと，患者の負担軽減ができるほか，有効な情報が得られる．

❷ 直接ケアのポイント

活動と休息の生活リズムをつくる　バイタルサインや時間の決まっている処置は，活動の時間として生活時間の中に位置づける．さらに洗面や排泄などの生活活動は病前の生活習慣を考慮に入れ，一日の生活リズムの中に位置づける．

関節可動域，筋力の維持を取り入れたセルフケア　清潔および整容・排泄・食生活行動に**関節可動域**（range of motion：**ROM**）**訓練**や筋の**等尺運動***（図6.1-4）を取り入れる．休息時は，筋の弛緩によるリラクセーションを取り入れ，安楽な体位を整える．理学療法士，作業療法士が介入している場合，情報交換を行い，それぞれの訓練内容を生活基本行動の中に取り入れていく．

---

plus α
ROM訓練

他動的ROM訓練と自動介助的ROM訓練があり，その目的は関節可動域の維持および増大である．他動的ROM訓練は拘縮を予防するのに最善の方法であり，ROM訓練の基本とされている．自動介助的ROM訓練は，自助による場合とセラピストや器械による介助があり，筋力の増強等を目的としている．

用語解説*
等尺運動

筋の長さを変えることなく一定の力で物を保持しようとするときに出る力を用いて行う運動．膝や肘を曲げ続ける動作など．

①膝の下に丸めたタオルを置く．

②足の甲を真っすぐ立て，体のほうへ引き寄せながら，タオルを押しつぶすように膝を下へおろす．

図6.1-4　等尺運動

表6.1-3 ケアの方法とその根拠

	ケアの方法	ケアの根拠
清潔生活／食生活	含嗽水は患者の嗜好するもの（レモン水，緑茶，氷水）を用意する．舌は，舌ブラシを用いて看護師が清拭を行い，津さんには歯ブラシを用いて歯冠のブラッシングを促す．	・身体の清潔は，全面介助から徐々にセルフケアへ移行するが，起床時にはモーニングケア，就寝時にはイブニングケアを行う． ・絶飲食状態は，口腔内の唾液の分泌が減少し自浄作用が低下する．特に舌は，舌苔が発生しやすい状態である．舌苔は口内細菌を増加し，誤嚥に伴う気道内感染（肺炎）を起こす危険がある．麻痺のある患者は，睡眠中の不顕性誤嚥を起こしやすく口腔ケアは重要である．含嗽水は殺菌効果のあるもので，患者の嗜好を考慮することで爽快感を得やすくする．
	起座位が可能な段階では，テーブル上に含嗽水や歯ブラシを用意し，健側で取ったり置いたりするよう促しながら間接的に筋力の評価を行う．	・健側上肢を用いてテーブル上の物を取ったり置いたりする筋の運動は，求心性収縮と遠心性収縮運動になる．
	含嗽は，むせの有無を確認し，誤嚥に注意しながら介助する．	・含嗽時のむせや口腔ケア時の舌運動は嚥下障害を評価する上でも重要な情報である．
	大きく開口を促し，残渣物がたまりやすくブラシが行き届かない麻痺側は特にアセスメントし介助する必要がある．開口時の舌の位置も確認する．	・開口は口輪筋の萎縮予防にも効果的である． ・舌の偏位は，口腔機能（構音，摂食）を予測する重要な情報である．
清潔生活／排泄生活	身体の清拭は，接触面積の広い背部や胸部，褥瘡が発生しやすい仙骨や踵部は蒸しタオルを用いてよく蒸す（熱布清拭）．筋の走向に従って清拭する．上下肢の清拭時は，肩・肘・手関節と股関節，膝，足の屈曲・回旋など関節運動を取り入れながら行う．	・麻痺側は，関節に負荷がかからないよう軀幹を支持し，特に肩関節の亜脱臼に気をつける．
	陰部洗浄時は，下肢の屈曲が可能な段階では，両下肢の足底をベッド上にきちんと着くよう股関節と膝関節を屈曲し体位を整える．外陰部は亀頭や陰囊をよく洗浄する．	・ケア時の体位の調整は，関節の運動や筋力のアセスメントや運動の機会ともなるため，基本姿勢を意識しながら体位を整える．
	衣服は活動を抑制しないようパジャマの着用を促す．上着の更衣は健側から脱ぎ麻痺側から着用するが，このとき手関節と肘関節を支持し，肩関節の可動域をアセスメントしながら可動域を広げるよう，上肢を挙上し袖を通す．下腿も足関節や膝関節の可動を意識しながら更衣する．	・更衣は各関節の可動域を広げるための手段として有効である． ・肩関節は球関節であるため亜脱臼を起こしやすい．寝衣の交換や体位変換時など関節の回旋や回転を行う場合は，肩関節に手を添えて可動域の半分程度から行う．
	定時の排便誘導 　便器挿入時は，仰臥位から側臥位へと体位を変換し，挿入してから仰臥位に戻す．便器挿入後は，可能であればセミファーラー位や座位をとる．臥床状態では，両下肢の膝関節下に枕を挿入し体位を整える．	・便意がない場合は，病前の生活習慣に基づき，排便があった時間に便器を挿入し誘導する． ・排便による努責は急激な血圧変動を起こすため，緩下剤を用いてスムーズな排泄を促す．津さんは便秘傾向であったため，退院後の排便時間（介助を受けやすい時間）を考慮し，誘導時間を設定する． ・腹筋の緊張は腹圧を高めるため，緊張を緩和する．また膝関節下の枕を取り除いた後に，膝関節を5〜10秒くらい伸ばすことで大腿四頭筋の等尺運動になる．
起居・移動	徐々に自力での寝返りや座位保持のしかたを指導していく．頭蓋内圧亢進が予測される他動的体位変換の段階は，頸部の屈曲や伸展を行わないよう体幹と同じ動きで体位変換を行う．しかし，他動的体位変換でも，津さんにどちら側を向くか伝える． 　臥床時の体位は，安楽と良肢位の体位を交互に取り入れる．良肢位時は，活動を意識するよう会話をするなど刺激を与える．安楽な体位のときは休息が得られるよう静かな環境を整える．	・頭蓋内圧亢進が予測される他動的体位変換の段階は，頸部の屈曲や伸展で頭蓋内圧亢進を起こすので注意する． ・足関節の底屈・背屈は下腿三頭筋・前脛骨筋の運動になるため，良肢位や安楽な体位を整えるときは意識的に導入する． ・他動的体位変換では特に受動的になりがちなので，意識の回復を促進するために意思決定を促し，ケアへの参加意識を高め，患者の希望や思いを取り入れていく． ・活動と休息では，筋の安静と運動を意識的に組み込む．
	自力体位変換では，健側下肢を屈曲し，健側上肢で患側のベッド柵を握り，上半身を回転させることを説明する． 　便器挿入時や上体がベッド上でずり落ちている場合は，ベッドを平らにし健側下肢を屈曲しヒップアップを促す．看護師は，麻痺側に立って介助するが，そのとき津さんに合図をしてもらい，津さんのタイミングに合わせて介助する．	・ベッドアップおよび自力体位変換が可能な時期は，より積極的に臥位移動動作をセルフケア活動の中に取り入れていく．

4 看護の実際

a 清潔ケアを通しての二次障害予防と障害の受け止め方をアセスメントする看護場面

安静臥床中の津さんに，右側臥位をとり体位を整え，**手浴**を行っている（図6.1-5）．

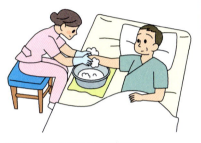

看　手をお湯の中に入れますね（と，左手を指先からゆっくりお湯につける）．
津　（声掛けにゆっくりうなずき，手を見ている）
看　手，握ったままだから開きますね（と，ベースンの中で津さんの手のひらをもむように広げ，指を一本ずつ伸ばした．石けんをつけて同じように手のひらをもむように洗い，指先に向かって指を伸ばしながら洗った．
津　（眼を閉じている）
看　（換え湯をして，お湯の中で手を握ったり指を伸ばしたりを繰り返し，終了した）．

図6.1-5　手浴の支援場面

5 評価のポイント

a 二次障害の視点から

肺炎，褥瘡，筋肉の萎縮／関節の拘縮と見なされる徴候の有無を確認する．

b 健康なセルフケアを活用したセルフケアの拡大の視点から

健康な筋力の衰えや維持・向上の有無，セルフケアのレベルアップの有無，障害の受け止め方を確認する．

❶ 第7病日の状態

発症から今日まで，血圧変動に注意しながら定期的に体位変換を行い，変換時と清拭時には褥瘡の好発部位に温マッサージを行い，皮膚の清潔と循環を促した．その結果，現在，皮膚の発赤や表皮剝離はなく，褥瘡の徴候がみられない．また，発症第1病日から，血圧をモニターで管理しながら上下肢の他動運動を開始し，臥床時は良肢位と安楽な体位を交互にとり筋力の低下と関節拘縮の予防を行ったことで，端座位で10分間姿勢を保持することができる．

（津さんの事例は6章2節回復期に続く）

重要用語

脳出血後急性期　　　　　二次障害　　　　　　　　　　良肢位
意識レベル　　　　　　　再出血と頭蓋内圧亢進の予防　　心理的混乱
片麻痺　　　　　　　　　関節可動域訓練

2 生活基本行動レベルのセルフケアの再獲得
脳出血回復期にある人の看護

学習ポイント
- 脳出血の回復期の病態と治療について理解する.
- 脳出血の回復期にある人の特徴を理解する.
- 生活基本行動レベルのセルフケアの低下をきたした人のセルフケア再獲得の看護について事例を通して学ぶ.

1 脳出血の回復期の病態・治療・看護

急性期の生命維持に関わる治療を経て，回復期では再発に留意した全身状態の管理および合併症管理が行われる．高血圧性脳出血では血圧のコントロールが重要であり，継続して降圧治療が行われる．また，脳出血後に出現しやすいうつ状態は，認知機能や身体機能，**生活基本行動レベル**のセルフケアを障害する因子となるため，早期に発見することが重要で，必要に応じて薬物治療が行われる．リハビリテーションが進むにつれ，痙性運動麻痺や疼痛，感覚障害，失調症，不随意運動などの症状が出現する可能性もあり，これらの症状に合わせた治療が，随時必要となる．

回復期における看護では，合併症の併発や再発の危険性を常に念頭に置いて，訓練に取り組む患者の全身状態を管理することが大切である．急性期には，早期リハビリテーションとして**体位変換**や**関節可動域（ROM）訓練**などの受動的訓練から，座位耐性・座位バランス訓練，起居動作訓練などの能動的訓練が行われる．回復期では，これらの動作訓練を生かした生活基本行動レベルのセルフケア再獲得への援助を行うことになる．

この時期の患者は，セルフケア再獲得に向けて本格的なリハビリテーションが開始され活動性が徐々に拡大することから，自立心を尊重した安全面への配慮が重要である．また，患者は訓練が進むにつれて，期待と成果との間に相違を感じるようになる．焦り，悩みや葛藤，訓練への苦痛感など，さまざまな問題を抱えた患者，および患者を取り囲む家族の精神的支援を行うことも看護師の役割である．回復期では，患者の退院後の生活を視野に入れ，早期から家族とコミュニケーションを図り，外泊訓練や退院指導を適宜導入していく．患者の訓練状況を把握し，回復時期に合わせた適切な支援を行うためにも，リハビリテーションチームの一員として，他職種との情報交換および連絡調整を密に行うことが必要である．

> **plus α**
> **生活基本行動レベルのセルフケアとADL**
>
> ADL（activities of daily living）とは，個人が独立して生活するために行う基本的な身体動作であり，各人に共通して毎日繰り返される一連の動作群で構成されている．移動と身辺処理（更衣・整容・入浴・食事・排泄）が含まれ，これに尿便禁制を加えることが多い．毎日繰り返される一連の動作群という意味では共通概念として用いられているが，具体的にどのような動作が含まれるかは一義的ではない．本書で用いている「生活基本行動レベルのセルフケア」の概念は，ADLを含めたより広い包括的な概念である（→p.205 4章2節2項参照）．

脳卒中回復期にある人の看護

2 事例で考える脳出血回復期の生活基本行動レベルの セルフケア再獲得支援

|1| これまでの経過

ここでは，発症から 2 週間たち，病状が安定し，回復期へ移行した津さんの状況について述べる．

> **事 例**
>
> 津 茶太郎さん．49歳，男性．
> **診断名**：右視床出血
>
> 　津さんは，脳出血発症後の再出血や脳浮腫などを起こすことなく生命の危機状況を脱し，2週間の安静に伴う筋力低下や褥瘡などの二次障害も併発することなく回復期へ移行した．
>
> 　回復期とは，急性期の治療を受けて病状が安定し始める時期であり，発症からおおむね 1～3 カ月後をいう．津さんの場合は，発症後 2 週間で病状が安定し，ベッド上座位許可となり，健側を活用し，できることは促されながら始めている．

発症後 2 週間の津さんのFIM得点

➡ FIM得点の詳細についてはp.247参照．

評価項目		点 数
運動項目	セルフケア	食事　2 整容　2 入浴　1 更衣（上半身）　2 更衣（下半身）　1 トイレ動作　1
	排泄コントロール	排尿管理　1 排便管理　1
	移乗	ベッド・椅子・車椅子　1 トイレ　1 浴槽・シャワー　1
	移動	歩行　1 車椅子　1 ＊主な移動手段　☑車椅子　□歩行 階段　1
認知項目	コミュニケーション	理解　3 表出　3
	社会的認知	社会的交流　1 問題解決　2 記憶　2

3 点は50％以上75％未満の自立，2 点は25％以上50％未満の自立，1 点は25％未満の自立．この時点の津さんのFIM得点からは，生活基本行動レベルのセルフケアは全面的に介助を要する状態にあるといえる．

2 回復期（発症後2週間）のアセスメント

a アセスメント視点に基づく情報の整理

表6.2-1，図6.2-1を参照．

表6.2-1　津さんの生活基本行動レベルのセルフケア（発症後2週間）

項目	問題現象アセスメントのための情報（発症後2週間のセルフケア状態）	原因アセスメントのための情報
食	ベッド挙上座位の姿勢で，看護師，家族の介助で徐々に健側（利き手）を使用したスプーンの把持，口への送り込みができるようになってきている．患側からの食べこぼしあり．食事は3日目に改訂水飲みテストで誤嚥がないことが確認され，流動食が開始になり，現在，全粥軟菜食を取っている．麻痺側の舌運動障害があるため，むせ込むことが時折あるが，誤嚥性肺炎などは起こさず経過している．	【発症前の習慣・環境】 3食／日，朝・昼食は規則的に摂取していた．昼はほとんど外食．夕食は飲酒後にお茶漬けなどを軽く取る程度で就寝前が多い． 食事に対する考え方：あるものを食べる． 嗜好：キムチや塩辛などの刺激物が好きで生野菜はあまり好まない．飲酒は缶ビール1〜2本／日
排泄	3日前に留置カテーテルは抜去され，尿器を利き手で持ち，見守りのもとで排尿する．下衣の上げ下ろし，尿器の設置・固定は介助を要する． 排便は差し込み便器を用いて要介助で行っている． 尿便意ともあいまいなため，訴えのないときには時間で誘導する． 排便障害としての便秘があり，緩下剤を使用し定期的に排便指導を行っている．	【発症前の習慣・環境】 尿は6〜7回／日程度で自立． 排便は1回／2〜3日．硬便 外回り勤務が続き車による移動が多くなってから，便意を我慢するため習慣性便秘状態である．排便には20分程度を要する．
清潔 整容 更衣	ほぼ全介助で清拭，ベッド上で手・足浴・陰部洗浄を行う．臥床状態でのシャワー浴は許可されている．口腔ケアはベッド上座位の姿勢で健側を使用して行うが，舌運動障害があるため，食物残渣などの適宜確認・介助が必要である． 整容は，ベッド上座位の姿勢で鏡を使用し健側で整髪・ひげ剃りを行うが，なぞる程度であるため最終的な確認・介助が必要．顔拭きは，温タオルを渡せば自力で行える． 更衣は，上衣はほぼ全介助であるが，指示に従い健側の袖通しは可能，下衣はベッド上にて全介助．腰を上げる動作はできる．	【発症前の習慣・環境】 ほぼ毎日入浴．熱めの湯にゆっくりつかるのが好き． 洗髪は1回／2〜3日．下着は毎日交換していた． 整容は，出勤前に整髪・ひげ剃りを行い，すべて自立．
起居 移動	背臥位から長座位はベッド柵を使用して行い，体幹の支持などには介助を要する．座位保持は，麻痺側への傾きがあるために体位変換枕・バックレストなどで固定が必要である． 移動：車椅子への移乗は全介助．	【発症前の習慣・環境】 すべて自立． 仕事・余暇活動では車を利用し，運転していた．
コミュニケーション	失語症はないが，ろれつの緩慢さと反応の鈍さがあり，他者との関わりに消極的である．	【発症前の習慣・環境】 寡黙な性格で口数は多くはなかったが，コミュニケーションは自立．会社の同僚と飲みに行くなど他者との関係性もよい．
身体機能 ＊この項目は問題現象・原因アセスメントの両方に必要な共通の情報である	全身状態：バイタルサインは血圧120〜130／70〜80mmHgでコントロールされている．脈拍70〜80回／分，呼吸数18〜22回／分で安定． 呼吸：喫煙20〜25本／日（発症前の習慣）．酸素は徐々に減量し，3日前に中止となった．動作後はやや浅速性の呼吸になる． 循環：高血圧の指摘を受けていたが降圧薬の服用はしていない（発症前）．降圧薬を内服し，血圧は正常範囲で安定している．起座位時のめまいや血圧低下はない． 栄養：身長171.5cm，体重58kg，BMI19.7，1,800kcal／日．全粥軟菜食	
精神機能		認知障害はないが，ろれつが緩慢であるため反応がやや鈍い．疾患由来の記憶力・集中力低下の可能性がある．現時点では顕著な症状はみられない．

社会生活に関する情報

家庭生活

キーパーソンは妻.

- 妻：毎日面会し夫を励ましている.
- 長男：仕事の都合で面会は少ないが，面会時は声をかけている.
- 長女 18歳：面会時は父親の食事介助や起き上がり時に手を貸そうとする.
- 次男 14歳：面会も少なく疎遠な状態.

地域生活

同室者との会話は挨拶程度である．身近な親類の面会がある．近隣には入院のことを話していないので近所の人の見舞いはない．

職業生活

休職中である．営業担当であったため商品説明などの能力が要求されるが，ろれつが緩慢であり，妻は病前と同様の業務遂行は困難ではないかと感じている．

余暇生活

ほとんどベッド上で寝ていることが多い．

経済的状況に関する情報

津さんの収入は，月収42万円，年収約600万円であった．現在病休中で，本給と妻のパートによる収入と障害年金による生活をしている．おもな支出は長女・次男の学費である．入院費は社会保険で補っている．入院に伴う雑支出により経済的な余裕はあまりない．
家は持ち家で2階建て，本人の寝室は2階であり，トイレ・浴室には手すりがない．

心理的適応に関する情報

病前は，問題解決・対処において他人に依存せず自分で解決する傾向があった．発作後，意識の回復に伴い，現在は今回の一連の経過を理解しており，また左片麻痺と感覚障害があることにも気づき，元通り回復することを期待している．子どもたちがまだ就学中であるため，父親として経済的に支えなければならないという焦りが強く，思うように動けないので，いらだったり落ち込んだりすることがある．

図6.2-1　社会生活・経済的状況・心理的適応に関する情報

b 情報の分析・解釈・判断と看護問題

津さんの回復期のセルフケアアセスメント（発症後2週間）

分析・解釈・判断	看護問題
・食事が開始となるが，左舌運動障害による誤嚥のリスクが考慮され介助で摂取していた． ・非利き手片麻痺による片手での食事の補助動作（食器の把持等）が行いにくいものの，健側が利き手（右手）のため，自助具等の食器やその固定の工夫で動作の再獲得は早いと予測される． ・食事は生命維持だけではなく，訓練継続のためのエネルギー源として，さらには回復意欲を高めるという重要な側面をもつ．必要エネルギーを摂取するためにも，食事時間が苦痛にならず楽しく食べられるよう嗜好，食形態への配慮，自助具等を活用した環境調整が必要である．	#1　片麻痺に関連したセルフケア障害：食事
・片麻痺により排泄に伴う関連動作が行えない． ・排泄にはトイレまでの移動，便座への移乗，衣類の上げ下げ，排泄後の清拭等，複数の動作が必要とされるため，現在の津さんの運動機能に合わせて徐々に自立部分を拡大する必要がある． ・夜間の排泄は，患者の意向と安全性の両側面から適切な方法へと変更していく必要がある． ・排泄動作には羞恥心が伴うため，一人で遂行しようという気持ちが生じやすく配慮が必要である．	#2　片麻痺に関連したセルフケア障害：排泄
・津さんは，病前からの便秘傾向と，現在の身体状況から便秘しやすい状態にある． ・片麻痺による活動性の低下から腸蠕動運動が低下していること，急性期の安静臥床による筋力低下から腹圧が十分にかけられないことなどが便秘の原因として考えられる． ・排便時の努責は血圧上昇の因子となるので，緩下剤を用いた排便コントロールが必要である．	#3　片麻痺による腸蠕動運動の低下に関連した便秘
・片麻痺により清潔・整容動作が行いにくい． ・入浴には，身体を清潔に保つ目的と，温熱刺激による疲労回復，筋緊張の緩和等のリラクセーションの目的がある． ・ADLの拡大に伴い，一人で車椅子からシャワーチェアへ移乗するようになると，浴室という滑りやすい環境上，転倒などの事故には細心の注意が要求される． ・体を洗う動作，入浴動作には，できるかぎり自力で行えるような物品の調整が必要である． ・整容動作は，自助具の使用や患者に合った洗面台など，環境調整が必要である．	#4　片麻痺に関連したセルフケア障害：清潔・整容

・急性期の安静臥床から，ベッド上での長座位，端座位と徐々に活動範囲が拡大されている． ・臥床から座位への体位変換による血圧の変動もみられず，座位時間の延長，車椅子への移乗など体を覚醒させる時間，活動する時間を増やすことが可能と考える． ・臥床期間が長い場合や，血圧コントロール中の患者は起立性の血圧変動を起こしやすいため，安静度を拡大する際，血圧変化の観察は慎重に行う必要がある．	＃5	片麻痺に関連したセルフケア障害：移動・移乗
・急性期の安静臥床から，現在は車椅子の移乗が許可され活動範囲が拡大している． ・今後，訓練の積み重ねから，自己の身体可動性を認識し，自信をつけ自発的に行動するようになると予測される． ・片麻痺により障害された動作を再獲得したい一心で，自己訓練を隠れて行う可能性も考えられ，訓練中断につながる事故を起こさないよう安全面への配慮が必要となる． ・患側の感覚障害から熱傷等の事故も生じやすい．清潔セルフケアへの援助では湯温に注意する．	＃6 ＃7	片麻痺・可動性障害に関連した身体損傷のリスク状態：転落・転倒 感覚機能の障害に関連した身体損傷のリスク状態：熱傷
・病前のおとなしい性格と，軽度の失語症により家族とのコミュニケーションが不十分なことから，他者とのコミュニケーションにおいても困難な状況が考えられる． ・退院後の地域生活も視野に入れ，スタッフが間に入って他者と交流できるような環境調整が必要である．	＃8	ろれつの緩慢に関連したコミュニケーションの障害
・訓練を継続することで，身体の機能や形態の変化から自分の障害を受け入れられないことが予測される． ・訓練が導入され，時折妻には焦りやあきらめといった心境を漏らしていたり，セルフケアを一人でしようとしたり，また逆に依存したりということがある． ・津さんは，病前の性格傾向から自分の気持ちをあまり周囲に表出しないため，妻からの情報や，日常の関わりのなかで言動に注意する必要がある． ・脳血管障害による身体的変化から，自己を否定的にとらえ，訓練に対する意欲の低下が生じる可能性がある．また，疾患由来のうつ傾向も考えられるため，患者とのコミュニケーションを通して言動の観察は怠らないようにする．	＃9 ＃10	片麻痺に関連した自己尊重の低下 片麻痺に関連したボディイメージの混乱
・脳出血の残存障害である片麻痺，コミュニケーション障害などから病前の職業である営業職への復帰は困難なことが予測される． ・家族は就職した長男を除いて長女・次男ともに学生であるため，今後の学費の捻出についても検討しなければならない． ・妻との役割分担においても病前同様の分担は困難なため，妻への負担が増大すると考えられる． ・妻は夫の介護という新たな役割を担う．可能な範囲で子どもたちと協力体制を築く必要がある． ・特に，年齢的な問題も影響し父親との距離を置いている次男に対しては，病態への理解を促し，退院指導への参加を勧める必要がある．	＃11 ＃12	片麻痺による労働能力の低下・喪失に関連した役割遂行の障害 家族の入院・治療に関連した家族機能の変調
・疾患由来で記憶力・集中力が低下している可能性がある． ・自覚がない場合もあるため，津さんに一日のスケジュール管理を任せる，メモリーノートを活用する，日記をつけるなどの働きかけが必要である．	＃13	脳出血による中枢神経系の変調に関連した記憶障害のリスク状態

3 看護計画と実施

この事例では，片麻痺に伴う生活基本行動レベルのセルフケア低下（＃1，2，4，5）の再獲得に焦点を当てて具体的なケアについて述べる．

a 看護目標

①生活基本行動レベルのセルフケアが自立する，あるいは軽介助で行うことができる．

②自宅退院できる．

b ケアの方法とその根拠（表6.2-2）

❶セルフケア指導

急性期から移行したばかりの時期は，再出血の恐れがあるため，一日の始まりおよび活動前にはバイタルサインを確認する．悪心（嘔気）・めまいなどの自覚症状，血圧に変化のある場合は，運動負荷をかけないよう配慮する．離床から始まり，病棟内での生活すべてがセルフケアへとつながるため，全介助の

状態から徐々に介助量を減らしていく．患者には，介助量の変化について段階的に行うこと，ある程度自信がついてきても自分一人で行わないことを随時，説明する．

❷環境整備

セルフケア動作の再獲得を円滑に進めるためにも，利用可能な道具や環境の

表6.2-2　ケアの方法とその根拠

	ケアの方法	ケアの根拠
食生活／清潔生活	・自助食器を作業療法士も交えて検討し，まずはセッティングのみの介助から行い，患者の疲労感等を観察して，必要時に摂取を介助する． ・舌運動の軽度の障害や活動量が少ないことから，食欲があまりない．患者の好みや軟食・きざみ食を，摂食・嚥下状態を評価しながら取り入れる． ・介助量は患者の状態により段階的に減少していくため，患者の疲労感などを観察し，無理せず継続できるよう支援する． ・毎食後，洗面台に口腔ケアのセットを準備し口腔ケアを行う．含嗽後は口腔内の食物残渣を確認する． ・口腔ケアのセット（歯ブラシ・歯磨き粉・コップ）は徐々に自分で運べるよう置く場所に配慮する．	・食事動作がスムーズに行えるよう，患者に適した道具を用いることで，麻痺によって障害された部分を補う． ・疲労の蓄積による意欲の低下を防ぐ必要がある． ・口腔ケアを行うことで口腔内の清潔を保持し，誤嚥性肺炎の予防になる． ・含嗽時のむせこみ状況は誤嚥の確認にもつながる． ・生活の中でADLの拡大を図るためである．
排泄生活	・尿意・便意を確認し，ベッドサイドにポータブルトイレを設置して排泄を促す．2人介助で移乗し，手すりを使用して座位保持する際に座位バランスのアセスメントを行い，問題がなければトイレ誘導へ移行する．車椅子乗車時に車椅子用トイレ（津さんの場合は健側である右側に手すりのあるトイレ）に誘導する．尿意・便意があいまいな場合は時間で誘導する（尿は2〜3時間間隔，便は日中・食後など）．立位保持が可能な場合は2人介助で立位の支持・下衣の上げ下げ・殿部清拭を分担して行う．座位バランスが安定しない時期は排泄中もトイレ内で付き添うことについて患者から同意を得る．座位バランスが安定する時期には，トイレ内でのナースコール練習を行うことで見守りを外していく．	・ポータブルトイレ・トイレを使用することで座位姿勢を保持し，腹圧がかけやすくなる． ・尿意・便意があいまいな場合は時間で誘導し，患者のパターンを把握することができる． ・排泄は羞恥心を伴う行動であるため，できるかぎり自力で行えるような環境を選択する．
清潔生活	・足浴などの温浴による血圧変動を観察し，問題がなければ機械浴を行う（エレベーターバス〔ストレッチャータイプ〕からチェアバスへ）．更衣は全介助で行い，協力できる部分は患者にも参加してもらう（上衣の袖通しなど）．浴室はある程度暖めておく．湯温を確認し患者にも肘などで触ってもらう． ・将来的には，シャワーチェア，滑り止めマット，バスボード，バスグリップ，ボディブラシなど患者に合わせた物品を準備する． ・衣類の準備をし，ベッド上で更衣練習を行う．ボタンをとめる等の巧緻動作が困難な場合はマジックテープへの変更も検討する．座位バランスが安定してきたら，端座位で更衣練習を行う．起床時・就寝前など生活習慣のなかに取り入れ，時間がとれる場合は日中の余裕のあるときにゆっくり行う． ・洗顔・ひげ剃り・整髪は，車椅子に乗車して洗面所で行う．または，ベッドサイドのテーブルなどに鏡を置いて行う．洗面台は車椅子の高さで使用できるものを選択する．	・入浴時の血圧変動の危険性をある程度予測するためにも，手・足浴等で末梢血管の拡張による血圧変動を事前に観察することが必要である． ・外気温による体温の変化，血圧の変動も考慮して浴室の温度を調節する． ・感覚障害による熱傷を避けるためにも，入浴などの機会を通じて感覚的な温度を体感してもらう． ・セルフケア拡大のためにも，物品を活用することで患者自身が自力で行える部分は促す．入浴動作自体が疲労感を伴うため，無理をさせず適宜，介助する． ・麻痺の影響による更衣の順番を確認しながら行う（着衣は患側から，脱衣は健側から）． ・生活リズムの再構築には起床時や就寝時における更衣練習はもちろん必要だが，時間帯の選択により周囲を気にせず焦らずに取り組めるということも考慮する． ・洗面台の高さやベッドサイドテーブル等の環境調整を行うことで，健側を使用した整容セルフケアが行いやすくなる．
起居生活	・背臥位から側臥位をとり，ベッド柵を利用して起き上がり動作を行う．筋力が回復し慣れてくるまでは頸部支持を介助する．患側が下にくる場合，無理な体勢にならないよう適宜，注意を促す．車椅子への移乗時にはめまい・悪心等がないか確認し全介助で行う．立位保持の再獲得状況をみて介助量を減らしていく．	・患側の感覚障害により荷重されていても気づかない可能性があるため，体勢の意識づけを行う必要がある． ・起居動作に伴う血圧の変動等により訓練初期は気分不快を生じる可能性があるため，一般状態の観察が必要である．

整備を行う（起居動作に必要なベッド柵の手配，食事の際の自助具，機械浴槽，浴室・トイレ内の手すり，洗面台の高さ調整，更衣しやすい衣類など）．患者の意欲的な行動を支持しながらも，転倒転落等の事故が起こらないようベッド周囲，廊下などの危険物を除去する．また，患者－看護師相互の協力のためにもナースコールの位置には配慮する．感覚障害に対して，洗面・入浴時の湯温を調節し，段階的に患者自身が注意を払える方法の指導も導入する．

> **用語解説** *
> **チェアバス**
> 車椅子のまま浴槽内に移動し入浴できる特殊装置．扉の開閉（左右）を選択できるものや，座部とキャスター部を分離できるもの，リフト式のものなど，さまざまなタイプがある．

4 看護の実際

a 清潔時の支援場面（できるセルフケアからしているセルフケアへ）

津さんは，発症から1カ月半経過し，座位バランスが安定してきているため**チェアバス**＊（車椅子浴）を使用し介助浴を実施している．入浴は週3回であり，入浴介助のため訪室する．

看　今日は訓練では何をしてきました？
津　今日はね，ベッドから車椅子へ移る練習をしてきた．手すりを使えば一人でもできるようになったよ
　　立位バランスも安定してきており，車椅子へのトランスファーは軽介助で行えるようになっている．浴室まで車椅子で誘導し，
看　では，今日は車椅子からシャワーチェアに一人で移ってみましょうか？
津　そうだね，せっかく練習してきたから，ここでもできるかどうかやってみよう
　　車椅子からシャワーチェアへのトランスファーを一人で行ってみたが，シャワーチェアには肘掛けがないため，浴室の手すりにつかまってチェアに移動した．ベッドから車椅子への移乗と少し状況が異なるが，なんとか一人でできた（**図6.2-3**）．

図6.2-3　浴室でのトランスファーの見守り支援

5 評価のポイント

a 生活基本行動レベルのセルフケア再獲得の視点から

・残存機能，能力の評価（生活動作の中でできていること）
・健側機能，能力の評価（生活動作の中でできていること）をアセスメントし，セルフケアレベル向上における問題点を評価する．
（FIM点数の変化，介助量・内容の変化，退院後の生活において必要とされる動作の自立度，事故によるセルフケアの後退はないか，など）

b 心理状態の視点から

・自己概念の変化に関する言動の有無
・壮年期という年代における役割変化に対する言動の有無
・面会，介護指導への参加状況等，家族間の協力体制
をアセスメントし，在宅生活移行における患者本人・家族の問題点を評価する．

本事例では，このケアの具体を項目立てて述べなかったが，この時期のセルフケア再獲得には心身共に負荷の大きい訓練が必要となる．それを乗り越えるためには，本人の意欲的な取り組みが不可欠である．また，退院して自宅で引

き続き療養する場合には，家族の協力が必要である．これらのケアも合わせて行うことで，より有効な生活基本行動レベルのセルフケア再獲得につながる．

（津さんの事例は6章3節家庭復帰期に続く）

■ 引用・参考文献

1) 渡辺俊之ほか．リハビリテーション患者の心理とケア．医学書院，2000，p.17-19.

重要用語

脳出血回復期
片麻痺
知覚・運動麻痺

残存障害
転倒

できるセルフケアからしているセルフケアへ

3 家庭におけるセルフケアの再獲得
脳出血家庭復帰期にある人の看護

学習ポイント
- 脳出血患者の家庭復帰期における治療について理解する．
- 脳出血患者の家庭復帰期の課題と適応過程を理解する．
- 家庭生活に関わるセルフケアの低下をきたした人のセルフケア再獲得の看護について事例を通して学ぶ．

1 脳出血の家庭復帰期における治療と看護

入院治療が終わると，退院となる．自宅に帰れる喜びは大きいが，一方で**自宅生活**への不安を抱く時期でもある．入院中，何度か**試験外泊***を経ているが，それらの体験が患者・家族にとってすべて肯定的な体験であったとは限らない．改築したとはいえ，患者が自宅でのトイレや浴室の使いづらさに困惑したり，家族は患者を介護しながらの生活がいかに気を抜けないものであるかを実感するなど，否定的な体験をしていることも少なくない．患者・家族は「こんな状態で果たして自宅での生活ができるのか」，家族は「介護ができるのか」と心配になってくる．看護師は家庭などでの生活基本行動レベルのセルフケアに問題を見いだしたら，理学療法士や作業療法士と相談しながら，患者，家族がより安心して退院後の生活ができるように支援する．

また，さらに別の不安や課題がこの時期の患者・家族に生じる．それは患者の**職業生活**（**学業生活**），あるいは家庭人としての生活をこれからどのように考えればいいのか，ということである．つまり患者が仕事（学業）を再開できるのかどうか，あるいはどのくらい病状が回復したら再開できるのか，通勤

用語解説＊
試験外泊

退院を控えた時期に，自宅に外泊することで実際の自宅での生活を体験し，問題点を確認したり，自信をつけたりするために行う．

脳卒中家庭復帰期にある人の看護

（通学）手段をどうするのか，勤務先（学校）での移動やトイレはどうするのか，家事をどう担っていくのかなどといったことが含まれる．最悪の場合，退職しなければならないとしたら，今後の収入をどのように得ればいいのかなど，社会生活のさまざまな場面において不安や課題が生じてくる．これらは，その後の患者と家族の生活の経済的基盤に関わる重要な事項であり，また，患者の職業人としての，あるいは「収入を得る」「家事を行う」という家族内役割のアイデンティティを脅かす，まさに成人期特有の課題といえる．そして，このような患者のセルフケア低下，あるいはセルフケア低下による役割変化は，**家族関係**にも影響を及ぼす．

最近では未婚，あるいは離婚による単身生活者が増えていることから，家族介護者のいない状況での自宅生活維持の問題には，さらに大きな課題がある．

また，回復のペースが落ち着き，劇的な改善が期待しづらくなってきているこの時期においては，思うように進まない回復への焦りが生じたり，ボディイメージの変化を受け入れられず，周囲の人との接触を避けるなど自分の殻に閉じこもったり，さらに**抑うつ傾向**を示す場合もある．

ここで一つ注意しなければならないことがある．それは，このような障害が及ぼす患者の自己概念の混乱，抑うつ傾向，さらに家族機能や家族関係の変化といった心理・社会的問題は表面に現れにくく，看護問題として認識されにくいということである．また，患者，家族もこういった問題の解決を看護に期待しておらず，自分たちだけの力で対応していることが多い．そのため患者，家族が看護支援によって避けられる，あるいは軽減できると思われる精神的苦痛や家族関係の悪化にさらされていることもある．家族役割，家族機能の変化は時間の経過とともに家族なりの新たな状況に落ち着いていくことも多いが，中には子どもの非行，夫婦不和，離婚など生活上の問題や家族関係の悪化・破綻（はたん）を来す例もある．家族状況の情報を集めつつ，適宜，相談などの支援を行えるように経過をみていく．

看護師は，家族支援におけるこのような背景を十分理解して，見えにくい問題の存在にも注意を向け，問題に対してはカウンセリング的対応，職場・地域社会への働きかけや社会資源を活用するなど，幅広い支援を行っていく必要がある．

> **plus α**
> **障害とうつ**
> 脳出血発病後半年から1年後では機能障害，能力障害は改善あるいは維持傾向を示すが，QOLは低下，30％にうつ状態が認められた，という報告がある[1]．外見上は回復していても「障害」という受け入れがたい現実に苦悩する患者は少なくない．

2 退院後の生活における課題

退院の時期というのは，障害の回復がそろそろ**プラトー***に達する時期である．それまでひたすら障害による再適応を目指しリハビリテーションにエネルギーと関心を注いできた患者・家族にとって，これからは，残された障害を抱えながらどのように生活していくかに対応していかなければならない時期でもある．この退院後の期間は，三つの段階に分けられる（）．

まず第一段階は，自宅での衣食，清潔，排泄を中心とした生活基本行動レベ

> **用語解説***
> **プラトー**
> 元は心理学の用語で，それまで見られた学習の成果（伸び）が停滞することをいう．リハビリテーションにおいては機能回復の限界状態を指す．

ルのセルフケアを試行錯誤しながら，徐々に自分たちなりの方法をつくっていく，いわゆる家庭生活に適応していくためのセルフケア再獲得の期間である．これが一定の落ち着きを得た後の第二段階は，社会的問題への対応が必要になってくる．患者がこれからの仕事（学業），家庭生活，暮らし方など，障害をもった成人としての生き方について考え，具体的に選択していかなくてはならない．また，家族関係を見直したり，家族がそれぞれの役割を変えることも必要になってくる．この過程で多くの問題に直面し，時には抑うつ状態，また，うつ病に陥る患者・家族もいる．さらに第三段階では，障害をもちながら生活していく現実を患者・家族なりに解釈し，生活の方向性を見いだす時期である．この状況は人によって「折り合いづけ」「あきらめ」「受け入れ」といったように表現の異なるものであり，「障害」と「自分」の関係性のとらえ方は個人によりさまざまである．これらは障害の程度，内容，患者・家族の置かれた状況，考え方などによっても影響される．

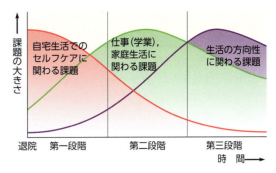

図6.3-1 退院後の生活上の課題経過

plus α
障害受容（障害適応）
障害を受けた人が障害前にもっていた生活設計や自己概念を変更し，自分の能力に応じて現実的に社会に適応していくこと（→p.217参照）．

　以上のような各段階は，順を追って体験していく場合もあるし，同時に体験する場合もある．また時間的長さもさまざまである．患者・家族が課題についてどのように取り組もうとしているのか心理・社会面から把握し，支援する必要がある．

3 事例で考える脳出血患者の家庭復帰に向けたセルフケア再獲得支援

1 これまでの経過

　津さんは，入院から3カ月半が経過した後，入院中のリハビリテーションのゴールに達したので退院し，自宅に戻った．ここでは，自宅での生活パターンが形作られる退院後約1カ月間における津さんの状況について述べる．

> **事例**
>
> 　住居は，トイレ・浴室に手すりを設置した．寝室は病前は2階だったが，現在は1階の居間にベッドを置き過ごしている．
>
> 　平日の生活状況は，家族が仕事や学校に出るため一人で夕方までテレビを見たり，本を読んだりして過ごす．病院で指導された自主訓練メニューを毎日実施している．近所への外出は人目を気にして避けているが，隣町のスーパーマーケットへ妻と買い物に出かけるのは，知り合いに会うことが少ないため抵抗感が少ない．
>
> 　病気になり健康のありがたさを実感している．病前，もっと健康に気を配り，アルコール量や食事内容に気をつけていれば病気にならなかったのではないかと後悔している．元来，家庭では口数が少なかったこともあり，妻とは病気のことや，こういった自分の気持ちはあまり話さない．
>
> 　退院後の血圧は安定している．退院後しばらくは内服薬の飲み忘れ（特に昼）があったが，薬箱を作り配薬しておくことで，最近はほとんど忘れることはなくなった．週1回，リハビリテーションのために通院しているが，その際は**ホームヘルパー***に付き添ってもらっている．月に一度の受診は妻か長女が付き添う予定である．

用語解説*

ホームヘルパー（訪問看護員）

ホームヘルパーとして働くには研修を受ける必要がある．研修には「介護職員初任者研修（旧ヘルパー2級）」と「介護職員実務者研修（旧ヘルパー1級）」の2種類がある．ホームヘルパーの利用には，介護保険法および障害者総合支援法から給付が受けられる．

➡ FIMについてはp.247参照．

退院後1カ月の津さんのFIM得点

	評価項目		点数
運動項目	セルフケア	食事	7
		整容	7
		入浴	6
		更衣（上半身）	7
		更衣（下半身）	7
		トイレ動作	6
	排泄コントロール	排尿管理	7
		排便管理	6
	移乗	ベッド・椅子・車椅子	6
		トイレ	6
		浴槽・シャワー	6
	移動	歩行	6
		車椅子	7
		＊主な移動手段	□車椅子　☑歩行
		階段	4
認知項目	コミュニケーション	理解	7
		表出	7
	社会的認知	社会的交流	7
		問題解決	7
		記憶	7

　7点は完全自立，6点は自助具や装具を使っての自立．この時点の津さんのFIM得点からは，要介助は階段昇降のみであり，1階での家庭内生活については身の回りのセルフケアはすべて自力でできる状態にあるといえる．

2 | 家庭復帰期（退院後1カ月）のアセスメント

a アセスメント視点に基づく情報の整理

表6.3-1，図6.3-2，図6.3-3を参照．

表6.3-1 津さんの家庭におけるセルフケア（退院後1カ月，発症後4カ月半）

項 目	問題現象アセスメントのための情報 （退院後1カ月，発症後4カ月半のセルフケア状態）	原因アセスメントのための情報
食	むせ込みもなく平日の朝・夕食は家族と共に食べる．昼は妻が作って置いていくものを一人で食べるが，あまり食欲がなく昼を抜くこともある． 食動作は，健側（利き手）を使い，食器を滑り防止マットで固定し食事ができる．食器類の片付けはできるが，水に浸しておくだけで洗って片付けることはしない．	【習慣】 米飯／常食 塩分には気をつけている． 発症前はキムチや塩辛などの刺激物が好きだったが，病気後は食べない．ビールは週末にコップ1杯だけ飲んでいる．
排泄	排尿は6〜7回／日，夜間1回，排便は緩下剤を用いて毎日ある． トイレまで杖を使い歩行し，手すりを利用して衣類の上げ下げも一人でできる．	【環境】 退院前，自宅のトイレに手すりを設置した．
清潔・整容・更衣	入浴は1回／2日，血圧への影響を考え熱い湯に入らないようにしている．入浴は手すりとシャワーチェア・自助具を利用して洗体も一人でできる． 洗髪は1回／3〜4日．更衣は一人でできる．	【環境】 退院前，浴室に手すりを設置し，シャワーチェアを準備した．
起居・移動	背臥位から長座位はベッド柵を使う．端座位からの立ち上がりは柵あるいは杖を使い自立．移動は，室内は手すり，杖とリハビリシューズを使用し自立しているが，最近，自分の運動能力を過信して注意せずに歩行しようとする傾向がみられ，2回ほど転倒しそうになった．自宅内の階段昇降は手すりを使ってできているが，時間がかかるため寝室を1階に移し，なるべく2階へ上がらないようにしている．外での階段昇降は避けている．外出時のみ短下肢装具（シューホーンブレース．写真）を使用している．車椅子は長距離の移動が必要な外出に使用することを想定しているが，退院後まだ一度も使っていない．	【環境】 退院前，寝室を2階から1階に移しベッド柵を設置した．自宅内の階段に手すりを設置，玄関（あがりかまち）の段差をなくすなどの改築を行った．
コミュニケーション	会話はゆっくりであるがコミュニケーションは問題がなく，妻と娘とは日常生活に関する会話は多い． もともと寡黙だったが，病後さらにコミュニケーションには消極的である．	【発症前の習慣・環境（妻からの情報）】 寡黙な性格で口数は多くはなかったが，コミュニケーションは自立．会社の同僚と飲みに行くなど他者との関係性もよい．
身体機能 ＊この項目は問題現象・原因アセスメントの両方に必要な共通の情報である	呼吸：たばこは発病をきっかけに禁煙した．活動後の息切れもない． 栄養：身長171.5cm，体重61kg，BMI 20 循環：受診時に外来の自動血圧計を使い，自分で血圧を測定してくる．降圧薬は継続して服用している． 感覚：麻痺側の知覚（触覚・温覚）障害がある．時々麻痺側上肢を忘れてしまうことがある．	
精神機能		病前に比べて複雑な話題の理解や判断，反応にはやや鈍さがある．

社会生活に関する情報

家庭生活

- 津さん: 妻が家事を行い，津さんは自分の身の回りのことのみ行っている．「男の自分が家事をすることは考えていない」「歩行が不安定だから」と家事は行おうとしていない．起床後，妻が作った朝食を食べ新聞に目を通す．日中はテレビや読書などで時間を過ごすが，最近退屈も感じている．病気になり，特に妻に申し訳ないという気持ちが強い一方，妻への依存傾向を強めている．

- 妻: キーパーソンは妻．仕事と家事，津さんの介護をこなし多忙である．出勤前に洗濯を行い，帰宅時に買い物をしてきて夕飯の準備をする．夜も掃除や炊事に追われる．津さんの発病後，パートタイマーから常勤に変わり責任も重くなり，帰宅時刻が遅くなることもあって，家事と仕事の板ばさみになっている．家族はおおむね津さんの療養に協力的である．

- 長女: 高3で受験勉強をしているが，父親の病気による収入減を考え，進学するかどうか迷っている．

- 次男: 思春期でもあり父親を避けるような態度を示すことがある．

地域生活

近所の人とは挨拶程度である．

職業生活

療養休暇中．職場復帰を希望しているが，具体的には考えられていない．「麻痺がもう少し治らないと戻れない，戻りたくない」と考えている．「これ以上動くようになるのか」と今後の麻痺の回復に不安をもっている．

余暇生活

新聞や本を読む，テレビを見るなどで日中のほとんどを過ごしている．

経済的状況に関する情報

津さんは有給休暇を使った後，現在は療養休暇中であり，給料は基本給の60％が支給されている．妻は夫が入院中ホームヘルパーの仕事を休んでいたが，退院後から再開した．夫の収入が減っている分，以前よりも収入を増やすために常勤に変わった．住宅ローンが残っており，長女・次男の学費も必要である．経済的な見通しについて津さん・妻ともに気にしているが，具体的なことは話し合っていない．津さんの発病後，長男が生活費を多めに入れている．

心理的適応に関する情報

麻痺をもう少し回復させたい．回復できると信じている．
家族や友人（同僚）へも自分の気持ちをほとんど話さないので，周囲の人はどのように接していいのか困惑している．
時々「腕を切っちゃうか…」と娘に投げかける．
職場の同僚が見舞いに来てくれたり，電話をくれるが「不自由な姿を見られたくない」ため，積極的には交流していない．

図6.3-2 社会生活・経済的状況・心理的適応に関する情報

図6.3-3 津さんと家族の置かれた状況，思い

b 情報の分析・解釈・判断と看護問題

津さんの家庭復帰期のセルフケアアセスメント（退院後1カ月，発症後4カ月半）

分析・解釈・判断	看護問題
津さんは病前に果たしてきた「営業職」「父親」「夫」役割を，心身の障害により十分に機能させることが困難になっている．障害をもった自分の役割の再獲得を行っていく必要がある． ・左片麻痺，会話がゆっくりであること，軽度の認知障害から，職場復帰への障害が大きいと予想される．津さんの復職についての考えをまとめ，早急に雇用先と話し合い，今後の就労の方向性を決めなくてはならない．現在でもすでに収入が減少しており，経済的計画と家族間の協力について，子どもたちも含めて話し合う必要がある． ・左片麻痺が元に戻らないことに焦りと不安，自信喪失を感じており，そのことが今後の現実的な生活設計を立てることを困難にしている．自尊感情の低下もある．津さんが対人関係，社会生活面でより前向きに考え，現実に即した行動ができるように援助していく必要がある．	＃1 左片麻痺の自覚に関連した自己概念の混乱
・自分の身の回りのことはほぼ問題なく行えているが，日常生活関連動作の面では妻に全面的に依存しており，妻の負担が大きくなっている． ・身体能力的には家事の一部（洗濯機操作，掃除機による掃除，簡単な炊事，食器の片付けなど）は十分にこなせるが，津さんの関心事は自分の「回復」にあり，妻への配慮は不十分である． ・妻は家事，夫の介護，仕事と負担が大きいので家族全員による妻の負担軽減を検討する必要がある．また，妻がこのような問題について相談する機会をもつことも重要である． ・長女の進路の問題について家族で話し合う必要がある． ・次男は思春期でもあり父親を避けるような態度を示しており，家族間の協力を図っていく上で障害となることが予想され，経過をみていく必要がある．	＃2 片麻痺による役割遂行障害に関連した家族機能の変調
・自宅室内の杖歩行に徐々に慣れてきているが，回復への焦りと自分の歩行能力への過信がみられる． ・復職のためにも歩行能力の向上は必要であるが，まずは転倒への注意を促しながら室内での活動，歩行動作を確実なものにし，徐々に室外歩行を試みていく必要がある．	＃3 身体可動性の障害に関連した身体損傷のリスク状態

3 看護計画と実施

本事例では，＃1と＃2を中心に具体的なケアについて述べる．

a 看護目標

長期目標：自己概念を再構築し新たな役割を遂行できる．

　　　　　妻の役割緊張が軽減し，家族で協力して生活できる．

短期目標：職場復帰に関わる具体的な問題について家族間で検討できる．

　　　　　新たな自己概念の構築の必要性に気づくことができる．

　　　　　妻が介護，家庭内役割上の負担の悩みを家族や看護師に相談できる．

b ケアの方法とその根拠（表6.3-2）

表6.3-2　ケアの方法とその根拠

	ケアの方法	ケアの根拠
職業生活に関わるセルフケアの再獲得	外来看護師に津さんから相談が寄せられていない状況であり、患者・家族の考えを確認し必要な援助を検討していく。 ・津さん、妻と面接し、職場復帰についてどのように考えているのかそれぞれから情報を得る。 ・津さんのためらう気持ちを受け止めながら、具体的な問題について一緒に考えていく姿勢を示す。 ・夫婦間や家族内で津さんの職場復帰についての話し合いが十分に行われていない場合は、話し合うことを勧める。 ・職場復帰に際し、解決しなければならない具体的問題を考えていく。津さんがより明確に目標をもてるようにする。 ①通勤手段（公共交通機関利用、自家用車利用など）をどうするのか。試しに家族に付き添ってもらい通勤経路をたどってみる。その結果で手段を選択する。 ②職務内容は障害を考慮したもの（例えば事務職、復帰当初は午前中勤務など）になるのか。 ③職場環境（トイレやエレベーターなどの設備、ドアの開閉など）はどのようなものか。実際に使ってみて検討する。 ④雇用条件（常勤、嘱託、契約社員など）はどうなるのか。必要時、病院の訓練担当者と協力してアドバイスをする。 ・必要時、津さんと妻に、職場復帰に関わる患者側の状況、会社側の状況について、会社の担当者と話し合うことを勧める。 ・職場の健康管理担当者（保健師など）に、津さんの了解を得た上で患者情報を伝え、今後のフォローアップの連携をとる。 ・必要時、ソーシャルワーカーと協力して援助にあたる。	・職場復帰は発達課題から考えても今の津さんにとっては最も重要な問題であるが、いまだ具体的な行動に移せていない。理由は津さんが「麻痺が回復しないと職場には戻れない、戻りたくない。人に見られたくない」などの自信喪失と自尊感情の低下傾向から、行動を起こすことにためらいがあることが最も大きい。職場復帰には後遺障害からさまざまな問題が予想されるが、津さんの障害の程度は比較的軽く、働くことは十分可能と考えられる。津さんと家族に職場復帰を検討する時期であることを認識してもらい、準備を促す必要がある。 ・麻痺の状態から考えて元の営業職に戻ることは難しいと考えられるが、津さんの能力にふさわしい業務や条件（常勤ではなく嘱託、契約社員としての勤務など）であるならば、職業人として復帰することは可能である。会社側として適当な業務が提供できるのか否か難しい点もあるが、その場合は時間をかけて交渉していく必要がある。
自己概念の再構築への支援	患者・家族会（セルフヘルプグループ）などを紹介する。今置かれている状況が自分だけのものではないことを理解し、同じような障害をもった人々や家族がどのようにして問題に取り組んでいるのかを知る。考え方を広げることを目指す。 自己認識は他者との関わりの中で変化していくものである。特に家族との関係の見直しは大きい。家庭での新たな自分の役割を考えていくことも重要である。津さんの場合は、家事を一部分担するなどが考えられるが、まずは負担の多い妻への配慮の必要性に気づけるように家庭での様子を聞いていく。	・津さんの場合、職場復帰が進んでいっても以前のような夫役割、父親役割をとることは難しい。その中で「○○ができない自分」という否定的なとらえ方ではなく「○○ならできる自分」という積極的なとらえ方、新たな役割の再獲得に向けて、別の見方ができるような支援を行うことが必要である。これは月単位、年単位でなされることでもあるので、看護師は焦らずに関わっていく必要がある。
妻の役割緊張軽減への支援	外来通院場面での津さんと妻の様子を観察したり話しかけたりして、夫婦のコミュニケーション状況や関係性、日常生活の様子から、妻の身体的・精神的疲労、抑うつ傾向などの問題がないか注意する。	・妻は津さんの発病に伴って一挙に役割緊張が増した状況にあるが、周りに相談したり、愚痴をこぼせる人はいない。役割緊張への支援として家事の分担など労力面への支援も必要であるが、障害をもって生活する人を支える家族の気持ちへの理解など、精神面への支援も必要である。
	何らかの問題の可能性を見いだしたら、まずは妻の思いを傾聴する。	・介護や家庭での悩みは誰にでも話せるものではない。疾患や障害について理解している看護師が妻の話を聴くことは適切である。看護師は妻の気持ちに共感するとともに、適宜、専門的立場からアドバイスする。
	患者・家族会へ参加して同じような環境にある人同士で交流する。	・この会に参加し「患者にやさしくできない自分を責めたり、患者に対していらいらするのは自分だけではなかった」「もっと大変な状況にもめげずに生活している人を知り励みになった」という体験をすることで妻の気持ちがやわらぎ、津さんへの感情も修復できる可能性がある。こういった集まりの特徴である「立場が同じもの同士で共通の問題を語り合うこと」は、参加者の精神的負担軽減の上で大きな効果がある。
	家庭内役割分担については、妻が長女や長男と話し合えるように妻に働きかけていく。	・役割が一人に集中しないよう調整し、家族役割の変化を意識してもらう必要がある。

4 看護の実際：相談，患者・家族会紹介の援助場面

ある日の外来受診時，待合室で津さんと妻は離れて座っていた．よそよそしい雰囲気で二人とも何をするのでもなく，目を閉じて待っていた．様子が気になった外来看護師が津さんに声をかけた．

看　こんにちは，具合はいかがですか？

津　（声をかけられ目を開ける）いやあー，変わらないですよ

看　奥さんと一緒に座らないんですか？

津　一緒にいるのがいやなんじゃないの，知らないよ（やや不機嫌に）

看　あらー，けんかでもしたんですか．奥さんもお疲れなんじゃないかしら

津　そうかもね，俺がこんな状態だから（投げやりな様子で）

看　家ではどのように過ごされているんですか？

津　俺？　別に…何もすることないし，テレビとか本読んでいるかな．リハビリは自分でやっているよ

看　奥さんとは今後の仕事のことや家での生活のしかたなど話されましたか？

津　別に，話していないよ．女房がどう思っているのか知らないなあ，どう思っているのかね．仕事のことは俺も気になっているんだけどね

看　そうですか．あの，もしよければ診察が終わってから，奥さんも一緒に外来相談室に来られませんか？奥さんがお疲れの様子も気になりますし，今後のお仕事や生活のことなどをどのように考えていかれるのか，私としても気にかかっていましたので一緒に考えさせていただきたいのですが

津　そう？　どうしようかな，女房に聞いてみるよ

看　私からも奥様にお話ししてみます

図6.3-4　外来相談室での援助場面

すぐに，看護師は津さんの妻に声をかけ相談室への来訪を誘ってみた．妻は，「家ではなかなか夫と話す機会がなくて，ありがたいです」と返事をした．診察後，津さんと妻は相談室を訪れ，少しずつお互いの思いを話し始め，夫婦での話し合いのきっかけをつかんだ様子だった．看護師は相談にのるとともに**患者・家族会**＊の紹介も行った（図6.3-4）．

5 評価のポイント

a 職場復帰の視点から

- 復帰までの間，目標（目安）に沿って具体的な取り組みが進んでいるか確認していく
- あらかじめ想定した復帰時期に職場復帰できたか
- 復帰後の就労状況について患者・家族および職場関係者から情報を得，問題が生じていないかをみていく（通勤上の問題，周囲との関係，仕事の処理能力，体力）

用語解説＊

患者・家族会
セルフヘルプグループ
Self help group

自助グループともいう．健康上や生活上の同じような問題をもつ本人，家族が集まり，話し合いやさまざまな活動を通して問題解決を図るものである．

b 自己認識の視点から

- 悩んでいるのは自分だけではないことへの気づきを言葉にする
- 新たな自分の有り様をもつことの必要性について言葉にする
- 自分への肯定的評価を言葉にする
- 妻への配慮について言葉にする
- 抑うつ尺度

c 妻の介護負担，家庭内役割負担の視点から

- 介護上の悩み，家庭内での役割負担感を他者に話すことができる
- 家族間で家事などの分担について話し合いをもつ
- 妻が介護や家事の負担，津さんの生活ぶりについて肯定的評価を言葉にする
- 妻が津さんへのいたわりの気持ちを言葉にする

> **plus α**
> **脳卒中患者のQOL**
> 患者のQOLにはさまざまな要因が関連しているが，成人と高齢者で影響要因が異なることがある．成人は高齢者に比べて発病による社会的役割の喪失感が大きく，同じような後遺障害でも高齢者のQOLの方が高い，という報告もある[4,5]．

表6.3-3 SDS（Self-rating Depression Scale）

項目
1）気が沈んで憂うつだ
2）朝がたは一番気分がよい*
3）泣いたり，泣きたくなる
4）夜よく眠れない
5）食欲はふつうだ*
6）まだ性欲がある* （独身者の場合）異性に対する関心がある*
7）やせてきたことに気がつく
8）便秘している
9）ふだんよりも動悸がする
10）何となく疲れる
11）気持ちはいつもさっぱりしている*
12）いつもとかわりなく仕事をやれる*
13）落ち着かず，じっとしていられない
14）将来に希望がある*
15）いつもよりいらいらする
16）たやすく判断できる*
17）役に立つ，働ける人間だと思う*
18）生活はかなり充実している*
19）自分が死んだほうが他の者は楽に暮らせると思う
20）日頃していることに満足している*

＊：反転項目

SDS（Self-rating Depression Scale）は，アメリカ・デューク大学のZung,WK.（1965）によって作成された抑うつ性を評価する自己評定尺度である．

20項目の質問を4段階に自己評価するもので，第1，第3項目は感情について，第2，第4～10項目は生理面，第11～20項目は心理面の症状についての質問である（表6.3-3）．

SDSは，全項目の半分の10項目を反転項目としており，患者にパターンがわかりにくいように工夫されている．採点は，各項目ごとに，ない，またはたまにある=1点，ときどき=2点，かなりの間=3点，ほとんどいつも=4点を与え，総点を出す．抑うつ性の強い患者の場合，記入が正確でないことがある．また，病識のない患者，記入の意欲のない患者には行えない．SDSは，高齢者で得点が高くなることが知られている．

引用・参考文献

1) 澤俊二ほか．慢性脳血管障害者における心身の障害特性に関する経時的研究：心身の障害予測因子に関する研究．茨城県立医療大学紀要．2002, 7, p.69-78.
2) 奥宮暁子ほか編．生活を支える看護：生活の再構築を必要とする人の看護Ⅰ．中央法規出版, 1995.
3) 渡辺俊之編．リハビリテーション患者の心理とケア．医学書院, 2000.
4) 武田知樹．在宅脳卒中患者の心理的QOLに影響を及ぼす関連要因の探索．日本保健医療行動科学会年報．2010, 6, p.257-267.
5) 神島滋子．通院脳卒中患者の健康関連QOLとその要因に関する検討．札幌医科大学保健医療学部紀要．2004, 7, p.39-46.
6) 厚生労働統計協会．国民衛生の動向．2020/2021. 2020.

重要用語

自宅生活	家族関係	自己概念
職業生活（学業生活）	役割変化	役割緊張
抑うつ傾向	職場復帰	セルフヘルプグループ

4 家庭生活の役割遂行に関わるセルフケアの再獲得 関節リウマチをもつ人の看護

学習ポイント

- 関節リウマチの病態と治療について理解する.
- 関節リウマチをもつ人の看護を理解する.
- 関節リウマチをもつ主婦の家事役割遂行を支援する看護について事例を通して学ぶ.

1 関節リウマチ（RA）の病態と治療

関節リウマチ（rheumatoid arthritis：RA）は左右対称の多発関節炎を主体とする疾患である．病因は不明だが，①遺伝，②自己免疫，③ウイルス感染，④環境要因の関与が考えられている．**朝のこわばり**＊とともに手，指，足趾関節の**疼痛**，**腫脹**（しゅちょう），**熱感**を初期症状として発症することが多い．

関節の病変部では滑膜（かつまく）の肥厚充血が生じ，関節周辺の骨軟骨境界部より関節軟骨表面にかけ**パンヌス**と呼ばれる肉芽が増殖する．パンヌスにより関節軟骨が次第に侵食され，軟骨の破壊を来し関節の変形が進行する．関節破壊とともに関節痛，腫脹が強くなり，関節の可動域が制限され，関節の変形が顕著になってくる．特に**手指，足趾では特徴的な変形**をみる．関節の変形増悪につれ，関節の亜脱臼や脱臼，強直に至るものもある（**図6.4-1**，**図6.4-2**）．

また，関節症状以外にも**表6.4-1**のような，さまざまな症状が出現する．

関節リウマチの診断には，アメリカリウマチ学会（ARC）の診断基準が広く用いられていたが，早期治療の重要性から，1994年日本リウマチ学会より

用語解説＊

朝のこわばり

起床時に関節が楽に動かせない感じ（こわばり感）をいう．動かしているうちに軽減または消失する．その持続時間は短いものから一日中まで変化し，活動性の目安となる．

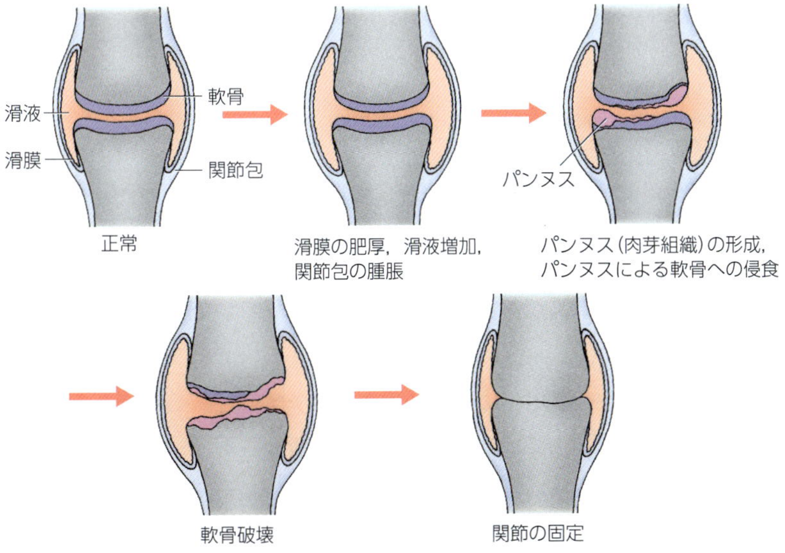
滑液
滑膜
軟骨
関節包
正常
滑膜の肥厚，滑液増加，
関節包の腫脹
パンヌス
パンヌス（肉芽組織）の形成，
パンヌスによる軟骨への侵食
軟骨破壊
関節の固定

図6.4-1　関節リウマチによる関節変化

手指の変形			足趾の変形		
			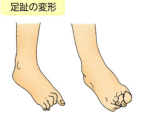		
紡錘状変形	尺側偏位	スワンネック変形	外反母趾*	つち指(立ち足)	重複指

ボタン穴変形	親指のZ状変形	ムチランス変形			

図6.4-2 おもな指趾の変形

用語解説*
外反母趾
足の親指が中足趾節関節で外側に屈曲しているもの．変形が高度になると中足骨頭の突起部の下の滑液包が腫れて強い痛みを生ずる．

表6.4-1 関節リウマチの関節外症状

全身症状	発熱，全身倦怠感など
皮膚	リウマトイド結節，皮膚潰瘍など
眼	上強膜炎，強膜炎，シェーグレン症候群による眼乾燥症など
呼吸器	間質性肺炎，肺線維症，胸膜炎など
心臓	心膜炎，弁機能障害，心筋梗塞，大動脈炎など
腎臓	薬物による腎障害
神経	頸椎不安定性による神経根圧迫，圧迫性神経障害，多発性単神経炎など
血液	貧血

→ 関節リウマチについては，ナーシング・グラフィカ疾患と看護⑦『運動器』10章2節参照．

表6.4-2 関節リウマチ新分類基準（ACR/EULAR 2010）

A. 罹患関節 （腫脹または圧痛）	中～大関節1カ所**	0
	中～大関節2～10カ所**	1
	小関節1～3カ所*	2
	小関節4～10カ所*	3
	11カ所以上（少なくとも一つは小関節）	5
	*：MCP，PIP，MTP2-5，1st IP，手首含む **：肩，肘，膝，股関節，足首を含む	
B. 血清学的検査	RF，抗CCP抗体 いずれも陰性 いずれかが低値陽性 いずれかが高値陽性	0 2 3
	低値陽性：基準値上限より大きく上限の3倍以内の値 高値陽性：基準値の3倍より大きい値	
C. 症状の持続 （滑膜炎）	6週未満 6週以上	0 1
D. 急性期反応	CRP，ESR いずれも正常 CRP，ESR いずれかが異常	0 1

A～Dの合計が6/10点以上で関節リウマチと分類される．

提唱された「**早期関節リウマチ診断基準**」，2010年にアメリカリウマチ学会とヨーロッパリウマチ学会（EULAR）が共同発表した「**関節リウマチ新分類基準ACR/EULAR（2010）**」が活用されている（表6.4-2）．

また，関節リウマチの治療成果や病態は，活動性（**ランスバリー指数***）や重症度（機能障害度のClass分類，関節破壊の進行度を表すStage分類）を指

用語解説*
ランスバリー指数
①朝のこわばり（持続時間），②握力，③関節の腫れや痛み（関節点数），④赤血球沈降速度値の4項目の実測値をランスバリー指数換算表に基づき％に換算する．4項目の％の和をランスバリー指数という．

表6.4-3 関節リウマチの機能状態の改訂分類基準（ACR）

Class 1	日常生活（身の回りのこと＊1，仕事＊2，余暇＊3）を完全に行うことができる．
Class 2	普通の身の回りのこと，仕事はできるが，余暇は制限される．
Class 3	普通の身の回りのことはできるが，仕事や余暇は制限される．
Class 4	普通の身の回りのこと，仕事，余暇をするのに制限される．

＊1　衣類の着脱，食事，入浴，身づくろい，トイレ
＊2　仕事，学校，家事など患者の希望，性，年齢に合ったもの
＊3　レクリエーション，レジャーなど患者の希望，性，年齢に合ったもの

標として判断される（表6.4-3）．

　関節リウマチ治療の目的は，関節症状を緩和し日常生活を送れるようにすることであり，薬物治療，機能訓練，手術療法が主となる．薬物治療では，主に抗リウマチ薬，非ステロイド性抗炎症薬，副腎皮質ホルモン製剤が使われる．近年，生物製剤が開発され，骨破壊抑制への効果が期待されている．機能訓練は関節症状に応じた機能を維持するために行われる．また関節の拘縮や変形予防のため装具を作製し，関節機能の補助として自助具を活用する．

　手術療法は，関節破壊の進行や疼痛が強い場合，機能改善や疼痛除去，関節破壊予防を目的に行われる．関節症状，その部位により滑膜切除術，人工関節置換術などが選択される．

2 関節リウマチと看護

　関節リウマチは，その病態の特性上，発病から長期にわたり病気と対峙していかなければならない．関節痛や関節変形のため生活基本行動が困難となってセルフケアが低下し，生活全般にわたり支障が生じる．また，関節の変形に伴うボディイメージの変化，病気そのものへの不安，地域社会との交流の減少，役割変化による自己概念の低下等，身体面，社会面，心理面において，多岐にわたり影響が生じてくる．

　生活においては関節への負担を少なくし，関節機能障害に対応したセルフケアの確立，家族のサポートが必要となる．機能障害は，他者へ依存せざるを得ない状況をつくり，さらに長期的に疾病と共存しなくてはならず，患者の精神的負担となる．家族の疾病理解を促すことや，精神面へのサポートを通し，病気と上手に付き合うことができるよう支援することが求められる．

> **plus α**
> **メトトレキサート（MTX）**
> RA治療の標準薬で，生物学的製剤やJAK阻害薬との併用効果の確実性も高い．副作用には空咳と発熱を特徴とする急性肺障害や骨髄抑制，肝障害，間質性肺炎などがあり，ときに重篤になることがある．口内炎や倦怠感等の副作用は服薬継続の妨げとなる．また，長期使用により副作用の増強や遷延性に移行する場合がある．

3 事例で考える関節リウマチをもつ人の役割遂行に関わるセルフケア再獲得支援

1 プロフィール

事例

結城節子さん．56歳，女性．

7年ほど前から手指の腫れぼったさを自覚していた．その後，徐々に手指関節の腫脹を認め，疼痛を伴うようになったので整形外科を受診し，関節リウマチと診断された．

経年とともに関節痛，腫脹が肘，肩，膝関節へ及び，現在上肢は左肘関節完全伸展不可，両手指に軽度の尺側偏位がある．朝のこわばりは20分程度である．肘関節，手関節，手指の関節に腫脹と疼痛，手指の変形があり，びんやペットボトルのふたを開けることなど緻密な動作や握力を必要とする動作が困難である．さらに，肩関節は疼痛があり，肩の挙上困難があるため洗濯物は物干し台を低くするなど，いろいろな工夫をしながら主婦として家事全般を担っている．

下肢は，両膝関節は軽度屈曲拘縮と疼痛があり，座位から立位，またその逆の動作が困難であり，時間がかかる．膝関節，足関節に腫脹があり，外反母趾がみられる．浴槽に入る動作や便座に腰掛ける，浴槽や便座からの立ち上がりの動作は，手すりなどを利用しゆっくり行っている．長時間の立位保持は，疲労と疼痛増加を来す．そのため少しでも楽に生活ができたらいいと思っているが，その反面，楽に生活をすることで運動量が減り，動けなくなっていくのではないかという不安がある．動けるうちは我慢してでも動こうと思っている．「主人も，家事を私がするのは当たり前だと思っているから……．娘の育児も手伝えるなら，やってあげたいの．最近は活発になってきたから大変だけど……」と話す．

家族は，60歳の夫（近所の新聞販売店勤務，時間的拘束が少ない），28歳の長女（会社員）の3人暮らしである．夫は週に何度か買い物に連れて行ってくれるが，夫も長女も家事を手伝うことはほとんどない．26歳の次女は，2年前に結婚して近所に在住しており，1歳の女児がいる．月に一，二度は子どもを預かることがある．

月に一度の割合で定期的に外来通院し，抗リウマチ薬，非ステロイド性抗炎症薬を内服し，現在に至っている．

2 アセスメント

a アセスメント視点に基づく情報の整理（表6.4-4，図6.4-3）

表6.4-4 結城さんのセルフケア

	問題現象アセスメントのための情報	原因アセスメントのための情報
食	手指に変形はあるが，はしの使用は可能．	【習慣】 3食／日．偏食はない．飲酒は，集まりのときにビールを少し飲む程度．
排泄	排泄動作は自立．便器に腰を掛ける・便座からの立ち上がりの際に疼痛がある．	【習慣】 排尿は7回／日程度，排便は1回／2～3日で，便秘傾向．医師の処方により緩下剤を内服しているが，市販の浣腸を使用することもある． 【環境】 立ち上がり動作時，手すりを利用する．

清潔 整容 更衣	洗体時の腰掛け，立ち上がりや浴槽に入る動作に困難を伴うが，自立．整容動作は自立．肩関節の疼痛により髪の手入れには困難を感じているが，実施可能．	【習慣】 入浴は毎日．歯磨きは毎食後． 【環境】 浴室は病前と変わらず，通常の家庭様式．
起居 移動	長時間の立位保持は，疲労と疼痛増加をきたす．両膝に疼痛があるが，歩行は可能である．屋内は独歩，屋外では杖を使用することもある．膝関節は屈曲拘縮のために，座位から立位，またその逆の動作が困難であり時間がかかる．	【環境】 食事時はテーブルと椅子を使用しているが，生活の大半は畳の生活である（座卓がある．就寝時は布団を使用）．そのため座卓を支えとして立ち上がり，座り動作の助けとしている．
身体機能 ＊この項目は問題現象・原因アセスメントの両方に必要な共通の情報である	【外観・形態】 上肢：左肘関節完全伸展不可．両手指に軽度の尺側偏位がある．肘関節，手関節，手指の関節に腫脹がある．朝のこわばりは20分程度． 下肢：両膝関節は軽度屈曲拘縮がある．外反母趾がある．膝関節，足関節に腫脹がある．脊椎の変化はない． 【動作・機能】 上下肢の関節に疼痛があるが，特に膝関節，手関節の運動時が強い． 手指の変形，手関節の疼痛のため握力の低下がある． 肩関節は疼痛があり，肩の挙上困難がある．	
精神機能		最近，沈みがちである．

まず問題現象，次にその問題を引き起こしている原因についてアセスメントする．問題現象に関する情報は，主にセルフケア状態を反映する一連の生活動作から収集するが，行動から観察できない，あるいは観察が困難な情報はフィジカルアセスメントもしくは検査データ（身体機能の情報）から収集する．原因に関する情報は，①習慣・環境，②身体機能障害，③精神機能障害のそれぞれの面から収集する．このようにして収集した情報を分析・解釈・判断し，看護問題を抽出する．

社会生活に関する情報

家庭生活
 結城さん　2階建ての一戸建．家事IADLは6点（表6.4-5）と比較的高得点であるが，疼痛を我慢して行っている．

地域生活
地方都市の郊外に居住．近所付き合いはあいさつ程度である．自治会の掃除当番は，できないときは夫に頼んでいる．

職業生活
専業主婦のため，家事全般がこれに相当する．

余暇生活
毎日20分程度，近所を散歩するようにしている．以前は友人と旅行に出かけることも多かった．しかし最近は，友人との外出の機会は減っている．「友達は遊びには来てくれるけど，外出のお誘いは…．行く先によって声をかけてくれたり，気遣ってくれているみたい」と話す．

経済的状況に関する情報

夫は新聞販売店に勤務，娘は会社員で，経済的には問題ない．

心理的適応に関する情報

夫・長女は家事を手伝うことはほとんどない．次女は結婚して近所に在住しているが，1歳の女児がおり，月に一，二度，子どもを預かることがある．「主人も，家事を私がするのは当たり前だと思っているから…，娘の育児も手伝えるならやってあげたいの．最近は活発になってきたから大変だけど…」と家族のことを話す．
関節痛があり，少しでも楽に生活ができたらいいと思う反面，体を楽に生活することで運動量が減り，動けなくなっていく不安がある．動けるうちは我慢してでも動こうと思っている．「動かないと動けなくなっちゃうでしょう．だから，できるだけ毎日，運動しているの」と言う．

図6.4-3 社会生活・経済的状況・心理的適応に関する情報

結城さんのIADL得点表

	項 目	得点
A. 電話の使用	1．自分から積極的に電話をかける（番号を調べてかけるなど） 2．知っている2，3の番号へ電話をかける 3．電話を受けるが，自分からはかけない 4．電話を全く使用しない	① 1 1 0
B. 買い物	1．すべての買い物を一人で行う 2．小さな買い物は一人で行う 3．すべての買い物に付き添いを要する 4．買い物は全くできない ＊食料品や日用雑貨は夫の車で一緒に買い物に行く．衣料はタクシーを利用して一人で買い物できる．	1 ⓪ 0 0
C. 食事の支度	1．献立，調理，配膳を適切に一人で行う 2．材料があれば適切に調理を行う 3．調理済み食品を温めて配膳する．また調理するが栄養的配慮が不十分 4．調理，配膳を他者にしてもらう必要がある ＊調理は可能であるが，家事のために長時間立位をとることで，疼痛を強める．びんやペットボトルのふたを開けることなど，緻密な動作や握力を必要とする動作が困難である．	1 ⓪ 0 0
D. 家屋維持	1．自分で家屋を維持する．または重度作業のみときどき援助を要する 2．皿洗い，ベッドメーキング程度の軽い作業を行う 3．軽い作業を行うが十分な清潔さを維持できない 4．すべての家屋維持作業に援助を要する 5．家屋管理作業には全く関わらない ＊掃除機を使用している．拭き掃除や階段，2階は夫や娘にしてもらっている（掃除機を持ち上げるのが困難なため）．	1 ① 1 1 0
E. 洗濯	1．自分の洗濯は自分で行う 2．靴下程度の小さなものは自分で洗う 3．すべて他人にしてもらう ＊物干し台の高さを低くして使用している．家族の洗濯も行う．	① 1 0
F. 外出時の移動	1．一人で公共交通機関を利用する．または自動車を運転する 2．タクシーを利用し，他の公共交通機関を使用しない 3．介護人または道連れがいるときに公共交通機関を利用する 4．介護人つきでのタクシーまたは自動車の利用に限られる ＊通院や買い物などは夫の運転する車で出かける．	1 ① 1 0
G. 服薬	1．適正量，適正時間の服薬を責任をもって行う 2．前もって分包して与えられれば正しく服薬する 3．自分の服薬の責任をとれない	① 0 0
H. 家計管理	1．家計管理を自立して行う（予算，小切手書き，借金返済，請求書支払い，銀行へ行くこと） 2．日用品の購入はするが，銀行関連，大きなものの購入に関しては援助を要する 3．貨幣を扱うことができない	1 ① 0

＊は結城さんに関する追加情報

合計　6
（8点満点）

（Lawton, MP. et al. Gerontologist. 1969, 9, p.179-186 より改変）

b 情報の分析・解釈・判断と看護問題

結城さんのセルフケアアセスメント

分析・解釈・判断	看護問題
・56歳の女性で，体力的にはまだ自分の身の回りのセルフケアをはじめ専業主婦として家族の世話を十分に行える状態である． ・7年ほど前に関節リウマチと診断され，はじめは手指の違和感のみであったが，現在は関節痛が全身に及び，関節の変形に伴う可動域制限とあいまって椅子や床からの立ち上がり，座り，長時間立位，入浴動作，上腕挙上など，身の回りの生活基本行動レベルのセルフケアに困難が生じ始めている． ・困難や過負荷を伴う動作に対する関節保護策を講じる必要がある．	#1 関節リウマチによる疼痛と関節可動域制限に関連した生活基本行動レベルのセルフケアの低下：トイレ動作，起居動作，入浴動作，上腕挙上動作
・専業主婦として家事全般を担ってきたが，家事に関わるセルフケアが徐々に困難になってきている． ・疾患に関する知識はある程度はあるものの，動けるから，できるから，少しは動いたほうがよいと思っている． ・家族は結城さんが家事をすることが当然だと思っており，協力体制が十分ではない．加えて，結城さんは我慢する性格であるため，無理に苦痛な動作も行っている． ・適度なセルフケアについて理解すること，家族による家事分担，家族への協力要請ができることが必要である．	#2 知識不足，家族協力の不足，我慢することに関連した家事に関わるセルフケアの無理な遂行による関節への過負担と疼痛：炊事，掃除
・結城さんは，さらに症状が悪化するのではないかという不安がある．しかし家族はこのことを十分理解していないため，心身のサポートが得られず気分が沈みがちである． ・疼痛のコントロール，正しい疾患管理の知識，家族から心身のサポートを得られるようにする．	#3 慢性疼痛と疾病の進行への不安，家族の不十分なサポートに伴ううつ傾向
・家事一切を行い主婦役割を果たすことを自分の存在価値ととらえているため，無理をしてでも家事を遂行しようとしていた．しかし，病前のように行うことが困難になってきているので，自分は家族の負担になると思い，自尊感情が低下している． ・家庭内での役割を再獲得していくため，結城さん自身が家族の重要な一員でもあることに目を向け，自分の障害を受け入れ，できないことは家族の協力を求めて行うというような，役割変更に向けアプローチする必要がある．	#4 セルフケアの低下による主婦役割遂行困難に関連した自尊感情の低下
・元来社交的で，友人と旅行に出かけるなど活動的であった．しかし，関節リウマチを患ってから友出の機会が減少し，孤独感を感じている．	#5 慢性疼痛や活動制限による友人との交流の減少に関連した孤独感

|3| 看護計画と実施

ここでは看護問題#2と#4を中心に具体的なケアについて述べる．

a 看護目標

長期目標：家庭生活に関わるセルフケアの低下状態に適した役割遂行のあり方を見いだせる．

短期目標：①疼痛，行動制限に合わせ家事動作を変えることができる．
　　　　　②新たな主婦役割を獲得する．
　　　　　③家族の理解が深まり，家事への協力が得られる．

b ケアの方法とその根拠（表6.4-5）

表6.4-5 ケアの方法とその根拠

	ケアの方法	ケアの根拠
セルフモニタリングによる適切な自己管理へ	1．セルフモニタリングと自己管理 〈モニタリング項目〉 ・朝のこわばりの持続時間や疼痛の部位，程度 ・倦怠感・疲労感などの身体症状 ・セルフケアの内容と方法，量 〈記録方法〉 ・モニタリングした項目を記録用紙に記入する ・疼痛程度（疼痛評価スケール；アナログスケールを活用） ・こわばり，握力，関節の腫脹 〈記録内容による状態の把握〉 ・日内変動や周期的変化の推移を把握する ・身の回りのセルフケアの種類と量 ・家事関連のセルフケアの種類と量 2．症状とセルフケアの関連を比較検討し，症状に合わせてセルフケアの種類と量を調整する． 3．1で記録した用紙を外来診療日に持参し，診察の参考にする．	・結城さんは，無理をする傾向があること，また，関節リウマチは通常緩慢な経過をたどり，症状も徐々に進行するため，悪化を自覚しにくいことがある．行ったセルフケアが過負担になっていないかの見当をつけるために，記録されたデータをもとに症状との関連について検討すると，より客観的に評価できる．また，経過から自分の体調をつかみ，それに合わせたセルフケアを実施すれば，より適切に調整することができる． ・経過記録を医師，看護師，PTなどの関連職種が患者と共有することで，同一認識によるやりとりが容易になり，より患者の状態に適した支援につながる．
関節保護に関するケア	1．理学療法士（PT）または作業療法士（OT）による身の回りのセルフケアと家事関連動作の評価 〈身の回りのセルフケアアセスメント〉 ・トイレでの便座への腰掛けと立ち上がり ・浴室での洗体時の低い腰掛けに座る動作と立ち上がる動作，浴槽に入る動作 〈家事関連のセルフケアアセスメント〉 ・掃除に多い長時間の立位，立ったりかがんだりする動作，長時間のかがむ動作 ・立位での調理（下肢全体の関節への負担） ・掃除機がけ（階段の掃除や掃除機を2階まで持ち運ぶ動作は上下肢全体の関節にかなりの負担がかかる） ・浴槽の掃除には無理な姿勢や長時間のかがむ姿勢のほか，力を要するので，セルフケア低下時には困難を来しやすい これらについて，本人からの情報をもとに，専門家による評価を行う．	・関節リウマチの経過は緩慢であるため，症状の悪化に気づきにくい反面，急に悪化することもある．どちらの場合もすぐに症状に合わせたセルフケアを判断し，行うことが困難である．また，結城さんのように我慢する傾向があると，病気の変化が正確に医師に伝わりにくいので，必要に応じPTやOTによるADLやIADLの評価と指導を行うことが重要である．家屋の改修や自助具の導入の必要性が考えられる場合には，家屋を含めたセルフケアの評価も必要である． ・特に本人が苦痛に感じている動作は関節への過負荷になっている可能性があり，これらを中心にアセスメントする． ・家事に関わるセルフケアを行うには，生活基本行動レベルの身の回りのセルフケアがベースになるので，両方のアセスメントを行う必要がある．
	2．PTまたはOTによる家屋改修の助言 上の欄のアセスメントに基づいて家屋の改修と自助具導入の助言を行う． ①トイレを少し高めの便座に設置替えする． ②浴槽の高さを従来より低くし，浴槽の深さも浅くするよう改修する．シャワーチェアの活用 ③浴槽掃除の際にデッキブラシなどの自助具を使用する． ④軽量またはコードレスの掃除機を活用するか，1・2階にそれぞれ置く． ⑤長時間の家事には椅子を利用する． ⑥缶詰や瓶開けなどの巧緻動作を要する場合，それぞれに便利な自助具を利用する．	・浴槽が浅いほうが掃除が楽であり，出入りもしやすい． ・デッキブラシを利用すると無理な姿勢をせずに浴槽内の掃除が可能である．持ち手にグリップを付け太くすることで，力が入れやすくなる． ・持ち運びによる負担を省く． ・生活の中で工夫によりできることは継続することで，意欲低下と障害拡大の予防にもつながる．

ひねり型 → レバー式

菜ばし → トング

瓶オープナー　プルトップオープナー

関節保護に関するケア	3．在宅で行えるリハビリテーションの導入 ①日常生活動作の中に意識的にROMを取り入れる 　・起床前，臥床した状態で伸びをする（肩関節） 　・洗濯を干すときに肘を伸ばすようにする（肘関節） ②リウマチ体操 ③等尺運動 　・握力強化としてロールタオルを利用した掌握運動 　・上半身の筋力強化としてボールを胸に抱きしめる動作 　・下肢の支持性向上のため，ソフトバレーボールを足底でころがす運動など 	・家庭生活の中に，関節保護と筋力向上が図れる動作を取り入れると，無理なく不使用性萎縮や拘縮が予防できる． ・関節リウマチ患者にとって関節を直接的に過負荷にしないことで保護すると同時に，関節を支える筋力アップを図ることを忘れてはならない．症状が悪化している時期は安静保持が重要であるが，軽快したときは，日常の中に運動療法を取り入れることで，生活基本行動レベルのセルフケアの維持につながる． ・個々の患者によって病状や症状は異なり，運動による負荷が過度になるとかえって関節を痛めるので，医師やPTもしくはOTの指導のもとで行うことが必要である．
新たな主婦役割の再獲得	1．障害を受け入れ，価値の転換を図る 　・障害をもっていることをどのように考えているか 　・できるセルフケアとできないセルフケアをどのように受け入れているか 　・妻，母親としてどういう生き方をしたいのか，などについて話す機会を設ける 2．できる役割を見つけ，新たな役割を再獲得する 　・子どもの独立に伴い，夫婦の関係を見直す 　・夫と充実した老後生活を過ごすための話し合いをする 　・長女の自立を促すために家事を譲る 　・次女の育児には精神的サポートを行う	・疾病によって家事が行えなくなっている現実を本人がまず受け入れることが重要である．そして，結城さんの存在価値は家事を遂行することにあるのではなく，妻あるいは母としての存在にあるととらえ直すことができるよう，価値の転換を図ることが大切である．そのために，病前のように家事ができない代わりに，夫や娘のためにできることを共に探索することが重要なサポートになる． ・できることを新たに見いだしたとき，家族にとってやはり自分は必要とされているととらえられれば，役割を再獲得し，病気をもちながら異なる役割内容で再適応することにつながる．
家族の協力体制づくり	1．家族が関節リウマチの病態，生活上の注意点，リハビリテーションの行い方，関節保護方法について学習する場を設ける ①指導方法 　・ビデオ・リーフレットの利用 　・PT・OTによる在宅でのリハビリテーションの指導（筋力訓練，ROMなど） ②家族（夫または娘）に同行してもらい，結城さんと共に学習会への参加を図る 2．学習した後，家庭生活の状況について話す機会を設け，患者－家族間関係，協力態勢についての情報を収集し，問題をアセスメントする．必要に応じ家族間の役割分担を調整する． 3．関節リウマチの情報が得られる場を紹介する 　・リウマチ情報センター 　・リウマチe-ネット 4．患者同士の交流の機会を紹介する 　・外来患者同士の交流の場 　・患者会についての情報提供（リウマチ友の会） 5．自分でできないことは他者に協力を要請するよう促す	・関節リウマチは長期にわたり自己管理をしていくことが必要である．病状によってはセルフケアが低下したときに，どうしても家族の協力によって補わなければならないことがある．そのため，家族もまた正しい知識をもち，指導は，特に家族の中でもキーパーソンが受けることが望ましい．一緒に指導を受けることによって，知識を共有でき協力関係を形成しやすい． ・関節リウマチ患者の診断時の年齢は，全体の約88％までが30～59歳で占められ，また，男女比は1：9の割合で，大半は女性である．家事を担わなければならない立場の人が多いことが考えられる．特に専業主婦の場合は，現役として家事遂行役割を期待されることが多い．そのため，患者自身が家族に遠慮し，家事への協力を自分から切り出せないことがある．患者自身が協力を求められるようになっていくことは重要であるが，場合によっては，看護師が家族内の役割調整に関わることが必要な場合もある． ・同病者との交流を通して，主婦役割の再獲得に関する問題について，他の人の工夫などが参考になるといったピアラーニング効果が期待される．

4 看護の実際

外来診察日，沈みがちな様子の結城さんに看護師が声をかけ話を聴いた．

看 ご主人や娘さんは家事の手伝いをする時間が全くとれないのですか？

結 いえ，主人は近所に勤めていますし，自由になる時間も割合あるんですが，家のことは私がやるものと思っているみたいですし…．娘のほうも，時間が全くないというほど忙しいわけでもないのですが…

看 それでしたら，洗濯物干しやお風呂掃除など，結城さんがおつらいと思われている家事を一度一緒にされてみて，どんな動作が困難なのかをわかっていただくことから始めてはどうでしょうか．部分的に手伝ってもらうだけでも楽になる，助かるんだということを話して，徐々に分担を増やしていただけるようになるといいですね．

結 それが…．本来は私の仕事なので言い出しにくいんですよ…．と，うつむき加減であった（図6.4-4）．

図6.4-4 家族の家事協力についての相談場面

5 評価のポイント

a セルフケア状態の再評価
①セルフケアの状態を測り，それを記録することで，症状に合わせてセルフケアを調整できるようになったか．
②医療者は，記録を通して情報の共有ができるようになったか．記録前と比べ，把握した状態との違いはあったか．

b セルフケアの状態に合わせた家事遂行方法の改善
①家屋の改修，自助具の導入，家事遂行方法の工夫により，関節痛や倦怠感などの軽減がみられたか．

c 筋力アップと関節可動域の拘縮予防の実施状況と効果
①筋力がアップしたか．関節可動域の維持・拡大がみられたか．
②記録から，あるいは自覚的にセルフケアの低下状態の改善・維持がみられたか．

d 本人の障害受け入れによる主婦役割の再獲得
①セルフケアの低下を受け入れているか．
②できないセルフケアを家族や周囲の人に頼めるようになったか．
③新たな役割を見いだしたか．

e 家族の協力体制
①家事分担についての話し合いが行われているか．
②家事分担が実際に行われたか．

引用・参考文献

1) アメリカ関節炎財団編. リウマチ入門. 第10版. 日本リウマチ学会訳, 1996.
2) 安倍千之. すぐに役立つ臨床リウマチハンドブック. 日本医学館, 1999.
3) 柏崎禎夫監修. リウマチ'96. メディカルビュー社, 1996, (Medical Topics Series).
4) 宮坂信之編. 関節リウマチ. 改訂第2版. 最新医学社, 2008, (最新医学別冊新しい診断と治療のABC, 8).
5) 山本一彦. 関節リウマチの診療ガイドライン. 臨床雑誌内科. 2007, 99 (4), p.582-586.
6) リウマチ情報センター. 対象とする病気. https://www.rheuma-net.or.jp/rheuma/illness/, (参照2024-11-11).
7) 日本リウマチ友の会. https://www.nrat.or.jp/, (参照2024-11-11).
8) 氏家幸子監修. 成人看護学D：リハビリテーション患者の看護. 大森武子ほか編. 廣川書店, 1999.
9) 奥宮暁子ほか監修. リハビリテーション看護. 学習研究社, 2003, p.369-391, (Nursing selection, 11).
10) 加藤文雄ほか編. 標準看護学講座22：成人看護学運動器系. 金原書店, 1994.
11) 尾岸恵三子ほか. 関節リウマチ患者の看護相談室. 医歯薬出版, 2003.
12) 川合真一監修. 関節リウマチ薬剤追補版. 医薬ジャーナル社, 2004, (インフォームドコンセントのための図説シリーズ).

重要用語

関節リウマチ　　　　ADL低下　　　　　　役割遂行（困難）
関節症状　　　　　　生活の見直し　　　　自助具
関節外症状　　　　　関節保護動作　　　　役割分担

5 職業生活とセクシュアリティに関わるセルフケアの再獲得
脊髄を損傷した人の看護

学習ポイント
- 脊髄損傷の病態と治療を理解する.
- 回復期にある脊髄損傷者の社会復帰を支援する看護について理解する.
- 脊髄損傷者の職業生活とセクシュアリティに関わるセルフケアの再獲得の看護について事例を通して学ぶ.

1 脊髄損傷の病態と治療

脊髄は31本の髄節から構成されている．各髄節は身体の特定部分の運動や知覚を支配し，その機能分担は図6.5-1に示すように頸髄，胸髄，腰髄，仙髄，尾髄と区別されている．それぞれの機能分担の範囲は表6.5-1に示すとおりである.

頸髄を損傷した場合，その損傷した脊髄以下の神経の支配領域により，運動障害や知覚障害は下肢や体幹に加え，上肢・頸部に及ぶ．そのため損傷が高位になるほど，その障害は広範囲になる．しかも$C_{1～3}$頸髄損傷になると，横隔膜をはじめ他の呼吸筋も麻痺するため，受傷直後の適切な救急処置がなければ，生存は困難である．近年では，呼吸器を装着したまま在宅に復帰するC_3以上の頸髄損傷者もいる.

受傷原因は，交通事故（特にバイクでの接触事故），高所転落，転倒，ス

---

plus α

脊髄ショック

受傷直後から3～4日くらいまでを脊髄ショック（スパイナルショック：spinal shock）期という．完全横断麻痺の場合，脊髄ショック期には，延髄と脊髄血管運動中枢を結ぶ交感神経路が遮断されるので，損傷部以下の脊髄に支配される血管運動神経が麻痺し，麻痺域の血管は収縮機能を失って拡張し血圧が低下する．そのため血圧が低くても頻脈を認めず，発汗が停止し，皮膚は温かく乾燥しており意識も清明であることが多く，通常のショックと異なる症状を呈する．また，体内に水分が貯留され乏尿となる．

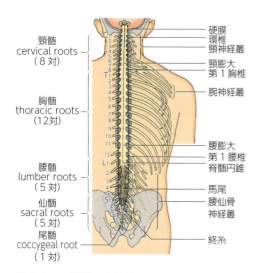

図6.5-1　脊髄の全体像

表6.5-1　脊髄神経と機能分担

神経	支配筋	機能
C_1〜C_2	高位頸筋群	首の運動
C_3〜C_4	胸鎖乳突筋 僧帽筋 横隔膜	首の運動 肩挙上，上肢屈曲， 外転（水平以上） 吸息
C_5	肩甲骨筋群 三角筋 上腕二頭筋 腕橈骨筋	上腕屈曲外転 肩関節外転 肘関節屈曲 肘関節屈曲
C_6	橈側手根屈筋 円回内筋	手関節背屈 手回内
C_7	上腕三頭筋 橈側手根屈筋 総指伸筋	肘関節伸展 手関節屈曲（掌屈） 手指伸展
C_8〜T_1	手指屈筋群 手内筋群	こぶしを握る 母指対立保持，つまみ動作， 手指外転内転
T_2〜T_7	上部肋間筋群 上部背筋群	強い吸息 姿勢保持
T_8〜T_{12}	下部肋間筋群 腹筋群 下部背筋群	強い吸息 有効な咳 座位姿勢保持
L_1〜L_3	腰方形筋 腸腰筋 股内転筋群	骨盤挙上 股関節屈曲 股関節内転
L_3〜L_4	大腿四頭筋	股関節伸展
L_4, L_5, S_1	中殿筋 大腿二頭筋 前脛骨筋	股関節外転 膝関節屈曲 足関節背屈（踵歩き）
L_5, S_1〜S_4	大殿筋	股関節伸展
S_1〜S_4	腓腹筋 肛門括約筋	足関節底屈（つま先歩き） 排便，排尿コントロール

ポーツ事故が多い．年齢階層でみると，若年層では交通事故，スポーツ事故が，中高年層では転落や転倒が多い[1]．現在の医療では麻痺を治すことはできず，障害を受けた人が社会に復帰するまでには，家族を含めて多大な努力が必要とされる．医療者は，脊髄損傷の障害レベルの機能の特徴を知り，合併症の予防と患者のゴールを目指し，早期に社会復帰できるよう援助する．

原疾患の治療が優先されている時期を急性期と考える．急性期は身体状況が非常に不安定であるため，二次的合併症を引き起こしやすい．受傷時の他臓器の損傷なども加わり生命の維持を優先しなければならないことが多く，また，二次損傷が発生しないように観血的整復術などによる治療が行われる．

回復・維持期になると，退院後の生活に向けて，関連職種のチームアプローチにより体力の増進，生活基本行動レベルのセルフケアの拡大に向けて援助する．また，知覚障害，膀胱直腸障害，呼吸障害等により発生しやすい合併症は，早期発見・予防していくことで発生率は低くなる．加齢により合併症の発生率は高くなるため，障害とともに健康を維持する全身の管理は一生涯必要である．

| 1 | セクシュアリティに関連する障害および治療

セクシュアリティに関わるセルフケアの支援をするためには，次のようなことを理解しておく必要がある．

❶**異性との関係** 心や精神面の機能は直接的には脊髄の損傷によって障害されることはない．しかし，運動麻痺や知覚麻痺などによるボディイメージの低下によって自尊感情が低下し，性行動も消極的になる．そのため，異性に対する関心も気持ちの上でブレーキがかかり，異性との関係形成が消極的になることがある．

❷**性欲** 性欲はホルモンや性的刺激に強く影響を受けるが，脊髄損傷者は通常，障害されない．

❸**勃起・挿入** 勃起は反射性と心因性に分けられる．反射性勃起の反射中枢は仙髄にあるが，ここが障害されると反射性勃起は起こらない．しかし，仙髄中枢が障害されていなければ，反射性の勃起は5分程度可能である．心因性勃起の場合，脳からの性的刺激が遠心路のどこかで遮断されると勃起は起こらない．脊髄損傷者の勃起可能者は約8割とされているが，障害によっても異なる．治療は，シルデナフィル（バイアグラ®）の開発によって，勃起障害の改善率は75～80％と劇的である．薬物によっても改善されない場合は，第二の治療として，**勃起補助具***，**陰圧式陰茎勃起補助具***，あるいは，**陰茎プロステーシス***などが用いられる．

❹**射精** 射精は神経の支配が複雑であるが，骨盤神経（副交感神経），陰部神経（随意神経），下腹神経（交感神経）などの協調作用と性的興奮によって起こる．脊髄損傷者で射精可能者は15％とされている．治療としては，陰茎バイブレーター刺激による人工射精法，経直腸電気刺激による人工射精法，精巣あるいは精巣上体からの直接採取，などの方法がとられる．

❺**快感** 男性は射精時，女性は性器感覚によりそれぞれ性的快感が生じるが，脊髄損傷者はそれぞれに障害されることが多い．

❻**受精** 脊髄損傷者は，精子の濃度および運動率の低下，性状の悪化などを来す場合が多い．そのため，挙児を得ることは難しかった．しかし，近年の生殖補助技術の進歩により，受精の成功率は大きく向上している．

❼**妊娠・分娩** 男性の場合，射精できない症例では人工授精などによる方法を考える必要がある．女性の場合，事故の衝撃で月経が止まることはあるが，落ち着けば再開するので，受胎能力はほとんど障害されない．しかし，妊娠中の尿路感染，褥瘡，貧血，便秘，痙性の悪化，自律神経過反射，早産等に対する管理が必要である．

2 脊髄損傷者の看護

1 急性期の看護

急性期の看護は，バイタルサインを観察し，呼吸管理，輸液管理，排泄管理を中心に生命の維持を図ると同時に，発生しやすい合併症である褥瘡・尿路感染を予防する．突然の受傷により患者の戸惑いは大きいため，患者の心身の苦痛が軽減され治療が受けられるよう援助し，患者と家族の心理的サポートを行

用語解説*
勃起補助具
金属，ゴム，皮革で作られたバンドとリング．陰茎の根元に取りつけて血液流出速度を遅くする．陰圧式補助具と組み合わせて使うこともある．

用語解説*
陰圧式陰茎勃起補助具
シリンダーに吸引装置が取りつけられたもので，陰茎にかぶせて密着させる．空気を吸引すると陰茎に陰圧がかかり，血液が流れ込んで勃起する．

用語解説*
陰茎プロステーシス
手術的にプロステーシス（人工的に勃起をつくりだす装置）を陰茎に埋め込む治療．硬い棒のようなものや，バルーンを設置しポンプで膨らませるタイプなどがある．

う．そして，障害とともに生きていくために必要なセルフケア能力を新たに獲得する気持ちが芽生えるよう，急性期からアプローチをしていくことが重要である．

2 回復期・維持期の看護

脊髄損傷者の回復期・維持期の看護は，今，目の前にいる脊髄損傷者がその人らしく生活できるよう援助することに尽きるだろう．看護者は，患者が生活していくために，自分の体は自分で守るという意識をもち，自分でできることは自分で行い，介助が必要なことは他者に**アサーティブ***に依頼できるよう，入院中に援助することが必要である．

この時期のセルフケアのうち，二次障害の予防と異常の早期発見は重要不可欠である．これらの観察や対処方法の項目を**表6.5-2**に示す．これらについて退院までに脊髄損傷者または介護者が習得するよう援助する必要がある．

医療ソーシャルワーカー（MSW）等の関係者と協力し，社会資源の活用，家庭，学校，職場などの課題の明確化と調整をし，課題を解決する．また，回復・維持期には，生活基本行動レベルのセルフケアの拡大とともに，障害や合併症を予防・改善するための知識と方法を獲得できるよう指導する．

3 セクシュアリティに関わるセルフケア再獲得の看護[2]

「障害をもった人は，性について触れてはいけない」と考えられており，看護師も「患者が性について触れないのであれば，わざわざそのことには触れない」とする傾向があった．しかし，脊髄損傷者と向き合ったとき，患者のセクシュアリティは大きな看護問題として上がることは事実であり，「看護しないで退院させてはいけない」ことは，臨床の看護師は理解してきている．

> **用語解説***
> **アサーティブ**
> アサーティブとは「自己主張すること」であるが，自分の意見を押し通すことではなく，自分の要求や意見を，相手の権利を侵害することなく，誠実に率直に対等に表現することを意味する．

表6.5-2 二次障害の予防と早期発見に必要なセルフケア

	項目	知識と判断	異常時の対処
1	尿の性状の観察と異常の判断	○	○
2	排尿量と飲水のコントロール	○	○
3	排尿時間の選択・決定	○	○
4	排便間隔・時間のコントロールと決定	○	○
5	便の性状観察	○	○
6	体位変換の実施あるいは指示	○	○
7	褥瘡の好発部位や陰嚢などのボディチェック	○	○
8	痙性の状態（骨折時は消失するなど）の理解と確認	○	○
9	発熱時の原因のアセスメントと対処方法	○	○
10	消化器疾患から現れる症状（頸部への放散痛など）の理解	○	○
11	そのほかの身体症状（性など）の有無と原因・対処方法	○	○
12	自律神経過反射の原因と対処方法	○	○

（援助した項目について，理解できた「○」，できていない「×」をつけていくことで，必要なセルフケアの習得状況を明確にすることができる）

しかし，日本人の性に対する概念や，看護師に若い女性が多いことから，患者と性について話し合うことを避ける傾向にあることは否めない．性に対する概念が変わりつつある近年，患者からの質問も増えており，脊髄損傷者の看護において，セクシュアリティに対する看護は重大な位置づけにあり，個人に合わせたアプローチをしていく必要がある．ここでは，脊髄損傷者のセクシュアリティに関わるアプローチについて述べる．

1 脊髄損傷者の不安の受け止めと問題表出の時期

a 不安の受け止め

急性期を経過し，自分自身の障害を認識しても，若い男性患者でさえ性に関して表出できないでいることが多い．受け持ち看護師は性問題を回避しようとするのではなく，正面から取り組み患者や家族の思いをキャッチし，自分で対応できなければ，医療チームメンバーに相談するといった姿勢が必要である．

回復期・維持期になっても脊髄損傷者は，看護師が性について関わっても「今はそれどころではない」と考えていることが多い．そのため，性の問題を表出できるような関わりが必要である．

b セクシュアリティに対する看護支援の時期

人には共通のニード行動の仕方がある一方，看護の対象となる個人は考え方，受け止め方，表出の仕方が異なっており個人差がある．そこで，対象となる人間の個人差を考慮しながら支援の時期を査定する必要がある．

脊髄損傷者が，セクシュアリティについて考えていることの約3分の1は性機能障害についてであるが，その他にも①身体統合性の喪失，②自立の喪失，③自己尊重の喪失，④身体像と自己概念の変化，⑤性的同一性の喪失に関しての問題がある[3]．

マズロー（Maslow, A.H.）の**欲求の階層**（➡p.223 図4.3-1参照）によると，性は基本的な欲求の一部分であるが，前述の①～⑤については自己実現・承認・所属と愛情の成長欲求である．それらのことから，看護支援の時期を個別的に行きつ戻りつしている生活基本行動レベルのセルフケアの状況や障害の受け止めに合わせて査定し，時期を逃さずアプローチしていく必要がある．

脊髄損傷者はボディイメージを肯定している場合，自尊感情も肯定的で性行動にプラスの影響を与える．しかし，ボディイメージを否定している場合は自尊感情も否定的で，性行動にマイナスの影響がある．そのため，自己概念の変化にも注目し，セクシュアリティの問題表出に取り組む必要がある[4]．

2 脊髄損傷者の性機能障害への支援の実際

a 個別指導（図6.5-2）

時期を見極め，患者・家族は援助を望んでいるのか意思の確認が必要である．脊髄を損傷したことで性についての心配があるかを確認する．

「ない」との返事の場合は「看護師は，いつでも相談にのります．私以外でも，誰にでも声をかけてください」または，「心配なことが起きたらいつでも

言ってください」と，いつでも誰でもが相談を受け入れる態勢にあることを伝える．「ある」との返事の場合は場所や時間を配慮し，具体的に「それはどんなことでしょうか」などと問いかけ，導きながら聴いていく．内容によっては，医療チームメンバーに相談または直接指導を受けるか確認する．患者によっては，「その看護師であるから言える」ということがあるので，メンバーと情報を共有するときは慎重に患者に確認することが必要である．

図6.5-2　脊髄損傷者への個別指導

個別指導においては本人のみ，または本人と妻の同席が多いが，若い男性の場合，父親が同席を希望する症例もあるので考慮する．

b ピアサポート調整（図6.5-3）

若年者は，健康なときは性に対して開放的であるが，車椅子の生活となった自分に対して，男性としての機能がどうか，女性としての機能がどうか，今までどおり性行為できるのかと不安になり，疑問が具体的に現れてくる．そこでまず，同室者や同年齢の患者との会話を多くもたせて，他の人も自分と同じ悩みや疑問をもっていることを知ってもらうことも大切である．

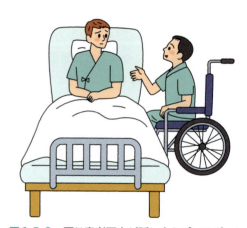

図6.5-3　同じ患者同士が話し合うピアサポート

4 職業生活に関わるセルフケア再獲得の看護

脊髄損傷者の大半は，運動障害や知覚障害のため，前述したさまざまな障害のほかに，職業生活に関わるセルフケアにも支障を来す場合が多い．成人の多くは就学もしくは就業しているが，障害を負ったため余儀なく中断し，治療を受けるために医療施設に入院する．治療が終了しても，障害の種類や程度によっては元の職場に戻れない人も多い．脊髄損傷者の職業復帰経路をまとめると，図6.5-4のような状況となる．この図から原職に復帰する人，職業リハビリテーションを受け再就職あるいは新たな職業に就く人，そして一般就労困難な人は**福祉的就労**＊をしたりと，多様である．

脊髄損傷者の職業復帰に向けては，発症時年齢，麻痺の重症度，就労状況などが有意に影響している．しかし，本人への動機づけ，職業リハの強化，受け入れ先の拡大整備等が充実することで，より高率の職業復帰が期待される．このことから脊髄損傷者への看護においては，病院やリハビリテーションセンター等の施設内では，ともすると身体面のケアだけで明け暮れてしまいがちであるが，早期から職業生活への設計も考えられるよう支援することは重要である．このためには，心理面における障害への適応を促進していくアプローチが重要である．

> **用語解説＊**
> **福祉的就労**
> 授産施設や作業所など福祉的な支援のある環境で働くことで，仕事への意欲や自信を育み，一般就労につなげていけるよう支援する．

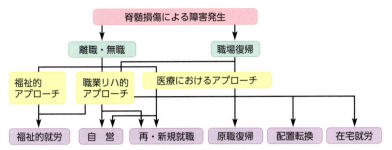

徳弘昭博．脊髄損傷者の職業復帰．現代医療，2000を参考に作成．

図6.5-4　職業復帰へのアプローチとその流れ

3 事例で考える脊髄損傷者の職業生活とセクシュアリティに関わるセルフケア再獲得支援

|1| プロフィール

事例

林　一郎さん．29歳，男性．
診断名：C₇B脊髄損傷

20××年10月2日，250ccのバイクで職場から帰宅途中，左折しようとした車に巻き込まれ受傷する．第6頸椎骨折による第7脊髄損傷と診断され，4週間経過し受傷部位の固定を認めたため，フィラデルフィアカラーを装着しリハビリテーション病院へ転院となった．その後，リハビリテーションを受け，生活基本行動レベルのセルフケアは車椅子でほぼ自立した．

マンションの3階に妻と二人暮らし．建築の設計技師をしていたため，自宅内での仕事が可能であり，職場へ家庭内での就労願いを申請するなど職場復帰に向けての交渉を始めている．通勤手段として，移動・移乗，自動車の運転を身につける必要がある．

以前から，30歳を過ぎたら第一子をもちたいと妻と話し合っていた．性機能障害については理解しているが，まだ医師や看護師に性に関する疑問や悩みを具体的に相談することはない．

現在は受傷から9カ月を経過しており，退院を控えた社会復帰期である．自宅マンションの改修は済んでいる．

plus α
C₇B脊髄損傷
Zancolli*の上肢残存機能分類によると，C₇損傷では，上腕三頭筋，手根屈筋，総指伸筋の機能は保たれる．把持機能はあるが，握力は弱い．C₇Bでは全指伸展可能（母指は弱い），C₇Aでは尺側指完全伸展可能とされている．

用語解説 *
Zancolliの分類
脊髄障害の代表的な評価方法．上肢機能が細かく分類されている．脊髄損傷の重症度は，筋力と表在感覚を評価し残存機能の程度によって示す．

2 アセスメント

a アセスメント視点に基づく情報の整理（表6.5-3，図6.5-5）

表6.5-3　林さんのセルフケア

	問題現象アセスメントのための情報 （受傷9カ月現在の状況）	原因アセスメントのための情報
食	自助具（ユニバーサルカフ）を使用し，自立． 食事は3回／日．	【習慣】 受傷前より，妻の不在時は作り置きされた料理を電子レンジで温めて食事をとるか，宅配弁当や出前を利用していた．試験外泊時もこの方法で対応できていた． 飲酒は2～3日／週．缶ビール350～500mLくらい．喫煙はしない．
排泄	導尿用具を使用し自立．排尿は間欠自己導尿5～6回／日．睡眠時間を確保するため夜間導尿はしないよう，飲水制限と眠前導尿によりコントロールしている． 排便は1回／日，毎日夕食後．温水洗浄便座による肛門刺激と自力での腹圧・腹部マッサージで行っている． 必要時，浣腸・摘便を行う．	受傷前より便秘がちである．
清潔 整容 更衣	清潔：入浴時，浴槽に湯をためたり，浴室に入りやすいようセッティングの介助が必要． 整容：洗面，ひげ剃り等は自立． 更衣：ズボンのボタン部分のみ部分介助が必要だが，ほぼ自立．一人で外出するときは，マジックテープや引き上げやすいファスナーがついたズボンを着用．	【習慣】 受傷前は，入浴かシャワー浴を毎日していた． 自宅マンションの改修により，入浴可能．洗面台は低くし，改修済み．
起居 移乗 移動	起居・移乗：ベッド上での寝返り，起き上がりなどの起居，ベッド・車椅子・便座の間の直角移乗は自立． 車椅子操作・駆動：歩行は困難，車椅子操作は自立．車の運転や運転席と車椅子間の移動，車からの車椅子の出し入れはまだできない．	【環境】 ベッド上で起き上がりやすいよう頭部側に柵をつけている． 【環境】 廊下の改修は済み．車椅子移動のじゃまにならないよう，物を廊下に置かないよう妻と注意している．
セクシュアリティ	性機能：勃起は短時間だが可能であることを自分で確認している．病前に比べ性機能が低下していること，運動知覚麻痺も伴うため，気後れすることや，どのような体位をとったらよいか等の戸惑いからスキンシップで性行動を満足させているが，妻に対しても夫役割が十分果たせないことで，すまないという気持ちをもっている．しかし，子どもをもちたいと考えている．	30歳を過ぎたら，第一子をもちたいと妻と話し合っていた．
コミュニケーション・精神機能	受傷により，消極的に変化している．	もともとは，積極的な性格であった．
身体機能 *この項目は問題現象・原因アセスメントの両方に必要な共通の情報である	全身状態：安定している． 呼吸：長距離や坂道での車椅子操作時は息切れするが，短時間で落ち着く． 循環：長時間の車椅子使用時に下肢浮腫が生じることがある． 栄養：普通 皮膚：長時間座位による殿部の発赤が生じることがある． 知覚：両上肢と乳頭より上あたりまでは普通の感覚がある． 運動：全指の完全伸展と弱い母指伸展可能．	

社会生活に関する情報

家庭生活

林さん　妻と二人暮らし．二人とも働いている．家庭でも車椅子生活になり，特に身辺の世話についてなにかと妻に面倒をかけることが増えたので，食器洗い機，車椅子のままでも操作できる洗濯機を購入し，家事役割分担を通して妻のことをより配慮するよう心掛けている．家族計画としては，仕事が安定したら子どもをもちたいと考えているが，受傷後，妻とはまだこのことについて話し合っていない．

地域生活

近隣とは会った時に挨拶をする程度の付き合いである．

職業生活

建築の設計技師．会社の好意的な対応により，元の職場に復帰できそうな状況である．本人も妻も元の職場への復帰を望んでいるが，これからの会社との交渉と本人のADLやIADLがどの程度拡大できるかによる．

余暇生活

外泊時，ビデオ鑑賞をしたり，妻と買い物や外食に出かける．

経済的状況に関する情報

現在は病休扱いで，本俸の支給を受けている．妻も働いており，障害者に必要な改修補助の支給も受けているため，特に困っていない．しかし，今後，仕事への復帰による経済的基盤を確立できなければ不安が生じる．

心理的適応に関する情報

障害を直視し，その適応に積極的に取り組んでいるが，まだ，ボディイメージの変化による自尊感情の低下があるため，特に新しいことを始めるときに踏み出せないでいることがある．

図6.5-5 社会生活・経済的状況・心理的適応に関する情報

b 情報の分析・解釈・判断と看護問題（表6.5-4）

表6.5-4 林さんのセルフケアアセスメント

	分析・解釈・判断	看護問題
食	・損傷部位がC7Bであり，手指の伸展屈曲は可能であるが，つまみ動作，手指外転内転などの巧緻動作のほか上腕筋力も十分ではない．そのため，食事のような比較的長時間の動作には自助具による補助がまだ必要である． ・尿路感染予防のため，飲水は1,500～2,000mL／日を心がける必要がある．	＃1 運動・知覚麻痺に伴うセルフケア低下：全面（食，排泄，清潔・整容・更衣，移乗・移動）
排泄	・脊髄の障害によって排尿・排便ともに排泄動作と排泄機能の障害が起きる． ・可能な動作としては，手指の伸展であるが，母指は弱く，握力も弱い． ・林さんのような上部の脊髄損傷時，自然排便は期待できず，便秘または便失禁の状態になりやすい．便秘はイレウスを誘発し，便失禁は褥瘡の原因になる．どちらもADL拡大の妨げになり，その人らしく生きていくための妨げにもなると，患者に排便コントロールの必要性を十分に説明し，自ら積極的に取り組めるよう指導することが必要である．	
清潔	・尿路感染しやすいことや便失禁により褥瘡の原因になるので，陰部の清潔を心がけることが大切である．	
起居移乗移動	・四肢麻痺の脊髄損傷者にとって，①自力での座位，②自力でのトランスファー，③車椅子での移動は，活動範囲を拡大するために重要なセルフケアである．したがって，障害を前提とした新たなセルフケアの再獲得は，社会復帰する上で重要である．	
	・林さんは，建築の設計技師として勤めており，妻と二人暮らしであった． ・林さんの年齢からみた発達課題は，配偶者との生活の学習，経済的生活水準の維持と配偶者との人間的な結びつき，そして，子どもを産み育てること，職業に就き適した社会集団のなかで生活できることなどがあげられる． ・今回の事故による永久的な障害には，性機能障害も含まれている．障害をもちながらも，配偶者との生活をよりよく継続していく上で，性生活に必要な新たなセルフケアの獲得が必要である．	＃2 セクシュアリティに関わるセルフケア低下に関連した夫役割遂行障害

・脊髄損傷者の排尿管理は，排尿機能の予後を決める大きな要素になる．特に男性の場合は尿路と内性器が近いために尿路粘膜に損傷を与えたり繰り返しの尿路感染は，腎機能や尿路の荒廃にとどまらず将来の性機能に大きな影響を与える．下記のことを踏まえ，併せて退院後の生活行動を予測し援助する必要がある． 脊髄損傷者の尿路管理の3原則（①腎機能の荒廃を防止する，②できるだけ尿路感染を防止する，③できるだけカテーテルフリーの状態にする）を守る．また，脊髄損傷者の尿誘導の5原則（①麻痺膀胱を過伸展させない，②排尿訓練を早期から始める，③本来無菌状態である尿路に細菌を侵入させない，④麻痺した尿路粘膜に機械的損傷を与えない，⑤なるべく早くカテーテルフリーにし，自己導尿もしくは自然排尿に切り替える）を守る． ・尿路感染の予防として1日の尿量を1,500〜2,000 mLに維持するために，水分量を確保する必要がある．またセルフケア再獲得に向けて，尿路感染予防の知識・手技を指導していく必要もある． ・このほかの障害として，褥瘡，筋萎縮，関節拘縮，自律神経過反射がある．これらの合併症をどのように自己管理したらよいか，計画的に習得していく必要がある．	＃3 運動・知覚麻痺に伴う二次障害の可能性：尿路感染，褥瘡，筋萎縮と関節拘縮，自律神経過反射
・事故や病気による脊髄損傷によって，患者は突然重度かつ多くの障害を負い，今までのセルフケアが一瞬のうちに低下したり不可能となる． ・患者は，今後のことがわからず，強い不安と回復の期待のなかで不安定な心理状態に陥る．特に，他者により負った障害は認めにくい． ・車椅子に乗車し，目線が変化して自分の置かれている状況を少しずつ理解してくると，さらに混乱を認めることがある． ・急激な生活環境とボディイメージの変化に対応できない場合が多い． ・障害の事実は医師が正確に告げる必要がある．医療スタッフで十分なカンファレンスを行い，対応を統一することが患者・家族の混乱を軽減し，やがては現実を直視し，適応に向けて取り組めるようになるので，長期的支援が大切である． ・林さんは，急性期に医師から告知を受けた．その後，自暴自棄になり妻に怒りをぶつける時期があったが，やがて笑顔が少しずつみられるようになり，現在は，退院を目前にして，社会復帰にむけて新たなセルフケアの獲得に前向きに取り組んでいる． ・もともと積極的な性格であったが，まだ，ボディイメージや性機能障害によって自尊感情が低下しているため，消極的になりやすい状態にある．	＃4 障害の自覚による自尊感情の低下に関連した行動面の消極性
・歩行困難や上肢の筋力の低下により，職業生活をも脅かし，収入が途絶えることで経済的基盤を失う可能性がある．このことは，家族の経済を支える家長としての役割喪失につながる恐れがある．しかし，会社の厚意的な対応と本人のADLの拡大への努力次第で，設計技師の仕事への復帰の可能性は大きい． ・早い時期から医師，OT，PT，MSW等の連携による，職業生活に必要な技能の習得と調整が大切である．	＃5 運動・知覚障害に伴う職業復帰困難の可能性

3 看護計画と実施

ここでは，看護問題の＃2と＃5を中心に具体的なケアについて述べる．

a 看護目標

長期目標：家庭生活（セクシュアリティに関わるセルフケア）および職業生活に関わるセルフケアを再獲得し，社会生活に再適応する．

短期目標：①性機能障害に伴う問題への対処を知り，夫役割を遂行する．
　　　　　②運動・知覚麻痺に伴うセルフケアの低下からその再獲得をする．
　　　　　③新たなセルフケアを獲得して職場復帰し，元の職業生活を継続する．

b ケアの方法とその根拠（表6.5-5）

表6.5-5 職業生活とセクシュアリティのセルフケア再獲得への支援の実際

		ケアの方法	ケアの根拠
セクシュアリティに関わるセルフケア	排泄に関わるセルフケア	1) 自己導尿における尿路感染の予防と管理 ①感染の徴候の観察 　尿混濁，発熱，全身倦怠感の有無など ②消毒液入りのカット綿や綿球（ウェットティッシュでもよい）で，手指と外尿道口を消毒し，カテーテルに潤滑油をつけ，外尿道口から挿入する． ③4時間ごとから開始するが，体位変換・訓練の時間に配慮し決定する． ④1日の目標尿量を1,500～2,000 mLとし，夜間の睡眠時間の確保・訓練時に腹圧が加わっても尿もれなく生活できるよう水分量のコントロールを指導する． ⑤汚れた手指で実施すると，感染の危険性があるので注意する． 2) 性交前は飲水を控え，導尿を行う． 3) 排便コントロールを行う．	・精子の造成が悪化する要因の一つに尿路感染がある．そのために，感染徴候の早期発見，早期治療は肝要である．脊髄損傷者は知覚麻痺があるため，頻尿，排尿痛等の尿路感染の症状を自覚できないので，尿の性状の観察から感染徴候を早期にキャッチし，さらには観察することを習慣化する． ・尿路感染の多くは，手指の汚染や不潔な導尿手技によることが多い．飲水量は1,500～2,000 mLを目安にする．ただし，性交時に尿便失禁することがあるので，飲水時間や量および排便のコントロールが必要である．女性の脊髄損傷者の場合，腟感染症を起こしやすいので，陰部の清潔保持が重要である．
	性に関わるセルフケア	1) 体位の工夫 男性が脊髄損傷者の場合，男性が仰臥位をとり，女性上位のほうが楽である．また，男性が車椅子に座り，女性が大腿の上に座る向かい合わせの体位も可能． 2) 痙性に対する工夫 痙性がある場合，幅の広い布等で下肢を固定する方法もある． 3) 医師の診察を受けるように勧める（薬物の服用：バイアグラ®等）． 4) 避妊についての考慮 5) パートナーへの助言 6) 性機能障害の悩みの表出を促す人的・物的環境づくり ・お知らせ欄を利用した性機能障害に関する情報の提供や窓口の在処，対処方法に関する教育的資料や物品陳列などのコーナーの設定，集団指導の機会を設けるなど，話しやすい物的環境の整備と患者-看護師の信頼関係づくりという人的環境を整備する． 7) 褥瘡の有無 8) ピアサポートの紹介	・脊髄損傷者の運動麻痺状態に合わせ，配偶者の健常者側が多様な体位をとるよう両者でいろいろ試み，最も適する体位を工夫することで，より充実したセクシュアリティに関わるセルフケアの実現につながる． ・痙性がある場合，性行為の阻害要因になるので対処する必要がある． ・性に関わることは個別的でデリケートな問題であるので，声をかける時機として，患者の心理状態（自尊感情，障害適応状態），場所，性格などを考慮する必要がある．退院前までにこの問題を切り出しやすい環境づくりをしておくことが大切である．そのために外泊の機会を積極的に設けたり，外泊前後の反応等の観察やケアも必要である．必要に応じ，医師の診察を受けることを勧め，性機能障害の程度を確認し，それに対する治療が行われることが必要である． ・妊娠の可能性があるので，挙児を望まないときは必ず避妊する．これらのことは，脊髄損傷者にだけでなく，パートナーに対しても助言することで，性に関わるセルフケアの再獲得がより円滑に運ぶ．
職業生活に関わるセルフケア	職場復帰に向けての会社との交渉	1) 機能訓練の到達目標が具体化し，退院の見通しがついた時期に，就業に対する本人の意思を確認する． 2) 計画の実現性については関係者（妻をはじめとする家族，職場の人，医師，OT，PT，MSW）による協力とチームプレイが重要である． 3) 本人の職場訪問を勧める． ・職場復帰するための環境整備の状況確認 ・職場の人との人間関係づくり	・中途障害者の多くは，もともと経済的に自立していた場合が多い．成人の多くは家計を支える役割を担っているので，職場復帰できるか，あるいは再就職しなければならないかは重要な関心事である．しかし多くの場合，障害をもち自尊感情が低下していることで言い出すことを躊躇したり，障害に適応する心理的準備がまだできていないことがある．そのために，看護師が早くから就職についての気持ちを確認したり，励ましたりすることが重要である． ・就職への気持ちの準備ができたら，必要な支援を関連職種の連携によって対応していくことが不可欠である．場合によっては，医師による就労可能な身体状態の説明，OTやPTによる職場の改修の具体例，MSWによる経済的支援制度の活用の助言（家屋の改修，特別仕様車の購入費用）などが必要である． ・職場との交渉は可能な限り本人が行うのが望ましい．これは職場復帰への第一歩にもなるという意味で重要である．職場復帰が現実的な段階に入ったら本人に職場訪問を進め，職場環境の改修に不備はないかを自分で確認したり，同僚との関係づくりを行うことなども円滑な復帰につながる．

| 職業生活に関わるセルフケア | 職場復帰に伴うADLの方法 | 1) 食に関わるセルフケア
試験外泊時，自宅で妻の手料理を食べるが，会社出勤時は妻による弁当か妻が購入する弁当を食べるという方法で対応予定．
2) 排泄に関わるセルフケア
職場で使用可能なトイレ，洗面台の改修
・トランスファーが可能
・導尿に必要なスペース
・整容に必要な洗面台（車椅子用に台を低くしたもの）
・失禁時の対応スペース
3) 移動に関わるセルフケア
通勤用特別仕様車の購入と運転技術の習得
・ハンドル，ブレーキ等を改造した手動式の自動車
・車椅子と自動車の間の移乗と運転技術の習得
・免許の更新
・職場における駐車場の確保 | ・外出は自立しているが，頻回の外出は手間暇がかかるので，食事は家族の協力を得たり，電話による弁当の宅配や出前の利用が現実的である．

・排尿は導尿となるので，導尿の場所を確保する必要がある．排便はトランスファー可能な便座と失禁に対応できるスペースが必要である．そのため，OTの協力も得て会社側に対して改修の要請が必要である．

・通勤方法を確保する必要がある．C7Bの損傷では，自宅から駅までの段差，駅の階段，ホームと電車のすき間などが障害となり一人での通勤は困難である．しかし，訓練によって車の運転が可能であるため，外出の移動手段としては最も適切である．そのため，車通勤による要件を確保しておく必要がある． |

4 看護の実際：セクシュアリティに関する支援場面

外泊へ向けての妻への指導が終了した後，林さんは週末に2回，二泊三日の外泊を実施した．林さんと妻は，外泊後，「慣れれば，これなら何とかできるかもしれない」と受け持ち看護師に告げた．看護師は，「今が性に関する指導の時」と判断し，林さんと妻に別室で面接を行った．

性に関して援助を望んでいるか確認すると，「やっと外泊にも慣れてきて先を考えることができるようになった．結婚したときは，30歳を過ぎたら子どもをと考えていたが，今はそれどころではない」という．「退院後の生活や仕事に自信がついたらまた考えます」と答えた．看護師は，いつでも相談でき，医師と話せること，退院後は外来が窓口になって相談できることを伝えた．数日後，林さんから「一度，妻と医師の話を聞きたい」と言ってきた．

翌日，個別指導（➡p.334 図6.5-2）を実施し，勃起不全に対する薬（バイアグラ®）の話や，人工授精について実施施設・費用，方法などの説明を行った．林さんは「退院後に妻とゆっくり考えます」と言い，個別指導を終了した．

5 評価のポイント

a セクシュアリティに関わるセルフケアの再獲得
①夫婦間で性生活や性機能障害について話し合っているか．
②性生活について夫婦のそれぞれがどの程度満足しているか．
③新たに獲得したセルフケアで，夫婦で協力して家庭内生活を円滑に営んでいるか．

b 職業生活に関わるセルフケアの再獲得
①職場復帰の交渉が順調に進んでいるか．
②職場の人的・物的環境の整備は進んでいるか．
③自宅と仕事場の改修が進んでいるか．
④通勤に必要な自動車の運転に，どの程度自信がもてるようになったか．

引用・参考文献

1) 独立行政法人労働者健康福祉機構全国脊髄損傷データベース研究会編．脊髄損傷の治療から社会復帰まで：全国脊髄損傷データベースの分析から．保健文化社，2010．
2) 宮内康子．セクシュアリティの問題をかかえる脊髄損傷者へのかかわりの方法と実践．リハビリテーション看護研究．2003，8，p.13-17．
3) 幾田千代美．青年期・男子脊髄損傷者のセクシュアリティ．神奈川県立看護教育大学校看護教育研究集録．1996，21，p.421-426．
4) 住田幹男ほか編．脊髄損傷のoutcome：日米のデータベースより．医歯薬出版，2001．

重要用語

脊髄損傷　　　　知覚麻痺・運動麻痺　　　自己導尿
二次損傷　　　　勃起障害　　　　　　　　職場復帰
二次的合併症　　自助具

6 地域生活や余暇生活に関わるセルフケアの再獲得
中途視覚障害者のコミュニケーションに対する支援

学習ポイント
- 中途視覚障害者の置かれている状況を理解する．
- 中途視覚障害者の看護について理解する．
- 糖尿病をもつ中途視覚障害者の健康管理に関わるセルフケアの再獲得について理解する．
- 中途視覚障害者の地域生活に関わるセルフケアの再獲得について事例を通して学ぶ．
- 中途視覚障害者の余暇生活に関わるセルフケアの再獲得について事例を通して学ぶ．

1 中途視覚障害者の置かれている状況

1 中途視覚障害者の特徴

わが国で障害者手帳を取得している視覚障害者数はおよそ30万人であるが，実際の視覚障害者はその数倍いると考えられている．視覚障害の原因疾患としては**緑内障**が最も多く，次いで**網膜色素変性症，糖尿病網膜症**の順である（表6.6-1）．

ある時期まで正常な視覚による生活を経験した後に，糖尿病などが原因で発生した後天的な**視覚障害者**を**中途視覚障害者**といい，視覚障害者のおよそ8割を占める．生まれたときから全く見えないか，3歳くらいまでに失明したいわゆる先天盲の人に比べ，中途視覚障害者は失明後の視覚以外の感覚機能が向上しにくいため，歩行訓練や点字学習の効果が上がりにくい．通常，健常者は外からの情報の8割を眼から得ているため，長い間，眼に頼る生活をしてきた中途視覚障害者が社会生活を送る上での不自由は，先天盲の人に比べて大きい．加えて，失明時の年齢のピークが40

表6.6-1 視覚障害の原因疾患

1	緑内障	40.7%
2	網膜色素変性症	13.0%
3	糖尿病網膜症	10.2%
4	黄斑変性症	9.1%

厚生労働省研究事業報告．2019年度．

～65歳という働き盛りであるため，失明による経済的・精神的ショックが大きい．

2 中途視覚障害のために生じる不自由

外界の刺激の多くを視覚から獲得しているため，視覚障害に陥ると多くの点で不自由が生ずる．中でも歩行，文字の読み書き，身辺処理・家事動作などで不自由になることが多く，その結果，仕事や日常生活の継続が困難となる．

視覚障害者の最も不自由なこととして，文字の読み書きを挙げる人が多い．かつて眼が不自由になると点字が勧められたが，成人後の点字の習得は容易ではなく，点字を読み書きできる人は視覚障害者の中でも10％程度である．特に糖尿病患者で神経障害を合併すると指先の触覚が鈍るため，その習得が容易ではない．

音声パソコン*を用いるとワープロのほかに電子メール，インターネット，さらには活字文字の読み上げもでき，その普及は著しい．さらに音声付きの携帯電話は持ち運びが楽なため，視覚障害者にとってはますます便利な機器となった．

> **plus α**
> **拡大読書器**
> 絵や文字などをテレビジョンを用いて拡大し，読みやすくする読書器．拡大率が20～40倍まで可能で，取り扱いが簡単．

> **用語解説***
> **音声パソコン**
> キーを押すとそのキーの文字を音声で表し，作成した文章を音声で読み上げるので，全く見えない人でもワープロや電子メール，インターネットの利用が可能となる．

3 セルフケア再獲得の開始は視覚障害の発生したそのときから

視覚障害をもつ人が，身体的，精神的，社会的，職業的，経済的な面で，その人の成し得るセルフケア能力を最大限に再獲得するアプローチを，**視覚障害リハビリテーション**という．その内容は多岐にわたるため（表6.6-2），医師や看護師のほかに，視覚障害者生活訓練指導員（歩行訓練士），医療ソーシャルワーカー，臨床心理士，職業カウンセラー，視能訓練士などがチームを組んで治療に当たる．

視覚障害者に対するリハビリテーションは，心理的なケアを含めて視覚障害による不自由が発生したその時から必要となる．それは，少しでも視力が残存していたほうが取り組みやすいことと，全く視力を失ってしまうと，元の病気の治療や日常生活に対する意欲の低下，離職による経済的危機，離婚などの家庭的危機を招いたり，絶望のために死を考える人も少なくなく，このような状態ではリハビリテーションに取り組むのは困難だからである．

視覚障害者のうち，先天盲などで義務教育を必要とする人たちのリハビリテーションは，盲学校・特別支援学校で行われている．これに対し，中途視覚障害者のリハビリテーションは主に更生施設で行われているが，施設数が少ないことと，合併症のある人を受け入れる施設が少ないため，リハビリテーションを受けることなく放置されている人が多い．

表6.6-2 視覚障害のために生じる不自由・障害の解決策

不自由・障害	解決策（例）
歩行	白杖歩行 盲導犬の使用 ガイドヘルパーによる援助
文字の読み書き	音声パソコン 点字，拡大読書器
身辺処理・家事動作	日常生活動作訓練
就業	職業訓練

4 大切な心のケア

視覚障害が原因で職を失うなど，視覚障害のために生じる打撃は大きい．そ

のため視力低下が現れたときや,「いずれ失明する」と告知されたときには,自ら命を絶つことを考える人が多い（図6.6-1）.

視覚障害者の25％にはうつ病が疑われ,25％はうつ状態の可能性がある.視覚障害者のほぼ半数にみられるうつ病,うつ状態は,特に日常生活や仕事の継続が困難になったときに多い.

視力の残っている人の中には,「いつか失明するのではないか」と,視力の悪化や完全失明の不安を抱く人が多く,精神的なケアは極めて重要である.

1. 目の不自由なことが原因で「死んでしまおう」と考えた人の割合

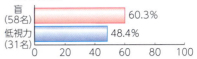

2. 視力の残っている人で視力の悪化や失明に対する不安をもつ人の割合

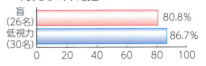

山田幸男.患者さんと共に歩む糖尿病チーム医療の実際.メディカ出版,2003,p.162より

図6.6-1 自殺を考えた人や失明の不安を抱える人

2 中途視覚障害者の看護

視覚障害のために一度は「死んでしまおう」と考えたことのある人は,視覚障害者の半数以上を占める.死を考えたことのある人の動機は,生活基本行動や仕事を続けることが困難になったときに多い.

失明の落胆から立ち直る最も大きな力になるのは,患者の悩みを時間をかけて,静かに聞くことである.話しているうちに気持ちの整理がついたり,解決の糸口が見つかったりする.

話す側からすると,相手が真剣に聴いているかどうかは重要である.人の話を聞くときには,相手に関心と注意を注いで静かに聴き（**傾聴**）,相手と同じ気持ちになって（**共感**）,相手の価値観や人生観を大切にする姿勢（**受容**）が重要である.むやみに自分の価値観を押しつけようとしたり,自分の立場を表現するのは差し控えなければならない.同時に,視覚障害者には話し手の表情が見えないので,時折「そうだったの.大変だったわね」などと,短い言葉を添えることも忘れてはならない.

次に,「人生を失ったのではなく,人生は変わったのだ」と価値転換へのアプローチをすることは大切である.そのためには,視覚障害者が生活基本行動で最も困るといわれる文字の読み書きには,視覚障害者用の音声パソコンがあることや,日常生活において便利な生活用具があることなどの改善策について情報提供する.さらに,詳しく知りたいという意欲のみられる人には,**視覚障害リハビリテーション外来やロービジョンクリニック**の受診を勧める.

障害発症時,**白杖**（はくじょう）*,点字,障害者手帳の中で,最も障害者であることを意識し,抵抗を感ずるのは白杖と答える人が多く,次いで点字,障害者手帳の順である.そのため白杖歩行や点字を勧めるのは,ショックが薄らいでからのほうがよい.

入院中に自分自身の手や腕を使った防御姿勢や**伝い歩き**,方向のとり方などの動作の基本を身につけただけでも,病院や自宅の中をそれほど不自由なく歩けるようになる（図6.6-2）.また時計の文字盤の位置を利用して,患者の

> **用語解説** *
> **白杖**
> 歩行など移動の際に用いる白い杖.非常に有用な補助具であるが,視覚障害者の象徴としてとらえられているため,障害を周囲に知られたくない思いの強い人には,白杖の使用は難しい.

図6.6-2 伝い歩きと方向のとり方

座った位置を6時とし，真向かいは12時，右端は3時，左端は9時の位置と見立てて食器の配置がわかれば，食事を一人ですることもそれほど難しくはない（図6.6-3）．このようにして身の回りのことが少しでもできるようになると，自信を少しずつ取り戻し，失明の告知を受け止めたり，糖尿病などの治療の上でも好影響を与えることが多い．

眼科外来や眼科病棟の看護師が，目の不自由な人を待合室から診察医の椅子まで誘導したり，椅子の座り方を指導できたら，視覚障害者はどんなに安心でき，心強いことだろう．誘導の技術は難しくないので，ぜひ身につけていただきたい．

医療の現場においては，視覚障害者の悩みやストレスなどの精神心理的な対応はまだほとんどなされておらず，もっぱら福祉行政面での対応に終わっている．今後，看護師に求められるのは，視覚障害者の特性をよく理解した上で，心のケアと自立への援助（セルフケアの再獲得）を行っていくことであると思われる．

視覚障害を引き起こす原因は多様である．中でも前述したように，中途視覚障害者のうち，糖尿病網膜症は後天性失明原因の第3位であり（年間失明者約3,500人），中途視覚障害者の約10.2%を占め（→p.341 表6.6-1），失明者の約10人に1人は糖尿病に起因している．そのため，糖尿病網膜症により失明した場合，通常の生活（本書では生活基本行動）に必要なセルフケアを再獲得するだけでなく，病気をさらに悪化させないためにも，引き続き疾病の管理をしなければならない．

ここで，失明した場合に，糖尿病を自己管理していくためのセルフケアについて少し触れておく．

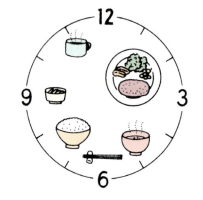

図6.6-3 時計の文字盤を利用した食事の配置の説明

1 食事療法

①音声はかりを用いて主食を計量する：一日の全摂取量のほぼ半分は主食からなる．そのため，主食の摂取量を適切にすることは血糖コントロールに好影響を与える．

②副食は家族のサポートを得て作ってもらうか，家族の協力が十分得られない場合や一人暮らしの人は宅配を利用する．また，総菜類を利用するのもよい．ただし，バランスや量を正確に判断することは難しいので，一人暮らしの場合，ホームヘルパーに一回分ずつ分けておいてもらい，冷蔵庫に保存し，食べるときに電子レンジで温めるなどの工夫をすると便利である．

2 薬

種類や服用回数を少なくし，なるべく一包化して間違いを防ぐ．

3 血糖測定とインスリン注射

①血糖の測定は，ボイス機能つきの血糖測定器を用いると便利である．

②インスリン注射は，視覚障害者にはディスポタイプが便利である．注射の単位数はダイヤルを回して，「カチッ」「カチッ」の音を頼りに目的の単位に合わせる．注射は注入ボタンをまっすぐに押してインスリンを注入する．注入後，注入ボタンを押し切ったまま5〜6秒おき，その後注入ボタンを押したまま注射針を抜く．どうしても一人で実施するのが困難な場合，医師と相談の上，薬効の持続時間が長いインスリンを使用することで注射回数を減らし，ホームヘルパーの訪問時間に合わせて注射するのもよい（血糖測定も同様）．

4 感染予防

糖尿病患者はコントロール不良な場合，体内の代謝失調のために感染症を起こしやすい．感染症の中でも特に尿路感染，皮膚感染，歯槽膿漏の管理が大切である．

❶**尿性状の観察**　尿路感染は女性のほうが男性よりも起こしやすい．糖尿病の三大合併症の一つである**糖尿病性腎臓病**（**DKD**）を合併すると，腎機能低下を起こしやすい．尿道炎，膀胱炎，腎盂腎炎などをたびたび起こすようになると，腎機能がさらに悪化する．また，神経障害を合併すると膀胱炎にかかっても排尿痛や残尿感などの自覚症状が乏しくなるので，尿性状の観察が必要である．これは周囲の助けが必要である．

❷**清潔**　しばしば感染症は血糖を乱し，血糖の乱れは感染症の発症・悪化を招く．そのため，外陰部の清潔保持は重要である．尿路感染症の予防には入浴をしたり，排尿排便後もなるべく洗浄機能付きの便器を使用するなどして，清潔を心掛ける．

❸**トイレや浴槽の清潔**　汚れに気付くのが難しいため，トイレはなるべく洋式を使用し，便座の中央に座るよう習慣づける．また，トイレや浴槽の清掃が行き届いているかどうかを判断するのには限界があるので，家族やホームヘル

plus α
糖尿病治療食の宅配

糖尿病治療食の宅配を扱っている代表的な業者に，ニチレイ，タイヘイ，武蔵野フーズ，日清医療食品などがある．

パーに依頼する．

❹歯みがき　毎食後の歯みがきの励行は，歯槽膿漏を予防する上で大切である．

　以上のように，血糖コントロールや感染予防の管理を絶えず行うことが必要であるが，見えないため，すべてを患者自身で管理することには限界がある．そのために家族の協力やホームヘルパーの導入，宅配の利用，また，より高額な医療器材の利用など，人的，経済的社会資源を上手に活用することは，円滑な社会生活をする上で極めて重要である．そのためには，医療ソーシャルワーカーとの連携により，患者が福祉制度の活用方法をよく理解できるよう支援する．

3 事例で考える中途視覚障害者のコミュニケーションに関わるセルフケア再獲得支援

|1| プロフィール

事 例

山本春子さん．60歳，女性，一人暮らし．
診断名：糖尿病網膜症（硝子体出血にて失明）
　40代で糖尿病を発症し，55歳のとき，糖尿病網膜症で視力の低下を自覚し，会計事務の仕事を続けるのは難しいと考え，自主退職した．3年前に糖尿病網膜症（硝子体出血）にて失明した．失明時は絶望感から何度も自殺を考えた．しかし娘や友人の心理的なサポートを受け生きていくことを決意し，半年前に盲導犬を取得．現在は市営住宅で盲導犬とともに暮らしている（夫とは10年前に離婚，娘は遠方に嫁いでいる）．退職金と障害者年金の支給を受け，経済的な問題は少ない．
　日常生活は，ホームヘルパーに食料や日用品の購入，ごみ出し，清掃後の点検，布団干しなどのサポートを受けて，ほぼ自立している．
　血糖測定（SMBG*）やインスリン注射は，指導により，またヘルパーにも手伝ってもらって自分で管理できている．食事療法もヘルパーの協力でうまく工夫しておおよそ守れている．運動療法は積極的には行っていない．
　週に1回買い物に出かけるが，それ以外はほとんどラジオやテレビを聞いて過ごしていた．しかし盲導犬の導入により，1日1回は近所を散歩するようになった．

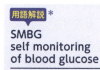

用語解説*
SMBG
self monitoring of blood glucose
簡易血糖測定器を使って自分で血糖を測定すること．日常生活のなかできめ細かく血糖値のチェックが行えるというメリットがある．

2 アセスメント

a アセスメント視点に基づく情報の整理（表6.6-3，図6.6-4）

表6.6-3 山本さんのセルフケア

	問題現象アセスメントのための情報	原因アセスメントのための情報
食	娘は遠方にいるため，家事に関する援助は望めない．そのため週3回（月・水・金）午前中2時間，ホームヘルパーの訪問を受けており，朝はパン食で自分で準備する．その3日間の昼食は作ってもらい，夜はレンジで温めれば食べられるようにセッティングして冷蔵庫に用意してもらっている．そのほかの4日間は，宅配を利用したり，近隣の知り合いや友達と外食したり，総菜を買ってきて食べている．	【習慣】視覚機能が低下し始めたころから，塩分やカロリーを控えるようになったが，もともと濃い味が好みで，グルメ指向である．外食はおいしいものを食べられるので，楽しみにしている．
排泄	自立：温水洗浄便座を使用し，排泄後の清潔を保っている．便座の中央に座るようにして，便器や周囲を汚さないよう心がけている．ホームヘルパーに汚れ具合を聞かせてもらい，使い方に注意している．	【習慣】排尿は7～8回／日．神経障害のため，下痢や便秘になりがちである．便秘時は医師に処方された緩下剤を服用している．下痢時は止痢剤を服用している．
清潔整容更衣	清潔・整容：徐々に視力が落ちていく間，少しずつ触覚を働かせるようにしていたので，清潔はほとんど問題なく自立している．化粧は塗りすぎたり，むらがあったりすることが時折みられる．ホームヘルパーが来たときは，なるべく化粧の練習をし，感触で覚えるようにしている． 更衣：自立．衣類を管理しやすいよう収納場所やたたみ方を決めている．	【習慣】浴槽の掃除が行き届かないので，ホームヘルパーの来ない日はシャワーにし，ヘルパーの訪問日に入浴して，その後の掃除をしてもらっている． 整容・更衣：失明してからは外出もほとんどしなくなったこと，うつ気味であること，自分で衣服を選べないことなどで，前より無頓着になり，化粧もほとんどしない．しかし，盲導犬と暮らすようになってからは，化粧のしかたを覚え，衣服も周りの人の感想を聞きながら自分に合ったものを選ぶようになった．
起居・移動	起居：白杖を使って自立． 歩行：白杖を使ってほぼ自立．家屋内での移動も上肢を使って安全に移動できるようになっている．半年前に盲導犬を取得し，盲導犬との連携訓練に励んでいる．	【習慣】失明前は運動療法として散歩をすることもあったが，失明してからは外出しなくなり，家の中でもラジオやテレビを聞くだけで，運動はほとんどしなかった．最近は盲導犬と一緒に1回／日，散歩している．
コミュニケーション	失明してから，視覚的情報やコミュニケーションはほとんど音声に頼っている．点字を勧められたが，なかなか覚える気がしないので読めない．使用書などの注意書きは，ほとんどホームヘルパーなど身近な人に説明してもらっている．	【習慣】失明前は新聞やテレビからさまざまな情報を得たり，娯楽番組を楽しんでいた．読書も好きであった．
身体機能 *この項目は問題現象・原因アセスメントの両方に必要な共通の情報である	全身状態：血糖のコントロールが不良なとき，軽度の倦怠感がある．感染症状はない． 栄養：月に1回近くの開業医を受診している．血液検査結果では，200mg/dLまでの高血糖を示すこともあるが，HbA1c（NGSP値）は6.9%前後で，医師より1,600kcalの指示を受けている．食事のバランスはほぼ良好であるが，脂肪分は控えめにするよう言われている． 循環：手・足の冷感がある．通常軽度の手足のしびれや痛みがあり，時折いらだつような痛みも感じる．室温を高めにしたり，厚着をしたりソックスを着用して対処している．皮膚の保護も兼ねて，夏も薄い靴下をはいて保温に努めている． 感覚：3年前に硝子体出血により失明．手指や足の指の感覚がやや鈍麻である．特に何かにぶつけたりしたとき，体幹では感じるが，足の指にはあまり痛覚がない．そのため，月一度の診察の時に，看護師に手や足をよく観察してもらっているという．	
精神機能		失明後はうつ気味．盲導犬との生活で改善しつつある．

社会生活に関する情報		経済的状況に関する情報
家庭生活		退職金や障害年金の支給を受けているので困っていない．
山本さん	一人暮らし．市営住宅に住んでいる（5階建ての3階；エレベーター付き）．盲導犬と暮らすようになってから犬の世話をするようになった．	
娘	遠方に住んでいるためあまり訪れず，普段は気ままに過ごしている．炊事，ゴミ出し，布団干し，洗濯，掃除はヘルパーが支援しているので困らない．	**心理的適応に関する情報**
地域生活		失明や神経障害といった糖尿病合併症，また自宅に閉じこもりがちであることから，うつ傾向である．盲導犬と一緒に暮らすようになってから，散歩，買い物，友人との外食をするようになったが，まだ家にこもりがちである．旅行などの遠出はほとんどしないし，人との付き合いは消極的である．
近隣との付き合いは失明以来避けてきたが，最近は盲導犬と散歩するとき軽い挨拶をするようになった．なじみの店の店員はその地域で他の失明者を知っており，失明者に対する理解があるため，買い物はなじみのある数軒の店だけでしている．しかし，地域でのイベントや集まりには，まだ出かけたことがない．		
職業生活		
失明前は会社の事務（会計）をしていた．定年は60歳であるが，失明前から視力の低下を自覚し，数字を扱うのが困難になったため自主退職をした．退職後は家で特に何もしていない．		
余暇生活		
失明してからは，新聞は読めないし，外出も白杖が必要なので気が進まず，ラジオやテレビをつけっぱなしにして聞いているだけだった．しかし，盲導犬と暮らすようになってから散歩を始め，以前勤めていた会社の人から外食に誘われたときは出かけるようになった．また，自分から気分転換もかねて少しは近所での買い物をするようになった．		

図6.6-4　社会生活・経済的状況・心理的適応に関する情報

b 情報の分析・解釈・判断と看護問題

山本さんのセルフケアアセスメント

分析・解釈・判断		看護問題
・山本さんは57歳で糖尿病網膜症で失明したので，生活基本行動レベルのセルフケア全般が低下した． ・ホームヘルパーの支援により家庭内での生活にはだいぶ慣れてきた． ・特にできないのは，一部の炊事，布団干し，きれいに清掃することである． ・ホームヘルパーによる支援が引き続き必要である．	＃1	視力低下に関連した視覚的コミュニケーション障害に関わるセルフケアの低下：全般
・話し相手が少ない上，娘が遠方に住み，迷惑をかけたくないとの思いから遠慮して自分から電話するのを控えている． ・元来社交的であっただけに，気分転換を図れず，うつ気味である． ・外出や友人との交流の機会を増やし，地域や余暇生活を楽しむことによってストレスを解消する必要がある．	＃2	視覚的コミュニケーション障害に関わるセルフケアの低下に関連したストレスによるうつ傾向
・視覚的情報に代わる行動の手がかりの獲得方法を十分に身につけていないこと，糖尿病による末梢神経障害による知覚鈍麻のため，外傷を引き起こす危険性が高い． ・皮膚の損傷があっても気づきにくいので，ホームヘルパーによる観察と，必要に応じて適切なケアが必要である．	＃3	視力低下と知覚鈍麻に関連した皮膚損傷の可能性
・糖尿病で免疫機能が低下しているため感染しやすい．外傷からの感染，尿路感染が最も危険性が高い．そのため，ホームヘルパーによる皮膚の観察は大切である． ・陰部の清潔は洗浄器を利用するのが便利である．	＃4	皮膚損傷の可能性と血糖コントロール不良に関連した感染の可能性
・失明前から血糖のコントロールが十分でなかったため網膜症を発症したが，さらなる合併症を引き起こさないためにも，今後も血糖コントロールを行っていくことが必要である．	＃5	合併症増悪の可能性：神経障害，腎機能低下など

3 看護計画と実施

　本事例では，＃2の看護問題を改善するためのケアについて取り上げる．

a 看護目標

長期目標：自宅をベースとした社会生活に再適応する．

短期目標：地域生活，余暇生活の充実を図るためのセルフケアを再獲得する．

b ケアの方法とその根拠（表6.6-4）

❶ケアのポイント

①地域の医療・福祉関係者間の連携によるサポートを図る．

②家族のサポートが得られるようアプローチする．

③外出の機会を積極的につくる．

④人との交流の輪を広げる．

表6.6-4 ケアの方法とその根拠

	ケアの方法	ケアの根拠
関係者間の連携	・ホームヘルパーの協力を得て山本さんの精神状態を観察，最も関わっている看護師に報告する（外来看護師，訪問看護師，地区担当保健師など）． 観察ポイント：表情，発話内容（悲観的発言が多いか，前向きな発言が多いのか），外出頻度，家事への積極的取り組み，娘とのコンタクトなどの活動状態．	ホームヘルパーが最も接触頻度が高いので，山本さんの精神状態を把握する鍵となる人である．そのため，看護師から観察と報告の依頼をして，必要に応じてケアを行うことが必要である．
家族へのアプローチ	・娘に，なるべく山本さんと連絡をとり，精神的なサポートをするようアプローチする．	娘は遠方在住であるが，唯一の肉親であるため，なにかと重要なサポーターである．山本さんは，娘も忙しいのであまり迷惑をかけたくないという遠慮から，自分から連絡をとらないようにしている．娘に状況を話し，山本さんが精神的にサポートしてもらえるように働きかける必要がある．
外出の機会をつくる	・ホームヘルパーに，買い物などの時にはなるべく同行するよう誘って外出の機会を増やす．	山本さんはまだ一人で外出するのがおっくうであるため，ヘルパーが一緒だと外出しやすいと思われる．また，買い物は果物や野菜などの旬のものにふれることで，季節感を味わうことができ，店の人とのやりとりもできるので，気分転換になる．地域生活に再度溶け込むために重要である．
	・買い物をするときは，探すのが少々やっかいでもなるべく自分が食べたいもの，欲しいものを選び，また自分で財布からお札などを出し入れするよう，ヘルパーを通して促す． ・お札の間違いを防ぐため，なるべく千円札を使うようにする．5千円札と1万円札は区別のために角を折っておく．	自分が食べたいものや欲しいものを積極的に探し，選ぶと，より楽しい豊かな生活となる．また，触覚によるお札の弁別を生活訓練で習っているが，早く使い方に慣れることで買い物での気後れが一つ減り，外出しようという気持ちになると思われる．
	・買い物はなるべく小売店を利用する．	デパートのような大きな店は人が多いので，ゆっくり対応してもらうのは難しい．それよりも小さい店をよく利用してなじみになれば，一人でも買い物に行きやすくなる．
人との交流の輪を広げる	・かつての友達となるべく外出し，ショッピングや外食を楽しむ．	晴眼者との交流を通して視覚障害者とはまた別の情報が得られ，気分転換になる．そのために，親しい友人などから輪を広げると入りやすい．
	・食べこぼしをしやすいので，大きめのハンカチを膝の上に広げるなどの工夫をする．	失明者は慣れないと食べこぼしやすいので，ハンカチ大の柄入りの防水紙を利用すると衣服が汚れずにすむ．
	・視覚障害者の友の会がたくさんあるので，必要に応じ紹介する．	晴眼者との関わりにまだ気後れがする場合，同じ障害をもつ人との交流から始めると，必要以上に気遣いせずにすむので，より積極的に外出する気になれる．また，互いの支え合いを通して精神的サポートを得ることにより孤独感の軽減も期待できる．親交が深まれば，旅行好きな山本さんがイベントを企画し，一緒に出かけるきっかけにもなる．

4 看護の実際：地域・余暇生活の支援場面

a 買い物の援助場面

お札の区別は，目の不自由な人には難しい．ふだん，千円札だけを持ち，もしどうしても五千円札，一万円札も含めるときには，五千円札は右上角のみ折り曲げ，一万円札は左右の上角を折り曲げるなどの習慣をつける．なじみの店をつくるようにアドバイスする（図6.6-5）．

b 外食の援助場面

外食も気分転換に欠かせない．周囲を汚さないようにするために，メニューの選択やハンカチの使い方，皿の置き方を指導する．また，店の人には，時計の文字盤の位置を利用して食器を配置し，説明してもらうように依頼する．

図6.6-5　中途視覚障害者の買い物場面

5 評価のポイント

目標の到達状況を次の視点で評価する．
①表情が明るいか，言動が悲観的ではないか．
②セルフケアの活動範囲の拡大はみられるか．
③家事を積極的にしようとしているか．
④買い物などに出かける機会や，外食の頻度が高くなったか．
⑤娘との連絡は頻繁になったか．

  引用・参考文献
1) トーマス・J・キャロル．失明．松本征二ほか監訳．日本盲人福祉委員会，1977．
2) 山田幸男．糖尿病チーム医療の実際：患者さんと共に歩む．メディカ出版，2003．
3) 山田幸男，大石正夫，小島紀代子．目の不自由な人の"こころのケア"－本当のこころの杖となるために－．考古堂，2012．

重要用語

中途視覚障害者　　　　ロービジョンクリニック　　　身体障害者手帳
音声パソコン　　　　　白杖　　　　　　　　　　　　拡大読書器
視覚障害リハビリテーション　点字　　　　　　　　　視覚的コミュニケーション

◆ 学習参考文献

❶ 田村綾子編. 脳・神経機能障害／感覚機能障害. 第3版. メディカ出版, 2014, (ナーシング・グラフィカ, 健康の回復と看護4).
脳の解剖と障害理解に役立つ.

❷ 上田敏ほか編. 標準リハビリテーション医学. 第3版. 医学書院, 2012.
リハビリテーションの医学的アプローチの理解に役立つ.

❸ 田川皓一ほか編. 脳卒中治療学. 西村書店, 1996.
疾患と障害の関連や治療・合併症の理解に役立つ.

❹ 坪井良子ほか編. リハビリテーションと看護. 中央法規出版, 1996.
ライフサイクルに合わせたリハビリテーション看護として, 心理的側面などを踏まえたケアについて示唆が得られる.

❺ 木村哲彦編. 新イラストによる安全な動作介助の手引き. 医歯薬出版, 2004.
ボディメカニクスを活用した動作介助について, 図解により実際のイメージをつけることができる.

❻ 千野直一ほか編. 脳卒中のリハビリテーション. 金原出版, 2001, (リハビリテーションMOOK, 2).
急性期から慢性期までのリハビリテーションの流れや職種間の連携について理解することができる.

❼ 河野友信ほか編. 中途視覚障害者のストレスと心理臨床. 銀海舎, 2003.
中途視覚障害と心身医学の面から取り上げ, その取り組み方を解説した本.

❽ 山田幸男ほか編. 視覚障害者のリハビリテーション：とくに中途障害者の日常生活のために. 日本メディカルセンター, 1989.
中途視覚障害者のリハビリテーション, とくに日常生活のリハビリテーションについて解説した本.

❾ 山田幸男ほか. 目の不自由な人の"こころのケア"：本当のこころの杖となるために. 考古堂書店, 2012.
一度は死を考え, うつ病や睡眠障害になりやすい視覚障害者のこころの状態を知り, その対応法を示したハンドブック.

資料1 身体障害者障害程度等級表 （身体障害者福祉法施行規則別表第五号）

級別	視覚障害	聴覚又は平衡機能の障害		音声機能，言語機能又はそしゃく機能の障害
		聴覚障害	平衡機能障害	
1級	視力の良い方の眼の視力（万国式試視力表によつて測つたものをいい，屈折異常のある者については，矯正視力について測つたものをいう．以下同じ）が0.01以下のもの			
2級	1 視力の良い方の眼の視力が0.02以上0.03以下のもの 2 視力の良い方の眼の視力が0.04かつ他方の眼の視力が手動弁以下のもの 3 周辺視野角度（Ⅰ/四視標による．以下同じ）の総和が左右眼それぞれ80度以下かつ両眼中心視野角度（Ⅰ/二視標による．以下同じ）が28度以下のもの 4 両眼開放視認点数が70点以下かつ両眼中心視野視認点数が20点以下のもの	両耳の聴力レベルがそれぞれ100デシベル以上のもの（両耳全ろう）		
3級	1 視力の良い方の眼の視力が0.04以上0.07以下のもの（2級の2に該当するものを除く） 2 視力の良い方の眼の視力が0.08かつ他方の眼の視力が手動弁以下のもの 3 周辺視野角度の総和が左右眼それぞれ80度以下かつ両眼中心視野角度が56度以下のもの 4 両眼開放視認点数が70点以下かつ両眼中心視野視認点数が40点以下のもの	両耳の聴力レベルが90デシベル以上のもの （耳介に接しなければ大声語を理解し得ないもの）	平衡機能の極めて著しい障害	音声機能，言語機能又はそしゃく機能の喪失
4級	1 視力の良い方の眼の視力が0.08以上0.1以下のもの（3級の2に該当するものを除く） 2 周辺視野角度の総和が左右眼それぞれ80度以下のもの 3 両眼開放視認点数が70点以下のもの	1 両耳の聴力レベルが80デシベル以上のもの（耳介に接しなければ話声語を理解し得ないもの） 2 両耳による普通話声の最良の語音明瞭度が50パーセント以下のもの		音声機能，言語機能又はそしゃく機能の著しい障害
5級	1 視力の良い方の眼の視力が0.2かつ他方の眼の視力が0.02以下のもの 2 両眼による視野の2分の1以上が欠けているもの 3 両眼中心視野角度が56度以下のもの 4 両眼開放視認点数が70点を超えかつ100点以下のもの 5 両眼中心視野視認点数が40点以下のもの		平衡機能の著しい障害	
6級	視力の良い方の眼の視力が0.3以上0.6以下かつ他方の眼の視力が0.02以下のもの	1 両耳の聴力レベルが70デシベル以上のもの（40センチメートル以上の距離で発声された会話語を理解し得ないもの） 2 一側耳の聴力レベルが90デシベル以上，他側耳の聴力レベルが50デシベル以上のもの		
7級				

級別	肢体不自由 上肢	肢体不自由 下肢	肢体不自由 体幹	乳幼児期以前の非進行性の脳病変による運動機能障害 上肢機能	乳幼児期以前の非進行性の脳病変による運動機能障害 移動機能
1級	1 両上肢の機能を全廃したもの 2 両上肢を手関節以上で欠くもの	1 両下肢の機能を全廃したもの 2 両下肢を大腿の2分の1以上で欠くもの	体幹の機能障害により座っていることができないもの	不随意運動・失調等により上肢を使用する日常生活動作がほとんど不可能なもの	不随意運動・失調等により歩行が不可能なもの
2級	1 両上肢の機能の著しい障害 2 両上肢のすべての指を欠くもの 3 一上肢を上腕の2分の1以上で欠くもの 4 一上肢の機能を全廃したもの	1 両下肢の機能の著しい障害 2 両下肢を下腿の2分の1以上で欠くもの	1 体幹の機能障害により座位又は起立位を保つことが困難なもの 2 体幹の機能障害により立ち上ることが困難なもの	不随意運動・失調等により上肢を使用する日常生活動作が極度に制限されるもの	不随意運動・失調等により歩行が極度に制限されるもの
3級	1 両上肢のおや指及びひとさし指を欠くもの 2 両上肢のおや指及びひとさし指の機能を全廃したもの 3 一上肢の機能の著しい障害 4 一上肢のすべての指を欠くもの 5 一上肢のすべての指の機能を全廃したもの	1 両下肢をショパール関節以上で欠くもの 2 一下肢を大腿の2分の1以上で欠くもの 3 一下肢の機能を全廃したもの	体幹の機能障害により歩行が困難なもの	不随意運動・失調等により上肢を使用する日常生活動作が著しく制限されるもの	不随意運動・失調等により歩行が家庭内での日常生活活動に制限されるもの
4級	1 両上肢のおや指を欠くもの 2 両上肢のおや指の機能を全廃したもの 3 一上肢の肩関節，肘関節又は手関節のうち，いずれか一関節の機能を全廃したもの 4 一上肢のおや指及びひとさし指を欠くもの 5 一上肢のおや指及びひとさし指の機能を全廃したもの 6 おや指又はひとさし指を含めて一上肢の三指を欠くもの 7 おや指又はひとさし指を含めて一上肢の三指の機能を全廃したもの 8 おや指又はひとさし指を含めて一上肢の四指の機能の著しい障害	1 両下肢のすべての指を欠くもの 2 両下肢のすべての指の機能を全廃したもの 3 一下肢を下腿の2分の1以上で欠くもの 4 一下肢の機能の著しい障害 5 一下肢の股関節又は膝関節の機能を全廃したもの 6 一下肢が健側に比して10センチメートル以上又は健側の長さの10分の1以上短いもの		不随意運動・失調等による上肢の機能障害により社会での日常生活活動が著しく制限されるもの	不随意運動・失調等により社会での日常生活活動が著しく制限されるもの
5級	1 両上肢のおや指の機能の著しい障害 2 一上肢の肩関節，肘関節又は手関節のうち，いずれか一関節の機能の著しい障害 3 一上肢のおや指を欠くもの 4 一上肢のおや指の機能を全廃したもの 5 一上肢のおや指及びひとさし指の機能の著しい障害 6 おや指又はひとさし指を含めて一上肢の三指の機能の著しい障害	1 一下肢の股関節又は膝関節の機能の著しい障害 2 一下肢の足関節の機能を全廃したもの 3 一下肢が健側に比して5センチメートル以上又は健側の長さの15分の1以上短いもの	体幹の機能の著しい障害	不随意運動・失調等による上肢の機能障害により社会での日常生活活動に支障のあるもの	不随意運動・失調等により社会での日常生活活動に支障のあるもの
6級	1 一上肢のおや指の機能の著しい障害 2 ひとさし指を含めて一上肢の二指を欠くもの 3 ひとさし指を含めて一上肢の二指の機能を全廃したもの	1 一下肢をリスフラン関節以上で欠くもの 2 一下肢の足関節の機能の著しい障害		不随意運動・失調等により上肢の機能の劣るもの	不随意運動・失調等により移動機能の劣るもの
7級	1 一上肢の機能の軽度の障害 2 一上肢の肩関節，肘関節又は手関節のうち，いずれか一関節の機能の軽度の障害 3 一上肢の手指の機能の軽度の障害 4 ひとさし指を含めて一上肢の二指の機能の著しい障害 5 一上肢のなか指，くすり指及び小指を欠くもの 6 一上肢のなか指，くすり指及び小指の機能を全廃したもの	1 両下肢のすべての指の機能の著しい障害 2 一下肢の機能の軽度の障害 3 一下肢の股関節，膝関節又は足関節のうち，いずれか一関節の機能の軽度の障害 4 一下肢のすべての指を欠くもの 5 一下肢のすべての指の機能を全廃したもの 6 一下肢が健側に比して3センチメートル以上又は健側の長さの20分の1以上短いもの		上肢に不随意運動・失調等を有するもの	下肢に不随意運動・失調等を有するもの

資料1　身体障害者障害程度等級表（身体障害者福祉法施行規則別表第五号）

級別	心臓，じん臓若しくは呼吸器又はぼうこう若しくは直腸，小腸，ヒト免疫不全ウイルスによる免疫若しくは肝臓の機能の障害						
	心臓機能障害	じん臓機能障害	呼吸器機能障害	ぼうこう又は直腸の機能障害	小腸機能障害	ヒト免疫不全ウイルスによる免疫機能障害	肝臓機能障害
1級	心臓の機能の障害により自己の身辺の日常生活活動が極度に制限されるもの	じん臓の機能の障害により自己の身辺の日常生活活動が極度に制限されるもの	呼吸器の機能の障害により自己の身辺の日常生活活動が極度に制限されるもの	ぼうこう又は直腸の機能の障害により自己の身辺の日常生活活動が極度に制限されるもの	小腸の機能の障害により自己の身辺の日常生活活動が極度に制限されるもの	ヒト免疫不全ウイルスによる免疫の機能の障害により日常生活がほとんど不可能なもの	肝臓の機能の障害により日常生活活動がほとんど不可能なもの
2級						ヒト免疫不全ウイルスによる免疫の機能の障害により日常生活が極度に制限されるもの	肝臓の機能の障害により日常生活活動が極度に制限されるもの
3級	心臓の機能の障害により家庭内での日常生活活動が著しく制限されるもの	じん臓の機能の障害により家庭内での日常生活活動が著しく制限されるもの	呼吸器の機能の障害により家庭内での日常生活活動が著しく制限されるもの	ぼうこう又は直腸の機能の障害により家庭内での日常生活活動が著しく制限されるもの	小腸の機能の障害により家庭内での日常生活活動が著しく制限されるもの	ヒト免疫不全ウイルスによる免疫の機能の障害により日常生活が著しく制限されるもの（社会での日常生活活動が著しく制限されるものを除く）	肝臓の機能の障害により日常生活活動が著しく制限されるもの（社会での日常生活活動が著しく制限されるものを除く）
4級	心臓の機能の障害により社会での日常生活活動が著しく制限されるもの	じん臓の機能の障害により社会での日常生活活動が著しく制限されるもの	呼吸器の機能の障害により社会での日常生活活動が著しく制限されるもの	ぼうこう又は直腸の機能の障害により社会での日常生活活動が著しく制限されるもの	小腸の機能の障害により社会での日常生活活動が著しく制限されるもの	ヒト免疫不全ウイルスによる免疫の機能の障害により社会での日常生活活動が著しく制限されるもの	肝臓の機能の障害により社会での日常生活活動が著しく制限されるもの
5級							
6級							
7級							

備考
1 同一の等級について二つの重複する障害がある場合は，一級うえの級とする．ただし，二つの重複する障害が特に本表中に指定せられているものは，該当等級とする．
2 肢体不自由においては，七級に該当する障害が二以上重複する場合は，六級とする．
3 異なる等級について二以上の重複する障害がある場合については，障害の程度を勘案して当該等級より上位の等級とすることができる．
4 「指を欠くもの」とは，おや指については指骨間関節，その他の指については第一指骨間関節以上を欠くものをいう．
5 「指の機能障害」とは，中手指節関節以下の障害をいい，おや指については，対抗運動障害をも含むものとする．
6 上肢又は下肢欠損の断端の長さは，実用長（上腕においては腋窩より，大腿においては坐骨結節の高さより計測したもの）をもって計測したものをいう．
7 下肢の長さは，前腸骨棘より内くるぶし下端までを計測したものをいう．

資料2 障害者基本法

(昭和四十五年五月二十一日法律第八十四号)
最終改正：平成二五年六月二六日法律第六五号

第一章　総則（第一条―第十三条）
第二章　障害者の自立及び社会参加の支援等のための基本的施策（第十四条―第三十条）
第三章　障害の原因となる傷病の予防に関する基本的施策（第三十一条）
第四章　障害者政策委員会等（第三十二条―第三十六条）
附則

第一章　総則

（目的）
第一条　この法律は，全ての国民が，障害の有無にかかわらず，等しく基本的人権を享有するかけがえのない個人として尊重されるものであるとの理念にのつとり，全ての国民が，障害の有無によつて分け隔てられることなく，相互に人格と個性を尊重し合いながら共生する社会を実現するため，障害者の自立及び社会参加の支援等のための施策に関し，基本原則を定め，及び国，地方公共団体等の責務を明らかにするとともに，障害者の自立及び社会参加の支援等のための施策の基本となる事項を定めること等により，障害者の自立及び社会参加の支援等のための施策を総合的かつ計画的に推進することを目的とする．

（定義）
第二条　この法律において，次の各号に掲げる用語の意義は，それぞれ当該各号に定めるところによる．
一　障害者　身体障害，知的障害，精神障害（発達障害を含む．）その他の心身の機能の障害（以下「障害」と総称する．）がある者であつて，障害及び社会的障壁により継続的に日常生活又は社会生活に相当な制限を受ける状態にあるものをいう．
二　社会的障壁　障害がある者にとつて日常生活又は社会生活を営む上で障壁となるような社会における事物，制度，慣行，観念その他一切のものをいう．

（地域社会における共生等）
第三条　第一条に規定する社会の実現は，全ての障害者が，障害者でない者と等しく，基本的人権を享有する個人としてその尊厳が重んぜられ，その尊厳にふさわしい生活を保障される権利を有することを前提としつつ，次に掲げる事項を旨として図られなければならない．
一　全て障害者は，社会を構成する一員として社会，経済，文化その他あらゆる分野の活動に参加する機会が確保されること．
二　全て障害者は，可能な限り，どこで誰と生活するかについての選択の機会が確保され，地域社会において他の人々と共生することを妨げられないこと．
三　全て障害者は，可能な限り，言語（手話を含む．）その他の意思疎通のための手段についての選択の機会が確保されるとともに，情報の取得又は利用のための手段についての選択の機会の拡大が図られること．

（差別の禁止）
第四条　何人も，障害者に対して，障害を理由として，差別することその他の権利利益を侵害する行為をしてはならない．
2　社会的障壁の除去は，それを必要としている障害者が現に存し，かつ，その実施に伴う負担が過重でないときは，それを怠ることによつて前項の規定に違反することとならないよう，その実施について必要かつ合理的な配慮がされなければならない．
3　国は，第一項の規定に違反する行為の防止に関する啓発及び知識の普及を図るため，当該行為の防止を図るために必要となる情報の収集，整理及び提供を行うものとする．

（国際的協調）
第五条　第一条に規定する社会の実現は，そのための施策が国際社会における取組と密接な関係を有していることに鑑み，国際的協調の下に図られなければならない．

（国及び地方公共団体の責務）
第六条　国及び地方公共団体は，第一条に規定する社会の実現を図るため，前三条に定める基本原則（以下「基本原則」という．）にのつとり，障害者の自立及び社会参加の支援等のための施策を総合的かつ計画的に実施する責務を有する．

（国民の理解）
第七条　国及び地方公共団体は，基本原則に関する

国民の理解を深めるよう必要な施策を講じなければならない．

(国民の責務)
第八条 国民は，基本原則にのつとり，第一条に規定する社会の実現に寄与するよう努めなければならない．

(障害者週間)
第九条 国民の間に広く基本原則に関する関心と理解を深めるとともに，障害者が社会，経済，文化その他あらゆる分野の活動に参加することを促進するため，障害者週間を設ける．

2　障害者週間は，十二月三日から十二月九日までの一週間とする．

3　国及び地方公共団体は，障害者の自立及び社会参加の支援等に関する活動を行う民間の団体等と相互に緊密な連携協力を図りながら，障害者週間の趣旨にふさわしい事業を実施するよう努めなければならない．

(施策の基本方針)
第十条 障害者の自立及び社会参加の支援等のための施策は，障害者の性別，年齢，障害の状態及び生活の実態に応じて，かつ，有機的連携の下に総合的に，策定され，及び実施されなければならない．

2　国及び地方公共団体は，障害者の自立及び社会参加の支援等のための施策を講ずるに当たつては，障害者その他の関係者の意見を聴き，その意見を尊重するよう努めなければならない．

(障害者基本計画等)
第十一条 政府は，障害者の自立及び社会参加の支援等のための施策の総合的かつ計画的な推進を図るため，障害者のための施策に関する基本的な計画（以下「障害者基本計画」という．）を策定しなければならない．

2　都道府県は，障害者基本計画を基本とするとともに，当該都道府県における障害者の状況等を踏まえ，当該都道府県における障害者のための施策に関する基本的な計画（以下「都道府県障害者計画」という．）を策定しなければならない．

3　市町村は，障害者基本計画及び都道府県障害者計画を基本とするとともに，当該市町村における障害者の状況等を踏まえ，当該市町村における障害者のための施策に関する基本的な計画（以下「市町村障害者計画」という．）を策定しなければならない．

4　内閣総理大臣は，関係行政機関の長に協議するとともに，障害者政策委員会の意見を聴いて，障害者基本計画の案を作成し，閣議の決定を求めなければならない．

5　都道府県は，都道府県障害者計画を策定するに当たつては，第三十六条第一項の合議制の機関の意見を聴かなければならない．

6　市町村は，市町村障害者計画を策定するに当たつては，第三十六条第四項の合議制の機関を設置している場合にあつてはその意見を，その他の場合にあつては障害者その他の関係者の意見を聴かなければならない．

7　政府は，障害者基本計画を策定したときは，これを国会に報告するとともに，その要旨を公表しなければならない．

8　第二項又は第三項の規定により都道府県障害者計画又は市町村障害者計画が策定されたときは，都道府県知事又は市町村長は，これを当該都道府県の議会又は当該市町村の議会に報告するとともに，その要旨を公表しなければならない．

9　第四項及び第七項の規定は障害者基本計画の変更について，第五項及び前項の規定は都道府県障害者計画の変更について，第六項及び前項の規定は市町村障害者計画の変更について準用する．

(法制上の措置等)
第十二条 政府は，この法律の目的を達成するため，必要な法制上及び財政上の措置を講じなければならない．

(年次報告)
第十三条 政府は，毎年，国会に，障害者のために講じた施策の概況に関する報告書を提出しなければならない．

第二章　障害者の自立及び社会参加の支援等のための基本的施策

(医療，介護等)
第十四条 国及び地方公共団体は，障害者が生活機能を回復し，取得し，又は維持するために必要な医療の給付及びリハビリテーションの提供を行うよう必要な施策を講じなければならない．

2　国及び地方公共団体は，前項に規定する医療及びリハビリテーションの研究，開発及び普及を促進しなければならない．

3　国及び地方公共団体は，障害者が，その性別，年齢，障害の状態及び生活の実態に応じ，医療，介護，保健，生活支援その他自立のための適切な支援を受けられるよう必要な施策を講じなければならない．

4　国及び地方公共団体は，第一項及び前項に規定する施策を講ずるために必要な専門的技術職員その他の専門的知識又は技能を有する職員を育成する

よう努めなければならない．

5　国及び地方公共団体は，医療若しくは介護の給付又はリハビリテーションの提供を行うに当たつては，障害者が，可能な限りその身近な場所においてこれらを受けられるよう必要な施策を講ずるものとするほか，その人権を十分に尊重しなければならない．

6　国及び地方公共団体は，福祉用具及び身体障害者補助犬の給付又は貸与その他障害者が日常生活及び社会生活を営むのに必要な施策を講じなければならない．

7　国及び地方公共団体は，前項に規定する施策を講ずるために必要な福祉用具の研究及び開発，身体障害者補助犬の育成等を促進しなければならない．

(年金等)

第十五条　国及び地方公共団体は，障害者の自立及び生活の安定に資するため，年金，手当等の制度に関し必要な施策を講じなければならない．

(教育)

第十六条　国及び地方公共団体は，障害者が，その年齢及び能力に応じ，かつ，その特性を踏まえた十分な教育が受けられるようにするため，可能な限り障害者である児童及び生徒が障害者でない児童及び生徒と共に教育を受けられるよう配慮しつつ，教育の内容及び方法の改善及び充実を図る等必要な施策を講じなければならない．

2　国及び地方公共団体は，前項の目的を達成するため，障害者である児童及び生徒並びにその保護者に対し十分な情報の提供を行うとともに，可能な限りその意向を尊重しなければならない．

3　国及び地方公共団体は，障害者である児童及び生徒と障害者でない児童及び生徒との交流及び共同学習を積極的に進めることによつて，その相互理解を促進しなければならない．

4　国及び地方公共団体は，障害者の教育に関し，調査及び研究並びに人材の確保及び資質の向上，適切な教材等の提供，学校施設の整備その他の環境の整備を促進しなければならない．

(療育)

第十七条　国及び地方公共団体は，障害者である子どもが可能な限りその身近な場所において療育その他これに関連する支援を受けられるよう必要な施策を講じなければならない．

2　国及び地方公共団体は，療育に関し，研究，開発及び普及の促進，専門的知識又は技能を有する職員の育成その他の環境の整備を促進しなければならない．

(職業相談等)

第十八条　国及び地方公共団体は，障害者の職業選択の自由を尊重しつつ，障害者がその能力に応じて適切な職業に従事することができるようにするため，障害者の多様な就業の機会を確保するよう努めるとともに，個々の障害者の特性に配慮した職業相談，職業指導，職業訓練及び職業紹介の実施その他必要な施策を講じなければならない．

2　国及び地方公共団体は，障害者の多様な就業の機会の確保を図るため，前項に規定する施策に関する調査及び研究を促進しなければならない．

3　国及び地方公共団体は，障害者の地域社会における作業活動の場及び障害者の職業訓練のための施設の拡充を図るため，これに必要な費用の助成その他必要な施策を講じなければならない．

(雇用の促進等)

第十九条　国及び地方公共団体は，国及び地方公共団体並びに事業者における障害者の雇用を促進するため，障害者の優先雇用その他の施策を講じなければならない．

2　事業主は，障害者の雇用に関し，その有する能力を正当に評価し，適切な雇用の機会を確保するとともに，個々の障害者の特性に応じた適正な雇用管理を行うことによりその雇用の安定を図るよう努めなければならない．

3　国及び地方公共団体は，障害者を雇用する事業主に対して，障害者の雇用のための経済的負担を軽減し，もつてその雇用の促進及び継続を図るため，障害者が雇用されるのに伴い必要となる施設又は設備の整備等に要する費用の助成その他必要な施策を講じなければならない．

(住宅の確保)

第二十条　国及び地方公共団体は，障害者が地域社会において安定した生活を営むことができるようにするため，障害者のための住宅を確保し，及び障害者の日常生活に適するような住宅の整備を促進するよう必要な施策を講じなければならない．

(公共的施設のバリアフリー化)

第二十一条　国及び地方公共団体は，障害者の利用の便宜を図ることによつて障害者の自立及び社会参加を支援するため，自ら設置する官公庁施設，交通施設(車両，船舶，航空機等の移動施設を含む．次項において同じ．)その他の公共的施設について，障害者が円滑に利用できるような施設の構造及び設備の整備等の計画的推進を図らなければならない．

2　交通施設その他の公共的施設を設置する事業者は，障害者の利用の便宜を図ることによつて障害

者の自立及び社会参加を支援するため，当該公共的施設について，障害者が円滑に利用できるような施設の構造及び設備の整備等の計画的推進に努めなければならない．

3　国及び地方公共団体は，前二項の規定により行われる公共的施設の構造及び設備の整備等が総合的かつ計画的に推進されるようにするため，必要な施策を講じなければならない．

4　国，地方公共団体及び公共的施設を設置する事業者は，自ら設置する公共的施設を利用する障害者の補助を行う身体障害者補助犬の同伴について障害者の利用の便宜を図らなければならない．

（情報の利用におけるバリアフリー化等）

第二十二条　国及び地方公共団体は，障害者が円滑に情報を取得し及び利用し，その意思を表示し，並びに他人との意思疎通を図ることができるようにするため，障害者が利用しやすい電子計算機及びその関連装置その他情報通信機器の普及，電気通信及び放送の役務の利用に関する障害者の利便の増進，障害者に対して情報を提供する施設の整備，障害者の意思疎通を仲介する者の養成及び派遣等が図られるよう必要な施策を講じなければならない．

2　国及び地方公共団体は，災害その他非常の事態の場合に障害者に対しその安全を確保するため必要な情報が迅速かつ的確に伝えられるよう必要な施策を講ずるものとするほか，行政の情報化及び公共分野における情報通信技術の活用の推進に当たつては，障害者の利用の便宜が図られるよう特に配慮しなければならない．

3　電気通信及び放送その他の情報の提供に係る役務の提供並びに電子計算機及びその関連装置その他情報通信機器の製造等を行う事業者は，当該役務の提供又は当該機器の製造等に当たつては，障害者の利用の便宜を図るよう努めなければならない．

（相談等）

第二十三条　国及び地方公共団体は，障害者の意思決定の支援に配慮しつつ，障害者及びその家族その他の関係者に対する相談業務，成年後見制度その他の障害者の権利利益の保護等のための施策又は制度が，適切に行われ又は広く利用されるようにしなければならない．

2　国及び地方公共団体は，障害者及びその家族その他の関係者からの各種の相談に総合的に応ずることができるようにするため，関係機関相互の有機的連携の下に必要な相談体制の整備を図るとともに，障害者の家族に対し，障害者の家族が互いに支え合うための活動の支援その他の支援を適切に行うものとする．

（経済的負担の軽減）

第二十四条　国及び地方公共団体は，障害者及び障害者を扶養する者の経済的負担の軽減を図り，又は障害者の自立の促進を図るため，税制上の措置，公共的施設の利用料等の減免その他必要な施策を講じなければならない．

（文化的諸条件の整備等）

第二十五条　国及び地方公共団体は，障害者が円滑に文化芸術活動，スポーツ又はレクリエーションを行うことができるようにするため，施設，設備その他の諸条件の整備，文化芸術，スポーツ等に関する活動の助成その他必要な施策を講じなければならない．

（防災及び防犯）

第二十六条　国及び地方公共団体は，障害者が地域社会において安全にかつ安心して生活を営むことができるようにするため，障害者の性別，年齢，障害の状態及び生活の実態に応じて，防災及び防犯に関し必要な施策を講じなければならない．

（消費者としての障害者の保護）

第二十七条　国及び地方公共団体は，障害者の消費者としての利益の擁護及び増進が図られるようにするため，適切な方法による情報の提供その他必要な施策を講じなければならない．

2　事業者は，障害者の消費者としての利益の擁護及び増進が図られるようにするため，適切な方法による情報の提供等に努めなければならない．

（選挙等における配慮）

第二十八条　国及び地方公共団体は，法律又は条例の定めるところにより行われる選挙，国民審査又は投票において，障害者が円滑に投票できるようにするため，投票所の施設又は設備の整備その他必要な施策を講じなければならない．

（司法手続における配慮等）

第二十九条　国又は地方公共団体は，障害者が，刑事事件若しくは少年の保護事件に関する手続その他これに準ずる手続の対象となつた場合又は裁判所における民事事件，家事事件若しくは行政事件に関する手続の当事者その他の関係人となつた場合において，障害者がその権利を円滑に行使できるようにするため，個々の障害者の特性に応じた意思疎通の手段を確保するよう配慮するとともに，関係職員に対する研修その他必要な施策を講じなければならない．

（国際協力）

第三十条　国は，障害者の自立及び社会参加の支援等のための施策を国際的協調の下に推進するため，

外国政府，国際機関又は関係団体等との情報の交換その他必要な施策を講ずるように努めるものとする．

第三章　障害の原因となる傷病の予防に関する基本的施策

第三十一条　国及び地方公共団体は，障害の原因となる傷病及びその予防に関する調査及び研究を促進しなければならない．

2　国及び地方公共団体は，障害の原因となる傷病の予防のため，必要な知識の普及，母子保健等の保健対策の強化，当該傷病の早期発見及び早期治療の推進その他必要な施策を講じなければならない．

3　国及び地方公共団体は，障害の原因となる難病等の予防及び治療が困難であることに鑑み，障害の原因となる難病等の調査及び研究を推進するとともに，難病等に係る障害者に対する施策をきめ細かく推進するよう努めなければならない．

第四章　障害者政策委員会等

（障害者政策委員会の設置）

第三十二条　内閣府に，障害者政策委員会（以下「政策委員会」という．）を置く．

2　政策委員会は，次に掲げる事務をつかさどる．

一　障害者基本計画に関し，第十一条第四項（同条第九項において準用する場合を含む．）に規定する事項を処理すること．

二　前号に規定する事項に関し，調査審議し，必要があると認めるときは，内閣総理大臣又は関係各大臣に対し，意見を述べること．

三　障害者基本計画の実施状況を監視し，必要があると認めるときは，内閣総理大臣又は内閣総理大臣を通じて関係各大臣に勧告すること．

3　内閣総理大臣又は関係各大臣は，前項第三号の規定による勧告に基づき講じた施策について政策委員会に報告しなければならない．

（政策委員会の組織及び運営）

第三十三条　政策委員会は，委員三十人以内で組織する．

2　政策委員会の委員は，障害者，障害者の自立及び社会参加に関する事業に従事する者並びに学識経験のある者のうちから，内閣総理大臣が任命する．この場合において，委員の構成については，政策委員会が様々な障害者の意見を聴き障害者の実情を踏まえた調査審議を行うことができることとなるよう，配慮されなければならない．

3　政策委員会の委員は，非常勤とする．

第三十四条　政策委員会は，その所掌事務を遂行するため必要があると認めるときは，関係行政機関の長に対し，資料の提出，意見の表明，説明その他必要な協力を求めることができる．

2　政策委員会は，その所掌事務を遂行するため特に必要があると認めるときは，前項に規定する者以外の者に対しても，必要な協力を依頼することができる．

第三十五条　前二条に定めるもののほか，政策委員会の組織及び運営に関し必要な事項は，政令で定める．

（都道府県等における合議制の機関）

第三十六条　都道府県（地方自治法（昭和二十二年法律第六十七号）第二百五十二条の十九第一項の指定都市（以下「指定都市」という．）を含む．以下同じ．）に，次に掲げる事務を処理するため，審議会その他の合議制の機関を置く．

一　都道府県障害者計画に関し，第十一条第五項（同条第九項において準用する場合を含む．）に規定する事項を処理すること．

二　当該都道府県における障害者に関する施策の総合的かつ計画的な推進について必要な事項を調査審議し，及びその施策の実施状況を監視すること．

三　当該都道府県における障害者に関する施策の推進について必要な関係行政機関相互の連絡調整を要する事項を調査審議すること．

2　前項の合議制の機関の委員の構成については，当該機関が様々な障害者の意見を聴き障害者の実情を踏まえた調査審議を行うことができることとなるよう，配慮されなければならない．

3　前項に定めるもののほか，第一項の合議制の機関の組織及び運営に関し必要な事項は，条例で定める．

4　市町村（指定都市を除く．）は，条例で定めるところにより，次に掲げる事務を処理するため，審議会その他の合議制の機関を置くことができる．

一　市町村障害者計画に関し，第十一条第六項（同条第九項において準用する場合を含む．）に規定する事項を処理すること．

二　当該市町村における障害者に関する施策の総合的かつ計画的な推進について必要な事項を調査審議し，及びその施策の実施状況を監視すること．

三　当該市町村における障害者に関する施策の推進について必要な関係行政機関相互の連絡調整を要する事項を調査審議すること．

5　第二項及び第三項の規定は，前項の規定により合議制の機関が置かれた場合に準用する．

成人看護学② 健康危機状況／セルフケアの再獲得
看護師国家試験出題基準（令和5年版）対照表

※以下に掲載のない出題基準項目は、他巻にて対応しています．

必修問題

目標Ⅰ．健康および看護における社会的・倫理的側面について基本的な知識を問う．

大項目	中項目（出題範囲）	小項目（キーワード）	本書該当ページ
3．看護で活用する社会保障	B．介護保険制度の基本	被保険者	p.283-286
		要介護・要支援の認定	p.283-286
4．看護における倫理	A．基本的人権の擁護	ノーマライゼーション	p.222-225, 270-271

目標Ⅱ．看護の対象および看護活動の場と看護の機能について基本的な知識を問う．

大項目	中項目（出題範囲）	小項目（キーワード）	本書該当ページ
6．人間の特性	B．対象の特性	健康や疾病に対する意識	p.16-17
8．看護の対象としての患者と家族	A．家族の機能	家族関係	p.119-124
		家族構成員	p.119-124
		疾病が患者・家族に与える心理・社会的影響	p.124-131

健康支援と社会保障制度

目標Ⅱ．社会保障の理念，社会保険制度および社会福祉に関する法や施策について基本的な理解を問う．

大項目	中項目（出題範囲）	小項目（キーワード）	本書該当ページ
4．社会保険制度の基本	C．介護保険制度	保険者，被保険者	p.283-286
		要介護認定と給付の仕組み	p.283-286

成人看護学

目標Ⅱ．急性期にある患者と家族の特徴を理解し看護を展開するための基本的な理解を問う．

大項目	中項目（出題範囲）	小項目（キーワード）	本書該当ページ
3．急性期にある患者と家族の看護	A．急性期にある患者と家族の特徴	身体的特徴	p.83-91
		心理的特徴	p.31-34, 109-113, 124-131
		社会的特徴	p.33-34, 109-113, 124-131
	B．急性期における看護の基本	危機的状態への支援	p.31-33, 117-118, 144-150
		治療の緊急度と優先度，治療選択・意思決定への支援	p.37-47
		代理意思決定支援	p.119-131
4．救急看護，クリティカルケア	A．緊急度と重症度のアセスメント	意識レベル，神経学的所見，全身状態	p.43-47
		バイタルサイン	p.96-97
	B．救急看護・クリティカルケアの基本	心肺停止状態への対応	p.43-47
		急性症状の応急処置	p.43-47

目標Ⅲ．慢性疾患がある患者と家族の特徴を理解し看護を展開するための基本的な理解を問う．

大項目	中項目（出題範囲）	小項目（キーワード）	本書該当ページ
6．慢性疾患がある患者と家族の看護	C．セルフケア・自己管理を促進する看護	セルフケア能力とセルフケア行動のアセスメント，アドヒアランスに影響する要因のアセスメント	p.188-200, 238-252
		自己管理支援，セルフケア支援	p.201-221

目標Ⅳ．リハビリテーションの特徴を理解し看護を展開するための基本的な理解を問う．

大項目	中項目（出題範囲）	小項目（キーワード）	本書該当ページ
7．リハビリテーションの特徴と看護	B．機能障害のアセスメント	居住環境	p.272
	C．障害に対する受容と適応への看護	日常生活動作＜ADL＞・活動範囲の拡大に向けた援助	p.205-210
		心理的葛藤への援助	p.117-118
	D．チームアプローチと社会資源の活用	多職種連携	p.275-278
		社会資源の活用	p.283-290
	E．患者の社会参加への支援	就労条件・環境の調整	p.332, 334-335
		社会参加を促す要素と阻害要因	p.195-197, 270-274

目標Ⅵ．終末期にある患者，および緩和ケアを必要とする患者と家族の特徴を理解し看護を展開するための基本的な理解を問う．

大項目	中項目（出題範囲）	小項目（キーワード）	本書該当ページ
9．終末期にある患者および緩和ケアを必要とする患者と家族への看護	A．緩和ケアを必要とする患者と家族への看護	がん患者	p.159-165
		慢性心不全患者	p.166-173

目標Ⅶ．各機能障害のある患者の特徴および病期や障害に応じた看護について基本的な理解を問う．

大項目	中項目（出題範囲）	小項目（キーワード）	本書該当ページ
17．脳・神経機能障害のある患者の看護	D．病期や機能障害に応じた看護	脊髄損傷	p.329-340
18．感覚機能障害のある患者の看護	D．病期や機能障害に応じた看護	中途視覚障害者	p.341-350
19．運動機能障害のある患者の看護	D．病期や機能障害に応じた看護	関節リウマチ	p.319-328
21．性・生殖・乳腺機能障害のある患者の看護	A．原因と障害の程度のアセスメントと看護	性・生殖機能障害（性ホルモンの異常と症状）	p.329-340

INDEX

健康危機状況／セルフケアの再獲得

▶ 数字，A-Z

WHO	16
ACLS	44
ACP	171
ADL	205, 246
AED	44, 45
APDL	206
assessment	238
BI	246
BLS	43, 45
BT	241
BUN	135
CCU	49
comfort	68
compassion	28
COPD	152, 206
CRT-D	166
DCM	166
disuse syndrome	29
ease	69
ECMO	159
EF	167
FIM	207, 246
GCS	295
GCU	49
Hb	134
holism	69
HOT	203
Ht	134
ICF	212
ICIDH	212
ICU	47, 152
ICU症候群	89
ICUチーム	47
IL	224
IPPV	152
IVH	102
JCS	295
JRC蘇生ガイドライン2020	45
Katz Index	246, 248
KICU	49
Life	59
MFICU	49
MMT	245
MTX	321
NANDA看護診断分類	206
NCU	49
NIC	82
NICU	49
NPPV	152
NRS	73, 74
pain	27
PICS	51
PICU	49
PTSD	32
QOL	59
RA	319
relief	69
RICU	49
ROM訓練	299
sanctity of life	59
SaO_2	92
S-Bチューブ	106
SDS	318
self care	16
SICU	49
sign	27, 83
SIRS	86, 87
SOL	59
SpO_2	92
TENS	79
Torr	141
TPN	102
VAS	73, 74
Zancolliの分類	335

▶ あ

悪液質	168
アサーティブ	332
朝のこわばり	319
アセスメント	91, 238
アドバンス・ケア・プランニング	171
アドボカシー	229, 231, 233
アロマセラピー	79
安心	69, 117
安静療法	245
安全管理者	44
アンドラゴジー	204
罨法	77
安楽	117

▶ い

医学的リハビリテーション	209
医学モデル	212
胃管	52
意思決定	40, 140, 230
依存	222, 223
痛み	67, 73, 74
痛みのフローシート	75
一次救命処置	43, 45
移動	244, 259, 272
イメージ法	82
医療機器	203
医療事故対策	40
医療電話相談窓口	173
医療保険制度	283
医療用具	203
イレウス管	106
陰圧式陰茎勃起補助具	331
陰茎プロステーシス	331
院内トリアージ	179
院内トリアージ実施料	46
インフォームドコンセント	40

▶ う

植え込み式ペースメーカー	203
右胸腔ドレーン	52

▶ え

衛生管理者	44
嚥下	241

▶ お

オピオイド鎮痛薬	172
おまかせ医療	40
オレム	230
温罨法	77
音楽療法	80
音楽療法士	80
音声パソコン	342

▶ か

介護支援専門員	286
介護度	233
介護保険給付福祉用具	272
介護保険制度	283
介入変数	71
外反母趾	320

回復過程 … 23	危機理論 … 18	痙性 … 255
回復志向コーピング … 194	気腫化 … 142	経皮的電気神経刺激法 … 79
学習 … 194	技術的手段 … 70	契約制度 … 231
拡大読書器 … 342	絆 … 122	外科系集中治療室 … 49
拡張型心筋症 … 166	帰属 … 122	健康 … 16
家族 … 19, 33, 119	基礎情報 … 239	健康観 … 16
家族形態 … 232	喫煙係数 … 142	健康危機管理 … 23
家族社会学 … 19	機能的自立度評価表 … 207, 247	健康危機管理基本指針 … 20
家族ライフサイクル … 122	機能的自立度評価法 … 246	健康危機状況 … 21
カタルシス … 280	気晴らし … 80	健康障害 … 190
合併症 … 28, 87	客観的健康 … 16	健康状態 … 99
家庭内役割 … 163	救急医療体制 … 43	健康探索行動 … 71
化膿性脊椎炎 … 144, 145	救急カート … 95	健康日本21 … 16
カヘキシー … 168	救急搬送 … 180	健康破綻 … 23
感覚変調療法 … 77	急激な健康破綻と回復過程にある人々を援助する能力 … 23	検査 … 91, 93
環境管理 … 82	急性期リハビリテーション … 206	▶こ
環境整備 … 195	急性薬物中毒 … 181, 184	更衣 … 244
完結出生児数 … 119	休息 … 117	高額療養費制度 … 283
観血的動脈圧ライン … 52	救命救急医学 … 19	高カロリー輸液 … 102
看護援助の基本 … 100	救命救急治療 … 43, 46	高次脳機能障害 … 213, 261
看護介入 … 70	救命の連鎖 … 43	公衆衛生看護 … 20
看護介入分類 … 82	共感 … 116, 185	交通バリアフリー法 … 217
看護学モデル … 23	共感共苦 … 28	交付申請 … 214
看護計画 … 40	共感的態度 … 138	呼吸器疾患集中治療室 … 49
看護職 … 278	胸骨下ドレーン … 52	呼吸訓練器具 … 138
看護理論 … 69	恐怖 … 110, 185	国際障害者年 … 224
観察 … 91	居宅サービス計画書 … 286	国際障害分類 … 212
患者会 … 215	緊急招集体制 … 95	国際生活機能分類 … 212
患者教育 … 107, 108	緊急性 … 182	個食 … 16
患者相談窓口 … 179	緊急度 … 46	コーチング … 71
患者のための図書館 … 30	緊急入院 … 144	個別指導 … 333
関節外症状 … 320	緊急連絡先 … 162	コミュニケーション … 248
関節可動域訓練 … 254, 257, 299	▶く	コミュニケーション不足 … 58
関節変化 … 319	苦痛 … 27, 66	誤用症候群 … 254
関節リウマチ … 319	苦痛緩和 … 66	コンフォート … 68
関節リウマチ新分類基準 … 320	苦悩 … 55	コンフォートケア … 70
感染予防 … 345	クリニカルパス … 41, 249	混乱 … 105
観念失行 … 262	グリーフ … 192	▶さ
官僚的役割 … 57	車椅子移動 … 260	座位訓練 … 255
緩和 … 27, 69	クレアチニン … 135	在宅医療・介護連携事業 … 276
緩和ケア … 66, 68, 169	クローズドクエスチョン … 157	在宅酸素療法 … 163, 203
緩和ケア診療加算 … 169	グローバリゼーション … 211	サイトカイン … 86
緩和要因 … 109	▶け	サイン … 27
▶き	ケアプラン … 286	左室駆出率 … 167
記憶障害 … 266, 268	ケアマネジャー … 286	サードスペース … 85
気管チューブ … 52	経管栄養 … 107	産業看護師 … 44
危機 … 17		
起居 … 244		

▶ し

指圧	78
ジェンダー	32
視覚障害	341
視覚障害リハビリテーション	342
試験外泊	309
自己概念	41
自殺	343
指趾の変形	320
自助	229
失行	261
実行能力	105
実存的苦痛	27
疾病自己責任論	17
疾病受容	137
指定難病	289
しているADL	207, 269
自動体外式除細動器	44
死の三徴候	97
社会システム	275
社会生活	210
社会生活レベルのセルフケア	197
社会的危機	24
社会的苦痛	27
社会福祉協議会	233
社会モデル	212
重症・救急患者家族アセスメント	51
重症度	46, 182
住宅設備	272
集中治療	47
集中治療医	47, 153
集中治療医学	19
集中治療看護領域	50
集中治療後症候群	51
集中治療室	47, 150
終末期	52, 166
重要他者	33, 119
主観的健康	16
手術後観察	134
手術侵襲	85
手術の種類	38
手術療法	37
手段的日常生活動作	205
術後	142
術後合併症	87, 90
術後障害	89, 90
術後せん妄	89
術前呼吸訓練	139
術前不安	40
受容	116
手浴	301
障がい	190
障害	190
障害支援区分	287
障害者基本法	222
障害者虐待	229
障害者雇用促進法	226
障害者雇用率制度	227
障害者就業・生活支援センター	215
障害者自立支援法	225
障害者スポーツ	196
障害者総合支援法	225, 286
障害者に係る欠格条項	215
障害者認定	214
障害受容	269, 311
障害適応	311
状況的危機	18
症状	27, 83
小児集中治療室	49
傷病手当金	283
情報リテラシー	60
食	258
職業復帰	335
食事療法	345
食のセルフケア	241
ショートステイ	288
初療室	183
自立	222, 224
自立支援医療制度	271
自立生活運動	224, 225, 227
自立生活パラダイム	228
新型コロナウイルス感染症	21
人工呼吸器	152
腎疾患集中治療室	49
心身医学	66
新生児回復治療室	49
新生児集中治療室	49
心臓再同期療法	166
迅速病理診断	141
身体感覚	125
身体機能悪化	29
身体障害者手帳	214, 272
身体侵襲	37
身体的危機	24
身体的苦痛	27
心的外傷後ストレス障害	32
心嚢ドレーン	52
心肺蘇生	43
心不全	166
心不全ステージ分類	167
信頼関係	116
心理的・精神的安定	117
心理的・精神的混乱	109
心理的危機	24
心理的苦痛	27
心理的混乱	31
心理の変化	86
心理的療法	80
診療放射線技師	277

▶ す

随意運動	244
睡眠	117
推論	83
スクイージング	143
スタットコール	95
ストーマ装具	203
スパゲティシンドローム	89
スーパービジョン	269
スピリチュアルケア	193
するADL	269
スワンガンツカテーテル	52, 106

▶ せ

生活基本行動	205
生活基本行動レベルのセルフケア	197
生活行動	98
生活行動遂行状況	239
生活行動制限	89
生活行動の変化	100, 103
生活行動変更	30
生活史	134
生活習慣	30
生活習慣病	253
生活様式	30
清潔	244
精神機能	240
精神的混乱	31
成年後見制度	232
生命維持機能	201
生命維持レベルのセルフケア	197, 254, 294
生命危機	17
整容	244

生理的イレウス	85	
生理的回復過程	86	
生理的反応	83, 85	
生理的様式	127, 129	
セカンドオピニオン	38, 39	
脊髄ショック	329	
脊髄神経	330	
脊髄損傷	329	
セクシュアリティ	248, 329	
摂食	241	
セラピューティックタッチ	81	
セルフケア	16, 188, 238	
セルフケア教育	94	
セルフケア再獲得支援	203	
セルフケア再獲得モデル	197, 198	
セルフケア低下状態	238	
セルフケアの再獲得	189	
セルフケア不足	25, 33	
セルフヘルプ	229	
セルフヘルプグループ	215, 279, 317	
全国自立生活センター協議会	229	
全人的	69	
全人的看護	193	
漸進的筋弛緩法	80	
全人的苦痛	27	
専門職役割	57

▶そ

早期関節リウマチ診断基準	320
早期対処	94
早期発見	94
増強要因	109
相互依存様式	127, 129
喪失	111, 192
喪失志向コーピング	194
喪失体験	191, 192
想定	83
措置制度	231

▶た

体位ドレナージ	155
対応困難	31
待機的治療群	47
代行	103
代替・補完療法	68
大動脈内バルーンパンピング	106
代理意思決定	172
多職種チーム	278
多職種チーム形態	277
多職種チームモデル	276
多職種連携	276
脱衣行為	262
タッチ	81
タッチング	185
食べる行為	104
魂の栄養	71
段階理論	191, 218
ダンピング症候群	89

▶ち

地域リハビリテーション	270
チームアプローチ	275
チーム医療	275
チェアバス	308
着衣行為	261, 263
着座	259
注意障害	265
注意転換法	80
注意評価スケール	267
中心静脈栄養	102
中心静脈カテーテル	52
中途視覚障害者	341
中途障害者	190, 192, 253
超越	69
徴候	27, 83
鎮静薬	156
鎮痛薬	76, 156

▶つ

伝い歩き	343

▶て

適用プロセス	71
できるADL	207, 209, 269
テクノエイドシステム	271
電子カルテ普及率	277
点状出血	52
電話相談	173
電話トリアージ	174

▶と

トイレ環境	259
等尺運動	299
疼痛	67
糖尿病治療食	345
動脈血ガス分析	141
特定医療費	289
特定疾病	285
徒手筋力テスト	245
突然死	162
トラブル	179
トリアージ	46
トリアージタグ	46, 47
ドレナージ	101
ドレーン	106

▶な

難病対策要綱	288

▶に

二次救命処置	44
二次障害	28, 87, 254
日常生活活動	205
日常生活関連動作	206
日常生活自立支援事業	233
日常生活自立度	285
日常生活動作	205
日本電話相談学会	174
入院生活	147
尿道留置カテーテル	107
人間のニード	69
認定看護師	211

▶の

脳出血	294
脳出血回復期	302
脳出血急性期	294
脳神経外科集中治療室	49
脳卒中患者	318
脳卒中集中治療室	49
ノーマライゼーション	231, 270
ノーマライゼーション7か年戦略	224

▶は

バイスタンダー	43
排泄	243, 258
バイタルサイン	96
バイブレーション	79
廃用症候群	29, 206
白杖	343
バーセル指標	246
発達段階	188
発達的危機	18
発達理論	18
パラリンピック	195

バリアフリー …………… 197, 273
半側空間無視 ………………… 263
パンヌス ……………………… 319

▶ひ

ピアカウンセラー ……………… 229
ピアサポート調整 ……………… 334
非侵襲的陽圧換気 ……………… 152
悲嘆 ……………………………… 192
悲嘆の仕事 ……………………… 192
ヒューマン・プレス理論 ………… 69
評価 ……………………………… 238
病者役割 ………………… 105, 112
標準看護計画 …………………… 41
病名告知 ………………… 136, 137

▶ふ

不安 ……………… 110, 113, 185
福祉的就労 ……………………… 334
福祉用具 ………………………… 272
不使用性症候群
 …………… 29, 89, 90, 146, 206, 254
不使用性の障害 ………………… 240
不服申し立て …………………… 285
普遍的なセルフケア …………… 16
プラトー ………………………… 310
プレホスピタルケア …………… 44
フローシート …………………… 75

▶へ

ペーシングリード ……………… 52
ヘマトクリット ………………… 134
ヘモグロビン …………………… 134
ヘルスケアニード ……………… 69
便秘 ……………………… 243, 244

▶ほ

蜂窩織炎 ………………………… 178
膀胱直腸障害 …………………… 146
膀胱留置カテーテル …………… 52
法定雇用率 ……………………… 227
訪問看護 ………………………… 159
訪問看護員 ……………………… 312
訪問看護ステーション ………… 160
訪問看護制度 …………………… 160
訪問薬剤管理指導 ……………… 287
ホームヘルパー ………………… 312
補完 ……………………………… 103
保健行動 ………………………… 17

ポジショニング ………………… 255
母体・胎児集中治療室 ………… 49
勃起補助具 ……………………… 331
ボディイメージ ………… 41, 125, 193
ボランティア …………………… 281
ホリスティック ………………… 69
ホリズム ………………………… 69

▶ま

マズロー ………………………… 223
マッサージ ……………………… 78
末梢静脈ライン ………………… 52
慢性閉塞性肺疾患 …… 150, 151, 206

▶む

無痛性心筋梗塞 ………………… 109

▶め

メトトレキサート ……………… 321

▶も

モニタリング …………… 91, 92

▶や

薬物療法 ………………………… 75
役割 ……………………………… 112
役割葛藤 ………………… 55, 57
役割機能 ………………… 127, 129

▶ゆ

有機体 …………………………… 84
有機リン剤 ……………………… 184
輸液 ……………………………… 107
輸血後肝炎 ……………………… 87
ユニバーサルデザイン ………… 229

▶よ

要介護認定 ……………………… 285
要介護認定申請 ………………… 284
予期 ……………………………… 83
予期的悲嘆 ……………………… 53
抑うつ …………………… 110, 310
予測 ……………………………… 83
予測性 …………………………… 95
欲求階層理論 …………………… 223

▶ら

ライフサイクルモデル ………… 24
ライフサポートテクノロジー …… 158

ランスバリー指数 ……………… 320

▶り

リハビリテーションアプローチ
 …………………………… 209, 210
利用限度額 ……………………… 286
良肢位 …………………………… 255
療養支援 ………………………… 289
臨床的推論 ……………………… 83
臨床能力 ………………………… 57
リンパ浮腫 ……………………… 176
倫理 ……………………………… 140
倫理的感受性 …………………… 59
倫理的ジレンマ ………………… 55

▶る

ルート類 ………………… 105, 106

▶れ

冷罨法 …………………………… 77
レイノー病 ……………………… 78
レスパイトケア ………………… 288
レディネス ……………………… 107
連合野 …………………………… 262
連続携行式腹膜透析 …………… 203

▶ろ

ロイ適応モデル ………………… 124
労働者災害補償保険 …………… 287

表紙デザイン：株式会社金木犀舎

本文デザイン：クニメディア株式会社

図版・イラスト：中村恵子／有限会社デザインスタジオEX
よしとみあさみ／スタジオ・エイト 吉野浩明＆喜美子

ナーシング・グラフィカの内容に関する「更新情報・正誤表」「看護師国家試験出題基準対照表」は下記のウェブページでご覧いただくことができます。

更新情報・正誤表
https://store.medica.co.jp/n-graphicus.html
教科書のタイトルをクリックするとご覧いただけます．

看護師国家試験出題基準対照表
https://ml.medica.co.jp/rapport/#tests

● 本書の複製及び公衆送信は，「著作権者の利益を不当に害すること」となり，著作権法第35条（学校その他の教育機関における複製等）で禁じられています．
● 学校教育上におかれましても，弊社の許可なく，著作権法上必要と認められる範囲を超えた複製や公衆送信は，ご遠慮願います．
● 授業目的公衆送信補償金制度における公衆送信も，医学系・看護系教育機関においては，対象外となります．

ナーシング・グラフィカ 成人看護学②
健康危機状況／セルフケアの再獲得

2015年1月15日発行　第1版第1刷
2022年1月20日発行　第2版第1刷Ⓒ
2025年1月20日発行　第2版第4刷

編 者　吉田 澄恵　鈴木 純恵　安酸 史子
発行者　長谷川 翔
発行所　株式会社メディカ出版
　　　　〒532-8588
　　　　大阪市淀川区宮原3-4-30
　　　　ニッセイ新大阪ビル16F
　　　　電話　06-6398-5045（編集）
　　　　　　　0120-276-115（お客様センター）
　　　　https://store.medica.co.jp/n-graphicus.html
印刷・製本　株式会社広済堂ネクスト

本書の複製権・翻訳権・翻案権・上映権・譲渡権・公衆送信権（送信可能化権を含む）は，（株）メディカ出版が保有します．

売上の一部は，各種団体への寄付を通じて，社会貢献活動に活用されています．

落丁・乱丁はお取り替えいたします．　　　　Printed and bound in Japan
ISBN978-4-8404-7538-9

「ナーシング・グラフィカ」で学ぶ、自信

看護学の新スタンダード
NURSINGRAPHICUS

独自の視点で構成する「これからの看護師」を育てるテキスト

分野	科目
人体の構造と機能	① 解剖生理学 ② 臨床生化学
疾病の成り立ちと回復の促進	① 病態生理学 ② 臨床薬理学 ③ 臨床微生物・医動物 ④ 臨床栄養学
健康支援と社会保障	① 健康と社会・生活 ② 公衆衛生 ③ 社会福祉と社会保障 ④ 看護をめぐる法と制度
基礎看護学	① 看護学概論 ② 基礎看護技術Ⅰ 　コミュニケーション／看護の展開／ヘルスアセスメント ③ 基礎看護技術Ⅱ 　看護実践のための援助技術 ④ 看護研究 ⑤ 臨床看護総論
地域・在宅看護論	① 地域療養を支えるケア ② 在宅療養を支える技術
成人看護学	① 成人看護学概論 ② 健康危機状況／セルフケアの再獲得 ③ セルフマネジメント ④ 周術期看護 ⑤ リハビリテーション看護 ⑥ 緩和ケア
老年看護学	① 高齢者の健康と障害 ② 高齢者看護の実践
小児看護学	① 小児の発達と看護 ② 小児看護技術 ③ 小児の疾患と看護
母性看護学	① 概論・リプロダクティブヘルスと看護 ② 母性看護の実践 ③ 母性看護技術
精神看護学	① 情緒発達と精神看護の基本 ② 精神障害と看護の実践
看護の統合と実践	① 看護管理 ② 医療安全 ③ 災害看護 ④ 国際化と看護
疾患と看護 NURSINGRAPHICUS EX	① 呼吸器 ② 循環器 ③ 消化器 ④ 血液／アレルギー・膠原病／感染症 ⑤ 脳・神経 ⑥ 眼／耳鼻咽喉／歯・口腔／皮膚 ⑦ 運動器 ⑧ 腎／泌尿器／内分泌・代謝 ⑨ 女性生殖器

グラフィカ編集部SNS
@nsgraphicus_mc
ぜひチェックしてみてください！

X(旧Twitter)

最新情報はこちら▶▶▶ ●「ナーシング・グラフィカ」オフィシャルサイト●
https://store.medica.co.jp/n-graphicus.html